RAMON SENDER

CRONICA DEL ALBA

Edición definitiva en dos tomos

RAMON SENDER

CRONICA DEL ALBA

LA QUINTA JULIETA

HIPOGRIFO VIOLENTO

Las Américas Publishing Company
New York - 1963

Author: RAMÓN SENDER

Title: CRÓNICA DEL ALBA

This first volume includes

CRÓNICA DEL ALBA
HIPÓGRIFO VIOLENTO
LA QUINTA JULIETA

Esta edición de CRONICA DEL ALBA se imprimió en
Nueva York el día 14 de Junio de 1963.

Hecho el depósito que exige la ley.

Manufactured in the United States of America
by Argentina Press.

24485

ADVERTENCIA PREVIA

Por haber sido publicados los primeros cuatro libros de esta serie en diferentes lugares y condiciones, a veces sin haber podido ver el autor las pruebas y otras sin ocasión de releer y retocar los manuscritos a causa de la fluidez de condiciones que tiene la vida de los emigrados políticos y su irregularidad y forzado aventurerismo las ediciones primeras de esos libros dejaban que desear. El primero de ellos, "Crónica del Alba" pude corregirlo en las ediciones universitarias y dejarlo más o menos a mi gusto. Los otros por un motivo u otro salieron con defectos, al menos de impresión y tipografía.

En esta edición puedo ofrecerlos gracias a "Las Américas" en un estado limpio y definitivo.

Los dos últimos, titulados "La onza de oro" y "Los niveles del existir" son del todo inéditos y nuevos. El darlos ahora todos juntos, es decir los seis libros en dos volúmenes después de revisar textos y pruebas me parece una estimable fortuna. Si la merezco o no el lector lo dirá cuando los lea.

Considero completa la serie con "Los niveles del existir". Queda, pues, consumada y cancelada la infancia de nuestro héroe y seguir hablando de él y de las nuevas circunstancias de su vida requeriría en adelante otro acento y otra tónica. Creo que la unidad de esta larga novela en seis partes está lograda y que aparte sus ocasionales valores líricos puede tener algún interés como expresión de un aspecto y un momento de la vida de España o da la vida de un español radical en la esencial España de siempre.

R. S.

Los Angeles, Calif. 1962

A los nómadas, antes de rasgar vuestras sábanas de lino y comerse vuestras terneras crudas en la plaza, les gusta recoger sus recuerdos para ponerlos a salvo de las represalias.

AUNQUE NO LO PAREZCA

CRONICA DEL ALBA está escrita en el campo de concentración de
Argelés. Su autor era un oficial español del Estado Mayor del
42 Cuerpo del Ejército. Necesito yo haberlo visto para aceptar
que un estilo tan sereno y frío, tan "objetivo" fuera posible
en aquellas duras condiciones. El verdadero autor, José Garcés, era muy amigo mío. Yo conozco también a Valentina V.
y a don Arturo y a toda la familia de Pepe y conocí a algunos
otros tipos como don Joaquín A., fallecido ya. Las figuras epi-
sódicas y una parte de la atmósfera de la narración me son
desconocidas. Pepe Garcés entró con los restos del ejército republicano en Francia. De su situación regular de hombre de
35 años, sano, inteligente y honesto a la manera española, es
decir haciendo de la dignidad una especie de religión, se vio
convertido en un refugiado sospechoso a quien los negros se-
negaleses de Pétain trataban a culatazos. Como otros muchos
fue empujado de esa manera al rincón estepario de una tierra
abierta a los mares de febrero. Lo encerraron en un inmenso
recinto alambrado. Allí nos encontramos. Había dado las pocas cosas que llevaba —una manta, un vaso de latón y un corta-
plumas— a los primeros que se lo pidieron. Jamás acudió a
donde repartían comida y por lo tanto sólo comía cuando
alguien le ofrecía algo. Entre el cielo y la tierra conservaba
únicamente un libro. No era un tratado de historia, ni una
novela, ni un libro religioso. Era un manual técnico de fortificaciones. Mientras la región central —Madrid y Valencia—
resistieron, es decir durante las cuatro primeras semanas de
nuestra vida en el campo de concentración, siguió leyendo el
libro, haciendo croquis completando sus conocimientos. "Ah,
—solía decir— en el Centro resisten y a nosotros nos llevarán
allí cualquier día."

Había hecho un agujero en el suelo, como una mediana sepultura cerca del mío y allí estaba día y noche con su libro. Aquel refugio era suficiente para preservarnos del viento pero no de la lluvia. Y debíamos dormir allí. Por la noche la tierra mojada se helaba.

No salía Pepe Garcés sino para acercarse a la entrada del campo donde solían depositar a los que morían (treinta o cuarenta cada día). Después volvía taciturno. "Debemos cuidar nuestra salud en lo posible —decía— porque vamos a ser necesarios todavía."

El día que supimos que Madrid y Valencia habían capitulado, se fue al mar y arrojó el libro al agua. Volvió a su agujero y trató de dormir. Yo le cedí como otras veces mi manta. Cuando despertó parecía otro. No era fácil creer que se pudiera tener un aspecto más lamentable, pero Pepe Garcés se había derrumbado. El flúido que sostenía sus nervios se fue con el libro de fortificaciones y con la esperanza de volver a la lucha. Era un hombre muerto.

No se enteraba de lo que sucedía a su alrededor. Cuando sabía que alguien había salido del campo y le preguntaban a él si le gustaría salir, se encogía de hombros:

—¿Para qué?

Un día comenzó a hablarme de cosas lejanas. La aldea, su familia, Valentina. Me hablaba sobre todo de una vieja campesina que vivió en su casa hasta que murió la madre. La llamaban la "tía Ignacia." La preocupación de Pepe en aquellos días era si la tía Ignacia habría muerto o no antes de comenzar la guerra. La idea de que un ser tan puro y simple hubiera conocido tantas miserias lo sacaba de quicio. "Tú no sabes —me decía— la impresión que me hizo la última vez que la vi. Yo ya tenía 28 años, era un hombre formado y había ido a la aldea por asuntos de la hacienda. Hacía muchos años que no iba nadie de mi familia allí. Yo me hospedaba en casa de unos parientes y al enterarse la tía Ignacia vino a verme. Su marido había muerto hacía años y ella tenía una cara arrugadita como un nuez. Me abrazó y besó y después se sentó en una silla y estuvo mirándome. Me miraba y lloraba y no decía nada. Así durante dos horas. Cuando yo me fui la dejé llorando todavía con las manos cruzadas sobre la cintura." Mi amigo repetía: "¡Oh, si hubiera muerto antes de la guerra, si hubiera muerto sin conocer tanto odio!" Mi amigo la había visto el año 30. Estaba tan viejecita que quizá no resistió seis años más.

La manía de hablar de aquellos tiempos y aquellas gentes era una defensa y una fuga. Yo también hablaba. Me dejaba influir por las palabras de Pepe sin abandonarme. Estaba con la idea fija en salir del campo. Cuando quería unir la suerte de mi amigo a la mía en mis proyectos de liberación me miraba extrañado y repetía:

—¿Salir de aquí? ¿Para qué?

Y se iba a la entrada del campo a ver los muertos del día. "Esos —me dijo una vez— ésos se van por la única puerta digna de nosotros."

Yo no solía discutirle sus palabras. Me había propuesto ahorrar energías en todos los sentidos desde que entré en el campo. Energías físicas, morales, intelectuales. Mi amigo hacía todo lo contrario. Iba y venía, se exaltaba hablando de cualquier cosa y aunque comenzaba a toser y tenía fiebre por las tardes seguía sin comer sino una pequeña parte de lo que yo le daba. Lo demás, lo repartía. Solía decir desolado, mirando alrededor: "¡Oh, qué caras de hambre!" Pero él no veía la suya.

Logré salir del campo e hice gestiones para sacarle, pero tropecé siempre con su negativa. Iba a verle y le llevaba víveres y tabaco que él entregaba inmediatamente a unos campesinos de su provincia, reservándose únicamente un paquete de cigarrillos. La segunda vez que fui lo encontré de tal forma que me extrañaba que se sostuviera de pie.

—No lo creas —contestó a mis alarmas— estoy mejor que nunca. Con tu manta he hecho una choza y estoy a cubierto de la lluvia y del viento.

Me pidió papel de escribir, cuadernos y lápices. Y después, también, cabos de vela. Yo le llevé además una linterna eléctrica y comprimidos de calcio. El tiempo que estábamos juntos se lo pasaba hablándome de su madre, de la tía Ignacia y de Valentina, que había sido su primer y grande amor. Yo le escuchaba y me interesaba tanto como él. Cuando le hablaba de la posibilidad de salir me atropellaba con nuevos recuerdos de su infancia, de su primera juventud. Yo pensé en los procedimientos más absurdos, incluso en que lo declararan loco, para hacerlo salir de algún modo y una vez fuera encargarme de él y hacer que lo cuidaran, pero no había tal locura, era el hombre más razonable del mundo, aunque hablaba siempre encendido en una especie de entusiasmo idílico.

Cuando todo estaba dispuesto para sacarlo de allí, me dijo:

—Es inútil. No quiero arrastrar la vida por ahí. Si salgo ¿sabes lo que seré? En el mejor caso, un héroe engañado. Nos ha engañado todo el mundo. Y es que la generación que tiene ahora el poder en todas partes es una generación podrida, de embusteros. Pocos de nosotros van a vivir hasta que la generación siguiente, la nuestra, tome la dirección de las cosas. Pero aunque viviéramos no es seguro que la generación que sube no esté contaminada. Parece que para llegar a ese plano del poder hay que perderlo antes todo.

Bajando la voz como si me hiciera una gran confidencia añadió:

—No tienen fe en nada. Y de ahí nace el ser embusteros. ¿Qué va a decir el hombre sin fe? ¿Tú sabes lo que dicen en nuestra tierra cuando descalifican a un hombre? No dicen "es un ladrón" ni "un criminal" aunque lo sean. Eso no tiene tanta importancia. Lo grave es si dicen: "es un sinsubstancia" o bien "un desubstanciado". En el hombre la substancia es la fe. Esa es toda la cuestión.

—Sal tú de ahí y habrá por el mundo, al menos, un hombre de fe.

—¿Para qué? El aire que respire, el suelo que pise, todo será prestado. Y vivir pidiendo prestado a la gente sin fe, no me convence. No, no. Nuestra guerra era a vida o muerte. El vencido debe pagar. Y tú —añadía— que eres como yo, no te hagas ilusiones.

—¿Yo?

—Sí. Viene un gran cataclismo. También tú pagarás. Todos los países entrarán en una guerra que se inició entre nosotros. Nuestros mismos problemas se repetirán exactamente en una escala mundial. Y de esa tensión saldrá otra vez la fe de los hombres y en el peligro los mejores se reintegrarán en su propia substancia perdida. Pero mientras vuelven a arreglarse las cosas, en ese cataclismo seréis arrastrados vosotros. Los embusteros irritados y miedosos os atacarán y os destruirán porque sois ahora los más débiles entre los hombres de fe.

Era difícil la discusión porque sus argumentos eran mucho más fuertes que los míos. Y estos argumentos, yo los sentía dentro de mí cada vez que pensaba en su obstinación. Así, pues, desvié las cosas y me puse a hablarle de nuestra infancia. Se entregó en seguida a los recuerdos. Era como si en lugar de seguir viviendo hacia adelante se pusiera a retroceder. Cada hallazgo de personas, hechos o cosas conocidas le llenaba de gozo. Y me hizo otra revelación:

—Estoy escribiendo todo eso. Eso me distrae —añadió— pero además... además me ayuda a mantenerme en mi substancia.

Lo había dicho con un humor noble bajo sus barbas de vagabundo. Le ofrecí nuevos cuadernos y lápices. Mi amigo estaba sorprendido de su propia memoria. "No me acuerdo de nombres, fechas ni acontecimientos —me dijo— de los dos años anteriores a la guerra, pero mi infancia y mi época de estudiante las recuerdo muy bien y cuando escribo sobre aquellos tiempos van viniéndome los nombres, las luces, hasta los poemas de mi infancia.

—¡No!

Sacó del bolsillo hojas sueltas, escritas. "Este es el primero que dediqué a Valentina, éste es aquel romancillo de amor en la edad del pavo, melancolía agraz que quiere ser madura. Y este otro es un soneto a ella. Lo hice ayer. Y este otro a los pastores de mi tierra. También lo hice ayer." Yo le pedí que me los prestara hasta la próxima visita. La canción tenía gracia. Nos traía el sol de la infancia y me hacía reír con una alegría inefable. Comenzaba así:

> *En el jardín de mi padre*
> *ha nacido un arbolito*
> *no se lo digas a nadie*
> *porque será tuyo y mío.*

Y después de unas estrofas líricas adaptadas a una canción campesina terminaba así:

> *Agüil, agüil,*
> *que viene el notario*
> *con el candil.*

A mí me producía, quizás, tanta emoción como a él. Leyéndolo se encendía en el aire la canción. Acordarse de todo aquello en medio de tanta miseria era una dulce broma de Dios. Me había dado también un romancillo. Ese romancillo amoroso responde al período ya adolescente con la impaciencia sexual y la melancolía. No pensaba publicarlo, pero aquí está:

ROMANCE A VALENTINA ESTANDO CADA CUAL INTERNO EN SU COLEGIO

> *Amiga del velar dulce,*
> *amiga dulce del sueño,*
> *en la paz de la ventana*
> *se agita un lienzo labriego*
> *viene de los lueñes pastos*
> *un pastoril clamoreo,*
> *tras de los rebaños queda*
> *una neblina de incienso*
> *y en el cristal de la tarde*
> *sueña la vega del Vero.*

Ven junto del solanar
y allí los dos templaremos
las horas en buen romance
con el diapasón del viento
que este viento de Sobrarbe
te encenderá los cabellos
cantará su antigua gesta
con la rima de mis besos
y después si a mano viene
antes que salga el lucero
te hará más blanca y a mí
me apagará el pensamiento.

Aunque hay cierta fragancia de la tierra, la tristeza parece afectada. Pero en los sonetos siguientes hay talento poético, un talento que no llegó a cultivar nunca "profesionalmente", podríamos decir, si la poesía llega a ser alguna vez profesión. Pero estas cualidades en él eran pequeñas frivolidades al lado de su temple prodigioso.

SONETO A LOS PASTORES
DE SANCHO GARCES

Pastores de los montes que dejaban
sus cabañas al cuido de mastines
en abarcas marchando a los confines
de Ribagorza su oración cantaban.
Bajo el auspicio de los muertos reyes
a la sombra del roble se acogían
los cayados en cetros florecían
y de los gozos iban a las leyes.
Rodaba la tormenta por los montes
con el granizo de los horizontes
a los dos lados de Guatizalema
el rayo sobre el árbol descendía
en cruz de oro y el nuevo rey decía
arrodillaos, que ese es nuestro emblema.

15

No me extrañó que en aquellos lugares pudiera hacer versos tan serenos después de haberlo visto despertarse bajo la escarcha del amanecer inquieto por la idea de que la tía Ignacia hubiera conocido los horrores de la guerra. Todo aquello mantenía su vida mucho mejor que mis tabletas de calcio. ¡Ay, pero no había de mantenerla sino mientras le fue necesaria para agotar sus recuerdos sobre el papel!

SONETO A VALENTINA

La tarde en el jardín de mis hermanas
que un boreal aliento enardecía,
de mármol rota Diana y cetrería
desnuda en una intimidad de ranas.
    Pentecostés del aire en las campanas
el gallo azul rascándose la cresta,
flor y frutos en la olvidada cesta
y un temblor en tus dos manos tempranas.
    Tú no eras tú sino tu conjetura
alzada apenas sobre la cintura
en tu trenza dos hojas de beleño.
    Yo me apoyaba en tu rodilla rubia
—no me mires ya más que así es el sueño—
y cerrabas tus párpados de lluvia.

Mi amigo siguió escribiendo sus recuerdos e intercalando poemas que no conocí y que por ser escritos a veces fuera de los cuadernos, se han perdido. Después de leer este soneto le hice una pregunta estúpida:

—¿Rodilla rubia?

—Sí.

—¿Valentina?

—Oh, ella era muy morenita, pero su rodilla, sus brazos, su cuello bajo la cadenita de oro de la primera comunión eran rubios.

Mi amigo murió en el campo de concentración de Argelés

el día 18 de noviembre de 1939 a los 36 años de edad. Cuando terminó de escribir sus recuerdos —lo que a él le parecía más interesante en aquella "media jornada" de sus 35 años,— no hubo comprimidos de calcio que lo sostuvieran. Murió bajo un cielo lluvioso. En las barbas de los veteranos de la guerra había gotas temblando. Quizá de la lluvia.

Me entregaron todos sus escritos. En el primer cuaderno había esta nota: "Si aprovechas algo y publicas la narración primera, haz lo que puedas para que llegue un ejemplar a Valentina V. Sé que vive y puedes saber su dirección por medio de la familia de R. M. que reside en Cosso Bajo 72, Zaragoza."

Estos son los tres primeros cuadernos. Los doy tal como estaban, sin separarlos siquiera en capítulos y les pongo el título que me parece más apropiado después de haberle oído hablar de la "media jornada" de su vida.

AQUI COMIENZA LA LLAMADA

CRONICA DEL ALBA

Por primera vez en mi vida los hombres me limitan el espacio. No pueden mis pies ir a donde irían ni mis manos hacer lo que querrían. Sin embargo hay una manera de salir de todo esto. Pero no basta con soñar. Hay que escribir. Si escribo mis recuerdos tengo la impresión de que pongo algo material y mecánico en el recuerdo y en el sueño. Voy a comenzar con la época de mi infancia en la que mis recuerdos aparecen articulados. Seguiré hasta contarlo todo, hasta hoy mismo.

Al cumplir diez años creí haber entrado en la época de las responsabilidades. Me alejé un poco de las peleas callejeras, de las luchas de grupos. Yo tenía el mío en la aldea.

17

Ocho o diez chicos que combatían a mis órdenes. El grupo contrario más encarnizado lo mandaba el Colaso y su más terrible afiliado era Carrasco, que vivía en la casa al lado de la mía. Hacía sin embargo tres meses que yo no veía a ninguno de los dos. Este cambio obedecía a mi iniciación en la vida de estudiante y a que mi familia me dificultaba cada día más mi "vida privada". Había que estudiar y ya no se trataba de la escuela primaria sino de graves profesores que vivían en la capital y a quienes habría que ir para que establecieran mi capacidad en materias tan arduas como la geometría, la historia y el latín.

Para estudiar tenía que recluírme en casa y este cambio de vida hizo que los detalles de la vida familiar tomaran poco a poco relieve. Mi cuarto estaba en lo más alto de la casa y al lado había dos enormes graneros por los que se podía pasar al tejado del segundo piso. Las puertas de esos graneros estaban cerradas con llave para que los niños no entráramos, pero yo entraba y salía fácilmente volviendo a dejarlas cerradas. Maniobraba en las viejas cerraduras de manera que aun hoy mismo me sorprende.

Para preparar mis lecciones de geometría solía despertarme al amanecer, salir a los graneros y por ellos al tejado. El lugar no era muy a propósito para estudiar y me obligaba a ejercitar el riesgo porque las tejas estaban cubiertas de escarcha y en un plano muy inclinado. La primera vez resbalaron mis botas, caí y fuí bajando. Me hubiera matado en las losas de un patio interior de no interponerse una chimenea que estaba frente a la ventana. Desde entonces aprendí a deslizarme sentado sobre dos retejeras hasta la chimenea. Una vez allí, me instalaba confortablemente al sol y abría los libros. Iba leyendo mis lecciones pero estaba más atento a los gatos y a los pájaros. Los gatos me fueron conociendo y acabamos siendo grandes amigos. Los pájaros, en cambio, no se familiarizaban conmigo, por lo menos en aquella época.

Conocía naturalmente a los gatos de casa y los distinguía muy bien de los vecinos. Había uno de color rojizo a quien nadie quería en la familia. Era víctima de un lugar común que en su caso me parecía completamente injusto. Cuando alguien tenía algo malo que decir de un hombre o una mujer de pelo rojizo, guiñaba el ojo y recordaba: "ni perro ni gato de aquella color." La inquina de mi familia contra aquel animal procedía de ese prejuicio y el pobre lo sufría estoicamente. Dándose cuenta de que yo era el único que lo quería, me rodeaba de atenciones. Solía esperarme en el lugar donde el tejado, uniéndose con otro, caía sobre la vertiente contraria. A los gatos les gustan los lugares altos. Al oír maniobrar en la ventana venía pisando suavemente las tejas por los lugares donde no había escarcha. Yo resbalaba como un muñeco mecánico hasta tropezar con la chimenea y el gato se acercaba, ponía sus patas húmedas en mis libros abiertos señalando una declinación latina, un triángulo y pasando y volviendo a pasar para frotar su lomo contra mi barbilla y su rabo contra mi nariz. Quedaban otros gatos por las inmediaciones mirando al mío con admiración y yo vigilaba sus movimientos. Los llamaba cariñosamente, les mostraba la mano cerrada como si fuera a darles algo y cuando me convencía de que no serían mis amigos sacaba del bolsillo mi tirador de goma y les lanzaba pequeñas granizadas de metralla a veces muy certeras. Entonces se iban, pero sin ninguna alarma.

Desde aquel lugar yo veía la torre del monasterio de Santa Clara, que se alzaba ancha, cuadrada y llena de arabescos mudéjares por encima de las casas intermedias. Entre esa torre y mi atalaya había muchos tejados rojizos, negros, verdosos entre los cuales a veces se alzaban las columnitas de un solanar con ropa tendida. Y todos los días, invariablemente, a poco de jugar con el gato se oía el cimbal de la torre que volteaba con una especie de alarma atiplada. "Las monjas salen de sus celdas y van a la capilla" —me decía yo—. Y aquello era como una advertencia porque el capellán del convento era mi profesor. Se llamaba don Joaquín A. y tenía sus habitaciones al pie mismo de aquella torre. Era un hombre de cincuenta años y de aspecto rudo y melancólico. Mi padre decía que por el accidente que tuvo —se había roto una pierna y cojeaba bastante— había tenido que renunciar a sus ambiciones y recluírse en aquel puesto secundario. Su casa tenía varias habitaciones con puertas de cristales abiertas sobre una terraza cuajada materialmente de flores. La terraza asomaba por un balconcito a la plazuela de Santa Clara y una larga balaustrada ocupaba el costado del atrio del convento. Pavimento, paredes, columnas del portal, escalinata de entrada, todo era de ladrillo que con los años había tomado un color polvoriento. Algunas yerbitas verdeaban en las junturas. En el atrio había una campanita que rompía a gritar en cuanto alguien abría la puerta. El convento era de clausura, lo que quiere decir que las monjas no salían nunca y tampoco en sus recintos entraba nadie y mucho menos seres del sexo opuesto. Durante la mañana, que era cuando yo iba, solía estar todo aquello lleno de sol. En la tarde y sobre todo al oscurecer no hubiera yo dudado de que había fantasmas. El capellán con su aire tosco y melancólico debía entenderse con ellos.

Para ir al convento yo no tenía que salir verdaderamente a la calle. Por lo menos por la puerta principal. Bajaba al patio interior por la escalera descubierta de las cocinas, desde el patio iba a unas caballerizas siempre vacías (una delicia para nuestros juegos), después a un corral lleno de gansos y gallinas con los tejadillos poblados de palomas y desde allí a un callejón pavimentado con anchas losas desiguales que iba a dar precisamente a la plaza de Santa Clara. Por un lado ese callejón —el callejón de las Monjas— estaba flanqueado de casitas muy pequeñas, apiñadas a la buena de Dios con balconcitos de madera carcomida. En una de esas casitas vivía una mujer que se llamaba (como la plaza y el convento) Clara. Era hermana del obispo —mi padre decía que era "prima" para aminorar la ofensa de aquel parentesco— tenía sus cuarenta y ocho años y recibía de su hermano una pensión mensual que le pagaba mi madre. Toda la familia del obispo dedicó los mejores esfuerzos de su vida a convencer a Clara de que debía entrar en el convento, pero ella se reía de todos y repetía con mucha picardía: "Sí, monja, monja. De las de dos en celda." Se gastaba su pensión en trapos, sobre todo ropa interior, y estaba siempre con una flor en el pelo. Cuando salía era para comprarse dulces en la confitería y vino en la taberna. Sus ropas exteriores eran muy feas, casi harapientas y si alguna vecina le decía algo se alzaba la falda y le mostraba sus enaguas almidonadas y llenas de encajes, con orgullo. Cuando venía a casa a cobrar su pensión no pasaba de la puerta, pero los niños acudíamos a mirarla.

Todos los días al pasar yo ante su casa, si era invierno, rezongaba ella desde el balcón:

—Pobrecito, con las piernas moradas de frío. Con lo que me roban a mí ya podrían hacerle pantalones largos.

A veces, en la primavera se le exacerbaba su inquina contra el obispo: "Monja, monja —solía decir— algún día atraparé a mi hermano donde cantan las perdices." Aquella amenaza contra el obispo me sugería a mí una escena divertida: el pobre obispo, un viejecito, a quien todo el mundo veneraba ("un santo", decía mi padre) a golpes con su hermana en un cruce de caminos.

Estaba yo bastante adelantado en latín. Así como aquél era mi primer año en geometría era el tercero de latín, porque mi padre tenía la manía culta de que si no sabía latín no sabría bien nunca castellano. La diferencia consistía en que ahora estudiaba el latín para aprobar, es decir que ahora iba en serio. El profesor era terriblemente intransigente porque quería que "cuando fuera a examinarme supiera más latín que el profesor." Se refería al profesor civil del Instituto. Creía que sólo los curas podían saberlo verdaderamente.

Aquel día estudiábamos la Epístola 114 de Séneca y yo estuve muy torpe. Mosén Joaquín conservaba cierto mal humor cuando pasamos a la geometría. Y allí fue Troya. Como tantas otras veces los gatos tenían la culpa. Sobre el texto abierto se veían aún las huellas húmedas de sus manitas delanteras, como dibujos de trébol.

Al final de la clase mosén Joaquín me dijo: "Si a fin de curso sufres un fracaso, tu padre debe saber que eres tú y no yo el responsable." Cerró los ojos como para una gran determinación y balbuceó: "lo siento". Puso en el pequeño cuadernito de tapas de hule un signo cabalístico. Yo tenía que dejar el cuadernito abierto cada día sobre la mesa en el lugar de mi padre a la hora de comer. Y si habitualmente conocía el significado de las iniciales que el profesor ponía, aquel día no comprendí nada. Había un extraño garabato y un número 20. Muy intrigado llegué a casa. Era ya mediodía, pero no estaba mi padre. Mis hermanos, casi todos menores que yo, correteaban por los pasillos. En la cocina se afanaban las niñeras, las nodrizas, la famosa tía Ignacia que no era tía, pero habiendo visto nacer a mi madre era tan importante como ella misma. En el comedor que daba a un ancho patio interior la mesa se ofrecía deslumbrante de blancura y cristales. Tenía el comedor maderas claras labradas alrededor de una amplia chimenea donde ardían los leños. Correspondía la chimenea justamente al lugar donde se sentaba mi padre y frente a ella se abría un balcón que dejaba ver las galerías de enfrente llenas de sol. Al lado del plato de mi padre se alzaba un sifón envuelto en malla metálica con un dispositivo para producir, con una cápsula de plomo llena de gas carbónico, la soda con la que mezclaba el vino. Aquella cápsula pasaría a ser mía, una vez usada.

Mis hermanos iban llegando. Los pequeños probaban a ponerse ellos solos la servilleta de cintas para lo cual se la ponían a la espalda, ataban las cintas debajo de la barba y después, ya anudadas, le iban dando vuelta. La tía Ignacia comía con las sirvientas en la cocina y nos asomábamos porque aquel día usaba un enorme cucharón advirtiendo para hacernos reír: "y yo como tengo una boquita como un ángel, con una cucharita de café—". Las sirvientas habían comido ya pero la tía Ignacia solía comer al mismo tiempo que nosotros o después. Su marido no venía a casa casi nunca. Un día que la tía Ignacia discutía con la hornera llegaron a indignarse tanto que la hornera (que le tenía envidia) le dijo que tenía "cara de carnaval" y la tía Ignacia replicó: "tendré cara de carnaval, pero me casé con el hombre más guapo del pueblo." Desde entonces, el marido de la tía Ignacia me parecía como un ser mítico. "El hombre más guapo del pueblo." Nunca había oído yo hablar de "hombres guapos". Mi hermana mayor que tenía tres años más que yo me confirmó que lo era verdaderamente.

La extraña contraseña de mi cuaderno fue fatal. Sucedió lo que hasta entonces no había podido suceder. El profesor me condenaba a veinte palos. Mi padre al ver el cuaderno dispuso que yo no comiera en la mesa con los demás y que subiera a mi cuarto a esperarle. Movía la cabeza con aire desolado. Tenía una gran energía en las cejas, en el ángulo de su nariz, y en el duro bigote recortado. "Tú vas a ser nuestra vergüenza y vilipendio. Pero no lo serás —añadió— no lo serás, porque yo soy tu padre y no voy a tolerarlo." Yo estaba de pie a su lado, inmóvil. Algunas de mis pequeñas hermanas, sobre todo Maruja que tenía motivos de resentimiento conmigo, me medían con su mirada de una superioridad indecente. "Ah, ya te atraparé —me decía yo, humillado— ya te atraparé, harpía." Mi padre vacilaba entre poner la cápsula en el sifón y continuar con su reprimenda. "¿Ese ejemplo das a tus hermanos? ¿Esa confianza das a tu padre?" ¿Qué ejemplo podía yo dar a Maruja? Una buena tunda, le daría. Mi madre intervenía, piadosa, diciéndome que me marchara a mi cuarto, pero mi padre no había terminado: "¿No se te cae la cara de vergüenza? Pero, no. No tienes vergüenza. Míralo, con qué indiferencia escucha. Eres cínico. Estúpido y cínico. Y cada día lo serás más. Pero yo —y levantó la mano amenazador— yo sabré evitarlo. Si no lo evito Dios me pedirá cuentas a mí y no estoy dispuesto a decirle que fuiste más fuerte y que no pude contigo. Y sabré evitarlo como sea, a cualquier precio." La reprimenda era más dramática que nunca. Yo había decidido no escucharle, pero no me atrevía a marcharme mientras no me lo ordenara. Pensaba en cosas indiferentes. A través de la idea, por ejemplo, de mis trampas de pájaros puestas en el corral, penetraba la voz de mi padre, grave y tozuda: "La miseria de la familia, la vergüenza de todos, una plaza de aprendiz de zapatero si no aprueba en el Instituto." En lugar de cosas indiferentes pensé en otras apasionantes. En Valentina. Yo estaba enamorado de Valentina, la hija menor del notario. Aquella imagen era impenetrable para las palabras de mi padre. Valentina tenía grandes ojos que no le cabían en la cara y sus dos trenzas cortas se levantaban sobre la cabeza y en el lugar donde se unían, su madre le ponía un pequeño ramillete de flores de trapo, pequeñas, amarillas, verdes, rojas. Y cuando yo le hablaba ella se ponía sobre un pie y sobre el otro y a veces se rascaba con el zapato en la otra pierna aunque no tuviera necesidad. Allí se estrellaba verdaderamente mi padre. Su voz sonaba falsa y cuando más grave quería ser, era más artificial y sin sentido.

Como siempre que mi padre me reñía, el gato pelirrojo no tardó en llegar y saltarme al hombro. Mi padre gritaba y el gato ronroneaba pasando de un hombro al otro por el pecho o por la espalda, frotándose contra mi barba y mi occipucio. Maruja seguía haciendo alardes de comer bien para adular a mi padre. Concha ocultaba detrás de su servilleta de persona mayor una risa amistosa provocada por el gato.

Mi madre se levantó, vino a mi lado y me tomó del brazo. Aquello quería decir que la ira de mi padre alcanzaba el climax. Me llevó fuera y fue subiendo conmigo a mi cuarto. Iba haciéndome recriminaciones pero con acento grave. "Tu padre no está bien de salud, no hay que darle disgustos." Yo, terriblemente ofendido por obligarme a salir de la mesa y humillado por la amenaza de los veinte palos, pensaba: "Mejor. ¿Su salud no es buena? Mejor. Si se muere, mejor. Ojalá se muera y todos seamos pobres y yo tenga que proteger a mi madre. Ya verán entonces quien soy yo." Pero como le contestara a mi madre con frases despreocupadas ella se alarmó:

—Hijo mío —me dijo tomándome completamente en serio—, por ahora tu papel en la vida es obedecer.

—¿Obedecer?

—Oh, sí. Has nacido y como has nacido y estás en la vida no háy mas remedio que obedecer.

—Ah, pues si lo sé, no nazco.

Yo estaba con la idea fija de los veinte palos. Mi padre quiso liquidar aquella cuenta antes de empezar a comer y dejaba oír sus pasos por las escaleras. Antes de que entrara, mi madre me besó y se fue. Los oí discutir en voz baja en el pasillo. Aquel beso de mi madre me produjo estímulos heroicos. Cerraría la puerta por dentro o me marcharía al tejado a donde mi padre no podía salir a buscarme o quizá me defendería con mi escopeta de aire comprimido. Pero mi padre ya estaba en el cuarto y llevaba en la mano una fusta. Me acogí otra vez al recuerdo de Valentina, pero si ese recuerdo era más fuerte que cualquier ofensa no tenía verdadera eficacia contra los dolores físicos. La idea de ser castigado en mi carne desnuda, con los pantalones bajos, era tan vergonzosa que el recuerdo de Valentina no hacía sino aumentar la humillación. Mi padre comenzó a golpearme con cierta fuerza. Yo aguanté sin pestañear.

—¿Tienes algo que decir? —me preguntó al final.

—Sí, eran veinte palos y no me has dado más que dieciocho.

Mi padre dio un portazo y se fue. Murmuraba entre dientes: "Serás un golfo, pero yo te enderezaré." Cuando me quedé solo sentí unos deseos enormes de ser un golfo. Serlo verdaderamente y justificar todo aquello de modo que mi padre fuera muy desgraciado por mi culpa y mi madre llorara por los rincones. Esas ideas se esfumaron poco después, cuando oí que se iban todos de paseo y aparecieron mi madre y la tía Ignacia, ésta con una bandeja de comida a la que mi madre había añadido como postre, además de la manzana, unos dulces que las monjas de Santa Clara le enviaban a veces. Mi madre me miraba disimuladamente con una curiosidad inquieta. La tía Ignacia bromeaba:

—Aquí le traemos al reo la última voluntad.

Y me contaba un cuento. Los cuentos de la tía Ignacia eran siempre de un humor muy raro que no solía coincidir con la situación. Pero al final alguien decía una frase muy expresiva que ella repetía imitando los gestos y el acento de tal modo que no había más remedio que reír. Ahora, la alusión a mi situación de reo le sugería un cuento de ahorcados. Mi madre no la oía y yo no oía a mi madre, que suspiraba. Toda mi atención era para la tía Ignacia. "Y entonces le pusieron el

25

corbatín y lo amarraron al poste. Y el condenado advirtió al verdugo: 'Rediós, no apriete usted tanto, que me va ahogar.'"

Aquel "rediós" que estaba prohibido en casa pero que a la tía Ignacia se le toleraba me hizo soltar la risa. Era como una venganza. La tía Ignacia desde el fondo de su simplicidad se daba cuenta. Pero la historia no había terminado. El verdugo contestaba al reo: "De eso se trata, señor."

Yo devoraba mi comida. Pero el pobre reo que no podía concebir que lo quisieran matar me daba una pena tremenda. Mi madre me veía comer y suspiraba. Yo le preguntaba si podría salir a jugar y ella me dijo que más valía que me quedara en casa y que podría jugar si venían amigos.

—Lo que quiere éste —dijo la tía Ignacia— es una cosa que yo me sé.

—¿Qué? —preguntaba yo.

—Es un secreto.

—¿Cómo?

La tía Ignacia ponía una cara de payaso de circo para repetir alzando los hombros y dejando caer las manos sobre sus rodillas.

—Es un secreto... es un secretote.

Yo reía otra vez. Mi madre se marchó, sonriendo también. En cuanto se fue, la tía Ignacia me limpió los labios y me dijo:

—Va a venir Valentina.

Luego me llamó sinvergüenza y me contó otro cuento, también de ahorcados. Cada cuento de la tía Ignacia tenía su título y éste se llamaba "La justicia de Almudébar o que lo pague el que no lo deba." Se trataba de un sastre a quien iban a ahorcar en la plaza de Almudébar por haber hecho una muerte. Cuando estaba ya en el patíbulo le preguntaron si tenía algo que decir y el reo se dirigió al público: "Yo, salvo mi crimen, he sido siempre un buen vecino y amigo de todos y además soy el único sastre del pueblo. Cuando yo no esté ¿quién va a haceros los trajes tan bien como yo? En cambio, tenéis dos herreros y con uno basta para las necesidades del pueblo." Y la gente empezó a decir que tenía razón y atraparon a uno de los herreros que estaba en la plaza y soltaron al sastre y lo ahorcaron a él.

Yo tampoco podía reírme al final porque me daba pena el herrero. La tía Ignacia terminó:

—Tienes que ser más persona decente, porque si no . . .

—Si no, ¿qué?

La tía Ignacia, con un aire muy serio añadió, amenazadora:

—Habrá bandeo.

Recordaba la humillación de los palos, aquellos golpes que establecían entre mi padre y yo una relación de reo y verdugo. Y me escocía la piel en el lugar castigado. La tía Ignacia recogió el servicio de comer y se fue. Iba a venir Valentina.

El ropero estaba abierto y dentro colgaban mis ropas. Estaba mi traje de panilla verde, que parecía terciopelo. Era mi traje preferido. Una chaqueta "cazadora" con cuatro bolsillos y cinturón, me llegaba casi a las rodillas dejando ver apenas dos dedos del pantalón. En la sombra parecía negra y asomaba entre las cortas solapas una cadenita de plata que correspondía al reloj. Aunque no me pusiera el traje iba todas las noches a darle cuerda al reloj y a mirar la hora. Descolgué la chaqueta y la puse sobre la cama. El reloj era muy plano y los números de la esfera eran amarillos. Mi hermana mayor dijo que eran de ámbar. La marca la formaban tres iniciales, M.Z.A., Madrid, Zaragoza, Alicante, y alguien me había convencido de que el horario de los trenes se guiaba por mi reloj. Me gustaba mucho aquel traje pero tenía una apariencia de fiesta y no había más remedio si me lo ponía que frotarse las rodillas con agua y jabón y a veces con un cepillo de hierbas y quizá con piedra pómez. Hice mi aseo lo mejor que pude, me puse calcetines blancos y zapatos de charol, me peiné poniendo jabón en gran cantidad para aplastar las greñas, consulté la hora y fui bajando.

Ya dije antes que Valentina era morena. Su padre, el notario, se llamaba don Arturo V. Era amigo de mi padre y tenía otra hija dos años mayor que Valentina que se llamaba Pilar, rubia con una belleza como suele ser la belleza standard americana. Los cabellos amarillo claro, la piel blanca y una cierta

27

pasividad en la expresión me la hacían profundamente anti- pática. Valentina tenía ojos rasgados, la boquita saliente y el óvalo perfecto con un color de piel aceitunado claro. Las dos eran bonitas, cada una en su estilo, pero yo que adoraba a Valentina tenía que odiar naturalmente a Pilar. Las dos toca- ban el piano y solían en los días de gala ejecutar a cuatro manos lindas sonatas. Don Arturo era moreno y muy gordo.

Yo quería a Valentina, pero hasta aquella tarde no se lo dije. Afortunadamente cuando llegó no habían vuelto aún del paseo mis hermanos.Me alegraba yo especialmente de que no estuviera Maruja porque temía que me pusiera en ridículo diciendo que había sido apaleado. Yo estaba atento a los ru- mores de la escalera. Sabía que Valentina no entraría si no bajaba alquien a recibirla, porque teníamos un mastín feroz atado con una cadena en el patio. Nunca había dado el perro muestras de enemistad con Valentina, pero ella estaba en su derecho teniéndole miedo. Yo bajé dos veces en falso. La pri- mera encontré, sentado en la calle junto al portal a un men- digo de aire satisfecho con mejillas sonrosadas y barbas y cejas hirsutas y blanquecinas. Sacaba de debajo de su capisayo latas de conservas vacías en las cuales metía cuidadosamente restos de comida. Reconocí en una de las latas algo que yo había dejado en el plato, y sentí una impresión de angustia ligada a un sentimiento de seguridad. Pero aquel mendigo que no estudiaba latín ni geometría y cuyo padre había muerto ya hacía años, debía ser feliz.

Valentina apareció por fin corriendo calle abajo y al ver que yo estaba en la puerta se detuvo. Siguió andando con una lejana sonrisa, pero de pronto, cambió de parecer y echó a correr de nuevo. Cuando llegó comenzó a hablarme mal de su hermana Pilar. Me dijo que había querido llegar más pronto pero que la obligaron a estudiar el piano. Yo me creí en el caso de mirar el reloj y decirle a Valentina que los números de la esfera eran de ámbar. Aunque ella estaba enterada se creyó también obligada a preguntarme si me lo habían rega- lado el día de mi primera comunión. Yo le dije que sí y que la cadena era también de plata. Después entramos corriendo.

28

Valentina cada dos pasos avanzaba otros dos sobre un solo pie con lo cual las florecitas de trapo que llevaba en la cabeza bailaban alegremente. Al llegar junto al perro yo le advertí que no debía tener miedo. Me acerqué al animal que estaba tumbado, me senté en sus costillas, le abrí la boca, metí dentro el puño cerrado y dije:

—Estos perros son muy mansos.

Ella me miraba las rodillas y yo pensaba que había hecho muy bien en lavarlas. Valentina, escaleras arriba, con la respiración alterada por la impaciencia y la fatiga, me contaba que en la sonata de Bertini su hermana Pilar tocaba demasiado deprisa para que no pudiera seguirla ella y ponerla en evidencia. Yo le pregunté si quería que matara a su hermana, pero Valentina me dijo con mucha gravedad:

—Déjala, más vale que viva y que todos vean lo tonta que es.

Valentina llevaba las dos orejitas descubiertas delante de las trenzas que se doblaban hacia arriba. Su cabello negro se partía en la nuca, exactamente encima del broche de una cadenita de oro de la que colgaba una medalla pequeña como una moneda de céntimo con la imagen de la Virgen de Sancho Garcés Abarca. Detrás de la medalla estaban grabadas sus iniciales y la fecha del día de la primera comunión. Yo iba a preguntarle si se la habían regalado, pero eran preguntas que nos hacíamos demasiado a menudo y me abstuve. Una de las cosas que molestaban a Valentina era que sus padres llamaran a la hermana con una contracción cariñosa: Pili. En cambio, a ella la llamaban Valentina. Yo dije que aquel mismo día pondría el nombre de Pili a una gata vieja y que toda la familia la llamaría así y cuando aquel nombre se hubiera generalizado invitaríamos a Pilar a merendar y yo llamaría a la gata para que todos se dieran cuenta. Valentina se reía.

Entrábamos ya por las habitaciones bajas y yo llamaba a Pili a voces. No se sabe por qué razón la gata acudió, lo que colmó nuestra felicidad. Con todo esto nos fuimos a la galería. Por el camino puse mi mano abierta en su oreja y la recorrí como si la dibujara con mi palma. Apretaba y aflojaba al mismo tiempo.

—Eso hace como las caracolas —le dije.

Añadí que las orejas de Pilar crecerían cada día tanto como en los elefantes. Valentina recordó que su madre había dicho un día que tenía las orejas muy bonitas, y luego se creyó obligada a explicarme cómo las lavaba, y de qué modo para secarlas había que usar una toalla siempre ligera porque con las de felpa no se puede.

—¿A quién quieren más, a Pilar o a ti?

Valentina decía que a ella no la quería nadie en su casa. Con aire superior le pregunté si su padre la había azotado alguna vez. Me dijo que no, pero que su madre le había dado buenos cachetes. No me parecía su madre un enemigo digno de mí y me limité a torcer la cabeza y a chascar la lengua. Pero Valentina añadía que no le había hecho daño nunca y que a veces tenía ella misma la culpa porque le gustaba hacerla rabiar. Se vio que estuvo a punto de hacerme a mí la misma pregunta pero se contuvo porque sin duda le pareció innecesario. Luego soltó a reír. Se burlaba de sí misma:

—¡Qué tonta!

—¿Por qué?

—Iba a preguntarte si te habían azotado a ti.

—¡A mí! ¿Quién iba a golpearme? ¿por qué? —En aquel momento yo me sentaba con dificultad en el suelo. Dije de pronto a Valentina con demasiado interés.

—Cuando venga Maruja no le hables.

—Ella viene siempre —dijo Valentina— y me levanta el vestido a ver qué llevo por debajo y después me dice lo que a ella le van a poner el domingo.

Yo palidecía de rabia. Levantarle el vestido no se podía hacer o podía hacerse solamente con un riesgo definitivo: ir al infierno por ejemplo. A veces, jugando con Valentina yo veía una parte de sus muslos, pero sabía muy bien que a una niña no se le levanta la falda. En los muslos de Valentina que yo había visto siempre sin querer tropezaba mi mirada con una prenda íntima blanca que tenía pequeñitos encajes y recibía la impresión de que las partes de su cuerpo que no se veían no eran de carne sino de una materia preciosa e inanimada. Desde que tenía el reloj me gustaba pensar que eran de ámbar. Tampoco pude nunca imaginar (ni siquiera había pensado en eso) que Valentina tuviera necesidades físicas como los demás. Bien sabía que a veces se perdía en el cuarto de baño con alguna de mis hermanas, pero el cuarto de baño es para los niños el lugar de las confidencias porque es el único sitio donde se les permite que se encierren por dentro.

Odiaba yo a Maruja pero no había conseguido transmitirle mis odios a Valentina. Al principio aquello me irritaba. Pronto comprendí que Valentina era tan buena que sería incapaz de odiar a nadie nunca. Viendo las cosas despacio ni siquiera odiaba a su hermana Pilar. Iba y venía con sus rositas en la cabeza, sonreía si yo la miraba, se lavaba las orejas cada mañana con un sistema personal. Pero yo la veía hoy de una manera diferente. Me coaccionaba la idea de que me hubieran apaleado. Me humillaba de tal forma ante mí mismo que Valentina crecía, crecía. Y además era seguro que Maruja se lo diría en cuanto llegara. Maruja tenía el don de la perfidia con sus ocho años escasos. Yo había llegado a temer su quisquillosa debilidad.

Pero me habían apaleado. La tarde avanzaba y mis hermanos iban a venir. Lo primero que harían sería preguntarme: "¿Has comido?" Aquello no podría menos de extrañar a Valentina. Después, quizá: "¿No te dejan salir a jugar?" Esto era menos revelador, pero Maruja aprovecharía cualquier oportunidad para ponerme en evidencia. A pesar de mi traje romántico yo me sentía flojo y débil. Para aquellos azotes nadie podía tener sino una compasión fea, animal. Claro es que un padre puede pegar a un hijo, pero yo era una entidad libre en la vida y ningún padre en el mundo podría justificar ponerme la mano encima. Acercándome a Valentina le dije:

—Dicen que soy tu novio.

—¿Tú quieres serlo? —preguntó ella.

—Yo sí. ¿Y tú?

31

—Yo, no importa. Si tú quieres, ya está. ¿Qué hay que hacer?

—No hablar con mis hermanos. Márchate ahora a tu casa.

—Vendrá a buscarme la doncella a las seis —decía ella sin comprender.

—Yo te acompaño. No quiero que estés con mis hermanas que no dicen más que tonterías. Yo te acompaño.

Me levantaba y la tomaba de la mano. "Si soy tu novia —dijo ella muy seria— tengo que hacer todo lo que tú mandas. Si dices que venga, vengo. Si dices que te bese, te beso."

—No, eso no —dijo yo poniéndome terriblemente colorado, pero dándome cuenta de que aquello había sido estúpido, la besé en la mejilla. Después la tomé de la mano y marchamos hacia la calle.

—Ahora vámonos a tu casa.

Era mi novia y tenía que obedecer pero quería decirme algo y no lo dijo. Le gustaba estar en mi casa conmigo y el hecho de que yo la devolviera a la suya donde dominaba Pilar no se lo explicaba. Cuando estuvimos en la calle, ella a mi lado, yo al de ella, cogidos de la mamo, volvimos a sentirnos contentos. No nos habíamos alejado mucho cuando encontramos a Enriqueta, la hija del alcalde. Tenía doce años y yo la odiaba desde el año anterior. Me hice el distraído pero ella nos miró con un desprecio irónico.

—Si vuelves a ver a Enriqueta —dije a Valentina— no la mires.

—¿Cómo voy a hacerlo? Si la veo es que la he mirado.

Pero ella misma me daba la solución: "La veo desde lejos y ya sé que es ella. Y cuando pase cerca, vuelvo la cara así, despacio contra la pared." Lo hacía tan bien que tropezó y casi se cayó. Con el tropezón se le fueron de lado las florecitas del pelo. Yo se las quise arreglar, ella decía que si tuviese un espejo sería mejor y resignados a que las llevara mal seguimos andando. Venía en dirección contraria una mujer blanca y redonda, casi sin cejas y con los ojos saltones. Se detuvo, arregló las flores del pelo a Valentina, la llamó "amor mío". Yo la contemplaba no muy satisfecho. Las manos de aquella mujer parecían de caramelo.

—¿Qué me miras, celoso? —me dijo sonriendo.

Seguimos andando y yo oí que ella se detenía detrás a mirarnos y murmuraba ternuras.

Constantemente yo volvía los ojos hacia Valentina que acusaba mi felicidad mirándome también como el que vuelve de un sueño y sonriendo. La cadenita de oro sobre el cuello moreno parecía que iba a dar calor si la tocaba.

—¿Te gusta Enriqueta? —me preguntó.

—No.

—Pues ya es linda, ya. Ya quisiera yo ser como ella.

Yo le rodeé la cintura con mi brazo y sentí su hombro contra mi pecho. Ella se volvía para mirarme con sonrisas rápidas. Hubiéramos querido evaporarnos en aquella luz que era de ámbar como los números de mi reloj y sus muslos. Valentina hablaba de sí misma. Quería decir lo que le gustaba comer y añadía que cuando estaba acostada iba a su madre a ponerle bien la ropa y ella se hacía la dormida para que la besara y su madre la besaba. Yo oyendo aquello, no pude menos de besarla en el pelo. Y Valentina seguía hablando. Lo que más le gustaba, cuando volvía a casa después de estar toda la tarde corriendo, saltando, sudando, era quitarse los zapatos y poner el pie desnudo en unas zapatillas viejas que tenía. Recordando aquel placer Valentina cerraba los ojos. "Tengo que probarlo yo", me dije.

Pero el cielo nos enviaba una catástrofe. En una revuelta de la calle aparecía nuestro coche, un armatoste de tiempos de la abuela, lleno de críos. Mi padre en el pescante. Yo quise desviarme con Valentina, pero no había ninguna bocacalle a mano. Además, mi padre me había visto. Y al parar el coche frente a nosotros, Maruja sacó el bracito y señalándome con el dedo, gritó:

—¡Se ha puesto el traje nuevo y el reloj!

Mi padre me preguntaba:

—¿A dónde vas?

—A acompañar a Valentina.

Después de un silencio lleno de amenazas mi padre ordenó:

—Vuelve a casa. Y cuando sepas las lecciones de mañana si quieres salir, me pides permiso a mí.

Estaba yo tan humillado que no sabía qué contestar.

Mi padre decía a Valentina:

—Sube, hija mía.

Maruja demostraba con su impaciencia y sus palabras entrecortadas que tenía muchas cosas que contarle a Valentina.

—Voy a casa —dijo ella, recordando sus deberes de novia.

Pero las cosas debían suceder de la peor manera.

—Sube. Te llevamos a casa.

Y no hubo más remedio. Subió. Yo vi el coche dar la vuelta. Esperé en vano que se rompiera un eje, que el caballo (muy viejo también) se muriera de repente. Pero el coche se perdió otra vez en la vuelta de la calle y yo volví a casa envuelto en sudor frío. Subí las escaleras como un fantasma y me encerré en mi cuarto. Me quité la "cazadora" con una sensación de fracaso. Y me arrojé al lecho. No lloraba, pero mordía la cubierta de la cama hasta desgarrarla. Mi propia respiración daba contra la ropa del lecho y volvía sobre mi cara, abrasándome. Miré arriba. Mabía un cuadro muy antiguo del Niño Jesús, que se parecía a Maruja. Yo sabía que detrás de aquel cuadro había un especie de nicho con viejos papeles, inscripciones en pergamino, una cartera de piel sin curtir, dos pistoletes antiguos y un puñal que había sido, sin duda, construído con una lima porque conservaba entre los dos filos las rugosidades del acero. El día que descubrí aquello fue una fecha inolvidable. Conservaba el secreto y aunque no estaba seguro de poderlas usar el hecho de tener aquellas armas me daba una gran fuerza. Saqué el puñal y lo guardé en el cinto. Luego descendí de la cama. No sabía qué hacer ni a dónde ir. Imaginaba a Valentina oyendo las confidencias de Maruja. "Maruja le dirá que me han azotado, y ella me imaginará desnudo, recibiendo los golpes y llorando innoblemente."

Pasé a los graneros. En un rincón había ocho o diez colchones doblados y puestos contra el muro. Yo, que acariciaba en mi cintura el mango del puñal, me lancé sobre los colchones y comencé a apuñalarlos con rabia. Sentir penetrar la hoja del puñal, empujarla más adentro todavía, repetir el golpe, me daba una fresca sensación de justicia. Y así estuve varios minutos. La lana rebosaba por las heridas y algunos vellones salían enganchados en los gavilanes del puñal. Tenía los dientes apretados. Los dedos me hacían daño de tanto oprimir las cachas del arma. No pensaba en nadie.

No quedó un solo colchón sin seis o siete heridas graves. Volví a guardar el puñal en el cinto y miré, sofocado, alrededor. En un rincón estaba la tía Ignacia con una bolsa de alcanfor junto a un montón de mantas. Me miraba sin pestañar.

—Dios mío —dijo—. Sale a su bisabuelo materno que se jugó la mujer a las cartas.

Me asomé a la ventana del tejado y salí a cuatro manos hasta ir a instalarme al lado de la chimenea. Había un cielo tierno, con nubecitas rosa rizadas. Volví a entrar y me fui a mi cuarto. Al pasar por el desván vi a la tía Ignacia revisando los destrozos en los colchones y yo le dije:

—Ojo con acusar a nadie, ¿eh?

—Ah, Santa Virgen, enseñarme a mí el cuchillo. A mí que le he cambiado mil veces los pañales.

No le enseñé cuchillo ninguno, pero ella debió ver el puñal en mi cinto y lo relacionó con mi voz amenazadora. Todo aquello me pareció muy extraño. Me metí en mi cuarto. Pasé revista a mi arsenal. La escopeta de aire comprimido, la linterna eléctrica de bolsillo, dos trompos, una caja de lápices de colores. Bah, de todo aquello sólo me interesaba la escopeta y la linterna. Y pensaba en Valentina y en Maruja. Quizá la tonta de Maruja que nunca escuchaba lo que le decían y que a veces cuando la otra hablaba demasiado comenzaba a gimotear y decía: "cállate, que ahora voy a hablar yo", quizá esa tonta hablaba más que nunca, porque Valentina no era demasiado habladora, por deferencia con las cuñadas. Imaginaba una venganza adecuada pero todas tenían un reverso hagüeño para ella. Si la mataba le harían un entierro como otro que vi una vez. Caja blanca llena de cristalitos, con ocho grandes cintas colgando. Señores vestidos de negro y saludando por turno. Y todas las campanas del pueblo tocando. No. Era demasiado. Además, quizá fuera al cielo. Después de grandes dudas decidí encerrarla con una oca en la cochera. Una oca feroz que era lo que más temía en el mundo. Ella chillaría como una grulla. Encontré en mi arsenal, también, cuatro pequeños petardos que metí en mi bolsillo. Y bajé al corral. Antes pasé junto a mi cuarto cerrado con llave al que mi padre llamaba pomposamente biblioteca y donde había montones de revistas, de periódicos sin abrir (con la faja puesta y colecciones de "El Museo de las Familias" encuadernado por años. Este "Museo de las Familias" era una revista de gran formato, de mediados del siglo XIX llena de grabados. También había algunas docenas de libros. No nos dejaban entrar allí pero yo tenía mi llave falsa escondida en el nicho, detrás del cuadro.

En el corral la oca feroz vino hacia mí con la cabeza baja y las alas entreabiertas. Lo hacía con todo el que veía pero cuando estaba cerca, según de quien se tratara cambiaba de parecer y se retiraba vergonzosamente o atacaba. Al reconocerme a mí alzó de nuevo el cuello, plegó sus alas y se fue, disimulando. Vi que estaba en forma y me fui hacia el palomar. Las palomas armaban en la mañana, al amanecer, un rumor de huracán con sus arrullos. Yo tomé maíz de un saco que había en la cochera y en cuanto me vieron se posaron en mis hombros, en mi cabeza, en mis manos, y al acabarse el maíz e ir a buscar más, me seguían en bandadas. Allí me estuve toda la tarde, hasta que regresó el coche. Entonces volví otra vez a mi cuarto, pero al asomarme al comedor vi que Maruja estaba frente a la chimenea calentándose las piernas. "Es inútil —me dije— si le pregunto no me contestará y si la amenazo llamará a gritos a mi madre." Con la angustia de no poder averiguar nada por el momento me fuí al tejado y arrojé uno por uno mis petardos a la chimenea. Pero me equivoqué y los arrojé por la de la cocina. Me di cuenta al oír abajo las explosiones y el escándalo de las sirvientas. Todavía no han podido comprender a estas fechas qué fue aquello aunque la tía Ignacia, cuando la cocinera hablaba del diablo, sacudía la cabeza y decía: "Sí, sí. Un diablo que ha salido al bisabuelo materno."

Padre iba y venía con el periódico plegado y fajado en la mano, lamentándose: "en esta casa nadie lee nunca." Pero acababa por subir a la biblioteca, dejar el periódico en un montón con otros muchos y revisar en una caja de cinc si el tabaco de pipa, que solía mezclar con ron o coñac, estaba ya seco. Yo había pasado antes que él y me había llevado a mi cuarto un tomo de versos de Bécquer. Leí al azar y no conseguía hallar ninguno a propósito para Valentina. Además no tenía sosiego para nada. ¿Qué había dicho Maruja a Valentina? Dejé el libro y aprovechando que mi padre seguía en la biblioteca, me fui al encuentro de mi hermana. Cuando me vio se puso a gritar:

—Mamá.

—Calla que no te hago nada. ¿Qué has hablado con Valentina?

Yo sabía que las otras hermanas no le habría dicho nada. Maruja alzó la cabeza:

—La verdad, le he dicho. Que eres un presumido.

Yo avanzaba con las de Caín.

—¿Y qué más?

—¡Mamá!

Llegaba mi madre y yo me fui otra vez a mi cuarto y volví a hojear el libro de Bécquer. "Volverán las oscuras golondrinas — de mi balcón los nidos a colgar." O aquel otro "Por un beso yo no sé —qué daría por un beso." Y pensaba: "Mi novia me quiere más que a Bécquer la suya porque Valentina me deja que la bese y hasta me ha dicho que me besaría ella si yo se lo mandaba." Me puse a copiar un poema corto que hablaba de "rumor de besos y batir de alas" y cuyo último verso decía: "Es el amor que pasa." Y después otro que terminaba también así: "Hoy la he visto, la he visto y me ha mirado — hoy creo en Dios.' Pero cuando los hube copiado todos los dejé en mi mesita de trabajo, abrí el cajón, saqué un cuaderno de declinaciones latinas y escribí arriba con grandes caracteres:

"LA UNIVERSIADA"

Me puse a pasear con objeto de ir hallando versos para la Universiada. De pronto se abrió la puerta y entró mi padre:

—¿Es así cómo estudias?

Se fue a mis libros. Lo primero que vio fue el cuaderno de "La Universiada". Luego los versos de Bécquer. Como el libro lo había escondido creyó quizá que aquellos poemas eran míos y me miró como si yo llevara un cuerno en la frente.

—Oh, —dijo— sólo esto nos faltaba.

Se marchó con los versos y el cuaderno, suspirando, sin golpear ya la puerta. Poco después vino a hurtadillas mi hermana mayor y yo le pregunté afanosamente lo sucedido con Valentina. Mi hermana me admiraba mucho porque viviendo en el último piso no tenía miedo. Me imaginaba allí estudiando de noche y no comprendía mi valor. Ella estudiaba también historia y solía hacerlo en el comedor, pero así y todo, si no había otras personas en la habitación y de pronto en el texto se hablaba de la muerte de un rey cerraba el libro de golpe y salía corriendo hasta encontrar a alguien.

—¿Qué pasa? —le preguntaban.

—Nada —decía un poco avergonzada—. Es que se ha muerto Carlos V.

Aunque iba siendo mayor, esos miedos no los perdía. Ahora estaba delante de mí y yo la acuciaba con mis preguntas. Le extrañaba mi ansiedad y me aseguró que Maruja no había hablado dos palabras con ella porque se dedicó a acaparar a mi padre y a demostrarle a ella por todos los medios que aquel señor que llevaba el carricoche y que le hablaba con mimo era el padre suyo y no el de Valentina. Para remate de pleito mi padre le había acariciado la mejilla a Valentina, lo que determinó que Maruja no le dirigiera ya a ella la palabra en todo el camino.

Yo agradecí aquello de tal forma que decidí inmediatamente estudiar. Mi padre se había ido, con los versos, en la más grande desesperación: "Oh, —suspiraba— ¡un poeta!" Cuando se convenció por mi madre de que eran copias se mostró más tranquilo y volvió a subir a mi cuarto. Era ya de noche. Mi hermana Concha no estaba ya y yo había salido al tejado con mi linterna eléctrica encendida. Me senté contra la chimenea, abrí un pequeño libro de geografía astronómica y comencé a leer y a mirar el cielo: "Las tres Marías, la Osa Mayor, las Cabrillas, la Osa Menor. La estrella polar. Y algunos de los planetas solares. Todos, no. Los que faltaban debían estar en el lado de la tierra donde era de día." Esa parte de la Geografía era de estudio no obligatorio, era voluntaria. Al saberlo yo le tomé una gran afición. Era lo único del curso que me interesaba.

Mi padre no me encontró en mi cuarto. Me buscó en vano por toda la casa. Por fin me descubrieron en el tejado. "Para la astronomía es bueno poder consultar el cielo", decía yo. "Pero ese texto no es obligatorio, según dice el profesor." Yo no podía decirle que por eso mismo me interesaba tanto. Mi padre se marchó y le oí decir:

—Hay que tomar una determinación.

Al día siguiente supe bien mis lecciones. En vista de eso, el profesor me llevó al cuarto de al lado y me enseñó unos pedruscos con espinas de peces grabadas.

—Estos son fósiles —me dijo.

Aquello revelaba que la tarde anterior había hecho una excursión. Estuvo explicándome pero se dio cuenta de que eran para mí curiosidades prematuras y lo dejó, diciendo: "Tengo ganas de que estudiemos historia natural." Mientras hablaba me miraba de reojo tratando de averiguar si había hecho mucha mella el castigo del día anterior. Mosén Joaquín era amigo mío y me trataba de igual a igual. Cuando averigüé por indicios que ponía una especie de orgullo personal en el hecho de que yo obtuviera buenas calificaciones me di cuenta de que él necesitaba de mí y tomé una actitud casi protectora. Ese fue el secreto de que desde entonces supiera más o menos mis lecciones y no fuera a clase sin haberlas leído por lo menos.

Cuando las relaciones con mi padre mejoraban, toda la familia parecía sentir un gran alivio. Mi madre, mis hermanos, la tía Ignacia. Mis hermanos charlaban por los codos en la mesa y si me ponía a hablar yo, se callaban. La única que parecía terriblemente ofendida con mi nueva situación era Maruja, que no podía tolerar que mi padre se dirigiera a mí sonriendo.

Valentina venía a menudo. Yo no podía ir a su casa con la misma frecuencia porque si su madre me quería su padre en cambio me tenía una gran antipatía. Sabía que yo había dicho algo contra él en mi casa y que todos habían reído. Yo no podía perdonarle a don Arturo que fuera el padre de Valentina. Lo zahería terriblemente. Había publicado un libro titulado: "El Amor, Ensayo para un análisis psicológico". Era su tesis de doctorado y había enviado a mi padre dos ejemplares, uno dedicado: "A don J. G. este libro de rancias ideas con un abrazo del Autor." Mi padre decía que era un libro muy bueno pero cuando mi madre le preguntaba si lo había leído contestaba con vaguedades e insistía en que el libro era muy bueno. Yo estaba un día en el segundo corral donde la tía Ignacia se entretenía a veces con los conejos y las cabras (teníamos tres de raza murciana) y trataba en vano de penetrar algunos conceptos de don Arturo abriendo las páginas aquí y allá. En un descuido las cabras lo despedazaron y se lo comieron. Afortunadamente no era el ejemplar dedicado. Días después cuando mi padre dijo en la mesa que era un libro francamente bueno yo afirmé y mi madre me miró, extrañada. Ya se alegraba Maruja del aire de reprimenda que iba tomando el asunto cuando yo dije muy serio: "Por lo menos para las cabras." Conté lo sucedido y mi padre dudaba entre la risa y la indignación. Yo se lo dije a Valentina, ella se lo contó a su madre y la noticia llegó a don Arturo. Trataron de tomarlo a broma, pero don Arturo no me perdonaba.

Mis amores con Valentina seguían su curso. Yo le di uno por uno los poemas que volví a copiar de Bécquer. Ella no tenía poetas amorosos en su casa, pero al sacar las hojas de los calendarios, a veces había detrás frases de hombres célebres.

O pequeñitos poemas de autores conocidos o anónimos, a veces muy eróticos:

Entre tus brazos, dulces cadenas
el amor canta su himno letal.

Siempre que Valentina encontraba la palabra "amor" copiaba cuidadosamente el poema y lo metía en el bolsillo de su vestido para dármelo. Otro día era de un poeta moderno que decía poco más o menos: "Cuando te conocí y te amé sentí una espina en el corazón. El dolor de esa espina no me dejaba vivir ni me acababa de matar. Un día arranqué la espina. Pero ahora —¡ay! ya no siento el corazón. Ojalá pudiera sentirlo otra vez aunque tuviera la espina clavada." Y como es natural me emocionaba mucho y volvía al libro de Bécquer. Así transcurrían las semanas.

Mi padre, que me había prohibido volver a salir al tejado, en vista que no estudiaba si no era sentado contra la chimenea, decidió autorizarme o por lo menos hacerse el desentendido. Y ahora salía con unos gemelos de campo que saqué de la biblioteca y con los cuales alcanzaba los tejados de la casa de Valentina. Cuando se lo dije a ella, decidió salir al tejado también a la misma hora que yo. Desde entonces yo la veía desde mi atalaya y pocos días después me dijo que había descubierto los gemelos de su padre y que con ellos me podía ver a mí. Entonces acordé hacer un código de señales para hablar con ella en los días en que por alguna razón no podíamos estar juntos. Dibujé yo en una cartulina todas las figuras posibles con piernas y brazos hasta obtener el alfabeto. Además había algunas actitudes que querían decir frases enteras. Los dos brazos en alto con las manos abiertas agitando los dedos quería decir: "He soñado contigo." Los brazos en cruz y las piernas abiertas era: "Pilar es imbécil." Yo sabía que esa actitud se iba a repetir mucho. Un brazo doblado con la mano en la cintura y el otro levantado sobre la cabeza era: "Iré a tu casa." Hice una copia exacta para mí y añadí una actitud que ella no usaría y que quería decir: "Rediós." Eso me parecía indispensable en mi papel viril.

Nuestro primer diálogo determinó que yo llegara a clase con hora y media de retraso. El profesor me advirtió que aquello no podía repetirse. Al salir el sol al día siguiente, Valentina y yo estábamos sobre el tejado. Ella me dio una noticia sensacional. Había llegado su primo. Yo contesté con el gesto de "rediós" y me puse muy elocuente mientras los gatos aguzaban sus orejas mirándome sin saber si debían huir y las palomas describían anchos círculos con el sol irisado en sus alas. Yo tenía que ver inmediatamente al primo de Valentina, saber cómo era y cuánto tiempo iba a estar. Tenía los mismos años que yo y vivía en un pueblo próximo.

Mis lecciones fueron una verdadera catástrofe y aunque menos que el día anterior, también llegué tarde. El calendario avanzaba y se aproximaba la primavera y con ella los exámenes. Mis danzas en el tejado habían sido quizá observadas por la tía Ignacia y aunque no me había dicho nada, yo veía el espanto reflejado en sus ojos y en la manera de tartamudear cuando le hablaba. El profesor se dio cuenta de que algo extraordinario me sucedía y me dijo que no quería mentir ni tampoco perjudicarme. Se abstuvo de anotar nada en el cuaderno. Yo lo dejé como siempre en la mesa y mi padre se confundió creyendo que mis calificaciones eran las que benévolamente me había puesto el día anterior. Agradecido a mosén Joaquín estudié un poco y corrí después a encontrar al primo de Valentina. Con objeto de hacerle impresión guardé en mi cinto uno de los pistoletes. Valentina me esperaba por los alrededores de su casa y llamó a su primo. Era un muchacho con pantalones de golf y un chaleco elástico. Llevaba unas gafas muy gruesas y era un poco más alto que yo. Su piel blanca parecía azul en la sombra. Finalmente estaba muy bien peinado. Nos quedamos los dos a distancia sin decirnos nada. Valentina me decía señalándolo: "Este es mi primo." Seguimos mirándonos en silencio y el primo balbuceó por fin, señalándome con el mentón:

—Este quiere reñir.

Valentina le aseguró que no. El chico seguía mirándome escamado. Yo le pregunté cómo se llamaba.

—Julián Azcona.

—¿Pariente del diputado?

Valentina contestó por él diciendo que sí. Su padre era un diputado liberal de quien hablaba muy mal mi padre. Yo le dije con palabras oídas en mi casa:

—Eres el hijo de un político nefasto.

Repitió retrocediendo:

—Este quiere reñir.

—Reconoce que eres el hijo de un político nefasto.

El chico dio otro paso atrás y afirmó. No sabía en realidad qué quería decir "nefasto". Valentina lo tranquilizaba:

—Venía para que jugáramos los tres.

Por uno de los costados de la casa se alzaba una colina. Antes de ir hacia allí el primo dijo que iba a buscar su escopeta y volvió con una de salón que era el sueño dorado de mi infancia. Sin dejármela tocar me dijo:

—Esta es de pólvora y dispara verdaderas balas. Yo sé que la tuya es de aire comprimido. Me lo ha dicho Valentina.

Yo le dije que no era mía sino de mis hermanos pequeños y con una indolencia muy natural saqué el pistolete de la cintura. El primo disimuló su sorpresa.

—Si yo cargo esto con pólvora mato a un caballo.

El primo consultaba a Valentina que afirmaba muy segura:

—Y un elefante.

Yo con la mirada puesta en su escopeta, añadí:

—Y hago retroceder a un ejército. O por lo menos —concedí— lo detengo hasta que lleguen refuerzos.

El primo movía la cabeza, chasqueando la lengua:

—No, eso no lo creo.

—¿Que no? Me pongo en un puente muy estrecho donde no pueden pasar más que de uno en uno. Y dime tú qué es lo que sucede.

El primo miraba a Valentina que afirmaba muy seria con la cabeza.

—Y el puente ¿dónde está? Porque no lo hay siempre, un puente.

Ibamos andando pero nos detuvimos. Se adelantó el primo a hablar:

—Esta —dijo con cierta satisfacción señalando a Valentina— es mi prima.

Pisando su última palabra contesté:

—Y mi novia. Más es una novia que una prima.

El primo la miró una vez más y una vez más ella dijo que sí. Entonces sonrió beatíficamente el primo y dijo:

—¡Qué tontería!

Valentina me cogió la mano. Pero todavía el primo tenía una cierta prestancia con aquella escopeta.

—¿Qué carga lleva? —le pregunté.

—Cartuchos.

Yo solté a reír y añadí acercándome de tal modo a su cara que mi respiración le empañó las gafas:

—¡Quiero decir, qué calibre!

El primo se puso colorado. "Ni siquiera sabe lo que es el calibre", le dije a Valentina. Seguíamos andando. El primo parecía tan confuso y tan incapaz de cualquier reacción como yo había creído. Transcurrido un largo espacio volvió a hablar de su escopeta. Se le veía agarrarse a aquella arma como al último reducto de su dignidad.

—Aunque a ti no te guste, la verdad es que esta escopeta lleva pólvora y bala y si se le tira a una persona le entra en la carne y la mata.

Otra vez me reí y Valentina me secundó aunque se veía que no comprendía la razón de mis risas.

—¿Está cargada? —le pregunté al primo.

—Sí.

—A ver la bala.

El primo sacó una del bolsillo y me la enseñó en la mano.

—Esto no es bala. Esto se llama balín.

—Con esto mataron —argumentó el primo— a un perro que tenía sarna.

44

Eché mano a su escopeta, pero él la atenazó, dispuesto a resistir furiosamente.

—No llores —le dije— que no te la voy a quitar. Sólo quiero que veas que me río de tu escopeta.

Con el pulgar de mi mano izquierda tapé el cañón.

—Anda, tira.

El primo, con los ojos redondos miraba a Valentina y a mí sin comprender.

—No tiro, porque si tirara te volaría el dedo.

Llevé tranquilamente mi mano derecha al disparador y apreté el gatillo. Sonó el disparo y yo sentí en la mano un fuerte empujón hacia arriba y la mostré abierta al primo. No había el menor signo de lesión. Valentina estaba con la mano cerrada en sus labios tratando de morderse el dedo índice. Mi amigo miraba mi mano sin comprender. Pero inesperadamente la piel del pulpejo del dedo pulgar se abrió en una especie de estrella y comenzó a sangrar. Eran gruesas gotas que resbalaban por un costado y caían una tras otra, a tierra.

Yo frotaba mi índice con el pulgar, sonriendo.

—¿Ves? Una picadura de mosquito. ¿Me ha volado la mano, Valentina?

El propietario de la escopeta estaba asustado y quería volver a casa.

—Ya has visto tú que no he sido yo —dijo a Valentina.

El balín debió haberse alojado contra el hueso de la falange porque no había orificio de salida. Comenzaba a sentir un dolor sordo, que no estaba localizado en la herida sino que abarcaba toda la mano. Pero la carita morena de Valentina, indecisa entre la risa y el llanto, me hacía olvidarlo todo.

Pensaba andando en dirección a la casa: "Ahora, después de lo sucedido ya no me importaría que Valentina supiera lo de los azotes." Llevaba el dedo doblado hacia la palma de la mano y ésta cerrada para protegerlo. Sentía a veces correr entre los dedos la gota de sangre que al enfriarse se hacía más perceptible. El primo no había vuelto a desplegar los labios. Cuando llegamos frente a la casa dijo que tenía que hacer algo y se marchó no sin que yo le advirtiera antes que si decía lo que había sucedido le acusaría a él de haberme herido con su escopeta y le encerrarían en la cárcel. Juró guardar el secreto y después de aceptar otra vez que era el hijo de un político nefasto desapareció por la puerta de la cochera.

—¿A los primos se les besa? —pregunté yo.

—Sólo cuando vienen y cuando se marchan.

Me molestaba la idea de que aquel chico viviera dos días en su casa. Valentina me preguntó:

—¿Te duele la mano?

Yo la mostré, ensangrentada desde la muñeca hasta la punta de los dedos. Valentina se espantó pero viéndome sonreír a mí, sonreía también.

Al llegar a mi casa fuimos al cuarto de baño. La tía Ignacia vigilaba que no hubiera nunca juntos en el baño un niño y una niña, pero esta vez no dijo nada. Valentina encontró algodón y comenzó a lavarme la mano. Yo dije que había un frasco de agua de colonia y que era mejor. Valentina no vaciló en aplicar un algodón a la herida y yo sentí de pronto que aquello me abrasaba. Me mordía el labio pero mi frente se cubría de sudor y la punta de mi dedo pulgar ardía como una antorcha. Valentina acababa de lavarme la mano.

—¿Te duele mucho?

—Sí —dije apretando los dientes— pero no importa porque es por ti.

Valentina no comprendía ni yo estaba seguro de comprender mejor, pero ella no dudaba de que lo que yo decía fuera cierto.

—Ahora ya está.

Yo me levanté —me había sentado en el borde de la pila de baño— y advertí: "No lo digas a nadie." Valentina comprendía que los resultados de las travesuras, aunque fueran sangrientos, había que conservarlos en secreto para ahorrarse molestias. Ella no sabía qué hacer. Se ponía las manitas a la espalda, las cruzaba delante, se apoyaba en un pie y en otro sin dejar de mirarme a los ojos como si quisiera decir muchas cosas y no supiera por dónde comenzar.

—¿Sufres por mí? —dijo al fin.

Y recordando una expresión religiosa le dije que el sufrimiento nos hacía dignos de alcanzar la gloria y otras muchas cosas. Valentina lo oía todo embelesada. Ni ella ni yo hablamos ya del primo. El dolor de mi herida —el balín yo lo notaba contra el hueso de mi falange a medida que se enfriaba— nos llevaba a otro plano. Yo saqué mi pañuelo del bolsillo, muy sucio y arrastrado. Ella buscó el suyo que estaba más limpio. Y me lo puso arrollado al dedo. Yo mismo lo sostenía con la mano entreabierta. Ella me preguntaba si estaba mejor.

—Sí, mucho —dije yo gravemente y añadí— pero además me queda libre todavía la mano derecha que es la importante.

La mostraba en el aire, ilesa. Tomaba con ella el pistolete y explicaba cómo si venía el enemigo por la derecha apuntaba así o de otra forma si llegaba por la izquierda de modo que la herida de la otra mano no me invalidaba en absoluto. Luego salimos.

Nadie reparaba en mi mano, que yo mantenía en una actitud natural, oculto el dedo discretamente. Valentina no se separaba un momento de mí, con la idea de alcanzar las cosas que yo deseaba, de suplir con sus manitas la mía inservible. Maruja nos miraba muy extrañada, dándose cuenta de que algo nuevo había entre nosotros. Mi hermana mayor, Concha, venía como siempre protectora:

—Papá está muy disgustado. Ha preguntado varias veces dónde estabas. Lo mejor sería que te fueras a estudiar.

—¿Disgustado? —y alzándome de hombros dije —¡Bah!

Mi hermana movió la cabeza con lástima y se fue. En otro desván del primer piso —mi casa estaba llena de desvanes— comenzaban a hacer teatro con los muñecos y el pequeño escenario de cartón. Fuimos allá, pero nosotros preferíamos otro teatro de donde éramos actores. Hacíamos obras improvisadas y aquel día el protagonista era un sillón, pero el sillón era yo. Me sentaba en un taburete con las piernas dobladas en ángulo recto, los brazos extendidos en el aire, encima me ponían una sábana con la que me cubrían por completo. Mi cabeza y mis hombros eran el respaldo del sillón, mis brazos extendidos en el aire eran los soportes laterales y mis muslos y rodillas el asiento. Yo permanecía así, en silencio. Los otros perseguían por diversos delitos a un criminal. Cuando el criminal se consideraba más seguro venía tranquilamente a sentarse en el sillón y yo iba cerrando los brazos lenta pero implacablemente hasta atenazarlo por la cintura. El criminal había caído en la trampa y en vano gritaba. Cuando se daba cuenta de que todo intento de fuga sería inútil comenzaba el interrogatorio. La próxima iba a ser Valentina. Me gustaba que viniera Valentina a mis rodillas, y tenerla abrazada.

Tardaron mucho en encontrarla porque tuvo la buena idea de esconderse bajo la sábana, a mi lado. Había venido solamente a preguntarme si sufría y a ver cómo estaba mi vendaje. Yo la retuve diciéndole que allí no la encontrarían y ella se dobló sobre mis rodillas. Había que dar un pequeño chillido para orientar a sus perseguidores cada vez que éstos preguntaban dónde estaba. Por fin la atraparon y acordaron todos que en aquel lugar no podía esconderse nadie porque entonces la víctima conocía ya el misterio del sillón y si sabía lo que iba a suceder no se sentaría.

Se discutía terriblemente. Pero la criada que solía venir a buscar a Valentina estaba en la puerta. Era una mujer grande y brutal, con vello en el labio superior y un aire reposado.

—No puedo aguardar porque ya es tarde —dijo.

Y después añadió:

—Y mañana es domingo.

—¿Qué tiene que ver eso?

—Que tengo que madrugar para ir a ver a mi esposario.

Todos los domingos iba a ver a su "esposario" —así llamaba a su novio, que estaba en otro pueblo, a veinte kilómetros del nuestro —y debía madrugar. Los sábados repetía aquello a todo el que quería escucharla.

—Joaquina, —le preguntaba yo— ¿cómo se llama tu esposario?

—Por mal nombre, "el Lagarto" —decía ella muy seria.

Acompañé a Valentina hasta la calle. El patio tenía encendida la linterna mural, que proyectaba dos grandes conos de sombra en la pared. El perro dormitaba al pie de la escalera. Levantó la cabeza con ruido de cadenas y comenzó a gruñir porque en la noche era mucho más feroz, pero al reconocerme se calló y movió la cola. Yo me acerqué:

—León, trae la pata.

No me la daba. Yo me sentaba en su costillar y León no me daba la pata, atento a oler algo nuevo en mi cuerpo. Probablemente la sangre de mi mano. Buscaba y buscaba cuidadoso y alerta, con una de las orejas a medio enderezar. Por fin encontró la mano y me lamió. Se daba cuenta de que yo iba herido.

Seguía lamiendo el dorso de mi mano con su grande lengua. Valentina llegó, aunque desde lejos, a tocarle la punta del rabo.

Al despedirnos, le dije a Valentina al oído que si comía nueve aceitunas antes de acostarse y bebía un vaso de agua soñaría conmigo. Yo lo haría también para soñar con ella.

Aquella noche no hubo que estudiar, pero al día siguiente, habiendo soñado con Valentina (no recordaba el sueño pero me había dejado un sabor de fiesta, como el día del santo de mi padre) salí al tejado, con mi código de señales en una mano y los gemelos en la otra. Estuve danzando más de una hora y atendiendo a las danzas de Valentina. Tres veces se puso una mano en la cintura y alzó la otra en el aire. Iba a venir. Yo le dije que iríamos a misa al convento y que si iba ella estaríamos juntos. Sabíamos ya de memoria las figuras de nuestro código y las hacíamos de prisa, en una graciosa sucesión. Los gatos me miraban más espantados que nunca y ni siquiera el pelirrojo se atrevía a acercarse.

Mi mano seguía igual. Yo no pensaba en ella. La hemorragia había desaparecido y el dedo se me inflamaba deprisa. El pañolito de Valentina que antes me daba tres vueltas ahora sólo me daba dos. Me dolía menos; pero si corría o hacía

49

algún esfuerzo, sentía pulsaciones dolorosas. Sólo me preocupaba de él para ocultarlo.

Valentina y su madre vinieron a misa al convento y Pilar y su padre fueron más tarde a la Parroquia. En la iglesia hablamos. Ella llevaba encima de sus florecitas verdes y blancas un pequeño velito negro, que se echó detrás de la oreja para oírme mejor —yo le hablaba en voz muy baja— y también quizá para mostrarme la oreja que estaba muy bien lavada siempre.

Pero —¡ay!— las cosas habían cambiado. Los padres de su primo iban a pasar el día en su casa para llevarse el muchacho al oscurecer, la criada no estaba para venir a buscarla a mi casa y su madre no la dejaría salir. Valentina en cambio me contaba el sueño que había tenido con las aceitunas y el vaso de agua. Mi mano estaba ya curada y yo iba a su casa y mataba a su primo y el mismo padre del primo decía después: "Está bien muerto porque era tan tonto como un pato." El primo tenía algo de pato y yo rompí a reír. En aquel momento mosén Joaquín (que era quien decía la misa) se volvía a decir "dominus vobiscum" y me miró con intención. La madre, que se inquietaba con nuestros cuchicheos nos hizo callar. Al alzar la hostia las campanitas sonaban como cristal. Mosén Joaquín, grave y concentrado, alzaba la sagrada forma. Valentina ponía todo el aire contrito y devoto que su madre le había enseñado, pero me miraba a hurtadillas y yo abría mi devocionario, buscando. No tardaba en encontrar varios renglones donde se repetía la palabra mágica "amor". Y leía haciéndome oír de Valentina:

—El corazón rebosante de amor busca un camino seguro y en vano el amor le señala una ruta y otra ruta, y el corazón va ciego, ardiendo de ilusión e impaciencia, hasta encontraros a Vos.

Valentina buscaba en su librito blanco que tenía broches dorados y encontraba:

—Señor Dios de los Ejércitos, vedme esclava a vuestros pies hablando con vuestra voz y esperando vuestra mirada.

50

Aquello sonaba muy bien. Valentina me daba con el codo y me explicaba satisfecha:

—Hay que leer aquí en la letra bastardilla donde dice: "Voces del alma enamorada que busca a Dios."

La madre volvía a sisear. Nosotros abríamos de nuevo los devocionarios y Valentina identificaba el lugar deletreando el título "en bastardilla": Voces del alma enamorada que busca a Dios. Para ella era más fácil que para mí porque el alma es femenina y lo que decía venía a propósito. Yo decidí cambiar el género de mis oraciones, pero al decirle una frase muy linda se me atravesó una palabra inesperada: "holocausto". Y no sabía qué hacer con ella. Pronunciarla seguido y sin vacilar me fue imposible. Además no sabía lo que aquello quería decir, pero ya Valentina tomaba su vez:

—Mi carne pervertida va hacia el mundo de engaños de los placeres pero mi alma te busca y te encuentra, ¡oh mi Señor!

—El efluvio —leía yo con dificultad— inconsu... inconsútil de tu divino amor cura mis llagas.

Mi libro estaba lleno de raras palabras, pero buscando más encontré una parte de letra bastardilla también, que se titulaba: "Voces de Dios al alma enamorada." Se lo señalé a Valentina, muy contento y le dije con inmodestia:

—Yo soy Dios, y tú el Alma enamorada.

Ella se ponía a leer lo suyo y le daba una entonación solemne:

—Como las flores de los prados y la brisa del bosque, como el rumor del río y el aliento de la primavera yo te siento a mi lado, oh, Señor.

—Huye del mundo y sus engaños, conserva tu pureza y elévate hasta mí.

—Como el sediento va a la fuente, como el triste va a la consolación así voy yo a ti, oh, mi amor.

—Ven a mí y duerme en mi regazo.

Aquello me parecía muy oportuno porque a Valentina le gustaba que la besaran dormida. Y ella leía entonces un párrafo largo:

51

—Todo mi ser tiembla ante tu grandeza pero sabe que hay el camino del amor para llegar a ti y a ti llego buscando paz, sosiego, amb... ambrosía, oh, Señor, donde toda belleza se remansa para recibirme, oh, Señor del amor, del saber y de las dominaciones.

En lugar de leer yo, me incliné sobre Valentina:

—Lee eso otra vez.

Ella me obedecía dulcemente. Aquel final: "Oh, Señor del amor, del saber y de las dominaciones" me dejaba confuso.

En aquel momento el órgano tocaba al otro lado de las altas celosías de la clausura.

—...del amor, del saber y de las dominaciones.

Yo había dejado caer mi libro (mi mano herida estaba torpe) y permitía con una falta absoluta de galantería que Valentina me lo recogiera. Al dármelo yo le besé la mano a ella. Valentina cerraba el suyo, sonreía, se levantaba para el final de la misa. Yo también. Me dijo:

—Esa parte yo me la aprenderé de memoria para decírtela cuando esté sola en mi casa.

Yo seguía sintiendo una extraña grandeza, que con las voces del órgano se desleía en la media sombra del templo. Hubiera podido volar. Y derrotar ejércitos aunque no hubiera un puente estrecho. Sin saber lo que pensaba ni lo que sentía contemplaba en la hornacina próxima del muro una imagen de San Sebastián casi desnudo y cubierto de saetas. Mosén Joaquín se volvía hacia nosotros haciendo crujir su alba almidonada: "Ite, missa est." Valentina se santiguaba. Llevaba un rosario de menudas cuentas amarillas arrollado a su muñeca. Iba vestida de blanco y su cara morenita, color ladrillo, parecía luminosa. Y yo la miraba. Ella me decía que cuando se hubieran marchado su primo y sus tíos, a la tarde, yo podía subir al tejado y hablarle. Yo añadí: "Aunque sea muy tarde, tú no dejes de subir al tejado. Si es de noche yo llevaré mi lámpara de bolsillo y la pondré en el suelo para que me puedas ver."

—¿Pero de noche se puede mirar con los gemelos?

—Sí, igual que de día.

Ella sonreía todo el tiempo pero yo estaba muy serio. "Señor del amor, del saber y de las dominaciones." Hubiera abandonado todo, padres, hermanos, estudios, la seguridad de mi casa para andar por los caminos hasta el fin del mundo, o de mi vida, con Valentina al lado cogida de la mano, oyéndola decir aquello.

Le devolví el pañolito de mi dedo.

—Toma, ya no lo necesito porque no me sale sangre.

Ella lo guardó pero me dijo:

—¿Y quién te va a curar hoy?

Me advirtió que debía ponerme otro algodón con agua de colonia. Y ella quería estar a mi lado para soplarme la herida.

Salíamos. En el vestíbulo besé a Valentina dos veces en la mejilla. Su madre —a quien yo quería mucho— me besó a mí. Yo comprobé que mi hermana mayor tenía razón al acusar a doña Julia de ponerse demasiados polvos en la nariz y cuando yo iba a salir acudió el sacristán y me dijo:

—Mosén Joaquín, que te llama a la sacristía.

Volví a entrar en el templo. En la sacristía que era muy pequeña y estaba detrás del altar había un torno incrustado en el muro. Giraba sobre su eje y por allí enviaban las monjas al capellán el vino para la celebración, las hostias de consagrar, los pequeñitos trapos almidonados para el cáliz. También a través de aquel torno se oía una voz gangosa que llamaba de vez en cuando:

—Ave María Purísima.

Mosén Joaquín se acercaba con su fuerte voz de campesino:

—¿Qué hay?

La respuesta a aquella voz gangosa debía ser: "Sin pecado concebida", pero mosén Joaquín no parecía hacer una gran estima de las oficiosidades de las monjas. Ellas decían al otro lado algo con una voz lastimosa, como si se les acabara de morir alguien y el cura contestaba un poco brutal. A mí aquello me divertía.

—Te llamaba —me dijo— para decirte que mañana no vamos a tener clase. Hay un eclipse y vamos a observarlo. ¿Tienes gafas ahumadas en tu casa?

—No.

—¿Y gemelos?

Le dije que sí y que los llevaría. Era un eclipse de sol. Después mosén Joaquín se me quedó mirando otra vez, extrañado:

—¿Cuántos años tienes?

—Diez y medio.

Seguía mirándome. Yo le pregunté lo que quería decir "holocausto" y me lo explicó, sonriendo. Después me invitó a subir a su terraza y me dio fruta y dulce. Tenía siempre sobre la mesa un encendedor mecánico y un cenicero atestado de colillas. Ahora el cenicero estaba limpio.

—¿Qué quieres ser tú en la vida? —me preguntó de pronto.

—Nada —repetí—. Lo que soy.

Mosén Joaquín abrió los ojos sorprendido:

—¿Lo que eres?

—Sí.

Mosén Joaquín paseó con andar silencioso sobre la alfombra, acusando ligeramente su cojera.

—¿Y qué eres?

—¿Yo? —vacilaba.

—Sí. ¿Qué eres?

Se daba cuenta de que mi respuesta iba a ser dificultosa:

—¿No quieres contestarme?

—Pues, yo soy, quien soy.

—Bien. De acuerdo. ¿Pero en qué consiste ese "quien soy"?

En un arranque de despreocupada sinceridad le dije:

—Ya que usted insiste se lo diré. Yo soy el Señor del amor, del saber y de las dominaciones.

Vi que quería reír y que se aguantó como si diera cuenta de que iba a hacer algo muy impertinente. Para no reír tuvo que tomar una actitud casi severa:

—¿Y desde cuándo sabes tú que eres todo eso?

—Desde esta mañana.

Mosén Joaquín me dijo: "No dudo que lo eres, pero esas convicciones es muy difícil que las acepten los demás y no deben salir de nosotros mismos, ¿eh?"

Yo no me resignaba.

—Hay alguien para quien soy todo eso y me basta.

—¿Hay alguien? ¿Quién? ¿Una muchacha?

—Sí.

—¿Valentina, la niña del notorio?

—Sí.

—No lo dudo, hijo mío. Pero cada hombre tiene que hacerse digno de lo que piensa sobre sí mismo. Quiero decir que tiene que trabajar, desarrollar las dotes que le ha dado Dios.

Yo estaba como borracho de mí mismo y eso era lo que el cura había visto en mí cuando entré en la sacristía.

Quedamos en que al día siguiente llevaría los gemelos y con la perspectiva de dos días sin estudiar marché a mi casa. Me fui por el callejón de las Monjas, pasé frente al balcón de la prima del obispo que estaba como siempre con su flor en el pelo y entré por la puerta trasera del corral.

Yo ocultaba mi mano herida. Nadie se había dado cuenta. Aquel secreto, que Valentina y yo compartíamos, me encantaba. Cerca del mediodía subí al tejado varias veces, pero ella no salía al suyo. Tuve que resignarme sentándome contra la chimenea y busqué mi geografía astronómica para ver documentadamente en qué consistía aquello de los eclipses. No pude enterarme bien. Sólo sabía que los había totales y parciales. Mosén Joaquín no me había dicho cómo sería el del día siguiente y volví a su casa para preguntárselo porque quería deslumbrar a mi familia. Me dijo que era parcial y que no sería apenas visible sino como una ligera disminución de la luz. Consistiría en que la luna pasaría frente al disco solar.

—Pero tú que eres el señor del saber ¿no lo sabes?

Oí reír al cura entre espantado y benévolo.

Durante la comida yo di aquella noticia en la mesa. Al principio no me oían. Mi madre me dijo:

—Pon la otra mano sobre la mesa.

Yo la puse escondiendo el dedo, pero poco después sin darme cuenta, volví a retirarla. Repetí lo del eclipse y mi padre puso atención de pronto:

—¿Cómo? ¿Un eclipse?

Yo explicaba. No sería total, se obscurecería ligeramente el sol y la luna pasaría por delante del disco solar. Mi hermana Maruja decía con la boca llena:

—Tonterías. De día no hay luna.

—Sí la hay, pero no la vemos —dijo Concha.

Mi padre apoyó aquella opinión. Mi madre volvió a decirme que comiera con las dos manos y puse la izquierda al lado del plato, sin utilizarla porque no podía tomar con ella el tenedor. Cuando sirvieron carne, como yo no pude trincharla dije que no tenía hambre. Mi madre insistía ferozmente y yo me veía perdido cuando mi padre intervino:

—No le obligues a comer si no quiere.

Como me hacía nuevas preguntas sobre el eclipse exhibí todos mis conocimientos hablando de paso de los planetas que estaban más cerca del sol que nosotros y de los que estaban más lejos. Cuando hablé del anillo de Saturno, Maruja dijo:

—Tonterías.

Mi padre pidió el periódico dispuesto quizá a leer lo del eclipse y mi madre dijo que ella se acordaba de un eclipse total que hubo cuando tenía mi edad. Se hizo de noche al mediodía y las gallinas y las palomas se iban a acostar y la cocinera era tan tonta como ellas porque preguntaba si hacía la comida o la cena. Maruja soltaba la risa. Mi padre dejó al lado de la servilleta el periódico sin abrir. Allí volví a verlo a la noche, a la hora de cenar. Durante la cena yo hablé del eclipse otra vez:

—¿Y cómo sabes tú eso? —preguntó Concha.

—Yo lo sé todo.

—¿Cómo, todo? —preguntó mi padre.

Yo estaba de mal humor porque no había podido comunicarme con Valentina desde el tejado en toda la tarde. Todavía confiaba en la noche y había preparado arriba sobre la cama mis gemelos y la linterna de bolsillo. Nadie podía hacerme explicar concretamente a lo que me refería diciendo "todo".

—Me recuerdas a Escamilla —dijo mi padre—, el viejo cochero, que cuando vienen los oradores religiosos cada año para Cuaresma va a la iglesia y los escucha con la boca abierta y al final se encoge de hombros y dice: "Bah, eso ya quería decirlo yo." Así lleva setenta años. También él lo sabe todo.

Yo estaba ofendido y no hablaba. Ocultaba mi mano, que me dolía de veras. Mi padre insistía:

—¿Cómo es que lo sabes todo?

Yo me levanté dejando de un golpe la servilleta sobre la mesa y arrastrando la silla hacia atrás:

—Por nada.

Pasó una brisa helada sobre la mesa. Yo me marché despacio y desaparecí hacia mi cuarto. Mi padre murmuraba:

—Esas no son maneras para su edad.

Pero yo tenía prisa por salir al tejado. Recogí mis instrumentos y salí a cuatro manos. En vano miraba con los gemelos. No veía nada. Desaparecían las perspectivas y la casa de Valentina se hundía en las sombras. Me confundí enfocando ventanas iluminadas donde se veían pasar sombras dudosas. Oh, el cielo estaba despejado y no había luna. Quizá la hubiera más tarde. Pero Valentina no podría estar toda la noche allí. La obligarían a acostarse. Pensé que quizá ella me estaba observando y encendí la linterna. Producía una luz muy viva. La linterna era grande y aunque se llamaba "de bolsillo" no cabía en ninguno. Puesta entre dos tejas me iluminaba. Y seguro de que Valentina me veía con sus gemelos, estuve más de una hora abriendo los brazos, bajándolos, alzando una pierna, poniéndome en cuclillas y como todo lo hacía ya bastante de prisa, aquello era como una danza. Le repetía las "voces de Dios al alma enamorada."

Pero mi padre había subido a observarme. Vio todo aquello y se marchó sin decir nada.

Al día siguiente a primera hora subió a mi cuarto. Se veía que estaba preocupado. Suspiraba, me daba la razón en todo. Me decía "hijo mío" fácilmente. Luego supe que mi padre tenía la preocupación de un pariente que murió hacía tiempo en un manicomio y el temor de que alguno de los hijos pudiera "salir a él".

—Vístete de prisa —me dijo—, que vamos a salir.

Le obedecí, intrigado. Tenía yo la idea fija del eclipse, que era a las once. Mi padre no creía ya en eclipse alguno y lo consideraba una manía mía.

—¿Qué hacías anoche en el tejado? —me preguntó sin darle importancia—. ¿Era en relación con el eclipse?

Yo vi que me brindaba una buena explicación y le dije que sí. Mi padre suspiró, me acompañó al comedor donde tomé el desayuno y salimos a la calle.

Fuimos directamente a casa del médico, un viejo bondadoso y maniático. Acababa de levantarse, tenía el periódico desplegado y decía alegremente:

—Hoy hay un eclipse, don José.

Mi padre pareció muy sorprendido. Hizo una seña a la esposa del médico, que me llevó a una habitación inmediata y se quedaron los dos hablando. Cuando mi padre, que se negaba a decirse a sí mismo palabras terribles como la "locura" o la "idiotez", hablaba de "graves trastornos" el médico se ponía impaciente y decía sin oírle: "Ahora vamos a verlo." Teniéndome a mí alllí todo lo que mi padre pudiera sugerirle le tenía sin cuidado. Y el buen médico insistía.

—Un eclipse. Con cristales ahumados, se verá.

Luego, señalando el periódico dijo que era curioso que los eclipses la "ciencia los anunciara con millares de años de anticipación" y que aquello le daba a él grandes esperanzas en el porvenir de la humanidad. Mi padre se obstinaba en llamarle la atención sobre "mi estado", pero él le interrumpía: "Ahora lo voy a ver." Odiaba los diagnósticos familiares. Se levantó y dijo a mi padre que era mejor que esperara allí.

Yo al ver venir al médico, pensé: "Mi padre se ha enterado de que tengo la mano herida y no ha querido hacerme reproches." Le agradecía aquella delicadeza. El médico entró diciendo a su mujer:

—Desnúdalo.

Ella era más joven que él y muy agradable. Me fue desnudando. A mí me avergonzaba un poco aquello y cada vez que iba a protestar el médico decía inapelable: "Desnúdalo." Miró si estaba encendida la chimenea. Ya desnudo desde la cintura se acercó y comenzó a auscultarme. Iba haciendo gestos de extrañeza. Parecía decepcionado. Luego me dijo, casi irritado:

—¿Dónde te duele?

Yo le mostré la mano: "Aquí." Expliqué a medias lo sucedido y él se puso a gesticular y dar voces al saber que llevaba dentro un balín. Salió fuera y le dijo a mi padre:

—¿Cómo no lo ha traído antes, don José? Es un abandono inexplicable. Y ni siquiera tengo rayos X.

Mi padre dudaba, oyéndolo:

—¿Rayos X?

—Sí. El pueblo no da para tanto. Pero en todo caso hay que intervenir inmediatamente. Si viene un día más tarde hubiera habido que amputar.

Mi padre no comprendía una palabra.

—Permítame —le decía.

Pero el médico no le "permitía". Los familiares del enfermo le molestaban.

—El chico parece valiente, pero sin anestesia voy a hacerle daño. Si tuviera una ampolla de cocaína, con eso me bastaría.

Yo veía que todo se complicaba.

—¿Podré ir a ver el eclipse? —pregunté tímidamente.

El médico se dijo: "Este es de los míos" y vacilando un poco preguntó también:

—¿Eres valiente? —y sin esperar la respuesta añadió—: Vamos allá.

La mujer me hizo sentarme en una silla y se puso detrás sujetándome la cabeza contra su pecho. El médico dijo:

—¿Llorarás mucho?

Yo le contesté con una sonrisa irónica que pareció complacerle. Fue todavía a otro armario y me dio un pañuelo grande de bolsillo.

—Si te duele, muerde aquí. No te importe romperlo.

Yo sentía el frío del acero dentro de mi dedo, donde el médico hendía y desgarraba. Gemía sordamente a veces, muy "en adulto". Llorar no se me ocurrió ni en broma. Supongo que mi padre oyéndome desde fuera no comprendía una palabra.

La operación terminó con la extracción del balín y el cosido del dedo. Me envolvieron la mano en gasas y algodones, la colgaron de mi cuello con un cabestrillo y el médico salió conmigo y con el balín en la punta de unas pinzas.

—Un héroe —iba diciendo—. Un verdadero héroe.

Mi padre desconcertado recibió en su mano el balín sin saber qué pensar y miraba mi brazo en cabestrillo. Exigió que le explicáramos, si era posible, lo que había sucedido. El médico se dirigió a mi padre:

—Muy fácil. Me ha traído al chico con un balazo y yo le he extraído el proyectil.

Mi padre me miraba con la boca abierta.

—Aquí estamos locos todos.

—Déjele en paz —le dijo el médico—. Déjele en paz por ahora y yo iré mañana a verlo.

—¿Puede venir a pie hasta casa? —preguntaba mi padre.

—Sí, pero antes le voy a dar un vasito de algo que tengo aquí dentro.

La mujer del médico, que me recordaba a la madre de Valentina aunque no llevaba polvos en la nariz, salía con un vaso lleno de un líquido que agitaba con una varilla de cristal. El médico la rechazó:

—Nada de eso. A niños como tú no se les da agua de azahar sino un buen vaso de vino.

Dirigiéndose a mi padre añadió:

—Es el vino generoso con el que dice misa mosén Joaquín. Yo les envío a las monjas purgantes y ellas me mandan ese vino.

Mi padre no sabía si reír con él, lamentarse conmigo o insultarnos a los dos. La señora del médico venía con el vaso. El vino tenía un color blanco sucio y olía deliciosamente.

Después salimos. Por el camino se veía a mi padre impaciente por saber cómo había sucedido aquello pero contenía su curiosidad. Cuando llegamos se metió en la biblioteca y me dijo a mí que me acostara un poco. "Después hablaremos." Mi madre estaba al otro lado de la casa y no nos vio regresar. Iba yo pensando en Valentina y en salir al tejado pero me encontré la ventana del desván cerrada y cruzada con dos travesaños de madera clavados de modo que no podía soñar siquiera en abrirla.

Bajé, rabiando, y me fui a casa de mi profesor con los gemelos en bandolera. Tuve que dar largas explicaciones sobre mi brazo. El eclipse no tuvo nada de espectacular. Mosén Joaquín había ahumado varios cristales, para mirar con ellos, pero además poniendo un poco de sombra de humo en las lentes de los gemelos lo veíamos todo mucho más próximo y más claro. Mosén Joaquín me acercaba a los ojos un cristal, después otro, luego me decía que mirara con los gemelos. Y así se nos fue la mañana. La cosa fue aburrida.

Yo me fui a casa pensando en Valentina. Entré por el callejón de las monjas y la encontré con una de mis hermanas paseando del brazo por un espacio descubierto frente a las cocheras. Al verme, las dos rompieron a reír. Yo no podía creer que mi brazo en cabestrillo fuera tan cómico, pero no se trataba de eso, sino de que llevaba la punta de la nariz negra del humo de los cristales que el profesor me había acercado. También una parte de la frente. Al saberlo yo traté de limpiarme, pero me dijeron que lo estaba extendiendo más y quedamos en que ellas me iban a lavar la cara. Todo tomó un aire de broma y yo me quedé con mi cara limpia, pero con un pequeño rencor contra mosén Joaquín. Yo empecé a molestar a mi hermana aunque no era Maruja sino Luisa. Ella me dijo por fin:

—Tú lo que quieres es que yo me marche y quedarte con Valentina porque es tu novia.

Nos quedamos solos. Valentina me preguntó si me habían hecho daño en casa del médico y le referí que me iban a cortar el brazo, pero que no tenían anestesia y que lo dejaron para otra vez.

—¿Te lo van a cortar de veras? —preguntaba ella con los ojos redondos.

—Sí, pero no importa porque volverá a crecerme.

Y le conté el cuento de los ocho hermanos que tenían alas al nacer y para quienes una vieja como la tía Ignacia les tejía camisas con tela de araña. Cuando una camisa estaba terminada y se la ponía a uno de los pequeños, las alas se le caían y le crecían los brazos. Pero se murió la tía Ignacia sin terminar la última camisa que no tenía más que una manga y uno de los hermanos se quedó con un brazo y un ala. Eso de que pudieran caerse las alas y crecer los brazos con un motivo tan simple debía tranquilizarla.

Valentina no lo dudaba y yo la besé varias veces. Las palomas venían pero no se acercaban tanto como otras veces porque estaba Valentina. Se apartó un poco y le mostré todas mis habilidades. Las palomas subían a mi hombro y luego trepaban agitando las alas hasta la mano que yo tenía en alto y tomaban allí su maíz. Cuando me cansé me acerqué a Valentina diciéndole que no me gustaban porque todo lo hacían por la comida.

Valentina sacaba de su bolsillo un papel donde estaban escritas las palabras que el Alma decía al Esposo. Yo lo leí en voz alta, lo guardé como un tributo que se me debía y le dije recordando las explicaciones que el cura me había dado en la sacristía:

—Ahora tengo que hacerte holocausto.

—¿Y eso qué es?

—El homenaje que los antiguos hacían a lo que adoraban.

—¿Y tú me adoras?

—Sí.

—¿Y no me mandas que te bese? Si no me lo mandas yo no puedo besarte.

Efectivamente, cuando la besaba yo, nunca me devolvía el beso. Ahora yo le dije:

—Bésame.

Valentina me puso una mano en cada hombro y me besó en cada mejilla.

Fui otra vez a donde estaban las palomas y puse la mano en alto, con maíz. En seguida vinieron tres o cuatro. Agarré una por las patas. Era completamente blanca y agitaba desesperadamente sus alas.

—Anda a la cocina a buscar un cuchillo.

No se atrevía porque en su casa le habían dado una zurra por atrapar un cuchillo. Oh, una zurra —pensaba yo— a ella no le da vergüenza decirlo.

Le entregué la paloma. Valentina quería hacerse la valiente, pero tenía miedo de que la picara. Yo le dije cómo tenía que cogerla mientras entraba un momento en casa. Cuando la paloma aleteaba muy fuerte ella cerraba los ojos y apretaba los dientes pero sin soltar al animal.

Subí a mi cuarto y volví a bajar con el puñal. El profesor me había dicho que el "holocausto" tenía muchas formas y la más general era sacrificar palomas. Allí estaba yo con mi puñal.

Y ahora ¿qué vas a hacer?

—No tengas miedo que a ti no te hago nada.

—¿Qué tengo que hacer yo?

—Acuéstate aquí y cierra los ojos.

Valentina obedeció. Yo barrí despacio y cuidadosamente con un manojo de ramitas de olivo el suelo a su alrededor. Las huellas de las ramitas formaban en tierra como un halo. Valentina seguía sujetando las patas de la paloma con las dos manos sobre su cintura. El animal, resignado, no aleteaba ya. Cuando creí que todo aquello estaba muy limpio tomé con mi única mano la paloma, la sujeté por las alas contra la tierra bajo mi pie y le clavé el puñal. Por la parte del pecho la paloma era más blanca todavía y la sangre era tan roja que parecía luminosa. La alcé con la mano y fui regando el suelo alrededor de Valentina. Después dejé caer sangre también sobre su pecho, sobre sus brazos y piernas y hasta sobre su cabello. La paloma había muerto ya y parecía un trapo viejo.

—¿Y ahora qué haces con la paloma?

Nos pusimos a quitarle las plumas para dársela al perro. Se la llevamos y el animal la recibió muy satisfecho. Fue después motivo de largas discusiones en la familia la presencia de los restos de la paloma entre las patas del perro. Nadie podía aceptar que un perro mastín atado con una cadena a la escalera cazara palomas, les quitara las plumas y se las comiera.

Corrimos por los corrales, las caballerizas, las galerías superiores y ya el traje, las piernas y los brazos de Valentina estaban secos, pero las manchas seguían. Eran ligeramente negruzcas. Vinieron a buscarla y se marchó. Yo me fui a mi cuarto. Estaba sudando, tenía los pies ardiendo en mis botas. Me las quité, después los calcetines y metí los pies en unas zapatillas viejas. Con los ojos cerrados de placer pensaba en Valentina. Habíamos quedado en que ella cuando hiciera aquello pensaría también en mí.

Valentina ensangrentada llegó a su casa y produjo sensación. Su madre buscó, en vano, heridas inexistentes. Pilar la miraba con desprecio. Valentina guardó el secreto. No hubo quien la hiciera confesar.

Yo me había recluido en mi cuarto. Mi madre hacía tiempo que me llamaba a voces. No contestaba, seguro de que al ver que no acudía me dejarían en paz, y abriendo mi cuaderno de latín continué con la "Universiada." Es decir, volví a comenzar:

Todo era oscuro al principio,
los pájaros y los peces y los árboles
los hombres aún no los había
pero si los hubiera también serían negros
porque no había luz para nadie.

Seguía escribiendo y buscando en mis recuerdos del génesis de la Biblia algo sobre la Creación, para no desentonar demasiado, el orden por lo menos, por el que fueron creadas las cosas.

Pero mi madre seguía llamándome y fui bajando. Mi madre me acarició la mano vendada preguntándome si me

dolía, reacomodó el cabestrillo en mi pecho y viendo manchas de sangre en los puños de mi vestido se espantó:

—Esta no es sangre mía —le dije para tranquilizarla.

—¿Pues de quién?

—Del holocausto.

Tuve que hacer grandes esfuerzos para no contar a mi
madre el origen de mi herida, de tal modo me instó con
súplicas, ruegos y ofrecimientos. Yo no se lo decía porque
me daba cuenta de que iría a decírselo a mi padre. Al final
se declaró vencida y me rogó que no saliera al tejado.

Los días siguientes fueron empeorando. Valentina había
sido castigada por sus manchas de sangre. No venía a casa.
Yo no podía salir al tejado porque además de estar la ventana
clavada, mi mano vendada me limitaba los movimientos. Y
el médico me levantó el apósito a los cinco días. Oh, durante
ellos no vi a Valentina ni pude saber sino por indicios muy
vagos que seguía castigada y que se pasaba el día sentada al
piano, llorando mi ausencia y repitiendo escalas. Mi dedo
estaba casi bien y no llevaba sino un guante con los otros
cuatro dedos cortados, para sujetar las ligeras tiras de gasa
que lo envolvían. Mientras anduve con el cabestrillo había
una cierta tolerancia. El profesor se limitaba a explicarme
cosas. Pero la mano estuvo bien un día y la ventana del tejado
clavada y Valentina ausente y mi padre indignado porque no
podía hacerme confesar el origen de aquella herida. Yo seguía
sin estudiar. Mi padre en una de sus excursiones a mi cuarto
encontró el cuaderno de la Universiada y lo rompió. Los pedazos los arrojó a la chimenea. Yo aquel mismo día comencé
de nuevo:

> Todo era oscuro al principio
> los árboles, los pájaros y los peces...

Conseguí que Concha hiciera llegar a Valentina una hoja
muy grande de papel donde había dibujado una flor en colores muy vivos. De ella salían innumerables pétalos cada uno
coloreado de un modo distinto y en medio de cada pétalo
una sentencia de las Voces de Dios al Alma enamorada. Mi

hermana me aseguró que había llegado a sus manos y que la pobre estaba condenada a no salir de casa. Mi hermana sabía muchos secretos de las personas mayores y me contó que el carácter de mi padre estaba agriado porque el banco le reclamaba no sé qué garantías sobre unas operaciones hechas por otro propietario con su aval. Mi padre andaba siempre en líos bancarios. Casi a diario llegaban cartas de un banco u otro y parece que debía una cantidad de dinero, en conjunto muy superior a las propiedades que teníamos. Sin embargo, nadie le había creado dificultades hasta entonces. Los mismos bancos parecían tener interés en darle facilidades y de vez en cuando mi padre presumía de que a propietarios más fuertes que él no les daban dinero si no llevaban la firma suya.

Mosén Joaquín iba otra vez cargándose de paciencia. Y un buen día estalló. Al darme el cuaderno vi el famoso garabato con el número 30 al lado. Treinta azotes. Bueno. Eran días para mí de grandes decisiones y me gustó aquello porque me empujaba a hacer algo que cambiara el orden de mi vida. Afortunadamente mi padre no estaba en casa cuando yo llegué ni iba a estar hasta la noche. De resultas del lío bancario se había ido al campo, a una finca de un amigo. Yo guardé mi cuadernito de hule y al caer la tarde metí en mi cinto los pistoletes, me colgué la escopeta de aire comprimido al hombro y con el cuaderno de la "Universiada" metido en el bolsillo del pantalón salí tranquilamente y me marché calle arriba.

Salí del pueblo, y dejando los caminos donde podía encontrar quizá personas conocidas eché a andar a campo través en dirección a unas montañas azules. Había dejado una carta diciendo que no pensaran más en mí y que iba a Zaragoza donde haría mi propia vida. Yo sabía por haberlo oído decir, que detrás de unas montañas azules que se veían muy lejos, estaba Zaragoza. Creía poder llegar allí antes de la medianoche pero había más de cien kilómetros de distancia.

No me preocupaba la separación de Valentina. Estaba seguro de que en cuanto le dijera dónde estaba correría a mi lado. Seguía andando y todo me era dulce y familiar, el árbol verde, el arbusto seco, la piedra rojiza, las raíces del roble. Un poema se me iba formando en la imaginación y correspondía a una canción popular:

En el jardín de mi padre
ha nacido un arbolito...

Se me antojaba que era muy tarde. Así y todo hubiera seguido andando de no tropezar con el río, un río tan caudaloso que no se le podía pasar por ninguna parte. Busqué el puente en vano. Mejor hubiera sido —pensé— seguir por la carretera que va a dar al puente, pero tampoco la encontraba. Y tenía hambre. A mi casa no volvería por ninguna razón. Tampoco quería acercarme al pueblo porque debían estar buscándome.

Y en mis vacilaciones vi detrás de mí bastante lejos una casa cuya chimenea echaba humo. Era la casa de Valentina, pero por el lado opuesto al que solía presentar en la dirección de mi casa. Me puse a pensar en lo que podría hacer, pero antes de formar una idea clara me vi delante de la puerta. Tuve la fortuna de que detrás de la criada (la que solía ir a mi casa) apareciera doña Julia. A las seis oscurecía y serían las ocho. Le dije que no volvería por nada del mundo a mi casa y que quería vivir siempre cerca de Valentina. La madre me hizo pasar y recordaba que oyendo días pasados a Maruja jugar con las muñecas en mi casa y hablar sola con ella se sorprendió porque decía muy razonable: "Y si Pepe y Valentina se quieren, pues que sean novios y se casen." Yo miraba por todas partes sin ver a Valentina. Su madre me dijo que había ido a pasar el día con sus primas al pueblo inmediato y que en cambio estaba allí el primito. De un momento a otro llegaría Valentina con el tío en el coche y el tío se llevaría al primo. Pero ya éste asomaba por el pasillo.

—Ya lo conozco —dije—. Ven, entra. ¿Quién eres tú?
La madre de Valentina nos miraba extrañada:
—¿No lo sabes? El hijo del señor Azcona.
—Perdone usted —intervine—. Que conteste él.

Y poniendo una gran intención pregunté otra vez:

—¿El hijo de quién?

—¿Yo?

—Sí.

Me miraba a la mano, sin comprender que la tuviera sin vendas y con los cinco dedos completos.

—El hijo —balbuceó— de un político nefasto.

Doña Julia se iba a reír a la cocina. Poco después volvía: "Hijo mío —me dijo— está todo el pueblo movilizado andando en busca tuya. He enviado a decir a tu casa que estás aquí."

—Yo no iré a mi casa.

—No. Nadie te obliga.

Poco después llegaron Valentina y el "político nefasto". Yo me hice el distraído hasta que se marcharon. Con Valentina había también venido Pilar. Me miraba desde la altura de sus doce años y el notario iba y venía deteniéndose a veces delante de mí:

—Eso de escaparse de casa es de golfos.

En mi casa no hicieron nada para obligarme a regresar, por lo menos entonces. Cenamos solemnemente presididos por el gordo notario. Antes de terminar advirtió la criada que había traído de mi casa mis libros y los acababa de dejar allí al lado sobre un mueble. Después de cenar don Arturo se fue al casino. Al otro lado de la mesa Valentina simulaba hacer labores de niña. La madre nos contemplaba con ternura. Pilar entraba y salía denotando con sus andares desenvueltos y la manera de llamar a la criada o decir algo a su madre una especie de abandono insolente. Leí el principio de mi Universiada. Valentina no entendía una palabra pero sentíase envuelta en los destellos de mi entusiasmo y olfateaba todo aquello como una fierecita. Cuando terminé me preguntó por mis conflictos familiares. Su madre se puso a escucharme con una gran atención. Quería saber quizá si en mi determinación influía más el odio a mi padre o el amor a Valentina. Pilar se sentía ofendida por la indiferencia de aquellas tres personas y en cambio Valentina era muy feliz y yo lo percibía en la serena amistad de sus miradas. De pronto le dije a la madre:

—Doña Julia, yo quiero acostarme ya.

—¿Tan pronto?

—Sí, porque quiero hablar con Valentina. Dormiremos juntos, ¿verdad?

La madre no sabía qué contestar:

—Hijos míos —decía sonriendo.

Valentina se le colgaba del brazo:

—Sí, mamá.

Yo contemplaba a mi novia y pensaba en las ocasiones en que había dormido en la misma cama con amigos o hermanos. Siempre era molesto, pero la posibilidad de tener a Valentina a mi lado me producía una emoción próxima al llanto. La madre no contestaba y quizá para aligerar la situación pidió a Pilar que se sentara al piano. Pilar no quería tocar "para nosotros". Todavía si Valentina la acompañaba sería menos desagradable. Lo dio a entender sin decirlo. Valentina se levantó y fue a ocupar su puesto. A mí me molestaba tener que oír a Pilar al mismo tiempo que a Valentina. El piano sonaba de una manera fría y cristalina. Valentina estaba en el lado de las notas bajas. Se confundieron dos veces y las dos Pilar quiso culpar a su hermana. Yo me dirigía a la madre porque con Pilar no quería cuestiones y advertía que sus manos eran más grandes y por haber estudiado más tiempo dominaba ya la sonata y tocaba demasiado deprisa. Pilar me contestó de mala manera. Aunque con otras palabras, trató de decirme que yo era un mocoso y que me metiera en mis libros. La madre la reconvino:

—¡Pili!

Yo lo aproveché para murmurar:

—¡Pili! Así se llama la gata de mi casa.

Valentina soltó a reír y Pilar dijo que no tocaría más. La noche parecía entrar en dificultades y la mamá dispuso que nos acostáramos. Yo seguía creyendo que Valentina y yo dormiríamos juntos pero la madre encontró una disculpa bastante razonable:

—Si os acostáis juntos váis a estar hablando toda la noche y no dormiréis.

Pilar se perdía otra vez por las cocinas:

—Dormir juntos. ¡En mi vida he oído cosa igual!

Pero al día siguiente Valentina me trajo el desayuno a la cama ni más ni menos que se hacía con su padre. Me explicó que había desayunado ya y que le gustaba mucho el café con leche. Lo tomaba más azucarado que su hermana y no en tazón sino en un cacharro de tierra, una vulgar cazuela que tenía un borde hacia adentro contra el cual ella aplastaba con la cucharilla hasta seis bollitos uno detrás de otro, antes de comerlos para que siempre quedara café con leche y beberlo al final. Pilar se burlaba de ella por aquella costumbre. Valentina repetía que cuando se levantaba tenía un hambre feroz y lo decía poniendo en sus ojos una expresión mística. Yo la oía hablar y sus palabras me llegaban entre el zureo de las palomas. Había tantas como en mi casa. Y mirándola, sin oír ya lo que me decía encontraba en ella la gracia de los ángeles de madera y también la locura de mis aventuras en las que siempre me veía saliendo triunfador o muerto. Cada gesto, cada palabra de Valentina aun sin alcanzar su sentido me producían una emoción concreta y la evocación de algo ya vivido o de algo que esperaba. Valentina se fue y yo me vestí y salí fuera. La madre de mi novia me dijo que tenía que hacer mi vida de escolar y no tuve más remedio que marchar a casa de mosén Joaquín. Es decir, me propuse ir pero no llegué. Preferí marcharme a la colina y buscar grillos machos que comenzarían pronto a cantar porque ya se acercaba la primavera. Era yo muy diestro en esa cacería y cuando no tenía otro recurso a mano para obligarles a salir de la tierra me orinaba en los agujeros que distinguía muy bien e inmediatamente salían a la superficie aunque nunca por el mismo conducto sino por otro de al lado. Yo diferenciaba los machos porque eran más pequeños y tenían los élitros más duros al tacto. A fuerza de hablar de los grillos machos ya nadie decía entre los chicos que iba a cazar grillos sino simplemente "machos". Mucho antes de la hora de comer volví a casa con más de una docena en el seno, entre la camisa y la piel. Cuando estuve allí se los mostré a Valentina y quedamos en ir a buscar más por la tarde. Una parte del amplio jardín de su casa estaba dedicada a legumbres y las lechugas se abrían sobre la tierra con una fragancia húmeda. Como los grillos prefieren la lechuga a cualquier otro manjar fuimos soltándolos allí y como faltaba bastante tiempo para la comida Valentina preguntó si nos dejaba su madre ir a coger "machos" a la colina. La madre nos dijo que sí y no creyendo yo que fuera correcto andar orinando por los agujeros delante de Valentina me llevé una pequeña regadera llena de agua. A la hora de comer volvíamos con dos docenas más para lo cual recorrimos no sólo la colina sino el césped de una arboleda próxima. Los soltamos todos en el campo de lechugas donde debieron hacer un gran estrago y nos fuimos a comer. El padre de Valentina estaba de buen humor y quiso burlarse un poco de mí. Me habló de las cabras que comían libros y tuve por primera vez que afrontar en sociedad un juego de ironías.

En mi casa la gente comía de una manera más bien ascética. Me refiero a los modales. Nunca se podía advertir en mi padre y menos en mi madre la gula, el placer vicioso de comer. A los chicos también nos educaban así. Constantemente se oía: "Cierra la boca, no hagas ruido, dónde está tu otra mano, no mires el plato de otro, levanta ese pecho." No era raro ver alguno castigado a comer con un libro debajo del brazo para impedir que alzara el codo en las manipulaciones hasta darle en la oreja al vecino. Mal o bien, la comida tenía un cierto orden. Don Arturo comía disimulando eructos, siempre los bigotes mojados de sopa o de vino, suspirando después de beber y hablando con la boca llena mientras sus manos se multiplicaban entre los entremeses, sin abandonar el plato fuerte. Parecía borracho y no del vino sino simplemente de la voluptuosidad de comer.

—Yo también me escapé de casa una vez —dijo.

Su mujer le pidió que lo contara y don Arturo insistía mucho en el miedo que tenía a su padre y claramente se veía que fue ése el único móvil. Añadía que al volver a su casa le dieron una azotaina que cambió la piel en la espalda. Al decir "la espalda" guiñaba un ojo, lo que les pareció muy gracioso a todos. Yo fuí el único que no se rió y le dije que ni tenía miedo a mi padre ni me azotaría si algún día me veía desgraciadamente obligado a volver. Don Arturo me miró sorprendido y dijo:

—¡Hum! ¡Estos chicos!

Después de comer don Arturo se marchó al casino otra vez y yo advertí a la madre de Valentina que hasta que "se encendían las luces" yo no acostumbraba a estudiar. Ella lo aceptaba y nos fuimos Valentina y yo al jardín. Vigilamos a nuestros grillos. La mayor parte se afanaban mordiendo las hojas más tiernas de las lechugas. Probablemente se sentían en un paraíso. Cuando vimos que no necesitaban de nosotros y estuvimos seguros de que no se marcharían porque las tapias del jardín eran muy altas, los abandonamos y yo fuí a buscar mi escopeta de aire comprimido. Llevaba colgada del cinturón una bolsita con municiones —gruesos perdigones— y en el bolsillo un trozo de papel de periódico que era necesario para mis planes de cazador. Antes de cargar la escopeta había que envolver bien en un minúsculo papel el perdigón de modo que hiciera presión contra las paredes de mi fusil. De esa forma, el proyectil salía, se deshacía del papel e iba a dar a donde yo lo dirigía. O por lo menos eso creía yo.

Con mi fusil cargado subimos al solanar, una gran galería descubierta donde había dos sillones plegables, otros de paja, una mesa resquebrajada por la intemperie y al fondo varios cajones de embalar y trozos de tela de saco.

—¿No me has visto cazar gorriones?

Yo miraba a mi alrededor y mis ojos se detenían una y otra vez en el comedero de las palomas colgado en el muro, a gran altura. Era como un gracioso armario muy ancho, con varios soportes alrededor de un recipiente donde había trigo y maíz. Allí no sólo acudían las palomas sino también los gorriones.

Arrastramos tres cajones hasta un lugar estratégico y los cubrimos con tela de saco dejando dentro bastante espacio para instalarnos, sentados en el suelo. Iba a ser aquél nuestro lugar de acecho.

—Nos han visto los pájaros que andan por ahí —le dije— y ahora no vendrá ninguno. Hay que esperar hasta que ésos se vayan y lleguen otros.

Por esa razón yo dejé la escopeta cargada al lado, y nos pusimos a hablar en voz baja. El aliento de Valentina al contestarme, me calentaba la mejilla y su pelo me rozaba el rostro.

Se oía la voz de su madre llamándonos, pero no contestábamos. Decidimos seguir callados hasta que se cansó y volvió adentro diciendo:

—¿Dónde estarán estos chicos?

Yo preguntaba a Valentina:

—¿Y tu madre? ¿A quién quiere más?

—No sé. Pero es muy mala, mamá.

—¿Por qué?

—Porque no quiere que crezcamos.

—¿No?

—No. No quiere. Siempre dice que a medida que somos grandes le damos disgustos.

—Aquello me parecía terriblemente perverso. Yo miraba por una rendija entre la tela de saco y el cajón.

—¿Vienen ya los pájaros? —preguntaba ella.

—Sí, ya vienen algunos.

Había dos con su corbata negra en el pecho. Uno de ellos estaba en un saliente del muro al final de una pilastra de ladrillo. El otro, en la barandilla del solanar. Los dos se cambiaban miradas recelosas.

—Estate quieta.

—¿Por qué?

—Verás. Hay dos machos ahí.

—¿A los grillos también les vas a tirar?

—No. Dos machos de gorrión.

—Ya decía yo. Porque si los grillos se dejan coger, no hay que matarlos.

Entraban y salían las palomas con un frufrú de sedas en sus alas.

El gorrión de la columna de ladrillo saltó y se acercó un poco más al comedero. Valentina miraba también.

—Ya está ahí.

—No, espera. Cuando vea que no hay nadie llamará a los demás y entonces acudirán muchos.

—¿Cómo los llamará?

—Así: "chau-chau".

Valentina reía y repetía por lo bajo: "chau-chau". Pero en aquel momento el gorrión llamaba, efectivamente, y acudieron en bandada seis o siete hembras que fueron directamente al comedero. Acudieron muchos pájaros más y el comedero estaba materialmente cubierto. Alguna paloma se irritaba e iba sobre este o el otro gorrión, amenazadora. Pero el pájaro no hacía sino alejarse algunos pasos y revolotear un momento para cambiar de posición. Yo preparaba mi escopeta.

—Hay tantos —dije— que no sé a dónde apuntar.

Apunté despacio al macho de la barandilla que estaba en el lugar del comedero más próximo a mí. Tiré. Valentina suspiró, aliviada.

—Ay, qué tonta.

—¿Por qué? —decía yo mirando al comedero vacío y buscando en vano mi pieza en tierra.

—Porque tenía miedo.

—Ahora ya puedes hablar en voz alta. ¿No ves que se han escapado todos?

Valentina no dudaba un momento de que yo había hecho blanco y salía a buscar el pájaro.

—Le di —mentí yo— pero en una pata y se pudo marchar volando.

Valentina me dijo que les apuntara a un ala y así no podrían volar. Con la sensación de fracaso volvimos a escondernos y atraje a mi lado a Valentina.

—Esos —dije por los pájaros fugitivos— están ya escarmentados y no volverán en todo el día. Ahora que es posible que vengan otros.

74

—¿Sólo comen trigo?

—¿Quiénes?

—Los pájaros.

—No. También comen mosquitos.

—Y los mosquitos ¿qué comerán? —se intrigaba Valentina, pero se daba un golpe con su manita en la frente.— Tonta de mí. Ya lo sé. Comen gente.

—¿Sí?

—Sí. Ayer me picó uno a mí.

Hablábamos en voz baja. A mí me encantaba hablar así con Valentina porque parecía que habíamos hecho algo punible o que lo íbamos a hacer. La escopeta cargada de nuevo, esperábamos. Yo no me molestaba en mirar por la rendija porque sabía que era muy pronto para que volvieran. Valentina que había visto a las palomas enfadarse con los pájaros y amenazarles, me preguntó:

—¿Una paloma se puede comer un gorrión?

—No. Las palomas sólo comen trigo.

—Y maíz.

—Sí. Y también migas de pan.

—Y a otro pájaro más pequeño ¿no se lo comen?

—No, pero si le dan un picotazo lo pueden matar.

Esperábamos en silencio. Las palomas volvían, pero los gorriones no. Y Valentina decía:

—Para un gorrión la paloma es como para nosotros un gigante.

—Sí.

—¿Tú has visto, gigantes?

—Si, una vez.

—¿Y los gigantes tampoco se comen a los hombres?

—No, pero pueden matarlos. Comerlos, no lo creo, en estos tiempos.

Aquello parecía tranquilizar a Valentina.

—¿Cuántos gigantes has visto?

—Dos. Gigante y giganta.

—¿Hablaban?

75

—Sí, pero entre ellos. A nosotros sólo nos hacen "uuuuh".

Valentina tenía miedo y se acercaba más:

—¿Y cómo se llama el idioma de los gigantes?

—El giganterio.

Nos quedamos en silencio.

—Tú todo lo sabes —me dijo.

Yo miraba alrededor. Ella se puso a mirar también.

—En la barandilla está el mismo pájaro.

—No es el mismo —le dije—. Lo parece pero no es el mismo.

—¿En qué lo notas?

—En nada, pero no es el mismo, porque los que se han asustado no vendrán hasta que hayan dormido y durmiendo se hayan olvidado y sea otro día.

—Ah.

El gorrión era también un varón con buche gris condecorado. Cerca de él en la misma barandilla, había una hembra, un poco más fina, más delgada, color de tierra. En el jardín se oyó otra vez la voz de la mamá. Nosotros nos callamos. Valentina se reía mucho.

—Estos chicos. ¿Dónde se habrán metido?

Y se iba para adentro.

—¿Sabes qué te digo? —dijo Valentina muy contenta— que así me gustaría estar siempre. Escondidos y que nos llamaran y que no contestáramos.

Yo le hacía señas de que se callara y volvía a preparar la escopeta, procurando no hacer el menor ruido. Mis precauciones causaban a Valentina una gran emoción. Suspiró y dijo: "Ay, qué tonta soy".

—Ahora no voy a tirarle al macho, porque son demasiado listos y cuando oyen el disparo dan un brinquito de lado y mientras el proyectil va por el camino cambian de lugar. Las hembras son más tontas. Verás cómo después de tirar se están quietas mirando alrededor un ratito y luego chillan y se van.

Apunté despacio. Contenía la respiración, iba a disparar. Valentina se ponía una manita en el pecho y suspiraba: "Ay, qué tonta". Tiré por fin. Todos volaron de nuevo sin que mi presa cayera a tierra y sin que siquiera saltaran plumas al aire o hubiera algún síntoma de haber herido a alguien.

—Esta escopeta funciona mal —dije— y siempre los hiere en una pata.

Se veía a los pájaros recelosos en las retejeras de los aleros próximos.

—Ahora tardarán más en volver.

Distraía a Valentina volviendo a hablarle de los gigantes. Como ella había visto cada año los gigantes de la procesión del Corpus, que eran lo menos siete u ocho y tan altos como su casa e iban por parejas, gigante y giganta y bailaban precisamente frente a su casa abriendo levemente los brazos al dar vueltas, Valentina creía que todos los gigantes eran así, inofensivos o idiotas, pero yo le contaba cosas terribles para luego tranquilizarla con mi valentía.

Los pájaros no venían y yo seguía hablando en voz baja.

—El gigante Caralampio vendrá un día a mi casa si yo lo llamo y se llevará a Maruja.

—¿Y a Luisa también?

—No.

Valentina se quedaba callada y luego decía:

—Es muy lista Luisa para sus años, ¿verdad? Ya me gustaría que fuera mi hermana.

No volvían los pájaros y yo le dije a Valentina que para demostrarle que era un gran cazador iba a dejar los gorriones y a matar palomas.

—Eso es mucho más difícil —dijo ella.— Cada paloma vale por cuarenta gorriones.

Busqué el plomo más gordo que tenía, lo envolví en papel masticado, flexioné la escopeta de modo que quedó perfectamente cargada y apenas tuve que esperar porque las palomas habían pensado quizá que éramos inofensivos.

—Esas son las que más le gustan a papá —dijo Valentina señalando una de buche tornasolado y patas rojo vivo.

—Pues vamos a comenzar.

Disparé y la paloma dio un salto, quiso volar y cayó a tierra con un ala desplegada y el pico abierto. Salí a buscarla y vi que tenía un ala rota y que abría y cerraba el pico con el ritmo de los latidos de su corazón. Volví con ella al escondite y la arrojé como un trofeo volviendo a cerrar la tela de saco y preparar de nuevo la escopeta. Yo estaba radiante y Valentina balbuceaba muy excitada:

—Ahora otra. ¡Pum! Y otra. ¡Pum! Y otra.

—¿Qué haremos con ellas? —me decía yo viendo que había seis.

—Las llevaremos a la cocina.

Aquel día era uno de los que anunciaban la primavera ya próxima. El sol había dado de lleno sobre el jardín y había una atmósfera casi calurosa. Uno de los grillos comenzó a cantar y le siguieron tímidamente dos o tres. Nosotros descendíamos por la escalera del solanar cargados de palomas muertas, y nos dirigimos a la cocina. La madre que nos vio llegar preguntó de dónde habíamos sacado aquello y al ver su aire impaciente yo me di cuenta de que se nos venía encima la tormenta. Buscábamos la disculpa en vano y cuando Valentina decía que nos las habíamos encontrado en la calle entraba el padre por la puerta del jardín. Al vernos se acercó a mí:

—Estas son las buchonas que compré en Zaragoza para la cría. ¿Qué ha pasado?

Alzaba dos de ellas cogidas por las alas y ensangrentadas. Nadie contestaba. Nos mirábamos los unos a los otros y yo sentía una impresión rara como si me crecieran las orejas.

—¡Estoy preguntando qué ha pasado!

Sólo contestaba el grillo del jardín al que se unían ya decididamente otros dos. Agitaba en la mano don Arturo las palomas como pruebas nefandas y repetía:

—Yo mismo les preparé los nidos y habían comenzado a poner ya. Cincuenta pesetas me costaron. A diez la pareja.

Nadie contestaba. En lugar de tres grillos ahora cantaban diez. El notario lanzaba miradas feroces por la ventana:

—¿Qué pasa ahí afuera?

La madre se acercaba a mí conciliadora:

—Dime qué ha pasado. Dímelo a mí, Pepe.

—Las encontramos en la calle.

Don Arturo agarró mi escopeta y sacó del interior la baqueta donde se ponía la carga. Había hecho yo más de treinta disparos y estaba caliente.

—En la calle, ¿eh?

Su cabeza redonda se enrojecía. El color rojo comenzaba en la calva e iba descendiendo hacia la nariz. Me amenazó con el puño cerrado lo que a mí me parecía verdaderamente excesivo y volviéndose otra vez hacia la ventana exclamó bajo una algarabía de treinta o cuarenta grillos:

—¿Lo oigo yo o me lo hacen los oídos?

Los grillos bien alimentados cantaban con toda su fuerza. Doña Julia se asomaba también a la ventana sin saber qué pensar: "¡Cielos! —decía— esto es una plaga."

Agitaba don Arturo delante de mis narices las dos palomas. Yo me atreví a decirle:

—Con arroz estarán muy buenas.

—¿Lo oyes, Julia? ¿Lo has oído?

Su mujer volvía de la ventana y se dirigía a mí:

—¿Qué has dicho?

Valentina tuvo un rasgo heroico:

—La verdad ha dicho. Que con arroz estarán muy buenas.

—Cállate tú, mocosa —intervino el padre.

Doña Julia se arrodillaba a mi lado y me cogía una mano:

—Vamos a ver, Pepe. Estás en nuestra casa, eres nuestro invitado... ¿Qué has dicho?

Valentina intervino otra vez repitiendo mis palabras. Don Arturo se encaró conmigo. Hablaba echándonos espumas en la cara a su mujer y a mí:

—¡Atrévete a repetirlo!

Yo callaba. Como insistía don Arturo en su provocación y yo comenzaba a sentirme en ridículo dije:

—Si usted no me deja estar en su casa tengo la mía que es más grande que ésta y a mi padre que no tiene como usted...

—¿Qué es lo que tengo?

Me daba cuenta de que era demasiado y no decía nada pero le miraba tan fijamente a su vientre, un vientre verdaderamente monstruoso, que doña Julia tenía ganas de reír.

—¿Qué quieres decir? —insistía el marido.

—Nada.

—Dímelo a mí, Pepito —insistía la madre.

—No, no lo dirá. Los instintos criminales van con la mentira y la simulación. ¿Y tú sabes, arrapiezo, lo que costaría cada ala de esas palomas si me las hicieran con arroz?

Los grillos ya no eran tres ni treinta sino toda una muchedumbre que invadía el aire de la tarde, penetraba por las ventanas hasta los últimos rincones de la casa y obligaba a don Arturo a alzar la voz:

—A tres pesetas cada ala,— y lanzándose al jardín, esta vez no a la ventana sino a la puerta, gritó como un loco: —¡Quién ha traído esa baraúnda a mi casa!- ¿O es que me lo hacen los oídos?

Doña Julia aseguró para tranquilizarlo que no, que también ella lo oía.

Yo me acerqué a la cocina, arrojé dentro la paloma que me quedaba. Valentina hizo lo mismo con las suyas y tomándola por la mano me fuí hacia el jardín.

—¿A dónde van ustedes?

Don Arturo agarró a mi novia por el vestido y tiró tan fuerte que casi cayó sentada en tierra. Yo dije a don Arturo, no muy seguro de salir bien:

—Con ella se atreverá. Con una muchacha indefensa.

Don Arturo daba vueltas sobre sí mismo agitando los brazos y pidiendo a su mujer que le hiciera una tisana con gotas de coñac. Yo creí que salía detrás de mí para alcanzarme, pero no por eso aceleré el paso. Me fui despacio y cuando llegué a la puerta vi que don Arturo había subido al solanar y deshacía a puntapiés mi reducto de cazador.

—¿Quieres más pruebas, Julia?

Entre el solanar y el comedor había más de sesenta grillos cantando a una. Yo marché hacia mi casa, pero a medida que me alejaba del problema de las palomas iba entrando en el de mi padre. Acortaba el paso deseando llegar lo más tarde posible. Me di cuenta de que lo mejor hubiera sido esperar que estuvieran todos acostados, o por lo menos mis hermanos porque las cosas que más me molestaban en mis conflictos domésticos eran la piedad de Luisa, la tristeza de Concha y sobre todo la perfidia de Maruja. Dándome cuenta de que si callejeaba hasta la hora de cenar "de los mayores" iba a ser peor, entré en mi casa. Me dirigí a mi madre que me recibio muy contenta:

—¿Te has dado cuenta, hijo mío, de que tu casa es ésta?

Subí hasta mi cuarto, pero me di cuenta de que ella me seguía. Iba yo al desván para ver si la ventana estaba todavía clavada, pero la idea de que mi madre entrara allí detrás de mí y viera los destrozos en los colchones me hizo desistir. Me metí en mi cuarto y mi madre entró y cerró la puerta:

—¿Vas a estudiar?

Yo demostré repentinamente unas ganas enormes de estudiar, pero me encogí de hombros:

—No tengo libros.

Se habían quedado en casa de don Arturo. Y de noche, no era fácil que mi madre quisiera enviar a una criada. Me consideraba completamente a salvo. Pero media hora después estaba el jardinero de don Arturo allí con todos mis libros.

Yo me encerré en mi cuarto y dije: "un conflicto en casa de don Arturo y otro aquí." Comenzaba a sentirme deprimido, pero una voz se alzó dentro de mí: "¿No soy el señor del amor, del saber y de las dominaciones?" Sin embargo, la misma voz me decía después que no bastaba con que yo lo creyera sino que tenían que aceptarlo los demás.

Por de pronto me decidí a estudiar. Pero me distraía recordando mis hazañas de aquella tarde, tratando de averiguar lo que sucedería a Valentina y renovando mis rencores contra don Arturo. Yo estudiaba en una mesita redonda que tenía un tapete multicolor hecho con tejido de alfombra. La lámpara era una de las viejas lámparas de petróleo reacondicionada para la electricidad. Conservaba el lugar del mechero, por donde entraba el cordón, su ancho pie de cobre, hueco, donde antes solían depositar el petróleo y la campana de porcelana blanca, ligeramente azulada. Esa campana recortaba sobre la mesa la zona de la luz en un amplio nimbo. Y allí donde ese nimbo terminaba, comenzaban las sombras del cuarto, que tanto impresionaban a Concha. Pero en el entronque entre esos dos misterios, en la zona donde la luz se separaba de la sombra, había todavía un halo amarillento en el que se hacían más vivos los colores del tapete afelpado. Y allí se veían cosas curiosas. Carrozas de gala, con lacayos enguantados, guirnaldas de flores, enanos bailando, gigantes tumbados, caídos y muertos probablemente. Algunas de estas cosas en proporciones tan minúsculas, tan pequeñas y lejanas que yo sin darme cuenta tomaba los gemelos y me ponía a mirar con ellos. La mayor parte de aquellas ilusiones se mantenían. Otras desaparecían, pero los gemelos descubrían un mundo todavía más pequeño. Entre los gruesos nudos de tejido que parecían colinas y montañas, había toda una vegetación. Hierbas, arbustos, árboles. La hierba era a veces azul o roja y los árboles, malva. Cualquier sombra podía ser completada con la imaginación dotándola de piernas y brazos y animada atribuyéndole una intención. Cuando aquel ejercicio me fatigaba, suspiraba muy desdichado y volvía a los libros. Yo hubiera querido estar sentado allí al pie de una de las colinas rojas bajo un árbol malva, esperando a Valentina. Y que ella llegara, libre de sus padres y de los pianos fatigosos, instrumentos de tortura negros como ataúdes. Yo encontraría por allí un arroyo donde beber cuando tuviéramos sed y miel de colmena, y manzanas.

Y quizá, de pronto me veía yo allí también. Y el primo llegaba proclamando:

—¡Soy hijo de un político nefasto!

Pero yo me alejaba con Valentina y cogidos por la cintura nos repetíamos las Voces del Alma Enamorada. Recuerdo que imaginándome a mí mismo con el libro de misa abierto leía a la sombra de aquellos arbolitos rojos la letra bastardilla como si verdaderamente la leyera. Yo era el señor del Amor y de las Dominaciones. Ya el médico había dicho que era un héroe. Pero... ¿el señor del Saber? Aquello lo dudaba. En mi memoria se acumulaban versos nuevos de la canción de Valentina:

A la orilla del estanque
ven a mirarte la cara . . .

Terminé las lecciones —nunca las sabía del todo, pero quedaban hilvanadas y al día siguiente las aseguraba —y me quedó tiempo para la "Universiada". Tuve que volverla a comenzar. Fuí a buscar papel a la biblioteca tomando antes mi llave falsa de detrás del cuadro de la pared. Me deslicé como un ladrón y después de haber metido la llave en la cerradura, cuando estaba ya abriendo sentí que dentro había luz. Tuve miedo de que estuviera allí mi padre, retiré la llave y me fuí otra vez a mi cuarto cautelosamente. Ya estaba en el último tramo de la escalera cuando oí que abrían la puerta y después de comprobar que no había nadie volvían a cerrarla.

Desde la ventana de mi cuarto se veía el pueblo donde vivía mi abuelo, al otro lado del río. En las horas de la mañana que daba el sol, de frente parecía una de esas aldeas que se simulan en Navidad en los "nacimientos" cerca del portal de Belén.

Para mí aquella aldea era una especie de paraíso del cual no había que abusar por sus mismas excelencias. Mi abuelo era un viejo grande, huesudo, de manos rugosas. Reía poco o nunca. (Creo que no lo he visto nunca reír). Tenía alguna hacienda y en la aldea se le consideraba rico, pero vestía el calzón corto con medias de estambre azul de los campesinos y nunca había querido vestirse como en las ciudades. Por aquel simple detalle mi padre lo consideraba en alguna forma inferior y merecedor de alguna clase de desdén aunque no lo habría dicho nunca en voz alta primero por respeto a mi madre y luego por miedo a mi abuelo.

Mi abuelo no inspiraba respeto sino miedo, es decir una mezcla de cariño y miedo como suele inspirar el mismo Dios. Cuando se enfadaba mi abuelo y daba voces por algún motivo temblaban todos los cristales de las ventanas de la aldea, como en las tormentas. Es verdad que eso lo sabía yo sólo por habérselo oído decir a mi padre porque nunca lo había visto enfadado, a mi abuelo.

Me senté a la mesa y de nuevo me entregué a los pequeños paisajes. Las gentes aparecían por el tapete en la zona donde la luz de la lámpara se separaba de la sombra. Y en aquellos paisajes miniados veía a Valentina, ahora claramente. Iba vestida con el traje de los domingos, con el mismo traje de la misa en el convento. Veía, con los gemelos, hasta su rosario amarillo arrollado a la muñeca. Algunos de los tipos que iban por allí saltaban como pulgas, pero ella se estaba quieta y me miraba. "Para esos seres, a excepción de Valentina —me dije— yo debo ser una especie de Dios." En el dorso del libro fuí apuntando todo lo que veía: un riachuelo, dos árboles, una pequeña carreta cargada de hierba entre la que asomaban flores. Un pájaro. Otro. Todos los pájaros en tierra y quietos. Se diría que uno de ellos era un pavo real con la cola sin desplegar o bien un faisán. Y Valentina avanzaba entre ellas —yo la veía muy bien con los gemelos— y alzando y bajando sus bracitos desnudos me decía: "Papá me ha pegado. Como ahora el que me ha pegado ha sido papá ya puedes matarlo." Lo decía sonriendo con su carita morena, como siempre. Yo le prometía ir y después le preguntaba qué le parecían mis hazañas últimas. Ella se limitaba a contestar que "una paloma valía por cuarenta gorriones", lo que me dejaba bastante satisfecho. Pero yo buscaba a su padre en los paisajes miniados del tapete y no lo encontraba. Tenía una sensación de pereza muy dulce. Hacía poco tiempo que yo "cenaba con los mayores." Hasta entonces yo cenaba como todos mis hermanos a excepción de Concha que tenía ya doce años, al caer la tarde (a las siete). Y a las ocho estaba ya en la cama. Ahora serían ya las ocho y media y todavía no había cenado porque "cenaba con los mayores." Los pequeños dormían. Yo me quedé dormido y cuando vinieron a buscarme, me llevé un gran susto.

Afortunadamente mi padre con sus preocupaciones no tenía ganas de detenerse a analizar los hechos:

84

—Ah, —¿ya estás aquí?

Mis estudios comenzaron a ir mejor. Como no podía salir al tejado a estudiar y durante el día me era imposible estudiar en mi cuarto, los días de sol me iba al segundo corral, donde estaban las palomas y los gansos y me subía encima de las tejas de una choza a media altura del muro de las cocinas. Desde allí no veía la casa de Valentina pero me hacía la ilusión de un panorama parecido al del tejado anterior, con palomas y gatos. Y estudiaba, pensando en Valentina.

Al otro lado del muro de enfrente, que ligaba con los corrales de la casa próxima se alzaba una terracita con ropas puestas a secar. Y en esa terracita había algo muy interesante. Allí estaba Carrasco. Eramos de la misma edad y vecinos pero no habíamos hablado nunca. Sin embargo no podíamos vernos sin lanzarnos el uno contra el otro en el combate más desaforado. Carrasco cuando me veía a mí se mordía el dedo índice doblado, enseñaba los dientes arrugando la nariz y producía un sordo gruñido. Yo percibía ese gruñido y por él lo localizaba. Y aun antes de haberlo visto iba como un rayo contra él. Muchas veces los vecinos nos separaban antes de llegar a las manos y otras, al ver que íbamos a pasar por el mismo sitio lo sujetaban a él y me sujetaban a mí mientras pasábamos cerca. Yo ya lo había olvidado porque desde hacía cuatro o cinco meses no peleábamos. Pero cuando él vio que yo lo había descubierto desde mi tejado, se puso el dedo doblado entre los dientes y comenzó a gruñir. El muro tenía diez metros de altura. Ni él podía bajar ni yo subir. Me amenazó con un tirador de gomas, le amenacé yo con mi pistolete vacío, que le llenó de admiración y sin decirnos una palabra él guardó el tirador y yo el pistolete.

El sol de la tarde coloreaba una parte del muro de enfrente. Las palomas acudían a aquel tejadillo y me rodeaban. Yo estudiaba las montañas de Rusia con desaliento. No me interesaba otra montaña que el "Salto de Roldán", que se veía desde mi cuarto. Y miraba el muro de enfrente donde tres lagartijas de flancos palpitantes se calentaban al sol. Nunca había visto nada más lindo y fino que la cabeza de una lagartija.

Su naricita de tierra cocida, su boca fina siempre cerrada, muy bien rematadita en punta, me encantaban. Me sacó de mi abstracción el gruñido de Carrasco. Alcé los ojos.

—Baja —le decía yo, riendo—. Baja que aquí te espero.

—Te tengo abierta ya la fuesa.

Era la primera vez que nos hablábamos en nuestra vida.

—Baja —le insistía yo.

Parecía muy dispuesto. Si hubiera habido abajo paja o heno cortado como otras veces hubiera bajado.

—Te tengo abierta la fuesa —repetía.

Yo saqué mi pistolete y apunté:

—Sal de ahí antes de que cuente diez.

Comencé a contar en voz alta. Al llegar a ocho desapareció. Yo estaba seguro de que se fue a la calle a esperarme. Tiempos atrás me esperaba a veces toda una mañana. Su ilusión era obtener un triunfo sobre mí, pero yo conocía ya sus trucos y menos la primera vez que me cogió de sorpresa y consiguió derribarme al suelo y ponerse rápidamente a caballo para que no le diera vuelta las otras batallas habían quedado indecisas o con mi victoria. El odio que me tenía no he podido atribuírlo a nada concreto, pero luego he sabido en la vida que esos odios son los más venenosos.

Hacía calor aquella tarde y era ese calor de las aldeas lleno de silencios, en que las palomas buscan la sombra y el tiempo parece detenerse y adquirir profundidad en mil pequeños rumores. Yo sudaba y salí de mi atalaya considerando ya aprendidas las lecciones. En aquel momento se oía gritar mi nombre por una ventana:

—Pepe.

Era Concha y no necesitaba preguntar de qué se trataba. Valentina estaba en casa.

Cuando doña Julia venía a casa con sombrero y guantes mi madre la recibía en el salón. Si venía "paseando", sin guantes ni sombrero se quedaban allí donde estaban y doña Julia ayudaba a mi madre a guardar ropa o a sacarla, cosas que eran las faenas rituales del hogar. Si mi madre iba a su casa con sombrero y guantes era recibida también en el salón. Cuando una de las dos se iba y advertía a la otra que "aquella visita no contaba" quería decir que no estaba obligada a devolvérsela. Todo aquello representaba un protocolo muy serio. Ese protocolo no obligaba a nadie más. Mi padre y don Arturo se veían por su parte en el casino.

Esta vez venía con guantes y sombrero. Valentina también iba "de visita" y su etiqueta consistía en tres detalles: calcetines blancos con ligas elásticas blancas también, zapatos negros de charol con hebilla blanca y las florecitas blancas y verdes del pelo. El salón era una gran sala al viejo estilo rodeada de fantasmales butacas envueltas en fundas blancas. Había tres o cuatro óleos oscuros de los que solía decir mi padre que "el marco tenía mucho mérito."

Lo que a Valentina y a mí nos interesaba era una vitrina con figuras de marfil, abanicos de seda pintada y plumas —regalos de boda— y dos mantones de Manila llenos de aves del paraíso y de extrañas flores bordadas sobre blanco en amarillos y verdes tenues. Mirábamos la vitrina mientras nuestras madres se hacían cumplimientos y nos íbamos acercando paulatinamente a la puerta. Doña Julia se daba cuenta y lanzaba como una amenaza el nombre de su hija:

—¡Valentina!

Ella, como si hubiera sido sorprendida en delito, se acercaba un poco al centro de la sala y poco después volvíamos a desplazarnos lentamente. A la tercera tentativa la madre la llamó a su lado, la tomó de la mano y la hizo sentarse en el suelo, sobre la alfombra. Yo me acerqué y me senté también. Antes de ir al "salón" tuve que fregarme bien las rodilas (eran la parte más ardua de mi toilette) y ponerme el traje de pana verde.

Doña Julia, muy comedida y fina de actitudes, decía a mi madre que el jardín de su casa sufría una verdadera invasión de grillos y que rompían a cantar al oscurecer y no paraban en toda la noche. No podían dormir. Querían hablar mal de mí y mi madre me decía de vez en cuando:

—Pepe, ¿no tienes nada que hacer? ¿No tienes que estudiar? Yo proponía a Valentina salir conmigo. Su madre se negaba. Entonces yo volvía a sentarme a su lado dispuesto a no dejarlas hablar.

—Tengo ganas ——me decía Valentina— de que sea domingo otra vez.

Nos cambiábamos papelitos que traímos escondidos. La madre de Valentina, que tenía puestos los ojos en nuestros movimientos, alargó la mano y atrapó el de su hija.

—¿Qué es eso? —decía mi madre sonriente.

Era nada menos que una estrofa de un soneto de Baudelaire. Valentina lo había sacado de una revista que recibía su padre, aficionado a la literatura:

> *Deja mi corazón ebrio de primavera*
> *cayendo en tus pupilas como en una quimera*
> *dormitar a la sombra de tus largas pestañas.*

Era lo más hermoso que me había enviado Valentina. Yo por mi parte seguía con Bécquer. También lo atrapó la madre y lo leía para sí:

> *Cuando me lo contaron sentí el frío*
> *de una hoja de acero en las entrañas...*

Continuaba el poema que yo había arreglado de modo que lo que me habían contado no era que ella me era infiel sino que su padre la había zurrado. La madre quería mostrarse severa. Nos echaron a los dos de la sala y nos fuimos muy contentos. Y entonces nuestras madres se pusieron a hablar de nosotros.

Yo llevé a Valentina a mi cuarto, cerré la ventana, encendí la luz, agité con mis manos el tapete para desarreglar las luces y los colores y le fuí indicando dónde la había visto, cómo ella alzaba los brazos y decía que su padre la había pegado, etc. La invité a mirar con los gemelos y estuvimos así largo rato. Luego le enseñé mi arsenal, mi parque de armas y municiones, una lata vieja de pólvora de caza de mi padre en la que yo había ido metiendo pequeñas cantidades de polvo explosivo que robaba de las nuevas.

—Antes de un mes —le dije— tendré bastante pólvora para volar tu casa.

Valentina me miraba vacilando:

—No. Ahora ya están bien fastidiados con los grillos. Te digo —insistió— que están bien, pero muy bien fastidiados.

Nos fuimos al corral, pasamos por allí al otro —a ése lo llamábamos corraliza, porque había allí patos, ocas, palomas y cabras—. La tía Ignacia estaba dándoles su comida de la tarde. Seguía Carrasco en lo alto del muro. Se mordía el dedo y gruñía. Cuando yo iba a enseñarle el pistolete me dijo con una voz terriblemente adulta:

—El hijo del Colaso, que quiere hablarte.

Por si eso era poco, añadió cantando con un soniquete estúpido:

> *Ahora yo no quería reñir*
> *y si quieres seremos amigos.*

Cuando creyó que lo había repetido bastante me dijo sin cantar que el Colaso estaba frente a la puerta de mi casa esperándome para hablarme. Yo propuse a Valentina salir a ver qué quería. Con mi brazo por sus hombros y saltando cada tres pasos sobre un pie, fuimos hacia el patio.

El Colaso estaba efectivamente esperándome. Era el jefe del otro bando aunque de todos mis enemigos era el único que decía que yo valía y que sería mejor conquistarme para su grupo que atacarme. La dificultad estaba en que si yo iba a su grupo llevando todo mi arsenal podía exigir que me hicieran el jefe, lo que no tolerarían los ya existentes. Me volví hacia Valentina:

—Espérame aquí un momento y fíjate bien en lo que pasa.

Salí y me fuí con cara de pocos amigos hacia el Colaso.

—Los que están siempre riñendo es que son poca cosa —dijo, sentencioso.

—Yo no estoy siempre riñendo.

—No lo digo por ti.

La cuestión que lo traía era verdaderamente grave. Su grupo iba todos los días a la orilla del río a provocar a los chicos del pueblo inmediato. Llevaban hondas de cáñamo y buena provisión de piedras de medida adecuada. Los otros tampoco se quedaban cortos desde el otro lado. Y comenzaba la pelea. Los últimos días la batalla se decidió por los de nuestro pueblo, pero en cuanto el enemigo tenía más de tres bajas (chicos descalabrados que abandonaban la pelea y se iban a su casa chorreando sangre) salían sus padres con escopetas, se metían en unos botes ligeros, y avanzaban remando para ponerse a tiro. Los honderos del Colaso los atacaban y quizá le daban a alguno una buena pedrada, pero al llegar poco más o menos a la mitad del río (que era muy ancho), los padres de los lesionados se echaban las escopetas a la cara cargadas con sal de cocina y nos freían a tiros. Todos los chicos llevaban las pantorrillas arañadas por los granos de sal, que "se metían dentro de la piel y escocían terriblemente". Mientras los lesionados nuestros bailaban, con el escozor, los chicos del pueblo contrario, se reían y se burlaban. Y aquello se había repetido tres días seguidos y era completamente intolerable. Me pedían consejo aunque lo mejor sería que fuera con ellos. Aquella tarde no había pelea.

—Porque si no vienes tú con tus refuerzos es inútil.

—¿Qué refuerzos? —preguntaba yo.

—Tu grupo y tú con tus armas.

Todos sabían que yo tenía pistoletes. Yo acepté citándolos para el día siguiente.

El Colaso se fue. Quedaba sellada la unidad nacional ante el peligro exterior. Yo volví junto a Valentina y le dije:

—Mis enemigos que vienen. Colaso y Carrasco y todos. Claro es que vienen porque me necesitan.

—¿Para qué?

—Para una batalla que tendremos mañana.

Valentina se quedaba como siempre indecisa:

—¿No pueden matarte? He visto que el Colaso hacía así, como apuntando con una escopeta.

—Pero tiran con sal.

Pensaba cargar mis dos pistoletes con pólvora de caza y buena bala lobera.

—Yo iré también —decía ella.

—¿Cuándo se ha visto que las damas vayan a la guerra?

—Van a curar a los heridos.

Ella curándome a mí me parecía hermoso, pero no la autoricé. Después de lo sucedido en su casa iba a ser, por otra parte, muy difícil que la dejaran escaparse.

Subimos al comedor donde estaban merendando su madre, la mía y Concha. Yo iba abstraído con mis nuevas preocupaciones y Concha y mi madre lo observaron en seguida. Mi madre preguntaba, extrañada:

—¿Dónde os metéis?

Valentina echaba los brazos al cuello a su madre y le explicaba que tenía que casarse conmigo. Su madre se ofendía:

—Muy bien. ¿Ya no quieres casarte conmigo?

Aquél era un problema nuevo. Valentina salía de él muy bien:

—No. Porque tengo que casarme con un hombre. Tú con papá. Yo con Pepe. Y así todos.

—¿Por qué?

—Pues porque así es la vida.

Me molestaba el abrazo de Valentina a su madre porque era un abrazo que me corresdondía a mí.

—Vas a tener un marido poco político.

Valentina se dirigía a mí:

—Dice que vas a ser poco... po-lí-tico.

Era una palabra nueva que había que decir con cuidado.

Ella y yo allí, frente a frente, éramos más fuertes que las personas mayores. Y además yo pensaba en mi aventura del día siguiente con orgullo y aquello me permitía contemplar a los demás en actitud benévola. Verdaderamente, a la madre de Valentina ni a mi propia madre no podía sentirlas nunca como enemigos.

91

Quise llevarme a Valentina a la galería, pero su madre la retenía:

—No. Ahora se queda conmigo. Cuando os caséis ya la tendrás siempre para ti.

Concha servía chocolate, traía pasteles. Yo me despedí de Valentina dándole un beso y ya me marchaba cuando su madre me preguntó si la odiaba tanto que no la besaba a ella. Volví y le besé la mano. No me gustaba besarla en la cara porque siempre tenía polvos.

Me fuí a preparar mi equipo.

Mi padre se había marchado otra vez a la finca del propietario que andaba con él en dificultades y yo tenía de momento el campo libre. Me fuí a la biblioteca donde él solía guardar sus objetos de caza. Encontré en seguida tres latas en forma de cantimplora llenas de pólvora. Otras cajas con cartuchos de una materia transparente que permitía ver la carga. Otra todavía con balas de plomo para lobos y jabalíes. Tomé dos en cada mano y me fuí a mi cuarto. Allí comprobé que las balas entraban holgadamente en el cañón de mi pistolete. Sobraba espacio. Me propuse hacer lo mismo que hacía al cargar la escopeta de aire comprimido, es decir, ajustar el proyectil al cañón con papel mascado. Y viendo que no me faltaba nada, lo escondí todo detrás del cuadro y me puse a pasear. Abrí la ventana de mi cuarto y me asomé calculando la distancia que la separaba del tejado y convencido de que no podía pasar, pero no queriendo resignarme, fuí al desván y me encontré con la sorpresa de que la ventana estaba abierta. Parece que mi madre había hecho desclavarla para ventilar la parte del desván que estaba destinada a las tinajas de compotas y mermeladas. Con los gemelos en bandolera salí al tejado y me instalé contra la chimenea. Comenzaba la puesta del sol. Un grillo se oía lejos. Me acordé de los que dejamos en el jardín de don Arturo y miré a mi alrededor. No había ningún gato, pero en cambio los pájaros se acercaban a sus albergues para dormir, con la algarabía de todos los días. Algunos gorriones se acercaban al agujero que aquí y allá habían dejado en el muro las vigas de la construcción y eran expulsados escandalosamente por otros que salían a defender su hogar. La tarde caía en un silencio impresionante. Todo era dulce y amarillo. Detrás del torreón de las monjas el cielo se llenaba de nimbos. Valentina marchaba camino de su casa y yo la imaginaba muy modosita acompañando a su madre, pero pensando en mí. Me sucedía lo que había de sucederme siempre en la vida cuando tenía una sensación placentera de mí mismo. Desaparecían las perspectivas, se disolvía también el pasado en una niebla confusa y no quedaba más que el presente. Pero de ese momento de delicia salían unas raíces poderosas hacia el fondo de mi ser y algo subía también como ramas y flores hacia el aire. Yo me sentía más fuerte y al mismo tiempo deshumanizado, como una piedra o una viga Y mirando la puesta de sol veía lo contrario que en el tapete de mi mesa de trabajo iluminada por la lámpara. En aquella puesta del sol que me encerraba como una inmensa campana de vidrio, encontraba las mismas fantasías pero monstruosamente grandes. Aquella luz que inundaba también mi tejado, la chimenea y el muro donde los pájaros escandalizaban entraba por mis ojos torrencialmente. Detrás del torreón de las monjas las nubes eran blancas como los lienzos puestos a secar. Otras nubes formaban figuras color de ámbar. A fuerza de mirar iba viendo la cabeza de mi abuela muerta con su toca blanca en el lecho donde siempre estaba enferma. Yo recordaba también que la pobre solía decir:

—Ay, Dios mío, aparta de mí este cáliz.

Y ahora veía también a Valentina.

Tenía los gemelos y enfoqué igual que había hecho el tapete de mi mesa, los nimbos lejanos. Los gemelos recortaban la puesta de sol y excluían todas las imágenes a mi alrededor. Yo hubiera querido escapar a aquellas regiones donde todas las palabras mueren, donde todos los deseos se enriquecen en el silencio y llegaba a creer que por el tubo negro de los gemelos hubiera quizá podido llegar. Cuando oí el cimbal del convento que en aquel momento tocaba a oración dejé los gemelos colgando de mi hombro y hablé con los ojos cerrados.

—Dios mío, yo también soy el señor del amor y las dominaciones y un día seré —dije con modestia— el del saber, pero tú que lo puedes todo haz que se muera el padre de Valentina y el mío también y que su familia y la mía estén muy pobres y que Valentina y yo nos marchemos por los caminos para siempre. ¡Amén!

Después comprobé que me quedaba un petardo y lo arrojé por la chimenea, esta vez muy seguro de acertar con la del comedor. Estuve escuchando y como no oí nada bajé a ver lo que sucedía. La chimenea estaba apagada y Maruja estudiaba su catecismo a dos pasos del lugar donde cayó. ¡Lástima! Lo recogí y abriendo la boca y agrandándola con mis dedos hasta las orejas fuí lentamente hacia mi hermana. Ella tiró su librito y corrió hacia la puerta:

—¡Mamá!

Escurrí el bulto hacia mi cuarto otra vez pero de pronto me acordé de que faltaba algo por averiguar y me marché a la corraliza. Efectivamente, en cuanto llegué oí a Carrasco por encima del muro medianero:

—Ya lo sabes, mañana a las tres en las vadinas.

La proximidad de la batalla me hacía más razonable. No niego que en medio de mis grandezas recordaba de pronto las escopetas de los padres de nuestros enemigos cargadas solamente con sal, pero cuyos cristales a veces gruesos como los mismos perdigones se clavaban en las pantorrillas. Yo nunca caería en la miseria en la que habían caído Carrasco y el Colaso. Todos los chicos sabían que al recibir heridas de sal producían tanto escozor que era inevitable una especie de bailoteo, por lo menos en el primer momento. Rascarse era contraproducente. Lo mejor era bailar y en todo caso parece que aquella danza era inevitable. En eso estaba el fracaso de los últimos días, que a todos los tenía avergonzados. Anduve buscando en mi armario calcetines gruesos, muy largos que se doblaban en el remate pero que si me los ponía desdoblados antes de entrar en combate, me protegían por completo la pierna. ¿Bastaría esa defensa? Tuve una inspiración y marché corriendo a la cocina. Volví con un puñado de sal gruesa y fuí cargando el tubo de mi escopeta. Colgué los calcetines a los pies de mi cama y disparé. La sal quedaba entre las redes del tejido.

—Bueno, pero yo tiro demasiado cerca. A distancia no es fácil que la sal tenga tanta fuerza.

Además mi plan era no dejarles disparar. Sorprenderlos antes de que llegaran a la mitad del río. Debía pensar en todo eso muy despacio como pensaban los verdaderos soldados.

No pude cenar tranquilamente ni apenas dormir con la impaciencia de las glorias que me esperaban.

Me desperté muy pronto. Por la tarde fue la batalla. El día era soleado. Me deslicé hacia las afueras vestido con el pantalón más viejo que encontré y un chaleco elástico roto por los codos. En la cintura, debajo del chaleco que la rebasaba, llevaba los dos pistoletes cargados con pólvora, balas y tacos de papel muy apretados. En un bolsillo del pantalón, una mecha de las que usan los campesinos para encender el cigarro. En el otro bolsillo una inocente caja de cerillas que atrapé en la cocina. A primera vista era el ser más inofensivo del mundo y sonreía irónicamente cuando pasaba alguien y me decía con aire paternal:

—¡Dios te guarde, Pepito!

Cuando llegué a las vadinas estaban todos en orden de combate. Tres o cuatro se aguzaban los dientes con una lima que tenía el hijo del boticario. Solían hacerlo en las batallas usuales para dar mordiscos más feroces y ahora ante la probabilidad de que el enemigo desembarcara o de que nosotros pudiéramos pasar el río y llegar al cuerpo a cuerpo, la lima iba de mano en mano y se le oía raspar contra los incisivos.

Vino el Colaso como delegado del grupo aliado. Nuestro ejército era tan aguerrido que algunos heridos de días anteriores habían conseguido escapar de sus casas y aparecían de nuevo en el puesto del deber. Afrontaban no sólo el riesgo de la batalla sino las consecuencias, después, en la retaguardia. Al otro lado del río, amarrados a la roca tres botes con sus remos se balanceaban suavemente. Por las últimas calles del pueblo enemigo, que se veían a trescientos metros de la orilla, desembocó una muchedumbre de chiquillos alborotando. No se oía bien lo que decían, pero seguramente repetían el estribillo por demás ofensivo y sucio que nos dedicaban a los de mi pueblo.

Salieron Carrasco y el Colaso, el chico de la estanquera y el del boticario, de la fila y se pusieron delante advirtiendo que eran jefes.

—Si sois jefes —les dije yo— ¿dónde están vuestras aımas?

El enemigo gritaba más que nunca y llegaban las primeras piedras.

—¡Las hondas preparadas!

—Ya está —gritaron aquí y allá.

—¡Fuego a discreción!

El grupo de mis enemigos habituales era más aguerrido todavía que el de mis partidarios. Carrasco se mordía el dedo índice de la mano izquierda, gruñendo mientras con la derecha hacía girar la honda alzando el pie izquierdo para tomar impulso con todo el cuerpo.

—Parece una guerra de veras —decían aquí y allá, satisfechos.

Nosotros tirábamos mejor y eso se notaba en que las piedras cruzaban el río rasantes, sin elevarse. Si una piedra dirigida en esas condiciones encontraba la cabeza de un enemigo lo derribaba sin conocimiento. Esa experiencia la habíamos comprobado muchas veces y era nuestra consigna. Los otros podía decirse que tiraban por elevación.

Al chico del boticario le dieron en un tobillo y se dejó caer sobre los pies diciendo palabras feas como un verdadero soldado. Se dirigió a mí diciendo:

—Saca ya las pistolas.

Nuestros enemigos habían dejado de vociferar por aquello de que no se puede repicar y estar en la procesión, y ahora dedicaban toda su energía al combate. Carrasco mordiéndose el dedo había tumbado ya a dos y brincaba como un diablo agitando la honda vacía en el aire, y gritando:

—¡A éstos ya no les vale la confesión!

Daba voces instruyendo a alguien que ponía una piedra demasiado grande en la honda. Le decía que las piedras pequeñas eran mejores porque llevaban más velocidad y además la víctima no las veía venir. Ese era su sistema y lo demostraba agitando la honda cargada en el aire, mordiéndose el dedo, alzando el pie izquierdo. Chascó el cuero:

—El rebote es peor que la pedrada. Se lleva todo lo que encuentra por delante. Mejor quiero yo diez pedradas que un rebote.

Atacábamos con toda furia. De los dos heridos enemigos uno se levantaba con la cabeza ensangrentada y el otro seguía en tierra, inmóvil. Eran más torpes que nosotros y formaban grupos en los cuales se podía hacer blanco fácilmente.

Ell Colaso venía, inquieto:

—Ya hay dos heridos y no tardarán en venir con las escopetas.

Continuó la pelea y a lo largo de dos horas no aparecieron en el otro lado las famosas reservas con armas de fuego. El enemigo no tenía veinte bajas pero no faltarían muchas. Nosotros teníamos al hijo del boticario que cojeaba pero seguía tirando, a Carrasco que le habían acertado en la cabeza de refilón y a un muchacho, hijo del barbero, a quien le dio una piedra en el antebrazo derecho y cuando yo le preguntaba por qué no seguía tirando me lo mostró fracturado, colgando a un lado o a otro como una caña rota. Apretando los dientes de dolor decía:

—Toma la honda si la quieres que a mi brazo no sé qué le pasa. Se me dobla hacia los dos lados. Tómala —insistía— que es muy laminera.

Los demás seguían sin novedad disparando. Yo estaba de espaldas al enemigo cuando los míos me advirtieron:

—¡Ahí va, ahí va!

Creí que se trataba de algún pedrusco que venía sobre mí, pero por la actitud de algunos que se disponían a escapar me di cuenta de que había llegado el momento. Vi efectivamente los dos botes llenos de campesinos y erizados de escopetas. Parecían mirarnos con asombro.

Los campesinos se extrañaban de nuestra calma. Yo saqué los dos pistoletes. Luego me arrepentí porque necesitaba las dos manos para cada disparo y guardé uno de ellos. Con una cerilla preparé la mecha y con el pistolete en una mano y la mecha en la otra, aguardé.

—¡Tirar sobre las barcas!

Las piedras de nuestras hondas volaron rasando el agua. Se oyó el trompicar contra las maderas de las barcas. Dos o tres piedras dieron en el blanco y oímos claramente lamentos y voces adultas. La primera barca nos soltó dos escopetazos. El estruendo fue tan grande que me sentí flaquear. Algunos corrieron pero no se iban muy lejos. Yo me había levantado los calcetines haciendo que la doblez me cubriera hasta la misma rodilla. Al hijo del boticario que solía tener mala suerte le alcanzaron algunos granos de sal y bailaba la inevitable danza que era más grotesca porque tenía el tobillo lesionado.

Yo grité con toda la fuerza de mis pulmones que no era mucha:

—¡Atrás! ¡Vuélvanse atrás!

Me contestaron con otro escopetazo y entonces ya sin vacilar y no haciendo caso del escozor que sentía en la pierna acerqué la mecha al pistolete, estuve hurgando un rato con ella sin conseguir cebarlo y de pronto no sé qué sucedió, pero me voló el pistolete de las manos con un estampido mucho mayor que el de las escopetas. Las barcas se detuvieron. Después de mi disparo el silencio era tal que oía a Carrasco rascarse la cabeza.

—Ojo, que tiran con bala —dijo alguien en las barcas.

Enardecidos, los nuestros se levantaban y disparaban granizadas de piedra.

Yo estaba muy extrañado de que no hubiera muerto nadie ni naufragado ningún bote. Pero todavía me quedaba otro pistolete. La segunda vez disparé con los ojos cerrados. El estampido fue mayor todavía y los de las barcas, empujados además por nuestras hondas, viraron y enderezaron a toda prisa hacia la orilla contraria. Entre sus voces se oían las palabras "alcalde" y "guardia civil". Parece que algunos sintieron pasar mis balas junto a las orejas. Los chicos del otro pueblo, al oír mis disparos, salieron huyendo vergonzosamente. Dueños del campo nosotros, lanzamos grandes vítores y acordamos retirarnos en formación correcta. Mucho antes de llegar al pueblo entró en aquel puñado de héroes un miedo incomprensible. Unos temían la zapatilla de su madre. Otros el cuarto de las ratas y los más el quedarse sin merienda. Nos disolvimos muy satisfechos y resolvimos conservar la unión sagrada de los dos grupos recordando que todos debían sacrificarse por uno y uno por todos, y que la principal condición de nuestra alianza era el secreto con las innobles y estúpidas personas mayores.

Carrasco, mordiéndose el dedo, dijo:

—Yo soy coronel y Pepe almirante, porque ésta ha sido una batalla naval.

Yo no me atrevía a confesar que había perdido los pistoletes. El diablo se los llevó con el estampido.

—¿Ha sido naval o no? —me insistió.

—Mixta. Naval y terrestre.

Nos disolvimos repitiendo nuestras recomendaciones sobre el secreto. Recomendaciones que fueron muy útiles porque los vecinos del pueblo de al lado protestaron ante las autoridades y al comenzar las investigaciones fueron detenidos —ni más ni menos que si fueran ya mayores— seis muchachos de nuestra banda y durante varios días prestaron declaración ante un tribunal de menores que se formó en el municipio. Yo también tuve que ir, pero sin que me consideraran presunto delincuente como a los otros. En mi casa me hice el sorprendido con aquella invitación a declarar y afectaba indiferencia y extrañeza aunque en el fondo yo veía que habíamos ido demasiado lejos y que podíamos acabar todos en un reformatorio. Mi padre, preocupado todavía por la amenaza del banco, no prestaba gran atención aunque había dado a entender de una manera incidental que si yo era culpable ejercería él la justicia por su mano cortándome nada menos el brazo con el que había delinquido.

Mi declaración ante la comisión investigadora consistió en negar todo lo que se pudiera referir a mí y en defender a mis compañeros. Dije que según lo que había oído decir, mis amigos iban a jugar al río y varios campesinos del pueblo de al lado los atacaban a tiros de escopeta. El tribunal nos escuchaba con mucha atención. Lo formaban tres campesinos, entre ellos un concejal.

—¿A tiros de escopeta?

—Sí, y en ese caso ¿qué iban a hacer mis amigos sino defenderse? Y se defendían a pedradas hasta que tenían que escapar.

—Todos tenemos cicatrices en las piernas —dijo uno.

Examinaron al hijo del boticario, que tenía las heridas aún abiertas, y cuando más preocupados estaban los del tribunal les dijimos que naturalmente los tiros eran de sal.

—Así y todo —dijo el concejal, moviendo la cabeza.

Yo temía que se hubieran enterado de mis disparos, pero no sabían nada. Los campesinos del pueblo próximo estaban en entredicho porque resultaba poco arrogante mezclarse en un asunto de muchachos. Aquello de los disparos con sal, que nadie había dicho aún —hasta ese extremo los muchachos se reservaban con los mayores— cambió por completo el rumbo de las cosas. Mis compañeros fueron puestos en libertad considerando bastante castigo el haber estado tres días detenidos en un granero de la casa municipal, yo volvía a mi casa y los campesinos del pueblo inmediato fueron castigados por su alcalde a pagar multas de dos pesetas por disparar —aunque fuera con sal— contra seres humanos y uno de ellos que no tenía licencia de caza perdió la escopeta y tuvo que pagar una multa de cinco pesetas. Nuestro triunfo fue completo, pero yo quedé muy advertido después de tres días de verdadero pánico (mi miedo no lo era al castigo, ni siquiera a la cárcel, lo que me resultaba esforzado y digno de mí, sino al escándalo en mi casa y, sobre todo, al regocijo de don Arturo).

Con todo eso, mi situación entre los muchachos era de verdadero privilegio y yo lo sentía a cada paso. Carrasco se asomaba por el muro de la corraliza sin insultarme en la calle, si pedía a otro algo que tenía en las manos —una peonza, carpetas hechas con naipes o lo que fuera— se apresuraba a dármelo. Incluso con los chicos de los barrios más lejanos, con los que no jugábamos, yo tenía alguna autoridad. La voz había corrido y al pasar oía a veces: "Ese es Pepe, el de la plaza." Y dejaban sus juegos para mirarme. Yo me consideraba merecedor de todo aquello —ganar una batalla naval en un sitio donde no había mar no se veía cada día— y a veces me acercaba patriarcal y magnífico. Recuerdo que un día uno de esos muchachos de los barrios extremos tenía un pájaro en la mano. Como me miraban como a un ser superior, yo tenía que comportarme como si lo fuera.

—Dame ese pájaro.

El chico me lo daba, pero se le veía dolido por tener que renunciar a él. Yo observaba al animalito con una gran destreza:

—¿No le has cortado las alas?

—No.

El pájaro estaba intacto. Su corazón latía fuertemente contra mis dedos. Alcé la mano y la abrí. El animalito dio un chillido de sorpresa y se lanzó al aire con todas su fuerzas. La alegría y la sorpresa fueron tan grandes que repercutieron en su vientre y se vio caer en el aire, por el camino, una motita blanca. Se detuvo en el borde de un tejado y se volvió a mirarnos. Lanzó otro alegre chillido y echó a volar. El muchacho veía todo aquello y le faltaba muy poco para llorar. Yo saqué de mi bolsillo cinco céntimos y se los di:

—No creas —le dije— que te lo he quitado. Yo no quito las cosas. Te lo he comprado con dinero.

El muchacho se sintió generosamente pagado y se marchó con su presa por si yo cambiaba de parecer.

Seguí disfrutando de mi popularidad y me daba tal placer, me devolvía una calma y una seguridad de mí mismo tan dulces que verdaderamente iba siendo ya el señor de las dominaciones. Del amor lo era, hacía tiempo. De las dominaciones lo estaba siendo. Sólo me faltaba serlo también del saber. Y me puse a estudiar con la idea de que tenía que ponerme a la altura de mí mismo.

A Valentina no la había visto en ocho días. La pobre debía estar sentada al piano con sus escalas y arpegios. También en casa habían comenzado a recibir clase de piano Maruja y Luisa y se oía todo el día hacia el lado de las galerías, el torpe teclear de la una y la otra. Luisa estaba disgustada con aquello pero Maruja presumía y hablaba de que "ella estudiaba mucho" y en cambio yo no estudiaba nada, como si fuéramos iguales.

Cuando Valentina pudo venir los dos teníamos ganas atrasadas de estar juntos. Ella se había enterado de lo sucedido en el río porque su padre habló de mí con desprecio acusándome de hechos terribles y ella preguntó a los chicos y se lo contaron. Valentina no me admiraba por eso más. Yo la había llevado a un plano delirante hacía tiempo y de ese plano ya no podía pasar.

—Pronto iré a Zaragoza —le dije.

—¿Me enviarás una postal?

—Sí. Una cada día.

—¿Con quién vas a ir?

—Con mosén Joaquín, porque él también tiene allí asuntos y da la casualidad de que vamos al mismo tiempo.

El cura estaba contento de mí y se las prometía felices si la bonanza continuaba. Había tratado de obtener mis confidencias en relación con los hechos últimos, pero vio que yo mantenía mi reserva y no insistió. "Estudiábamos los dos" porque mosén Joaquín tuvo el inteligente acuerdo de decirme un día que "había olvidado muchas cosas", que por otra parte las ciencias habían avanzado desde que él las estudió y en definitiva, que él tenía que estudiar también cada día al mismo tiempo que yo. Yo encontraba un gran placer en hacer lo mismo que él hacía. El en la mesa de su cuarto de trabajo al lado de la terraza en flor y yo en el tejado, sentado contra la chimenea. A veces me permitía decirle en plena clase: "Mosén Joaquín, usted se equivoca. No se ha fijado bien." Consultábamos el texto y veíamos que yo tenía razón. Ahora pienso que debía hacerlo a propósito.

Nuestra amistad iba creciendo. Un día me vio pasar por la plaza de Santa Clara con Valentina. Había un tíovivo en otra plaza inmediata, a la parte opuesta del convento y yo la había invitado. Cuando nos vio mosén Joaquín que estaba en el balconcillo de su terraza sonrió muy amistosamente y nos saludó con la mano. En el tíovivo yo agoté mis moncdas. Dio la casualidad de que la música era la misma para la que yo componía mis versos y fui cantándola. Terminaba coincidiendo justamente con los últimos acordes:

> *Agüil, agüil,*
> *que viene el notario*
> *con el candil.*

Aquello último le gustaba mucho a Valentina.

El profesor nos vio regresar y de nuevo nos saludó con la mano. Al día siguiente dimos la clase paseando lentamente al sol. Yo veía que mosén Joaquín se había aficionado a mí. Me decía chistes, intercalaba cuentos.

Pero su entusiasmo lo llevó a hablarles a los jesuitas de una pequeña misión que estaba en el pueblo considerando desde hacía algunos años la posibilidad de montar un colegio. De momento no tenían sino una capilla y un viejo caserón por cuyas galerías descubiertas paseaban a veces a media tarde. A su capilla la llamaban "la Compañía". "Voy a la Compañía", "Vengo de la Compañía". Mi padre respetaba mucho a los jesuitas, pero no había cultivado nunca su amistad. Los consideraba demasiado mundanos. Prefería a los agustinos, los carmelitas, los benedictinos.

Un día después de la clase apareció en casa de mi profesor un jesuita con una gran barriga circundada por la fajita negra. Hablaron mosén Joaquín y él de cosas indiferentes para mí y cuando terminaba la clase el jesuita me invitó a acompañarle, yo acepté y salimos.

El fraile tomaba una actitud beatífica y protectora. Para remate de pleito cogió mi mano derecha y la puso entre las suyas, sobre su vientre. Y así andábamos, despacio, hablándome él con una condescendencia dulzona y maternal. Yo enloquecía ante la idea de que mis compañeros de pandilla pudieran verme de aquella manera. Miraba a mi alrededor sin encontrar afortunadamente a nadie. El fraile me iba diciendo llevando el compás con sus lentos pasos:

—Nosotros tenemos juegos de fútbol, pero lo más raro, lo que tú no puedes siquiera imaginar, también lo tenemos.

—¿El qué? —pregunté yo intrigado.

—Linterna mágica de movimiento. Eso que llaman cinematógrafo.

Aquello me interesaba pero si tenía que pagarlo con una exhibición con él por las calles, mi mano entre las suyas, andando lentamente al compás de su vientre inmenso y oyéndole hablar como la tía Ignacia les hablaba a los hermanitos míos cuando comenzaban a dar los primeros pasos, renunciaba a todo. Aquel hombre quería estropear en un momento mi labor de años. Di un tirón de la mano y me marché corriendo, hasta meterme en mi casa. Al día siguiente le debía yo una explicación a mosén Joaquín y le conté lo sucedido. Mi profesor me miró de una manera extraña:

—Claro, ésa no es manera de andar por la calle para un capitán de bandidos, ¿eh?

—Yo no soy capitán de bandidos —le dije gravemente.

—Pues, ¿qué eres?

—Ya se lo dije a usted un día.

Las semanas que siguieron fueron de una calma absoluta. Yo estudiaba porque me sentía en el camino de ser verdaderamente el señor del saber puesto que había días que mis conocimientos eran mayores que los de mosén Joaquín, a quien mis padres consideraban como un hombre de gran cultura. Y mis amores con Valentina iban pasando al plano gustoso y plácido de la costumbre. Mi padre había resuelto la cuestión del Banco, según me dijo mi hermana Concha, con otra operación. Mi hermana hablaba de una victoria de mi padre, y así debía ser. Mi padre estaba contento y compró un pequeño cabriolet. Retiró definitivamente el viejo caballo

104

que se limitó desde entonces a comer avena y a pasear, y compró uno joven.

El placer de dejar las botas y ponerme unas zapatillas después de corretear era mucho mayor cada día porque el sol era ya fuerte. Valentina y yo teníamos voluptuosidades, por lo tanto, mucho más frecuentes. Mi padre comenzaba a tener fe en mí y aunque sabía que estudiaba en el tejado y que danzaba en él a veces a la luz de la luna o del sol no lo tomaba demasiado a mal y renunciaba a descifrarlo. Pero yo me aislaba. "Cuando haya aprobado el curso —me decía— plantearé seriamente la cuestión del matrimonio a don Arturo." Ya sabía que cuando no había dinero bastaba con pedirlo al Banco y si tardaban en darlo había que ir a pasar una semana a una finca en el campo, con un propietario pariente nuestro.

Mi hermana Maruja no quería ir nunca en la "zolleta" —así llamábamos al viejo coche y el nombre era un diminutivo de "zolle", que es el de la casa del cerdo— porque estaba sucio por fuera de las huellas de las palomas y las gallinas. A mí en cambio me gustaba ir allí con el viejo caballo porque me dejaban conducirla. Ya no tomaba en serio a Maruja porque mi conducta con los estudios me había dado un papel preeminente y le gastaba bromas constantes con la zolleta. Ella averiguaba noticias fragmentarias, informes confusos e iba con ellos a mi madre queriendo que otra vez cayeran sobre mí. Hablaba de que había hecho un trabuco y había matado con él a siete personas junto al río.

Mis compañeros no veían bien que los abandonara de aquel modo y comenzaban a conspirar pero cuando ya la atmósfera se hizo irrespirable salí para Zaragoza con mosén Joaquín.

El tren tardó tres horas en llegar a la ciudad y fuimos a un hotel que se llamaba "Fornos", en el Arco de Cinegio. Nos llevó desde la estación con otros viajeros un inmenso coche ómnibus de caballos cuyas ruedas hacían demasiado estrépito sobre el adoquinado y cuyos mil cristales temblaban por todas partes. Mosén Joaquín me había tratado todo el camino como a un amigo. Ni una sola vez hablamos de estudios ni de textos ni de exámenes. Viendo a través de la ventanilla el paisaje que giraba lentamente como un disco alrededor de nosotros, me dijo: "¿Ves? En eso se nota la redondez de la tierra."

Al llegar el cura se fue a ver algunos conocidos —profesores de colegios religiosos— que eran amigos al parecer de los que habrían de examinarme a mí. Yo salí al Arco de Cinegio y me aventuré por las calles próximas. Llevaba quince moneditas de plata de media peseta que me había dado mi madre. Fui a un estanco y compré cinco postales con vistas de la ciudad procurando que fueran siempre "con tranvías", compré también franqueo y seguí después inspeccionando el barrio. Por un lado llegué hasta la calle de Don Jaime, por otro hasta la plaza de la Independencia y por otro hasta la plaza de Sas. En el centro de esa plaza había un quiosco de periódicos, flores y pájaros. Me acerqué y me llevé una gran sorpresa viendo algunas ranas gigantes en cubos tras de un enrejado. Pregunté el precio. Cada una valía diez céntimos y compré cinco. Una para Valentina, otra para mi hermana mayor, otra para el cura si la quería y dos para mí. Me fui con todo aquello al hotel, las dejé en la pila del baño y me puse a escribir la primera postal para Valentina.

"Aquí es distinto. Todas las calles tienen el suelo como en nuestros pueblos las habitaciones y los pasillos. Y además todo es amor por todas partes. En el vestíbulo del hotel hay muchos periódicos amarrados en un palo, como banderas y en letras grandes se lee a veces: 'El amor de mi vida', 'Amor de Amores', 'Herida por el amor'. Parece que todo eso sucede en los teatros. Un abrazo muy fuerte de tu inolvidable Pepe. Postdata: Ahora he visto frente al hotel un tranvía con un cartel que dice 'Madrid'. Voy a ir a Madrid y desde allí te escribiré otra vez. — Vale." Puse la dirección y la eché en el mismo buzón del hotel.

Mosén Joaquín vino muy contento. Al día siguiente me examinaba. No hablamos de estudios ni de libros. Parecía que todo aquel lío de clases y declinaciones había quedado atrás en un plano remotísimo. Otra vez se marchó don Joa-

106

quín después de comer, dejándome al cuidado del administrador del hotel con otros niños que había en el patio y bajo promesa de no salir del radio que conocía ya por mi excursión de la mañana. Pero yo tenía que ir a Madrid, entre otras razones porque se lo había dicho a Valentina. Salí a la plaza de la Independencia y subí al tranvía que decía "Madrid" El cobrador me dio mi billete y estuvimos marchando por avenidas, calles, rondas y por fin terrenos baldíos durante media hora. Cuando se detuvo fue bajando la gente. Todos llevaban maletines menos yo. Miré por las ventanilllas y vi los techos metálicos de una estación de ferrocarril, muchos edificios cubiertos con pizarra y dos o tres chimeneas. El cobrador me advirtió:

—Hemos llegado.

—¿El tranvía vuelve? —pregunté yo.

El cobrador dijo que sí y bajó a dar vuelta al trole. Después dio vuelta también a los asientos. Yo miraba a mi alrededor y decía para mí mismo: "Esto es Madrid." Tuve que volver a pagar otro billete y al final del trayecto me encontré de nuevo frente al Arco de Cinegio y tuve la impresión de haber realizado una aventura nada peligrosa pero muy "de hombre". Y me puse a escribir otra carta para Valentina:

"Acabo de volver de Madrid. Tanto allí como en Zaragoza los chicos no parecen chicos. En el camino había una valla de madera con letras muy grandes que decía: 'La Victoria del Amor'. Al volver he visto que han cambiado los carteles impresos de las puertecitas giratorias y en lugar de aquél que decía 'Herida por el Amor' han puesto otro que dice 'La Ultima Batalla'. Te envío muchos abrazos de tu inolvidable Pepe. Postdata: Mañana me examino. Era otro día pero conseguí que lo adelantaran para volver más pronto. — Vale."

En la noche las ranas rompieron a cantar y en la concavidad del baño su voz era atronadora. Aunque yo dormía y no me desperté las camareros abrieron con su llave y me sacudieron hasta decirles dónde estaban. Se oían protestas a través de las paredes, en los pasillos. Quisieron quitármelas pero yo protesté. Saqué las ranas al balcón en el fondo de un florero pero seguían molestando. Volvieron las protestas y advertí que no cantarían más. Las dejé otra vez en el baño con la luz encendida. Las ranas con la luz no cantaron ya.

Los exámenes fueron como una broma de familia, todos bien avenidos y sonrientes. Comencé con el latín y mosén Joaquín no pudo burlarse del profesor porque estaba enfermo y lo sustituyó el auxiliar, que era cura también. Mosén Joaquín creía que sólo los curas tenían derecho a saber latín.

Menos brillantes fueron los exámenes de geografía y geometría pero los profesores parecían tener interés en demostrarme que les era simpático y se cambiaban sonrisas con mosén Joaquín que aparecía sentado cerca del tribunal. Terminados los exámenes nos quedamos paseando por el claustro y aguardando las notas. Era ya mediodía y teníamos mucha hambre cuando un bedel apareció con un paquete de calificaciones. De mis tres exámenes obtuve dos sobresalientes y un notable. Mi profesor estaba radiante.

Escribí otra carta a Valentina: "Te lo digo en confianza. pero ahora soy también el señor del saber. He sacado dos sobresalientes por unanimidad y un notable. Esta tarde vamos a ver una pieza de teatro en el salón Fuenclara, un teatro muy grande donde se dan obras edificantes, según mosén Joaquín. La obra se titula 'Santa Catalina de Siena' y es lástima porque mañana dan otra que se llama 'El divino amor humano' y que parece a propósito para nosotros. Tú eres la primera persona que quiero que conozca el triunfo de tu inolvidable Pepe. Postdata: No enseñes esta carta más que a tu mamá para que sea ella quien lleve la buena noticia. — Vale."

En la tarde fuimos al teatro. Yo esperaba algo especial como combates en las colonias, con muchos muertos, pero todo se limitó a personas bien vestidas que se ponían una frente a otra y discutían. Luego pregunté y supe que "edificantes" eran las obras donde al final triunfaba la virtud.

Al día siguiente madrugamos para tomar el tren y llegar a casa a la hora de comer. Fui recibido en triunfo. Valentina no había recibido más que la primera postal y las otras no

108

llegaron sino al día siguiente. Además mosén Joaquín había puesto un telegrama a mi padre. Todo el mundo lo sabía menos Valentina.

A mí me habían quedado para los exámenes de septiembre tres asignaturas de las que no hacíamos ningún caso: gramática, caligrafía y educación física. La gramática era lo único que había que estudiar pero nadie me lo recordó y se hacían ya los preparativos para el veraneo sin que tuviera siquiera el texto en casa. Mis amigos estaban deslumbrados, pero seguían conspirando y llegaron hasta mi conocimiento algunas intrigas que me obligaron a intervenir si quería conservar mi autoridad. Uno de los que volvían a ponérseme en frente era Carrasco. La base de las rebeldías estaba en que habían encontrado mis dos pistoletes vacíos en las vadinas del río. Y con ellos yo perdía mi fuerza. Me creían un cobarde.

Hacia el diez de junio todo estaba dispuesto para marchar al castillo de Sancho Garcés Abarca a veranear. Separarme de Valentina me pareció espantoso cuando doña Julia dijo que ellos se irían quince días en el mes de agosto a San Sebastián. San Sebastián era el sitio de moda, la playa distinguida. Volví a decirle a Valentina que los chicos de la ciudad eran como las cebollas, parecía que habían tenido la cabeza metida debajo de la tierra y salían blancos, con la piel brillante. Iban siempre de la mano de las personas mayores y tan bien peinados que era una vergüenza.

Mi madre decía que el castillo estaba muy confortable y en plena montaña, casi en las cumbres de Navarra. Sería saludable, sobre todo para los niños. Doña Julia me miraba a mí y decía:

—A Pepe le iría bien el mar porque es sedante.

Mi padre me distinguió con la misión de organizar el viaje. Habría que utilizar los dos coches y llevar en el viejo dos colchones y abundante ropa de cama. De los colchones uno era para la cama de mi madre y otro para la de Concha. Eran las únicas dos camas decorosas que había aunque yo prefería las otras que se llamaban precisamente "camas de campaña", es decir de campamento.

En la primera expedición marchamos todos con mi padre menos mi hermana mayor, mi madre y la tía Ignacia. Mi padre se adelantó a caballo con un cabo de guardas rurales que hacía precisamente la vigilancia en el sector del castillo. El viejo cochero llevaba el cabriolet y yo le seguía en el coche viejo, en la zolleta donde entre cacerolas, colchones y mantas había instalado a Maruja, quieras que no. En la zolleta iban sólo las criadas y Luisa que marchaba a mi lado en el pescante. El viejo animal parecía muy contento desde que estaban los caballos jóvenes con él y le gustaba alardear de energía y juventud. Llevaba tres campanillas colgando del atalaje, en el pecho, y la mañana fresca y temprana nos tenía a todos menos a Maruja de un excelente humor. Ibamos a instalarnos en el castillo antes del mediodía y por la tarde vendrían mi madre, y la tía Ignacia en un segundo viaje.

En cuanto nos vimos en campo raso yo comencé a cantar. El castillo de Sancho Garcés se alzaba en lo más alto de una montaña cónica. Mi padre tenía la debilidad de decir a veces que nuestra familia procedía de allí. Sancho Garcés había sido rey de Navarra, que entonces abarcaba la mitad del Aragón actual. El castillo tenía en ruinas las partes más importantes de lo que había sido en tiempos obra fuerte. Una muralla rodeaba por completo la parte más alta de la montaña y descendía en un escalón muy acentuado hacia el declive por el cual el alto pico de Sancho Garcés se ligaba a una cadena de montañas que se perdía por Navarra. La muralla había perdido más de la mitad de su altura y los grandes sillares habían rodado con el tiempo monte abajo. Lo que quedaba de la muralla no tenía sin embargo carácter ruinoso. En la parte central había una enorme explanada que había sido plaza de armas. Las partes que daban al norte aparecían cerradas por construcciones muy sólidas, muros que en las puertas y ventanas mostraban un grosor a veces de más de dos metros. A un lado de la plaza, la capilla dejaba ver por todas partes la traza románica y frente a la iglesia, al otro lado de la inmensa explanada, multitud de casas de piedra de una planta en torno a corrales y caballerizas, con sus portales de piedra románica y huellas claras de los oficios necesarios en un castillo donde a veces vivían seis u ocho generaciones sin salir de allí. Se dominaba desde el castillo una llanura de más de cien kilómetros en todas direcciones menos en una, la parte norte que era ya una continuación de crestas abruptas.

El resto de la familia vino antes de oscurecer. Desde el castillo se veía a lo lejos el pueblo con el torreón de las monjas que era tan alto como la misma torre de la parroquia. Con los gemelos se veía tan bien que se extrañaba uno de no oír el cimbal. En todo el castillo no había más habitantes que los viejos santeros que cuidaban la capilla y el cabo de guardas rurales que habitaba con su mujer y sus hijos en una parte de la aglomeración que tenía todo el aspecto de una aldea deshabitada.

En aquel conjunto bárbaro y romántico no se sabía dónde comenzaba la obra del hombre y terminaba la de la naturaleza. De pronto en una piedra saliente al lado de la ventana hallaba una pareja de aves de rapiña que daban su grito al verme y huían con un vuelo alto y blando. En las alturas de la torre del homenaje trunca detrás de la capilla entre los jaramagos amarillentos y las plantas trepadoras se posaban las cigüeñas viajeras que descansaban un momento camino de otras tierras. Al atardecer se oían a veces gruñidos de raposa.

Al día siguiente mi padre madrugó y se marchó con la escopeta. Hacia las ocho yo oí disparos y me vestí para salir a inspeccionar. Nuevos disparon me orientaron y descubrí por fin con los gemelos a mi padre al pie de la montaña en la ladera de una colina. Pero después vi en el campo de los gemelos que se echaba de nuevo la escopeta a la cara y disparaba. Resultaba muy gracioso el disparo. Salía de la escopeta un chorro de humo blanco, en silencio y sólo largo rato después cuando mi padre tenía la escopeta apoyada al brazo o estaba cargándola de nuevo, oía yo el disparo.

Bien dormido y descansado de las emociones del viaje después de haberme despertado varias veces para oír el viento que parecía querer arrancar el castillo, encontraba la mañana fresca y luminosa y el viento parecía haberse callado. Fui dando vuelta a la capilla hasta acercarme a la torre del homenaje, cuadrada e inmensa. Había lugares en medio de la naturaleza brava cuidadosamente pavimentados con losas de más de un metro en cuadro. Un gran reloj de sol en la esquina ochavada del templo con una frase en latín: "Todas hieren, la última mata." Después recorrí la muralla que rodeaba la plaza de armas. Estuve calculando que en aquella plaza cabían formados más de cuarenta mil hombres. Había un lugar donde la horizontal del suelo se perdía e iniciábase una rampa que descendía hasta el sitio donde la muralla se cerraba en un arco toscamente labrado. Quedaba lo más alto de ese arco a la altura del suelo de la misma plaza porque la rampa descendía rápidamente.

Me saludó desde lejos el cabo de guardas rurales que iba vestido como cualquier otro campesino pero llevaba una ancha correa terciada con una chapa de cobre en el centro, que decía: "División forestal, distrito de Egea de los Caballeros." El cabo me dijo que iba a buscar agua al manantial del Bucardo. Era un agua que tenía mucho hierro.

Fue a enjalmar el mulo para marchar al manantial. Yo me fui con él contemplando de reojo con una envidia que no podría describir, la carabina Remington de chapas cobrizas.

Le pregunté si había disparado alguna vez contra alguien. Me dijo que en toda su vida no había tenido ocasión y que deseaba y esperaba que la ocasión no llegaría nunca.

Yo iba recogiendo saltamontes que metía dentro del seno, entre la camisa y la piel. Algunos se me escaparon por las aberturas más inverosímiles, pero comprobé que me quedaban cuatro o cinco, suficientes para meterlos entre las sábanas de Maruja. No hacían daño ninguno, pero ella se llevaría un buen susto. En el manantial había una bóveda pequeña, de piedra, hecha para evitar que el viento arrojara tierra. A la derecha de la pequeña bóveda había una imagen religiosa grabada en bajorrelieve. Al lado con incisiones hechas en la piedra en letras románicas decía: "Sancta María".

112

—Esto —me dijo el guarda— lo hicieron los antiguos para preservar la fuente de los aires corrompidos que llegaban a veces por la parte de Francia.

—¿Eh? —le preguntaba yo sin comprender.

—Sí, y esto pasa también ahora. Cuando se bebe en estas fuentes hay que tener cuidado de no abrir demasiado la boca porque los demonios que van por los aires esperan al lado de los manantiales para entrar en el cuerpo del que bebe. Y si bostezas en esta montaña aunque sea lejos del manantial, santíguate bien la boca, haz por lo menos tres cruces.

Añadía que algunas noches llegaban los demonios en legiones de cientos y gruñían pasando por encima de los tejados, y que el viento a veces "descrismaba alguno" contra la esquina de su casa.

—Sí. Yo los he oído esta noche —le dije y era verdad.

Cargado el mulo subimos otra vez. Antes de llegar al arco de la muralla vimos que subía también mi padre. Llevaba varias perdices y conejos y debajo del sombrero de dril, protejiéndose el cuello y las orejas se había puesto un pañuelo blanco, desplegado, que flotaba con la brisa. El cabo felicitaba a mi padre por sus triunfos de cazador pero le recordaba que no había que esforzarse tanto, porque con un poco de habilidad y de paciencia podían matarse las perdices desde la ventana de su cuarto. Mi padre le hizo innumerables preguntas sobre las costumbres de esas aves y le regaló un conejo.

Yo subí a mi cuarto a escribirle a Valentina. Me quedaban dos de las postales de Zaragoza y se las escribí las dos. Puse también timbres de correo aunque luego me dijeron que no hacían falta. Le advertía en las postales que "ya no estaba en aquella ciudad y que si le escribía *desde allí* era porque me sobraba." Mi padre las leyó y me preguntó qué era lo que sobraba, la ciudad o las postales. Añadía en mi carta que el castillo era capaz para cuarenta mil guerreros y que si un día venía con su madre yo la vería desde que saliera de su casa, con los gemelos. "Aquí no hay amor —ni teatros, ni libros de poetas— pero he descubierto una fuente muy antigua a donde iban a beber los guerreros de Sancho Garcés.

113

El agua tiene hierro y dicen que por eso es muy buena, pero no lo creo porque aún no he visto a nadie chupando un cerrojo. En la pared de piedra había unas palabras que decían:

> *Santa María*
> *en el cielo hay una estrella*
> *que a los navegantes guía.*

Los dos versos últimos los añadía yo. Y terminaba como siempre: "tu inolvidable". Cuando mis cartas tenían algo lírico, mi padre las leía y las mostraba a mi madre alarmado. Mi madre lo tranquilizaba y una vez me dijo:

—Te gusta la poesía y en eso has salido a mí.

Cualquier ventana daba siempre al vacío y tenía enfrente una perspectiva muy brava. En la lejanía alzábase un pico parecido al nuestro, con un castillo también de Sancho Garcés Abarca cuyas ruinas descendían por las laderas. Era más grande que el nuestro, a veces las nubes lo rodeaban y aparecía por encima de ellas algún torreón. Pero estaba ya completamente inhabitable. No había además camino hasta él.

En la tarde mi padre, que parecía animado por una necesidad impaciente de recorrerlo todo, andarlo todo, cazarlo todo, me invitó a salir. Nos metíamos en lugares inverosímiles entre arbustos y mata baja o resbalábamos por los roquedos con peligro. Al final tuvimos que escalar todavía la altura de Sancho Abarca por senderos de cabras porque estábamos lejos del camino. Llegamos al oscurecer, rendidos. Había sido una excursión de exploración de caza mayor. Nadie toleraba más de una hora la oscuridad de la noche sin caer rendido por el sueño y a las nueve dormíamos. Otra vez los mugidos del viento hacían temblar las paredes de mi cuarto y parecía, desde la comodidad de mis sábanas y el suave calor de mi cama que iba metido en un inmenso proyectil lanzado por el espacio.

Por la mañana el cabo había traído correo y mi padre tuvo que vestirse el traje civilizado y marchar al pueblo. Dijo que volvería al oscurecer. Yo me quedé solo —quiero decir, como hombre— y decidí hacer una visita al castillo próximo.

Tardé en llegar más de dos horas. En las ruinas había lagartos que se tostaban al sol y al verme alzaban la cabeza vacilando entre marcharse o no. Todo estaba mucho más ruinoso de lo que parecía desde lejos. Encontré una llave oxidada, con herrajes complicados y me la guardé como trofeo. En aquel momento oí sonar una esquila de ganado. Fui en aquella dirección y tuve que salir del castillo, rodearlo y bajar los últimos exedras. Allí abajo había un pastor muy viejo cubierto de pieles y calzado con las mismas abarcas que sin duda usaron los de Sancho Garcés. Cerca de él, diseminados por las ruinas, algunos centenares de ovejas.

—Buen día.

—A tu padre —me dijo de buenas a primeras— le gusta cazar. Allí hay bucardos.

Me señalaba con la vara un bosque próximo. Añadía: "Si pasas por allí al volver a casa, brincará alguno." Por lo visto el pastor conocía a mi padre o lo había tropezado en sus andanzas de cazador. O quizá el pastor lo sabía todo.

—¿Has venido a ver el castillo?

—Sí.

—¿Qué buscas aquí?

—Nada.

—Pues algo llevas en la mano.

Le mostré la llave. Se quedó mirando muy extrañado y como sin saber qué decir. Por fin habló:

—El señor de este castillo perdió una batalla. Sólo una.

Ya lo sabía yo por haberlo oído a mi padre. Perdió una batalla porque estando acampado con sus tropas en un valle próximo, llegó el enemigo y cuando le dijeron que era necesario cambiar el emplazamiento del real para dar la batalla sobre seguro, vio que las golondrinas habían anidado en los palos de las tiendas de campaña:

—¿Cómo vamos a levantar el campo?

Por los nidos se asomaban los feos picos hambrientos de las crías. "¿Cómo vamos a levantar el campo?" Y el campo no

115

se levantó. Y fueron a buscar al enemigo a otra parte y perdieron la batalla, aunque pudieron volver al campamento más de la mitad de las fuerzas y aguardar a que las crías pudieran volar. Entonces, levantaron el campo y volvieron al castillo, que estaba sitiado por el enemigo y rompieron el sitio y entraron. Así me lo había contado mi padre. El pastor dijo:

—Allá en aquel montecico hay un castillete y otro allá. Mira. Y el señor de este castillo tenía muchos hijos bastardos y uno solo legítimo que se llamaba Garcés. Y los bastardos se llamaban así como De Dios, Esmeralda, de la Peña, del Castillo. Y el pueblo está lleno de esos nombres. Un día se acercaba la morisma por el valle y el combate que se preparaba para el amanecer del día siguiente parecía muy feo. Y el señor recorrió los castilletes que estaban puestos por aviso contra las barrancas. Y al llegar a aquél gritó desde su caballo: "Ave María. ¿Qué gente vive ahí dentro y cuál es su afán?"

—Aquí dentro —le contestó uno de los muchos hijos bastardos que estaban aguardando al enemigo— hay ciento veinte hijos de puta dispuestos a dar la vida por vos, nuestro padre y señor.

Y mirando lánguidamente las ruinas el pastor añadió:

—Por eso al castillete le llaman por mal nombre "el fuerte de los hijos de puta".

Luego el pastor me regaló una bolsita de cuero que él mismo había curtido y labrado y que yo me puse al costado, pendiente del cinturón.

—Si quieres ver como brincan los bucardos pasa con cuidado por medio de aquel boscaje.

Descendí por el lado opuesto del castillo, entré en el bosque cuyos árboles se entrelazaban en lo alto hasta impedir la entrada de la luz y seguí conducido por un lejano resplandor. Pude llegar a tiempo de ver cómo se perdían entre los árboles un ciervo y tres cervatillos. En el centro, en un lecho de roca se adormecía el agua de lluvia. Los cervatillos acudían allí a beber. Yo se lo dije a mi padre cuando llegué a casa

116

y Maruja dijo que quería venir con nosotros. A mí me había desaparecido la inquina contra ella, pero por seguir con una antigua costumbre trataba de molestarla con pequeñeces sin importancia. Aquel brillo que tenía en la nariz y que no era un brillo de nariz sino de objeto de metal, el mismo que tenía en su frente y en la punta de la barbilla, era el objeto más frecuente de mis bromas. En el fondo de ellas había cierta ternura y mi madre así lo comprendía cuando ella iba a acusarme de "haberla insultado". Pero a los pocos días de estar allí sucedió algo que no puedo recordar sin espanto. Estábamos en el segundo piso de la parte principal del castillo. Había una barandilla de madera que corría de un lado a otro de una gran sala sobre la escalinata de piedra que subía desde el piso de abajo. Ella jugaba sentada en el suelo contra la barandilla y yo preparaba con cuerdas y palos una especie de armazón para el blocao que pensaba construir. Mi hermanilla estaba irritada conmigo y me insultaba constantemente. Su manera de insultar consistía en ir repitiendo mecánicamente, todo el repertorio de insultos infantiles posible. Yo llegué a molestarme, fui hacia ella y a mitad de camino la vi desaparecer entre los barrotes y caer al vacío. Escuché un golpe blando y después un silencio completo. Se ha matado, pensaba yo. No me atrevía a asomarme a la escalera porque quería evitarme la comprobación. Oí llegar desoladas a mi madre, a la tía Ignacia y a una criada. Entonces descendí. Mi hermana estaba caída en los peldaños. No se veía sangre, pero parecía muerta. La tomaron en brazos y las voces se diseminaron por la casa. Yo me creía culpable del crimen, pero afortunadamente el crimen no existía. Mi hermana volvió en sí poco después. Lo primero que dijo al abrir los ojos fue que yo la había tomado en brazos y levantándola por encima de la barandilla la había arrojado al vacío. Oh, yo la escuchaba y no podía siquiera desearle que hubiera muerto, porque era tan frágil y tan indefensa que no podía deseárselo. Y sin embargo era aquello lo que me podía haber salvado. Mi padre fué el único que rechazó las acusaciones. Cuando le oí decir que Maruja mentía comencé a sentir que quizá podríamos llegar a ser amigos. Maruja viéndose fracasar rompió a llorar amargamente y a decir que le dolía todo. No era cierto. No le dolía nada ni tenía lesión alguna. Un coscorrón en la cabeza, como otros que nos habíamos hecho sin perder el conocimiento ni acusar a nadie. (Bien es verdad que todavía no he comprendido cómo no se mató.)

Dos días después marchamos en busca de los ciervos. Nos habíamos acostado mi padre y yo el día anterior a las seis con el sol todavía en las bardas. A las dos de la mañana estábamos ya de pie. Salimos. Descendimos en plena noche después de cruzar dos vaguadas cubiertas de malezas y grandes rocas grises. Antes del amanecer rodeábamos el castillo próximo y al llegar a la entrada del bosque el cielo comenzaba a encenderse con tintas de rojo cinabrio. Algunos segundos después el firmamento entero era una cúpula color sangre de toro. Mi padre me daba prisa:

—Vamos, vivo, que si nos instalamos después de amanecer los ciervos nos verán.

Al otro lado de un pequeño estanque abierto en el claro del bosque construímos rápidamente aprovechando la disposición natural de una roca y ramas de árbol, un blocao.

Mi padre me preguntaba en voz baja atisbando por las aspilleras:

—¿Por dónde los viste huír?

Yo le indicaba el lugar. "Es por ahí por donde huyen siempre —decía él— ya que al ser sorprendido un animal en peligro no huye sino por un lugar conocido."

Los oídos nos engañaban constantemente con la ilusión del follaje removido entre los árboles. El viento nos traía los más pequeños ruidos. Pero no acudía nadie. La tensión del primer momento desaparecía ya cuando oímos rumor de follaje aplastado. Mi padre preparó la escopeta y lo que apareció allí no fue ciervo ninguno sino un oso. Un oso grande y viejo que miraba en nuestra dirección recelando algo.

—¡Un oso!

Mi padre estaba tan asombrado como yo. Disparó los dos cañones a un tiempo y el animal que no parecía tocado, alzó la cabeza y miró en nuestra dirección. Al mismo tiempo salió el pastor que yo había encontrado en las ruinas del castillo, se acercó al oso y le rascó debajo de la barba. El pastor dirigiéndose hacia nosotros que seguíamos escondidos y sin comprender nada, gritó:

—Ah, ¿qué mal les ha hecho, Mateo?

Mi padre me miraba a mí y me dijo por fin:

—Hijo mío, pellízcame en el brazo.

Le pellizqué. El pastor decía ahora:

—Los bucardos no vienen aquí. Hay que subir más arriba.

Y se marchó tranquilamente con el oso. Más lejos, cerca de las ruinas del castillo se oían las esquilas del ganado.

Nosotros regresamos al castillo. No hablamos una palabra. Mi padre parecía muy preocupado y se limitada a exclamar, a veces:

—Esto es como lo que le pasó al tío Mónico.

Yo me daba cuenta de lo dramático de la situación y no me atrevía a preguntar qué era lo que pasó. Llegamos al mediodía al castillo. Mi padre entró en la capilla, por lo visto tratando de recurrir a Dios en sus confusiones. Yo también. Estaba la capilla sumida en una sombra húmeda deliciosa. Encendió mi padre la lámpara que había frente al altar y se arrodilló. La imagen de alabastro, se remontaba a los tiempos en que el castillo lo habitaba Sancho Garcés y era mucho más antigua, según decía mi padre. Iba cubierta hasta el cuello por un manto en forma de cono bordado en plata y oro. La imagen era bastante grande para lo que suelen ser las imágenes de esa naturaleza en España y mientras mi padre rezaba yo observé que por el hombro de la imagen asomaba alguna cosa movediza. Puse en aquello toda mi atención. Era un lagarto. Más tarde vi que había también en los agujeros de la bóveda de la capilla ardillas color tabaco. El lagarto seguía en el hombro y parecía mirarnos a nosotros y a la luz de la lámpara intrigado. Olió la oreja de la imagen, descendió sobre su manto bordado en el que el lagarto parecía un adorno más y volvió lentamente al hombro.

Después se lo conté a mi madre. Estaba también la tía Ignacia, que se apresuró a decir:

—Aquello no era un lagarto, sino el diablo. En estos lugares hasta la virgen lleva el diablo en collicas.

Mi madre sonrió. Era menos religiosa que mi padre, al revés de lo que suele suceder en las familias. Yo me fui a la plaza de armas con un grueso cayado rematado en un pincho de hierro. Distraído me puse a golpear con el cayado una losa grande, cuyos límites se perdían entre la tierra y la menuda hierba. Noté que mis golpes sonaban a hueco y me fui a avisar al cabo. Este buscó una barra de hierro que los campesinos llaman barrón y que suelen usar como jabalina para lanzarla lejos, en sus juegos pero a pesar de todo no conseguimos sino moverla un poco. Mi padre, intrigado, se fue a buscar otra palanca y entre los dos consiguieron levantar la piedra. Debajo aparecía un orificio circular correctamente trazado, de más de un metro de diámetro. Mi padre y el cabo de guardas se miraron extrañados y éste dijo que aquellas montañas estaban llenas de cuevas y que en una de ellas se guardaba el copón que usó Cristo en el monte de los Olivos. Arrojaron papeles encendidos con los que se iluminó el recinto. No se veían señales de haber tenido nunca agua. Los muros eran de sillería bien labrada y ajustada. El cabo se ofreció a bajar a explorar. Yo me ofrecí también, pero los dos estuvieron de acuerdo para rechazarme. Fueron a buscar una cuerda, una linterna y un pico. Se descolgó el cabo con la linterna colgada del cinturón y el pico a la espalda.

El cabo dio voces desde abajo diciendo que todo estaba limpio y en orden y que había una puerta tapiada que iba a abrir. Mi padre descendió también y poco después se oyó el ruido monótono de un pico separando las piedras de la argamasa. Yo protesté tanto que por fin me dejaron bajar. Descendí rápidamente. En cuanto cedió una parte del muro metieron por ella la linterna y estuvieron curioseando. Allí comenzaba una galería, que se prolongaba a lo largo de más de cien metros. Acabaron de abrir y penetramos los tres. Yo quería ser el primero en avanzar para poder contárselo a

Valentina, pero mi padre me llamaba constantemente y me obligaba a ponerme detrás. Mi padre ignoraba que era verdaderamente allí donde yo tenía miedo y acabé instalándome detrás del guarda, pero delante de él.

Yo lo miraba todo ansiosamente. Creía que el mundo se había hecho de dentro a afuera. Debajo de donde estábamos había otros subterráneos con restos de la vida anterior. Y me interesaba mucho lo que veía para mi "Universiada" donde tendría que relatarlo. Mi padre, que no estaba muy fuerte en historia, exclamaba palpando el muro:

—¡Qué grandes, los romanos!

Luego añadía que si Roma nos invadió, los principales emperadores romanos fueron después españoles, como Trajano. Y contaba de él grandes prodigios.

Con objeto de conservar la orientación mi padre sacó un papel y comenzó a levantar el plano con el lugar por donde habíamos entrado. Llevaba trazas la galería de prolongarse cientos de metros. A la izquierda se abrían recintos cuadrangulares, bastante espaciosos. En el primero vimos una olla de barro. Dentro había monedas negruzcas que debajo de una capa de polvo fuertemente adherido se mostraban de plata. Las dejaron como estaban con el propósito de ir haciendo un inventario y volver más tarde a recogerlas. Eran del siglo IX, con gran decepción de mi padre, que quería que fueran romanas. Otro recinto que se abría un poco más adelante, tenía simplemente una cuerda colgada del techo y al pie, en el suelo, un montón de restos humanos y de trozos de tela podrida. Aquel encuentro era bastante para contener de momento la curiosidad de los tres, pero seguimos adelante.

La galería iba a dar a una glorieta en medio de la cual había un gran bloque de piedra, cuadrado. Lo golpearon con los bastones para ver si estaba o no hueco, pero era un bloque macizo. De aquella glorieta partían cuatro galerías más en otras tantas direcciones.

El guarda insistía en que en aquellas cuevas estaba el cáliz de la pasión de Cristo. Seguimos investigando, pero como la tarea era para más de un día y de una semana, decidimos salir.

121

Al vernos a la luz del día nos encontramos al cura de una aldeíta próxima que venía a decirnos misa los domingos. Había dicho ya otras dos, una en su pueblo y otra en un santuario, y como había bebido dos buenos tragos de vino en ayunas, estaba un poco mareado. Tenía mucha prisa por decir la última y almorzar, y fuimos todos a la capilla. El santero estaba con su traje nuevo y le ayudó. No decía ninguna frase en latín, sino frases fonéticamente equivalentes en español. Por ejemplo, cuando debía decir: "et cum spiritu tuo", decía: "según se mire es tuyo". La larga oración del "Oremus" fue algo que a mi padre le produjo una risa incontenible. Cuando alzaba la hostia el santero oyó rascarse al perro del cabo y dejando la campanilla salió detrás del animal hasta echarlo: "Rediós, éste no es lugar para que los perros se espulguen", decía. El cura y mi padre contenían la risa. Después mi padre decía, moviendo la cabeza: "Dios toma más en cuenta esos disparates que los rezos de muchos obispos."

A veces en aquellos días yo pensaba en mi abuelo a cuya casa hacía tiempo que no había ido. Pensaba en él como en un enemigo de mi padre, con ese instinto de los niños para descubrir la verdad de los afectos de los otros.

Mi abuelo no era enemigo de mi padre, desde luego, pero tampoco le había mostrado nunca sentimientos especialmente amistosos. Yo creo que mi padre recelaba de él. Hasta cierto punto mi padre tenía miedo de él y esa era la razón de que no fuera a verlo nunca. Por otra parte mi abuelo no salía de su pueblo sino para ir a visitar las cabañas en el valle bajo durante el invierno o en las altas sierras en verano. Las ovejas necesitaban vivir durante el verano en tierras altas para que produjeran mejor lana, según había oído decir. Cuando más frío el lugar mejor lana protectora les daba la madre naturaleza.

Según el origen y la clase de desgracia que me aquejaba yo pensaba en Valentina o en mi abuelo. Si era una desgracia de carácter social (por ejemplo una derrota en mis batallas con los bandos de chicos contrarios) pensaba en mi abuelo. Si era una desventura dentro de mi casa (en mis relaciones con mi padre) pensaba en Valentina.

Mi abuelo era una especie de Júpiter tonante que vivía al otro lado del río.

En algunos días no volvimos a investigar en los subterráneos. Por la noche me desperté con frecuencia porque el viento producía un estruendo mayor que de costumbre y yo relacionaba aquel mugido con los misterios de las criptas descubiertas. Al día siguiente el cabo se presentó con una larga escalera de mano. Descendimos, mi padre, el cabo y yo. Reconocimos el terreno ya descubierto. A veces nos inquietaba un rumor lejano de pasos y nos deteníamos hasta comprobar que era el eco de nuestros mismos zapatos. Mi padre justificó la confusión diciendo que podía muy bien haber nidos de raposas por allí, pero el cabo dijo que las raposas preferían lugares poco profundos y situados cara al sol. Seguimos explorando. En una cava que terminaba uniéndose el techo con el pavimento hallamos una nueva tinaja con pergaminos y monedas. El valor de las monedas era muy discutible pero tenían todos la impresión de haber hallado un tesoro. Mi padre recogió los pergaminos para llevárselos a casa y advirtió que todo aquello pertenecía al Museo Provincial de historia y que nadie debía tocarlo. En un rincón volvimos a encontrar restos humanos calcinados. Regresamos a la glorieta desde donde descendía una amplia galería en rampa. A los dos lados había toda una hilera de nichos agrietados por donde nadie se atrevió a verter la luz de la linterna porque se veía a primera vista que se trataba de sepulturas. El aire no estaba húmedo, pero hacía frío. Al final de la rampa encontramos otra grande glorieta con galerías que se dividían en distintas direcciones. Acordamos marchar por la primera que se abría a la derecha. Al revés que la anterior, ésta iba elevándose hasta terminar en un lugar donde se unía con la techumbre formando un ángulo muy agudo. Mi padre indicó al cabo que picara en el techo. Después de media hora de trabajo apareció la luz del día. El cabo decía que la salida había sido cegada a través del tiempo por la acumulación natural de tierra. Salimos y nos encontramos en medio de las casas de la servidumbre del castillo en una pequeña plazuela rodeada de construcciones irregulares. Allí debían vivir los herreros, los pelaires, los maestros ballesteros, armeros, tejedores.

Habíamos invitado a mosén Joaquín, que llegó un día en la mañana y subía renqueando hasta lo alto del castillo. Allí se limpió el sudor, se sentó en una piedra antes de saludar a nadie y dijo a mi padre:

—Estos aires son los que me convienen a mí.

Allí mismo trajo la tía Ignacia un refrigerio. Dos perdices en adobo —preparadas con vinagre y aceite— y una botella de vino. El cabo se había acercado a besar la mano al cura, y contemplaba la bandeja atusándose el bigote. Mi padre lo invitó a comer. Igual que mosén Joaquín localizaba el vino por el sabor:

—Ese vino tiene lo menos ocho años y es de la finca de Almoravides, ¿verdad?

Mi padre le decía que no tenía ocho años sino diez. Lo envasaron el año que nací yo. En cuanto al origen, era cierto.

—Eso no es vino. Eso es teta —dijo el cabo.

Mi padre reía, sintiéndose adulado. Pero mosén Joaquín quería ir a la capilla. Allí fuimos los tres. Mosén Joaquín al pasar frente a la imagen se arrodilló un momento con la cabeza inclinada sobre el pecho para volver a decir después en cuanto se levantó:

—Es verdad, don José, el vino es de Almoravides.

Descendimos a los sótanos. No acabo de comprender por qué mosén Joaquín quería encontrar fósiles en aquel subterráneo. Como no los hallaba, absolutamente desinteresado de todo lo demás, quiso salir cuanto antes.

Por la tarde yo sentí que nadie reparaba en mí y me marché a las ruinas del castillo próximo esperando encontrar al pastor. Desde que lo había visto acariciando al oso no podía aguantar mi curiosidad. El pastor estaba como siempre debajo de un arco, el cuerpo al sol y la barbada cabeza a la sombra.

Me recibió con simpatía y yo le pregunté dónde estaba el oso.

—¿Qué oso?

—El que llevabas en el bosque el día que le disparamos desde nuestra espera.

—¿Qué espera? ¿Qué bosque?

Estuve explicándole y me escuchó con toda atención, pero negó que él tuviera un oso y mucho más que hubiera ido con él al bosque.

—Ahora bien, es muy posible que me vieras porque aquí hay lamias. Y las lamias hacen ver cosas que no son verdad.

Me explicó lo que eran. Espíritus del bosque, femeninos, que tienen pies de ganso con membranas entre los dedos, o de cabra, con pezuñas.

—¿Has visto alguna? —pregunté yo.

—Sí, más de una. Son las más guapas mujeres que he visto en mi vida. Tienen un agujerito sobre tal parte.

Se señalaba la barba cubierta de pelos. Añadía que no había que fiarse y que antes que nada era necesario mirarles los pies. Ellas acostumbraban llevar unas sayas muy largas para ocultarlos, pero entonces bastaba con atraerlas hacia un lugar donde la tierra estaba húmeda y mirar las huellas que dejaban.

—Lo que yo vi no era una mujer sino un hombre.

—¿Con un oso?

—Sí.

—Entonces era el sobrino del albéitar que tiene un oso.

Por nada del mundo lo hubiera hecho él, porque cada lamia suele tener el suyo en el que cabalga y hay tantas lamias como osos y si alguno tiene un oso amaestrado es que hay una lamia que tiene que andar a pie y lo perseguirá y cuando nazca un niño en su casa le pondrá un hueso de cementerio entre los pañales.

Nos quedamos los dos en silencio. El pastor fue a sacar de debajo de una piedra que estaba caliente por haber tenido fuego, un trozo de carne entre astillas humeantes. Sacó del morral pan, sal y aceite, aderezó la carne muy bien y se puso a comerla. Me dijo que había cazado una liebre y que no le faltaba nunca caza fresca.

—¿Tienes escopeta? —le pregunté.

El pastor soltó a reír y dijo que cuando los conejos veían a un cazador con escopeta nueva, polainas, cartucheras y bufanda de lana al cuello —yo imaginaba a don Arturo— se ponían a bailar de contento. "Pero cuando ven esto (y mostraba su palo de pastor) piden confesión." Me ofreció de comer y yo acepté. Cuando terminamos me dijo:

—Ahora ven si quieres y te enseñaré la bodega.

Anduvimos unos veinte pasos y poniéndose él a cuatro manos apartó unos arbustos y se perdió entre dos rocas. Yo hice lo mismo con la angustia que siempre he sentido al imaginarme a mí mismo en espacios demasiado estrechos, pero al otro lado de las rocas el pasadizo se convertía en una enorme caverna que me recordó en seguida las galerías de nuestro castillo.

—Ven por aquí.

Yo le seguía y le vi alzarse junto al muro, meter las manos en una hornacina que tenía el aspecto sepulcral de las que había conocido ya antes y asomar por un boquete del sepulcro roto el gollete de un odre. Tenía un brocal que se quitaba a rosca. Descolgó de su cintura una bota vacía, le quitó también el brocal y fue dejando caer del odre a la bota un chorro de vino cuyo olor percibía yo. Cerró de nuevo el odre y fuimos regresando en silencio. Ya fuera el pastor soltó a reír y me dijo:

—Pongo ahí el vino. No lo bebe más fresco el obispo.

—Pero ¿aquello no es una tumba?

El pastor se me quedó mirando en silencio:

—¿Te dan miedo los muertos?

Yo negué con la cabeza, pero el pastor quería convencerme:

—Treinta años llevo poniéndolo ahí. Ahí lo ponían también mi padre y mi abuelo. No se ha dado el caso de que cualquiera que sea el muerto que allí vive se nos haya bebido una gota.

Yo callaba. Después de beber él un trago me ofreció y bebí un poco. El vino estaba casi helado y el pastor me lo quitó antes de que yo hubiera terminado, diciendo:

—Ten cuidado, porque es un vino muy fuerte y si bebes mucho tendrás que quedarte a dormir la mona o tendré que llevarte yo a cuestas al castillo. Y ninguna de esas cosas es decente.

La tarde avanzaba y el cielo comenzaba a palidecer. El pastor consultó el sol y la distancia que me separaba del castillo.

—Si se hace de noche antes de llegar no tengas miedo, que cuando se ha bebido de este vino las lamias no pueden hacer ningún mal.

Yo le dije si era por conjurar a las lamias por lo que ponía vino en el sepulcro.

—Sí, mocé, pero eso no hay que decirlo a nadie porque es una costumbre que yo heredé de mi padre y él de su abuelo y él de su bisabuelo y él de su tatarabuelo y así por el respective, hasta los tiempos en que andaba Dios por los caminos.

Yo, para demostrarle que le agradecía aquella revelación le hice otra. Le conté que había descubierto los subterráneos del castillo y que había recorrido más de una legua por debajo de tierra recogiendo papeles y monedas antiguas y que uno de los pasadizos comunicaba con el castillo en cuyas ruinas estábamos.

—¿Tú solo? No lo creo.

—¿Por qué?

—Dices que has tenido que cavar en la tierra y abrir paredes. ¿Cuándo lo has hecho?

—Ayer.

—A ver tus manos —y cogiéndolas volvió las palmas para arriba—, ¿dónde están las huellas del pico?

Me dejó tan desarmado que me hubiera echado a llorar.

—Si hemos de ser amigos —añadió aún— menos embustes.

Yo quería demostrarle que había una parte de verdad en lo que le había dicho. Por lo menos el subterráneo comunicaba con el castillo. El pastor se daba cuenta de lo dramático que era para mí conseguir convencerle y aceptaba en parte mis palabras.

—No ese pasadizo, no. Será otro, pero ése no.

—¿Por qué?

—Porque ése lleva a los mismos infiernos. Mi abuelo quiso

127

entrar una vez y le salió al paso un diablo que conocía toda la historia de mi familia. Le estuvo hablando de su padre y de su abuelo, y cómo eran sus nombres y sus maneras de pensar y a mi abuelo le entró después de aquel día un vacío en la entraña que le duró hasta que se murió. Por eso, ninguno de nosotros entra más lejos de la cuarta sepultura porque, y esto mocé, no lo olvides, todo lo que es muy malo es bueno también si se toma en porción. Y si entras muy adentro te da un vacío y si sigues más adentro caes en los mismos infiernos. Pero si te quedas como yo a la entrada y pones el vino en la sepultura entonces tomas fuerza y las lamias no pueden hacerte nada.

Y palpando la bota movió la cabeza y añadió:

—Está demasiado frío, pasa sin sentir y allí por donde pasa da tanto gozo que no hay más remedio que seguir bebiendo. Y ahora ya lo ves, se te ha subido a la cabeza.

Tenía razón, pero hasta que lo dijo yo no me di cuenta. No se podía decir que estuviera borracho aunque no sabía a ciencia cierta lo que era la embriaguez. Desde luego, no me caía, ni siquiera me tambaleaba, hablaba normalmente, podía ir y venir sin que mi camino se me torciera y además si el pastor había bebido mucho más y no estaba borracho, ¿por qué había de estarlo yo? Rechazando cualquier ayuda del pastor le agradecí sus buenos deseos y me marché. La mayor parte del camino de regreso la hacía corriendo. Ya de noche me di cuenta de que si corría tenía miedo y fui despacio inspeccionando cuidadosamente a un lado y a otro las sombras aunque ya sabía que las lamias no me harían daño suponiendo que me salieran al paso. Cantaba la canción de Valentina:

Agüil, agüil
que viene el notario
con el candil.

Cuando llegué a casa estaban todos inquietos aunque iban acostumbrándose a los sobresaltos por mi causa y a que se resolvieran siempre bien. Había nuevos invitados: el médico y su mujer. Me recibieron como a un viejo amigo. Mi padre no gustaba de estar solo demasiado tiempo y los había invitado a pasar sábado domingo y lunes. El médico estaba encantado y su mujer trataba de decir a todo, con aire muy convencido, que era "muy lindo", como en un bazar. A ella, como a la tía Ignacia y a mi hermana Luisa, no le convencía la naturaleza sino en las fotografías.

Al final de la cena, mosén Joaquín, que había prometido leer la traducción del pergamino hallado en los subterráneos, sacó unos papeles. Al principio el médico se agitó en la silla, pensando que iba a aburrirse, pero poco a poco fue interesándose, apoyando un codo en la mesa, después el otro, acercándose al sacerdote y haciendo gestos afirmativos. El silencio era cada vez mayor. Concha y yo escuchábamos terriblemente interesados. El pergamino decía, en un estilo que recordaba un poco el latín original:

Prefacio hecho por mí mismo a las ordenanzas de este castillo levantado según memoria escrita por Sancho Garcés Abarca para que sea leído una vez por mes en día viernes de nuestra Santa Madre y en hora de vísperas ante los capitanes y gente letrada por el maese de la orden de Santiago abajo firmante y el cual prefacio todos deben como es su obligación tener presente para ajustar a él su ánimo en tiempo de paz o de guerra según conviniere al santo servicio de Dios. Amén.

De tres clases de hombres está hecha la fortuna y la gloria de esta tierra y en general de todas las tierras habitadas por gentes no bárbaras ni salvajes.

Los unos que por su buen ánimo para tratar con el prójimo, su corazón amoroso de Dios y de los hombres, su sentimiento del bien y su disposición para ayudar a los demás han llegado a borrar de su alma todas las pasiones y los malos afectos y viven sin tener más presencia que la sombra de sus virtudes. Esta clase de hombres son los santos.

Los otros son los que por mucho estudio y experiencia y mucho pelear en juventud con moros y malos cristianos y porque Dios se sirvió distinguirles con ese privilegio llegaron a penetrar más que los comunes ojos en la entraña de las cosas y al sentir la nieve en sus cabellos, con la honra de los hijos y de las armas conquistadas y el amor del fuego supieron poner en buena retórica gozos santos y cantares profanos y crónicas famosas que puedan leer para edificación los hombres de mañana. El primero de estos hombres —digo de nuestro tiempo— es el rey Alfonso de Castilla y León. Y esta clase de hombres, que llamaremos la segunda de los que hacen la patria en nuestra tierra y en toda otra, es la de los poetas.

Finalmente, los terceros hombres más necesitados para fundar nuestra grandeza son aquellos que buscan esforzados hechos y el hierro enemigo para escribir con su sangre, que así podría decirse que han hecho muchos, la cifra de su escudo. Estos son los héroes.

Los tres hombres pues más necesarios al fundamento de la grandeza son los santos, los poetas y los héroes. Muy rica puede ser una tierra sin esas virtudes pero no alcanzará grandeza. Y Dios nuestro señor no ha sido parco en otorgarnos esas tres clases de hombres a nosotros, que los tenemos cada día a nuestro lado y los vemos en la virtud, el saber y el heroísmo, edificándonos con sus hechos. Algunos hay que tienen más de una de esas cualidades pero bien nos basta a cada uno tener una sola, porque si se posee totalmente como Dios gusta que los hombres posean las cosas, entonces no puede haber verdadero poeta sin toque de heroísmo ni verdadero santo sin toque de poeta, ni ninguno en fin de los tres, sin alguna de las virtudes de los otros.

La primera condición del santo es menospreciar los valores de cada día por aquéllos que sólo hallan su puesto y realce en la eternidad. Y ésa es también condición del héroe. Y del poeta. La primera condición del poeta es la verdad y la belleza, por las cuales dará la vida si es necesario y ésa es condición del héroe. La primera condición del héroe es no volver la cara al peligro sino ir a él con mejor ánimo cuanto más grande sea y más alta la gloria de vencer o morir. En estas cualidades están comprendidas también la belleza, la verdad y la santidad del amor a las causas justas. No se puede decir, *pues, que cada cualidad vaya separada de las otras y sea en sí y por sí misma bastante para la grandeza, porque si así fuera se podrían oponer las unas a las otras, lo que no es posible.*

Y yo os digo que aquí en este castillo de Sancho Garcés el héroe se cuenta primero y después, en el mismo lugar, el santo y el poeta. Y que de nuestro heroísmo depende el cuidado estímulo y crecimiento de las otras virtudes que por más que algunos digan que son cualidades de paz yo os digo que de guerra son también porque la guerra es como la parte más alta y esforzada de la vida y en ella las altas cualidades mejoran y se enaltecen, igual que en el punto de mayor curvatura del arco y de la ballesta todas las cualidades del hierro y la madera se ponen en tensión y en mejora. Y así os digo, oh, mis capitanes y caballeros, que las ordenanzas de este castillo que aquí siguen tienen que estar impregnadas de estos sentimientos y hacer que nuestros privilegios conseguidos con largos siglos de lucha sean tenidos por tales sin soberbia, y el sometimiento aceptado sin humillación y la ley nuestra sea como ley de santos, de poetas y de héroes firme y gustosa para todos y para el mejor bien de la patria y del interés de Dios y que todos vosotros, altos en fortuna, esfuerzo y nobleza, tengáis presentes aquellas palabras de San Paulo cuando dice: "Yo me doy a todos y en el pensar y sentir de todos desaparezco cada instante, pero no escucho otro juicio de mis actos ni acepto otra gloria que la que de Dios me viene." Así debemos ser todos que quizá Dios nos lleve por ese camino a la verdadera gloria de obtener en esta peña fuerte de Sancho Garcés algún hombre que alcanzando en su más alto estadio las tres virtudes de heroísmo, santidad y saber o poesía, mejore el camino de los demás, como hicieron San Paulo en Roma, El Cide en los campos del infiel y el Rey Alfonso en sus cristianos reinos. — Amén.

Nadie había interrumpido a mosén Joaquín. Mi hermana Concha bostezaba porque al principio creyó que aquello sería como "Fabiola"que estaba leyendo y que hablaba de los amores de los romanos. Mi madre la mandó a dormir. Nos quedamos allí los hombres y mi madre y la esposa del médico, todos por igual encantados con la lectura. Yo no lo entendía por completo pero en su conjunto aquel escrito calentaba como el vino del pastor.

—Hombres como aquéllos, no los hay ya —dijo la mujer del médico.

Su marido protestó:

—Los hay.

Mi padre pensaba lo mismo. No creía que las grandezas pasadas volvieran. No creía que nada de lo que verdaderamente había muerto debía volver. Si murió era que le había llegado su hora. "Pero —añadió— la verdadera grandeza no muere nunca. Su fondo continúa por otros cauces."

—¡De acuerdo! —decía el médico enérgicamente. Añadía que en aquellos castillos, en aquellas comarcas, nacieron las libertades modernas de Europa. Allí y no en la revolución francesa, que sólo fue un pequeño asunto de comerciantes leídos.

Mi padre intervino para clamar contra el espíritu que la difusión del comercio —el engaño, la mentira, el pequeño crédito, la falsa honradez hecha siempre de represiones— había traído. "En estas tierras nacieron las libertades de Europa. Mientras se contenía la barbarie en Africa aquí y después en el mar —Lepanto— las cortes aragonesas sentaban leyes en las que por primera vez se organizaba verdaderamente la libertad. De esas cortes ha nacido después la idea de la libertad en Francia, la antigua legislación inglesa. Las relaciones de la nobleza y la aristocracia con el pueblo y con los reyes. Los fueros en los que se formaban unidades jurídicas puras independientes de . . ." —seguía hablando, pero yo no le escuchaba.

El cura movía la cabeza como en éxtasis:

—Oh, si todos nos atreviéramos a ser lo que por dentro somos más o menos.

—¿Qué cree usted que somos? —preguntó el médico.

—Héroes o santos o poetas. Todos nacemos con alguna de esas semillas en el corazón.

Yo dije que iba a contar algo muy importante sucedido en uno de los castillos avanzados, pero que antes necesitaba hacerles una pregunta.

—¿Qué quiere decir bastardo?

Me explicaron lo mejor que pudieron. Yo vi que había algún misterio que no debía esclarecer y sin conseguir enterarme del todo, comencé a contar lo que me había dicho el pastor. Al llegar a la frase: "Aquí dentro hay ciento veinte hijos de puta dispuestos a dar la vida por vos" todos soltaron a reír menos las señoras que reaccionaron de manera muy distinta. Mientras mi madre me miraba como si no me hubiera visto nunca, la esposa del médico se puso colorada y dijo:

—¡Oh! . . .

Mi padre seguía riendo, pero cuando todos se tranquilizaron, me preguntó repentinamente serio:

—¿Dónde has oído eso?

Yo hubiera guardado el secreto porque no entraba en mis normas decir todo lo que me sucedía, pero en aquel pergamino que el cura acababa de leer se hablaba de que el poeta era el hombre de la verdad y la belleza. Yo que tomaba aquello al pie de la letra le conté todo. Después añadí:

—¿Qué eran aquellos hombres del castillete? ¿Santos, poetas o héroes?

Mi madre seguía mirándome sin comprender:

—Este hijo . . .

Decidieron no hacerme caso. Mosén Joaquín era el único que me miraba de frente y a veces hacía rodar sobre el mantel una bolita hecha con una miga de pan hasta el otro lado, donde yo se la devolvía con un seco golpe. Yo preguntaba todavía:

—¿Seis siglos son mucho en la vida de los hombres?

—No. No son nada —dijo el médico.

—Entonces ¿nosotros somos los mismos que construyeron este castillo?

—Poco más o menos.

—¿Y qué somos nosotros, papá? ¿Tú eres un bastardo?

No me contestaban. Hablaban de otra cosa. Yo me consideraba mitad héroe y mitad poeta. Lo dije. El médico y el cura me miraban con simpatía. Mi padre sacaba del bolsillo el plano de las exploraciones y lo extendía. Mi madre preguntó si habían quedado cerradas las salidas de los subterráneos y la mujer del médico pareció tranquilizarse también cuando dijeron que sí. El médico al oír lo de los esqueletos se acordó de que él necesitaba uno para su gabinete de estudio, pero no se atrevía a pedirlo al sepulturero porque eran muertos más o menos recientes. "Uno de los de abajo me convendría." Pero añadió que tendría que estar "completamente limpio". Yo pensé en el pastor. Le dije que conocía a alguien que se lo limpiaría pero tendría que pagarle porque era muy pobre.

—Quince pesetas le daré, si verdaderamente me lo prepara.

Mi madre volvía a extrañarse:

—¿De dónde sacas tú esas relaciones?

Yo no le contestaba. Mi padre miraba el mapa. Había una galería que salía del croquis y continuaba hacia un costado prolongada imaginariamente.

—¿Y esa galería? —preguntó el cura.

—Está sin explorar. Hay sepulcros a los dos lados.

Yo intervine:

—Llega hasta el otro castillo. Y los sepulcros también. Y en el último sepulcro hay vino fresco y el que bebe eso queda inmunizado contra las lamias.

—¡Bah! Vino fresco en un sepulcro. ¡Qué estupidez!

—Papa —dije—. Déjame a mí descubrir esa galería. A mí solo.

—¿Estás loco?

El cura se levantó y se fue a un diván apartado. Encendió un candelabro, sacó su librito de rezos y se puso a leer el ejercicio vesperal. Cuando se levantó yo me levanté también creyendo que quería hacer algún aparte conmigo, pero al verlo sacar su librito volví a mi silla decepcionado.

—Déjame ir al subterráneo.

Acordaron recorrer juntos al día siguiente la galería nueva hasta el fin. Sin duda estaban estimulados por mis arrogancias.

134

—Yo creo —dije— que allí dentro duermen las lamias con sus osos. De día salen a recorrer el bosque. Pero yo no tengo miedo a las lamias.

Mi padre se levantó ya enfurecido y ordenó:

—A dormir.

Yo me levanté tranquilamente y me dirigí al médico:

—¿Quiere el esqueleto?

—Claro que sí, pero tú...

—No le haga caso —dijo mi padre.

El médico volvía al tema de las viejas grandezas:

—Hemos sido un pueblo fuerte. Un pueblo de santos, héroes y poetas como dice ese papel. Con fuerza en nuestro destino para influir en otros pueblos. Seguimos siéndolo, don José. No estamos dormidos. Ya verá usted cualquier día cómo despertamos. Pero ningún pueblo se hará ya grande con las armas.

—Quizá.

—Si ayer el catolicismo español supo conquistar el mundo, hoy una idea nueva de lo humano saldrá también de nosotros. Es decir que nuestro imperio puede y debe ser espiritual. Hoy el heroísmo no consiste ya en dar la vida avanzando con el regimiento. Hace muchos años que Gracián definió al héroe con más de santo y de poeta que de héroe mismo. En las luchas con las sombras, por el conocimiento.

—"Las Moradas" de Santa Teresa —dijo desde lejos el cura.

Mi padre propuso jugar al "tresillo". Se hizo partida en seguida. Dos mujeres y dos hombres. Don Joaquín seguía en su rincón con el librito entre las manos. Yo me fui a la cama pero me dormí muy tarde. Trataba de madurar mi plan del día siguiente. Al principio llegué a pensar seriamente en irme a los sótanos, pero luego, cuando me quedé solo, fui dándome cuenta de que si lo había dicho delante de la gente era verdaderamente por vanagloria y ahora me parecía más difícil. Así y todo me propuse explorar la galería al día siguiente. Mi padre había dicho que irían en la tarde. Yo me marcharía a ver al pastor, y aproximadamente a la misma hora que comenzaran a avanzar por un extremo, avanzaría yo por el otro. Nos encontraríamos en la mitad y yo les convencería de que tenía razón cuando dije que comunicaba con el castillo y que era bastante heroico para hacer aquello como un "bastardo" más. Esa palabra me parecía que representaba el heroísmo desordenado pero arrollador.

Madrugué mucho, vi que los demás dormían y me fui a la fuente románica. Allí le escribí con lápiz otra carta a Valentina. Aquel día salía el cabo para el pueblo y la llevaría.

"Aquí estoy y ahora ya no son batallas navales sino subterráneos con esqueletos y ahorcados. Todo ha cambiado. Antes de que te vayas a San Sebastián quiero decirte que hay lamias que van montadas en osos y tienen el pie de oca, con membranas entre los dedos, o bien de cabra, con pezuñas. Yo sé lo que hay que hacer para que no hagan daño. Sólo no sé si sus osos muerden o no, pero lo averiguaré en seguida porque el pastor me lo dirá.

"Y esta tarde yo te digo lo que voy a hacer. Pero esto de ahora no lo hacen las personas mayores porque el pastor mismo no se atreve. Voy a explorar yo solo la peor galería, toda larga y negra. Se tarda en andarla más de dos horas y comunica un castillo con el otro. Así es. No te extrañaría si supieras que ahora soy un bastardo.

"Antes de emprender esa aventura te escribo para que sepas dónde está y qué es tu inolvidable *Pepe*. — Postdata: Deja esta carta olvidada sobre la mesa para que la vea tu padre."

La comida se alargó terriblemente. Yo no hablaba, al revés de la noche anterior. Mi padre estaba extrañado y preguntaba al médico si mi conducta no obedecería a una neurosis porque de pronto estaba rebosante de cosas por decir y de pronto, sin motivo aparente, me quedaba mudo como una estatua.

—No está tan mudo —decía el médico—, porque lo que hace es preparar alguna gran diablura.

Aprovechando las demoras de la sobremesa y seguro de que iban a bajar a explorar la galería hacia las cinco (antes no, por la digestión y después tampoco porque se haría muy tarde) yo me fui hacia el castillo próximo. Por el camino no sucedió

136

nada digno de contar. Oí ladrar una raposa cerca, pero son animales inofensivos. Ni lamias ni osos me salieron al encuentro.

El pastor estaba inmóvil como siempre, el cuerpo al sol y la cabeza a la sombra.

—¿No te pasó nada ayer? —preguntó en cuanto me vio.

—Ya lo ves.

—Me alegro.

—Dame un poco de vino fresco.

—¿No te aficionarás, zagal?

—¿Yo? Dámelo.

Bebí un largo trago. "Contra las lamias" —pensaba— y recordando mis dudas sobre los osos, pregunté al pastor si los osos de las lamias mordían o no a los que estaban inmunizados contra ellas.

—El oso no hace sino lo que le manda la lamia —dijo el pastor.

Ah, menos mal. Luego le dije que me había preocupado de él que si quería ganarse quince pesetas no tenía sino sacar un esqueleto que estuviera entero y limpiarlo y llevárselo al castillo ante de dos días porque después el médico se marcharía. El pastor movió la cabeza a un lado y otro negando:

—Eso es lo que yo gano cada tres meses. Eso y el vino y el pan y el aceite. Pero digo que no. Dile al médico que no.

—¿Por qué?

—Porque no. Es como el barbero de mi pueblo, que me dijo un día: Tráeme un bucardo después de la muda de pelo. Tráemelo, y te daré dos pesetas.

—¿Para qué lo quiere? —le pregunté.

—Para hacerse una buena brocha con el pelo que el animal lleva en la barba. Pero el bucardo tiene que tener su barba y el hombre también. Los barberos sólo son necesarios para poner sanguijuelas cuando uno verdaderamente se muere.

—Pero ahora es distinto.

—¿Por qué?

—Porque es para la ciencia.

—Ah —se quedó meditando un momento y añadió—: No. Los muertos al hoyo. Que duerman en paz. Y los bucardos al boscaje.

—Los muertos se alegrarían de poder servir a los vivos.

—Ya sirven. Bastante sirven. Y el que no lo crea que venga a preguntarme a mí.

Comenzó a decir que el manantial de las aguas medicinales donde la gente se curaba la anemia pasaba por dos cementerios antiguos y recogía el agua que se filtraba de otro moderno. "Los muertos se lavan bien y después los que no se quieren morir se beben el agua. Y se ponen colorados y rollizos."

Yo no volví a hablar del asunto, tomé un poco más de vino y le pregunté si serían ya las cinco. Miró las sombras de un árbol y dijo:

—Ya pasó un palmo de las cinco.

—Entonces hasta la vista.

Me metí entre los arbustos. Fui al otro lado de la roca y penetré en la galería. Encendí la linterna. Había en los muros algunas partes que brillaban especialmente bajo la luz. Quizá chispas de cuarzo. Al principio, con el primer impulso anduve casi cien metros sin vacilar. Después observé que la galería descendía y llegué a pensar si el pastor tendría razón, si aquella galería iría a los infiernos, pero otra vez volvía a levantarse y subía en rampa suave. "Ahora va hacia el castillo", me dije. Me puse a cantar con el ritmo de la marcha, pero en el propio sonido de mi voz yo noté mi miedo. No volví a cantar. A veces, sintiendo el vino en mis venas, gritaba impetuoso a las sombras:

—¡Eh, yo también soy hijo de puta!

Sabía que esta última palabra era incorrecta pero no alcanzaba bien su sentido y entre hombres no sonaba mal. Además quería ser a toda costa uno de aquellos ciento veinte que tampoco querían a su padre y lo defendían quizá para humillarlo. Porque yo comenzaba a ver que entre otras cosas "ser bastardo" quería decir "odiar al padre". Continué más animado y sentía en cada golpe de mi sangre el influjo del

138

vino. Volvía a mirar atrás y no vi ya las rocas de la entrada. Sin darme cuenta había ido dando un viraje y la galería se perdía en una lenta curva de sepulturas y bóvedas. Continué sin mirar más que el espacio iluminado por la linterna. Todo era igual y ahora mi tranquilidad la sentía como un espectáculo que me daba una idea superior de mí mismo. Más adelante oí un rumor de risas y respiraciones entrecortadas: "Son las lamias." Y avancé resuelto sabiendo que no podían hacerme daño. No había tales lamias y el rumor lo producían filtraciones de agua. El pavimento aparecía encharcado. Y tuve que pasar mojándome hasta encima de los tobillos. Al llegar al otro lado tuve la impresión de que las filtraciones podían aumentar y aquel agua me impediría regresar si por algún encuentro inesperado me veía en el caso de retroceder. Pensando haber avanzado bastante grité para hacerme oír de mi padre, que seguramente andaba cerca.

—Papá.

El último eco sonó muy lejos. Yo creí que alguna de aquellas voces sería la de mi padre o la del médico. Seguía avanzando más seguro de mí mismo. Miré incluso las tumbas de los dos lados y continué durante más de media hora. Oí otra vez rumor lejano de risa. "El agua", pensé no muy seguro pero justamente cuando me acercaba y podía comprobarlo la linterna comenzó a debilitarse. Se iba a apagar. Yo pensaba que no me quedaba luz para regresar y que lo mejor sería seguir lo más deprisa posible llamando ahora a mosén Joaquín. Eché a correr, pero me detuve porque si corría tenía miedo. Me limité a acelerar el paso.

—¡Mosén Joaquín!

No había previsto que se pudieran apagar las pilas de mi linterna, pero apenas iluminaban un metro delante de mí. Diez pasos más y se apagaron. Yo dejé caer la linterna al suelo, lo que produjo un ruido que repercutió en las profundidades de las sombras, y me arrimé al muro. Con una mano en la pared seguía avanzando. Me sentía todavía con valor, pero era un valor vacío, más allá de mi conciencia. Seguí andando tanteando el muro. Sabía que las galerías estaban limpias y

139

que podía continuar sin peligro, pero a veces sentía que algo era apartado por mis zapatos con ruidos ligeros y secos.

—Esos son huesos.

Continué pero el muro se acababa. Mi mano palpaba el aire. "Aquí da la vuelta" pensé sintiendo un hormigueo frío en la espalda. Seguía la comba del muro y me di cuenta de que entraba en otro recinto. Era inútil tratar de orientarse. Mi voluntad era sin embargo fuerte, actuaba más allá de la conciencia como debe ser en los locos y como en ellos sin ningún deseo concreto. Tropecé con los pies en algún sitio y vi que era un escalón de piedra. Estaba limpio, muy frío y muy húmedo. Me senté allí, tomé la cabeza entre mis manos y grité con los ojos cerrados:

—¡Valentina!

Multitud de ecos volvieron sobre mí desde las mismas bóvedas del lugar donde estaba. Decidí quedarme y esperar. Cerraba los ojos y los abría, pero era lo mismo. No sentía mi cuerpo, el escalón de piedra ni mis manos en las rodillas. Todo podía suceder y sólo esperaba lo que verdaderamente sucedería y si sería favorable o adverso. ¿Miedo? Vivía ya en el miedo, respiraba el miedo, de él me sustentaba. Enfrente de mí las sombras, en las que percibía algunos relieves, se movían. Una parecía mucho más alta. Encima de aquella sombra se veía un casco de guerrero ligeramente iluminado. Era rojo, de cobre, negro y blanco. Yo no he podido nunca saber si verdaderamente hablé y si verdaderamente me contestó, porque el diálogo se hacía sin palabras. Yo sentía lo que sentía el otro, y el otro sentía mis propios sentimientos y decía:

—¡Ah, cuánto trabajo!

—¿Por qué?

—También yo soy bastardo. Sancho Garcés era un criminal, y me envió aquí abajo y desde entonces no he podido salir.

—¿Sabes el camino?

—Sí, pero tú tienes que tomar mi mano. Si no, no ando.

Yo me levanté y le di la mano. No sentía nada, pero la sombra dijo:

—Echa a andar y llévame.

Le obedecí, pero tropecé con el muro.

—Si he de ir yo delante y no sé el camino, ¿cómo es posible?

—Anda derecho ahora. Yo te lo diré.

En cuanto tomé su mano comencé a oír ruidos de hierros por todas partes, entre otros uno muy sostenido, como si alguien afilara la punta de su lanza sobre un yunque, con un martillo. Todo aquello me impidió ya oír a la sombra que hablaba para sí mismo o para otros:

—Yo no fui. Ay, Dios, que yo no fui y he de pagar por él.

Apenas se distinguía aquella voz. Yo le solté la mano y se hizo el silencio. Pero yo estaba otra vez en la galería y había alcanzado el lado opuesto de la abertura de aquel recinto. Seguro de que el muro ya no fallaba, seguí andando. "¿Dónde se habrá metido ese hombre? ¿Y quién era?"

Oí pasos detrás de mí.

—No te escapes.

Yo di un grito. Aquella frase me recordaba que estaba rodeado de cosas terribles de las que había que huir. "No te escapes". Era la misma sombra, con el casco débilmente luminoso. El resto no se veía. Le di la mano:

—¿Eres héroe? —le pregunté—. ¿O santo, o poeta?

—No soy sino un pobre hombre. Todos son pobres hombres.

—Los héroes no hablan así, creo yo. Pero, ¿eres santo?

—¿Dónde están los santos? Crucifijos de oro, casullas de oro, incensarios de oro, mitras de oro.

—¿Eres poeta?

—Sigue al frente. Los santos los hice yo. Algunos santos los he hecho yo. No era héroe, ni santo. Quizá poeta. Pero hacía imágenes cuando ya era viejo para pelear. Y la Virgen de Sancho Garcés la hice yo. Y dieron en decir que la había traído un ángel y cuando la gente decía que la había traído un ángel yo también lo creía. Pero la había hecho yo, y entonces la Virgen comenzó a hacer milagros y la gente decía: nos ha dado victoria. La trajo un ángel y me ha curado las heridas. Todos decían que vino por los aires en brazos de un ángel y yo también lo creía, pero creyéndolo y todo me enviaron un día aquí abajo y sentí un golpe en la espalda. Pro-

141

bablemente me quisieron matar, pero no acertaron. Y aquí estoy; aquí estoy y no puedo salir.

—¿No sería que te mataron de veras?

La sombra no contestaba. Desapareció y yo la llamé: "¡Eh, el hombre del casco!", pero no venía. Decidí seguir, pero volví a tropezar y esta vez caí al suelo. No tenía ánimos para levantarme, pero no por miedo aunque estaba en él, vivía de él, lo respiraba y me latía en las sienes. Otras sombras se agitaban delante de mí. También llevaban algo luminoso, pero no era un casco. Era un gorro pequeño y una pluma.

No sabía si lo decía yo o me lo preguntaban a mí.

—¿Quién eres? —pregunté.

Ahora vi que el que hablaba no era el de la pluma, sino otro, más pequeño que estaba delante. Poco a poco fue iluminándose por aquel lado y acerté a descubrir la capucha negra de un fraile vestido de blanco. El rostro no lo veía. Nunca veía el rostro de los aparecidos. Este no era tan pequeño como parecía a primera vista, sino encorvado. Viejo y encorvado.

—Hace seiscientos años me hicieron bajar porque estaban en favor de Sancho Garcés los frailes templarios. Me amarraron pies y cabeza en un cepo y pasado algún tiempo oí pasos detrás de mí. Creí que vendrían a renovar la comida de los halcones de caza que estaban en un rincón con su cabeza cubierta por una caperuza de tela, pero sentí un mazazo en la cabeza y no volví a tener impresión ninguna hasta ahora que te veo a ti. ¿Quién eres?

Le dije quién era.

—¿Hay templarios? —preguntó con miedo.

—No los hay. No hay sino mosén Joaquín.

—Yo estuve amarrado en cepo de pies y cabeza sin que nadie me acusara de nada.

—¿Y lo mataron?

El fraile no contestó, su sombra fue perdiéndose. Yo me senté en el suelo y no sé el tiempo que estuve así. Por fin continué andando y transcurrió un largo espacio sin ver nada ni oír a nadie. Pero me encontré con una galería obstruida.

Había que trepar por una grada y dejarse caer al otro lado, pero yo tenía miedo de dejarme caer en la obscuridad. Me senté y miré fijamente las sombras. Fijamente, sin pestañear, como había hecho antes. Oí primero el acezar de alguien que hacía un esfuerzo de lucha.

—A la poterna —decía—. Todos a la poterna.

Vi iluminarse una celada con la visera echada.

—¿Quién eres? —pregunté.

Repentinamente se calló. Después oí una voz lejana, que sin embargo era emitida a mi lado:

—¿Hay alguien aquí?

—Sí, yo.

—¿Qué haces aquí?

—Estoy preso. Estoy preso y dormido. Sólo dormido pudieron apresarme, mi hermano y mi madre. Llevaba yo veinte años peleando contra los de Sancho Garcés desde el castillo de Ejea. Allí donde yo caía no quedaba sino la memoria del espanto. Pero siempre en buena ley de Dios. Y para concertar paces con el señor de este castillo decidieron entregarme. Esperaron que merced al filtro del sueño yo me quedara dormido y entonces me abandonaron a los de Sancho Garcés y dormido me trajeron aquí.

Se quitó la celada y yo vi que debajo aparecía el hombro y el cuello tronchado.

—¿Te cortaron la cabeza durmiendo?

La sombra desapareció.

"Bien —me dije—. Al santo lo mataron, al poeta lo mataron, al héroe lo mataron. Yo soy bastardo, héroe y poeta. ¿Me matarán a mí? Aunque me maten, no tengo miedo." Subí por el túmulo de piedra y descendí con cuidado por el lado opuesto. Cuando sentí el suelo bajo mis pies me dejé caer. Y otra vez seguí por la galería, a oscuras.

No esperaba a nadie. Ni a mi padre, ni a don Joaquín. Estaba dispuesto a continuar allí eternamente. Otra vez oí el rumor de risas, pero las identifiqué como filtraciones de agua aun sin verlas. Sólo recordaba que aquel día era domingo. Esa idea tenía alguna relación con la presencia de mosén

Joaquín en el castillo, pero tampoco recordaba exactamente quién era mosén Joaquín.

Otra sombra se perfilaba delante. Era un fraile muy gordo que reía y repetía:

—Ji, ji, ji, ji. Buen queso de cabras. Buena sangre de Nuestro Señor en barrito de alfar moro.

—Sal de ahí —grité.

—Ji, ji, ji. El vino es en la misa la sangre de Nuestro Señor. Justa nobleza es esa para un vino tan rico. Ji, ji, ji, ji.

El fraile gordo se alzaba los hábitos y bailaba con sus zancas desnudas.

—Déjame pasar, imbécil —le dije.

—¿Quién es el mocito? Ji, ji, ji.

—¿Y tú?

—Yo el hermano despensero, el único personaje del castillo que murió por la voluntad del Señor, de muerte natural, quiero decir, de indigestión. ¿Y el mocito? ¿Quién es?

—Un héroe. Un héroe bastardo.

—Héroe, santo o poeta... Ji, ji, ji, ji. Muchos hay aquí y sus cabezas cayeron una detrás de otra, antes de madurar. Yo, el único que murió a su hora.

Penetré fácilmente a través de su sombra. Lo oí bailar detrás y reír. No me molestó. Cuando yo estaba ya muy lejos todavía le oía:

—Ji, ji, ji...

Parecía burlarse, pero yo me sentía tan poderoso que nada podía impresionarme. Al rafe del muro corría algo como una serpiente, pero era tan larga que no podía ser una serpiente. Me incliné a tocarla y me di cuenta de que era una cuerda. Al mismo tiempo que la toqué sentí una extraña evidencia:

—La cuerda de los ahorcados. Si la cortara los trozos se convertirían en serpientes.

Al final de la galería, muy lejos, vi un resplandor. "¿Qué sombras vendrán ahí? ¿Más generosos, más santos, más poetas? ¿Quizá los verdugos que vienen sobre mí?" Me acerqué y cuando menos lo esperaba oí voces familiares. Voces familiares en grupo. Mi padre, el médico, mosén Joaquín. Y otros. Quizá

144

otros. Miré a mi alrededor, buscando la manera de huír. Aquello era verdaderamente espantoso. La galería no tenía transversales.

Di un grito y caí sin sentido.

En aquel grupo de exploradores iba también don Arturo que había llegado a pasar el domingo al castillo y también iba Valentina. Llevaban más de media hora caminando por la galería adelante y dándose ánimos con diálogos indiferentes. Pero al oír aquel grito y el ruido de un cuerpo que caía se detuvieron en seco. Don Arturo no pudo remediarlo y echó a correr. El médico daba grandes voces:

—¡Ha sido un grito humano!

Seguían sin avanzar. Yo lancé un largo gemido. Valentina gritaba:

—Ay Dios mío, que ya me lo figuraba. Es Pepe.

En las sombras alcanzó a tientas una linterna apagada. Había otra que seguía encendida, pero el cabo no quería soltarla.

Llegaba mosén Joaquín con el mechero encendido. Valentina prendió la linterna. Mosén Joaquín decía a Valentina tratando de atraparla:

—Ven aquí.

Pero ella se negaba:

—Es Pepe. Ay Dios mío, que ya me lo figuraba.

Se escapó y vino corriendo hacia mí. Parece que el que había dado la señal de la alarma era don Arturo. Detrás de Valentina avanzaba mosén Joaquín cojeando, pero no podía seguirla.

Yo desperté con una luz muy fuerte en los ojos. Tardé un poco en darme cuenta. Por fin me levanté. Yo la besaba y ella me iba contando cómo salieron de casa, cómo llegó, cómo a mi padre se le ocurrió invitarle a bajar a los subterráneos.

—¿Están ahí? —dije yo con espanto.

—Sí.

—¿Ahí? —insistía yo.

Valentina me animaba:

—Vámonos por otro sitio.

Yo marchaba llevando a Valentina de la mano. Ella conservaba la linterna y viendo la seguridad con que yo desandaba camino estaba muy contenta. El grupo avanzaba llamándonos. Echamos a correr. No tardamos en llegar al lugar donde las filtraciones de agua cubrían a lo ancho la galería. Valentina decía que podía pasar, pero yo la obligué a echarme los brazos al cuello —con la linterna a mi espalda— y la levanté apretándola contra mí. Su piel estaba caliente o quizá mi mano estaba demasiado fría. Al otro lado, antes de soltarla, nos besamos otra vez.

Y sin más accidentes llegamos al final.

Yo había buscado en vano las sombras anteriores. Comencé a explicar a Valentina lo que me había sucedido, pero no conseguía recordarlo exactamente y sólo sabía que en el castillo mataban a los héroes, los santos y los poetas. Y los mataban a traición. Salimos y encontramos al pastor al lado de un gran caldero con agua hirviendo. Atizaba fuego de leña debajo y a veces con su cayado agitaba lentamente, respetuosamente podría decirse, el cadáver de una vieja. Yo evité que Valentina lo viera. El pastor nos miraba sin comprender pero sin extrañarse demasiado:

—¿Estás seguro de que me pagarán el esqueleto?

Le dije que sí y sin contestar las preguntas que me hacía sobre Valentina a la que miraba constante a los pies nos fuimos hacia el castillo, despacio. Luego supe que llegaron a la salida los excursionistas y que el cabo abrió a golpes de pico la abertura hasta ensancharla lo bastante para que no tuvieran que ponerse a cuatro manos. El pastor, al ver que desde dentro de la galería alguien cavaba hacia afuera se fue al otro lado del castillo. Y cuando todos salieron y se encontraron con el caldero abandonado en el que hervía un cuerpo humano medio deshecho, retrocedieron con muy distintas reacciones. Mosén Joaquín sacó su libro de rezos, el médico se caló las gafas con manos temblorosas. Mi padre miró a su alrededor precavido y después de un largo silencio en el que

146

cada cual pensaba ser la víctima de un mal sueño, el notario dijo balbuceando:

—Hay que levantar acta.

Pero antes era encomendar a Dios a aquel pobre ser humano y apagar el fuego. El cabo extendía los leños a medio quemar y los pisaba o les echaba tierra encima.

Pero acudió el pastor.

—Eh, ¿qué hacen ahí?

Todos le miraban en silencio. El pastor señalando el caldero dijo:

—No quiere soltar la piel, la condenada.

Anochecía y Valentina y yo seguíamos nuestro camino hacia el castillo, con la linterna encendida. Ahora la llevaba yo y a la luz acudían libélulas, mariposas y otros insectos que daban vueltas enloquecidos. Yo mantenía la linterna separada de mi cuerpo, para facilitarles aquellas vueltas y evitar que me tropezaran, pero algunas mariposas se detenían en mi mano, en mi antebrazo desnudo y yo decía que me hacían cosquillas. Valentina quería también conocer aquellas cosquillas y tuve que prestarle la linterna. No la apagamos porque iba a ser de noche y carecíamos de cerillas para volver a encenderla.

En la lejanía, detrás del castillo de Sancho Garcés, la puesta del sol era lenta y esplendente de oros y verdes. A mí todas aquellas luces me embriagaban después de la oscuridad de los subterráneos. Ibamos hablando. Parecía que siempre hubiéramos estado andando así hacia un castillo, con la linterna encendida y hablando.

—¿Has tenido que pelear con los muertos? —preguntaba ella.

—Sí. Y ya me tenían envuelto, a la rueda de pan y canela.

—¿Te vencieron?

—No del todo. Sólo me desmayé.

Ibamos cogidos de la mano. Valentina daba débiles chillidos de alarma cuando las patas de una mariposa se agarraban demasiado a su brazo desnudo y acabó por darme otra vez la linterna.

—Yo, de los bichos —explicó— sólo no tengo miedo a los machos.

Nos daba tanta pereza la idea de llegar al castillo y estar de nuevo entre personas mayores que nos sentamos al pie de un árbol, dejando la linterna a nuestro lado. Nos acostamos el uno al lado del otro y ella puso su cabeza en mi pecho, como para dormir. La linterna estaba a nuestro lado, encendida. Y Valentina lloraba y yo quise hacerme el valiente, pero también sentí que la garganta se me endurecía y que los ojos se me llenaban de lágrimas. Por fin nos quedamos dormidos. Yo soñé que Valentina y yo íbamos por los subterráneos y oía al fraile despensero gritar:

—Ji, ji, ji. Buen quesito de cabras, para mí.

Y a mí me iban a matar, pero Valentina no quería separarse y alguien decía:

—Bueno, los mataremos a los dos porque ella también es heroína.

Nos iban a matar y estaba el fraile con la sotana arremangada, bailando y diciendo:

—Yo no era más que fraile lego, pero estudiaba para cura en mi despensa. Toda mi vida estudié: Rosa Rosae, Musa Musae y todos los verdaderos curas se burlaban de mí. Y yo comía mi quesito y bebía la Sangre de Cristo.

Dos que parecían verdugos se divertían con el fraile pero éste se ponía serio de pronto y decía señalando a Valentina:

—Esa también es heroína, que yo la vi.

Alguien nos zarandeaba, pero no conseguían separarnos. Mi padre, don Arturo, mosén Joaquín, el médico, todos estaban allí. La luz de la linterna los había orientado. Y mosén Joaquín repetía:

—Vais a enfriaros, muchachos.

—¡No, no, no! —gritaba Valentina que seguía dormida.

—¿Eh? —decía el médico.

Yo tampoco estaba despierto aún.

—Si van a matarnos . . .

—¿Eh? ¿Quiénes?

Por fin nos despertaron. El médico nos trataba afablemente, pero todos los demás parecían ofendidos. No recuerdo concretamente lo que sucedió entonces, pero sí sé que llegamos al castillo como reos. Mi madre iba y venía diciendo a la mujer del médico:

—Ese hijo no es mío. Lo cambiaron en la cuna.

Todos estaban consternados menos Maruja, que acabó por acercarse a Valentina.

—Yo sólo te digo una cosa: si te casas con Pepe, te compadezco.

Valentina no supo qué contestar y se puso colorada. Después se marchó sin que yo pudiera despedirme de ella —todavía no se lo he perdonado a don Arturo y a mi padre.

Yo pensaba en los subterráneos y tenía ganas de volver, pero... ¿para qué? Si Valentina no podía venir a salvarme otra vez, los muertos, los frailes, las lamias perdían su interés. Y Valentina —esta idea me obsesionaba— se iba tres días después a San Sebastián con sus padres y su hermana, su odiosa hermana.

Mi padre no me hacía ningún caso. Seguía convencido de que había en mí algo que funcionaba mal, a pesar de todas las seguridades del médico. Los subterráneos quedaron cerrados y mi padre dijo que avisaría al museo provincial para que se hiciera cargo de todo aquello.

A veces mi padre me miraba como a un extraño y decía:

—No comprendo lo que pasa contigo. Esté quien esté y suceda lo que suceda al final nadie habla más que de ti.

Un día, antes de regresar a casa, mi padre me llamó a su presencia y me dijo que le contara lo que había sucedido en los subterráneos y cómo entré y por qué iba solo y sin luz. Esta vez lo expliqué todo, con el fraile, el guerrero, el poeta que también hacía esculturas. Naturalmente, mi padre me miró más confuso que nunca. Pero si nada de aquello lo aceptaba, tenía que aceptar el caldero con un cuerpo humano hirviendo. A partir de aquello lo demás se le hacía verosímil.

Al día siguiente volvimos al pueblo, pero Valentina no estaba y yo lloré en los primeros días de rabia. Poco a poco iba atendiendo otra vez a la realidad que me envolvía. Me di cuenta en seguida de que había perdido mi jefatura con los chicos del bando aliado y que los de mi bando estaban ate-

rrorizados por Carrasco. Este asomaba por encima del muro
y mordiéndose el dedo gruñía sin ningún respeto:

—Tengo abierta ya tu fuesa.

Yo tuve una vez la duda de que aquello pudiera ser verdad. Mi destino de héroe y de poeta era morir, pero no eran tipos como Carrasco los que mataban sino verdugos con brazos de hierro en las oscuras cuevas de los castillos, mientras los gordos frailes despenseros bailaban.

Después del veraneo en San Sebastián, Valentina había ido a Bilbao a casa de unas tías con las que pasaría un par de meses. Para Navidad las tías irían a mi pueblo y traerían a Valentina a su casa. Yo veía en aquello una maniobra contra mí. Intrigué cuanto pude para averiguar su dirección y un día que vi a su madre en mi casa —en visita solemne, en el salón— fui a ella y se la pregunté. Ella me la dijo y me acarició el cabello. Ah, ella nos comprendía. Era la única que nos comprendía.

Yo envié a la dirección de Valentina cuarenta hojas de la Universiada y una carta exaltando las cualidades de su madre y llenando de injurias a su padre. Para poderlo poner en el correo tuve que robar de la biblioteca casi todos los timbres postales.

Recuerdo que al día siguiente hice con otros amigos una experiencia que repetíamos de vez en cuando. Cazamos un murciélago vivo y nos dedicamos a quemarle el hocico esperando oírle decir juramentos y palabras sucias. Aunque el animalito no hizo sino chillar y quejarse, todos creíamos haberlas oído. Cuando lo contaba yo a alguien él recordaba experiencias semejantes en las que también oyó exclamaciones soeces y blasfemias al murciélago. Ni él ni yo mentíamos. Estábamos seguros de haberlas oído.

Aquel mismo día, al salir de casa me encontré a Carrasco esperándome en la esquina. Gruñía más que nunca pero yo pasé por su lado sin mirarlo y no se atrevió a atacarme. Murmuró sin embargo:

—Con los difuntos del castillo, te atreves, pero no conmigo.

Aquel día era uno de los más fríos del otoño. Al caer la

tarde el viento que se levantó anunciaba las primeras nieves en las montañas. Y yo volvía a casa fastidiado, insastifecho.

Hubo un incidente. Al día siguiente, vino la Clara a cobrar su pensión pero no vino sola. Con ella, tímidamente, llegaba una viuda de cincuenta años. Cuando se oía la voz de la Clara en las escaleras los chicos salíamos a curiosear hasta que mi madre nos echaba. Esa vez la Clara alzaba la voz pero no contra nosotros sino contra su vecina:

—Que si el aire del norte, que si el frío del norte, que si la hostia del norte —gritaba.

La vecina aseguraba que no quería molestar y que todo el escándalo era promovido contra su voluntad. Ella ni siquiera hubiera venido.

Mi madre las hizo pasar, lo que pareció satisfacer mucho a la Clara. La vecina se anudaba el pañuelo bajo la barba. Mi madre le preguntaba:

—¿No es usted la señora Rita?

—La viuda de Agustín el joven, para servirle.

—La viuda, la viuda. Seis meses estuviste casada —gruñía la Clara—. Vaya un matrimonio. Seis meses.

—Y tres años antes de relaciones —añadió la viuda volviéndose a anudar el pañuelo.

Traían un grave pleito para que lo fallara mi padre, pero mi padre no estaba en casa. En su ausencia confiaba en mi madre. La viuda se había casado a los veinte años y ahora tenía cincuenta. Seis meses después de la boda el marido murió de una pulmonía. La viuda se encerró en su casa y se ganaba la vida cosiendo. No salía, no daba que hablar. Su balconcito estaba cerrado. Vivía al lado de la casa de la Clara y tenía una pequeñita azotea un poco más alta que la de su vecina. Y la viuda desde hacía treinta años cuando creía que soplaba el viento del norte sacaba del armario una por una las prendas de vestir de su difunto marido y las colgaba en la terraza para que se orearan. Cada vez que llenaba su terracita con las ropas del difunto proyectaba sobre la de su vecina una sombra que según ella perjudicaba a su propia ropa interior mojada. Decía la Clara que su ropa tenía que secarse al sol para que estuviera blanca. Al principio la Clara se quejaba de que le quitaba el sol. Ahora se obstinaba en que aquélla era la sombra del difunto que le daba mala suerte en su vida de soltera. La ropa del difunto y la ropa interior de la Clara acabaron por crear un conflicto a lo largo de los años y la Clara había trepado hasta la terraza de su vecina, arrojó la ropa del difunto al patio interior y arañó a la viuda. La Clara se quejaba de que cada tres o cuatro días la viuda sacaba aquellas ropas y les daba "mala sombra" a sus enaguas. Mi madre quería tranquilizarlas, pero no lo conseguía y como mi padre no estaba —él sabía de leyes y hubiera arreglado aquello— el conflicto iba en aumento. "Qué viento norte, ni qué hostia —insitía Clara—. Por seis meses que estuvo casada tanto viento norte." La cosa llevaba trazas de arrollar a mi madre cuando llegó la tía Ignacia.

—Vamos —decía—, nunca se ha visto cosa igual. Tanto ruido por unos calzones vacíos.

—Yo no decía nada —se disculpó la viuda.

—¿Eh? —decía la Clara, indecisa, sintiéndose más débil que la tía Ignacia.

—Vamos, márchate. Y tú —le dijo a la viuda que sollozaba—, no te pases la vida venteando el aire a ver si hay viento norte o no. La ropa de tu marido, que en gloria esté, no lleva dentro marido ninguno.

La Clara al llegar a la puerta a donde las empujaba la tía Ignacia pareció querer volver a alzar el gallo, pero la tía no se lo permitió:

—Vamos, lárgate, y no vengas con historias, que yo también sé decir hostia y rediós.

Mi madre se perdía por los pasillos riendo.

Me fui a la calle pensando en Carrasco, pero no lo encontré. Cuando volvía era casi de noche. El viento helado hacía oscilar la llama de gas de un farol temprano en la esquina. Y allí mismo, debajo del farol, había un viejo mendigo con los pies sin calcetines metidos en unas botas inmensas. El viejo tenía un poco de barba blanca. Se apoyaba en la pared y lloraba silenciosamente. Me acerqué, impresionado:

—¿Qué le pasa, buen hombre?

Entonces me di cuenta de que era ciego y llevaba colgado de la mano un trozo de cordel. Le habían robado el perro cortando la cuerda con una tijera y ahora estaba completamente desvalido. Acababa de decir esto cuando oí gruñir a Carrasco al otro lado de la calle. Tuve la inspiración de que había sido él, y acerté. Pero no quise de momento hacerme el enterado.

—¿A dónde quería ir usted?

—A recogerme en una cueva que hay en las afueras.

—Apóyese en mi hombro y ande sin cuidado, que yo lo llevaré.

El hombre, sin dejar de llorar, me puso la mano en el hombro. Echamos a andar, despacio. Carrasco brincaba en la acera de enfrente como un demonio insultándome. Yo no le oía. Atravesamos todo el pueblo. Las gentes que nos veían pasar se hacían cruces, sin acabar de creerlo. Yo iba firme, grave y oía la letanía de gratitudes del pobre viejo que había dejado ya de llorar. Ahora suspiraba y decía: "Yo lo que quisiera, si Dios fuera servido, es rescatar a mi Pinto." Era un perro, que según decía, conocía muy bien las casas donde daban limosna y las cuevas a cubierto del viento.

Así anduvimos cruzando el centro del pueblo y salimos a las afueras. El hombre caminaba muy despacio y tardamos bastante en llegar. Una vez allí tuve que ir a las primeras casas del pueblo, ya de noche, a buscar cerillas para encender fuego, porque el pobre viejo estaba aterido. Al contar lo que sucedía algunas campesinas me dieron patatas crudas y trozos de pan y una me llamó cuando ya había salido para darme sal en un papelito.

Yo permanecí algún tiempo en la cueva diciéndole al ciego cómo tenía que poner los pies para no quemarse, dónde estaban las patatas asándose entre la ceniza caliente, etc.... y otra vez el pueblo entero anduvo movilizado en mi busca. Terminé muy tarde y cuando volvía cerca de medianoche vi en la plaza de las Tres Cruces, junto a una de ellas porque efectivamente había tres, sobre una plataforma con graderío de piedra, a Carrasco. Nos había seguido todo el camino.

—En tu fuesa he enterrado al perro del ciego. Allí te enterraré a ti.

Fui sobre él. Afortunadamente aquella misma mañana había raspado las suelas de mis botas con el rallador de la cocina —precaución indispensable para no resbalar en la piedra en caso de pelea— y la luz de la luna iluminó la más feroz contienda de chicos de que se tenga memoria. Rodamos tres, cuatro veces, enlazados, una mano de Carrasco con las uñas clavadas en mi mejilla, yo echando su cabeza atrás por los pelos y golpeándolo en las narices, en la boca. Cuando se vio perdido, porque no conseguía darme la vuelta de nuevo, con la mano que le quedaba libre, se dedicó a desgarrarme el vestido. Ese era el último recurso de los cobardes, para que ya que no podían pegarnos ellos, nos castigaran luego en casa. Pero yo sangraba también por la mejilla y el cuello.

Acudió gente y nos separaron. A mí me llevaban dos campesinos de la mano. Se les veía satisfechos de ser ellos quienes me capturaron.

Mi padre me recibió paseando como una fiera por el patio.

—Se acabó... esto se acabó —repetía.

Al vernos llegar se puso a oír las veintisiete versiones de cada uno de mis acompañantes. Yo debía tener un aspecto lamentable, aunque ninguna de mis lesiones tenía la menor importancia. Llevaba el traje desgarrado, sucio de barro, el rostro y el cuello ensangrentados y un ojo morado. Nada era mi aspecto, sin embargo, al lado del de Carrasco, que andaba cojeando, llevaba una oreja desgarrada y debía marchar con las manos en alto para que se le cortara la hemorragia de la nariz.

Cuando todos se tranquilizaron me hizo subir mi padre delante repitiendo:

—Esto se acabó.

Había decidido enviarme interno a un colegio. Mi madre advertía que tenían que hacerme ropa interior, pero mi padre insistía:

—Mañana mismo.

Yo conté lo sucedido con el ciego callándome lo de Carrasco. Era precisamente lo del ciego lo que les indignaba. Fui a lavarme y vi mi cara que verdaderamente impresionaba. El cura había venido al oír los rumores que llegaron a él en forma alarmante. Al ver que la cuestión carecía de importancia y que las cosas tal como las conté eran sencillas y edificantes, tomó mi partido y se puso a defenderme. Mi padre parecía escucharle, pero al final repitió:

—Mañana se va a un internado.

No fue al día siguiente. Hubo que preparar el viaje y yo fui a ver a mosén Joaquín a su casa. Me miraba como siempre, entre extrañado y divertido. Yo le pregunté por qué a los héroes los mataban.

—Te contestaré si me dices cómo se te ha ocurrido esa idea.

Le expliqué lo mejor que pude lo que me sucedió en el castillo y mosén Joaquín dijo:

—Son cosas demasiado altas para que las comprendas. Pero tú me has preguntado un día qué quería decir la palabra "holocausto". Eso es. Ahí está la respuesta. Estás impresionado por aquel pergamino que leímos. El final no sólo del héroe sino también del poeta y del santo, es ése, casi siempre.

Yo quería más explicaciones. Con aquello no comprendía una palabra.

—No te diré más, hijo mío. Conserva esa palabra: holocausto.

—Ya la conservo.

—Contesta con ella tus dudas y un día cuando seas más grande tú mismo lo comprenderás.

Aquello no hacía sino aumentar el misterio. "Holocausto". La palabra sólo me recordaba a Valentina recibiendo la sangre de una paloma herida.

Seguían los preparativos de viaje. No íbamos a Zaragoza a los jesuitas sino a Reus, más lejos, donde había un colegio "mucho más eficiente" decía mi padre. No tenía simpatía mi padre por los jesuitas. Decía que a pesar de su fama no había conocido todavía en su vida uno solo verdaderamente inteli-

155

gente. Los frailes de la Sagrada Familia les hacían una competencia terrible. Sus profesores, más preparados —citaba varios sabios conocidos— sus instalaciones más confortables, su posición social más brillante y sin despertar suspicacias como los jesuitas. Cuando estaba todo dispuesto yo pregunté si se tenían noticias del ciego. Nadie sabía nada. Yo dije que no iría al colegio mientras no me demostraran que el ciego estaba protegido y dos días después me dijeron que lo habían metido en un asilo.

Hacía frío. Mi padre con un telegrama del director del colegio, el P. Miro, a quien conocían en casa, dijo que nos pusiéramos en marcha inmediatamente. A medida que nos alejábamos, mi padre se dulcificaba. Cuando llegamos al tren, tomŏ dos billetes de segunda.

El viaje fue dulcificando a mi padre aunque estuvo a punto de recaer ante algunas de mis preguntas. Pensando yo en la última carta que le había enviado a Valentina le pregunté:

—¿Los santos se casan?

Como había otras personas en el departamento mi padre contuvo sus nervios y me dijo que no. Los santos no se casaban de ningún modo.

—¿Entonces es pecado casarse?

Mi padre dijo que no y que era una manera alta y noble de servir a Dios. Añadió que muchas personas casadas habían sido santos.

—¿Entonces los santos se casan? —insistí queriendo saberlo lo más concretamente posible.

Mi padre abrió la llave del radiador de la calefacción hasta el máximo y pidió permiso a las damas para abrir las ventanillas. Después mi padre puntualizó sus respuestas diciendo que como santos, en su calidad de beatitud nadie se casaba, pero que algunos casados habían sido santos. "Y desde luego, añadió, todos los casados son mártires." La frase fue celebrada con sonrisas que abrieron diálogos. Con esto yo quedé olvidado y me dediqué a mirar por la ventanilla hasta llegar a Reus.

Fuimos a un hotel en una pequeña plaza recién regada cuyo asfalto reflejaba las farolas, los ciclistas y los coches charolados, con llantas de goma, que pasaban silenciosos y sin otros ruidos que el acompasado de los cascos de los caballos. En el centro de la plaza rodeada de edificios de piedra había una enorme estatua ecuestre del general Prim. A mí me encantaba la plaza, el hotel, y me habría quedado allí pero mi padre llamó por teléfono y me dijo muy satisfecho:

—Te están esperando ya.

Tomamos un coche y un momento después estaba yo rodeado de frailes en la sala de recibir del Colegio de San Pedro Apóstol, enorme edificio en la Avenida de la Estación, que daba por tres frentes a otros tantos paseos poblados de madroños y algarrobos. Por el cuarto daba a una estrecha calle y tenía enfrente una fábrica de electricidad con dos altas chimeneas. Yo lo observé todo en cuanto bajé del coche.

Los frailes me envolvían en atenciones. Mi padre conferenció aparte con el P. Miro y dijo que él mismo se iba a encargar de comprarme los cubiertos reglamentarios y hacerlos grabar. Le dijeron el número que había que poner. Mi padre muy contento de ver que se deshacía de mí, fue conociendo a todos los frailes... Yo oía detrás: "Profesor de álgebra superior", "Profesor de gramática latina", "Profesor de lengua y literatura". Luego se cambiaban amables cumplidos. El padre prior, viendo que yo miraba a un patio desde donde llegaban voces y gritos, me dijo:

—Asómate si quieres. Hay fútbol, bicicletas, patines.

Cuando salí yo al patio después de haberse marchado mi padre tres chicos que tendrían dos años menos que yo me miraban rendidos de admiración y decían:

—No ha llorado.

Yo fui bien acogido aunque observé que todos se me acercaban y querían andar conmigo por curiosidad. Por todas partes había arcos románicos como los del castillo, pero no eran de piedra sino de cemento y allí donde terminaban comenzaba el muro de ladrillo rojo para volver a abrirse encima en otra galería. Todo el edificio era por lo tanto rojo y gris. A mí me observaban pero yo no observaba menos a mi alrededor.

La cena estuvo bien pero hubo que rezar antes y dar las gracias después. En el inmenso comedor había una pequeña tribuna de madera labrada donde mientras comíamos uno de los alumnos leía en voz alta. "Mucho me gusta a mí —me dijo el de al lado— cuando me toca leer porque entonces como al final yo solo y me dan buenas mermeladas y compotas y todo lo que quiero."

El convento era inmenso. Las escaleras como las del castillo. El eco de los pasos se perdía en las inmensas galerías. Yo había perdido a mi padre de vista y me quedaba libre y solo por anchos espacios sonoros. Cuando fui a mi cuarto —fuimos todos en dos hileras— rezamos alineados de pie en la galería y después cada cual se metió en su celda. La mía tenía una ventana muy grande sobre el lado que daba al interior de la ciudad. Estaba cerrada y al abrirla, porque en el cuarto no había otra luz que la que entraba del pasillo por una pequeña mirilla a través de la puerta, retrocedí embelesado. En la noche la ciudad parecía elevar al cielo centenares de brazos de luz. Reflectores dorados iluminaban fantasmalmente las veletas y las cruces de los más altos edificios y todas las aristas de las torres y de las cúpulas de la ciudad estaban cubiertas con millares de lámparas eléctricas amarillas que subían sobre el cielo negro para rematar en lo más alto con cruces sobre las cuales todavía había letras latinas que decían: IN HOC SIGNO VINCES.

Salí a los lavabos. Muchos chicos corrían cambiándose golpes a escondidas de un fraile solitario que vigilaba en la confluencia de las tres galerías.

Pregunté yo por qué la ciudad estaba iluminada.

—¿No te has enterado?

Vinieron otros a informarme. Estaban muy finos conmigo aquel primer día. La ciudad aparecía engalanada por las fiestas del centenario de Constantino el Grande.

Volví a mi celda y me acosté dejando la ventana abierta. Se me perdía el horizonte en un juego de maravillas y frente a mi ventana precisamente, en lo alto, aislada, una cruz despertaba antiguos sentimientos.

—Verdaderamente —me decía— *In hoc signo vinces.*

Me acordé de mis aventuras del castillo. Yo era héroe y a los héroes los mataban. Yo era poeta y a los poetas los mataban. A los santos los sacrificaban también. Quizá a Constantino el Grande lo habían matado en un subterráneo oscuro.

¿Me matarían a mí? Acaricié la sábana cuya vuelta estaba fresca y suave y mirando una vez más la noche elevándose en luminarias hacia un cielo que me parecía nuevo y recién estrenado me dije con una gran firmeza en el corazón: "Aunque me maten, ¿qué? Yo comprendo el holocausto. Le escribiré a mosén Joaquín." Pero era mentira. No comprendía nada.

HIPOGRIFO
VIOLENTO

HE DECIDIDO INCORPORAR

y poner delante de cada cuaderno los versos que me parecen adecuados. Es difícil precisar y concretar el tiempo y la acción a los que estos versos se refieren. Pero creo que pueden añadir algo a la atmósfera de las evocaciones.

Tal vez me engañe mi conocimiento del autor, la amistad que me unía a él y mi añoranza de los sitios que evoca, la mayor parte de los cuales me son familiares.

El autor consigue en su prosa una objetividad curiosa y renuncia a los argumentos, acusaciones y quejas políticas que no harían sino complicar su dolor de vencido con consideraciones a un tiempo amargas y triviales.

Igual que en "Crónica del Alba" en "Hipogrifo violento" el autor anima sus recuerdos de la infancia y en ellos se refugia creyéndolos una fortaleza inexpugnable. Otros hombres, los de la esperanza, escapan cuando se ven perdidos, por los problemáticos espacios del futuro y de la ilusión. Esta ilusión es también posible en la reconstrucción y reviviscencia del pasado, a pesar de todas las decepciones.

Como verá el lector en la narración domina un realismo minucioso. Es lo que da a este cuaderno como a "Crónica del Alba" su interés principal.

Valentina sigue presente —en su ausencia— y Pepe con su obstinada voluntad, sus ansiedades y a veces sus dudas y heroísmos fallidos, ensaya el primer contacto con esa sociedad urbana y reglamentada —y difícil— que es un internado católico en todas partes y sobre todo en España.

Como tuve ocasión de hablar con el autor sobre su obra puedo añadir detalles que tal vez los lectores estimarán. El más importante en lo que se refiere a esta novela es que el colegio donde la acción transcurre fue destruido por la aviación alemana. Las furias de la guerra no respetaron nada y el que busque en Reus aquel edificio no encontrará hoy más que un gran solar al lado del llamado Paseo de la Estación, junto a la fábrica de electricidad. La mesa donde Pepe trabajaba y guardaba sus libros, los claustros, la capilla, los patios de recreo y el mágico taller del hermano lego todo fue destruido por los que decían representar el orden y la civilidad.

Doy el título "Hipogrifo violento" a estas páginas —el autor no puso títulos a ningún cuaderno— porque esas primeras palabras —el verso primero— de "La Vida es Sueño" van bien al carácter de José Garcés y porque la narración ofrece un transcender poético que recuerda el problema central de la obra de Calderón. Sin embargo, el personaje principal de esta obrita es un hermano lego. Pepe Garcés nos muestra, sin decirlo explícitamente, cómo supo asimilar la lección de ese fraile que no tenía cátedra alguna, y, que, sin embargo, fue el único de quien el muchacho aprendió algo. En estas páginas se ve al autor tratando en vano de descorrer el velo de una realidad absoluta sólo accesible a la religión o a la poesía.

Los sonetos que incluyo en este prefacio muestran un reflejo irregular pero vívido de la sensualidad de los años primeros, tan estrechamente ligada al paisaje de la tierra natal. Lo mismo que el poema que inserto al final son como una respuesta inefable a las preguntas sugeridas en la prosa que sigue.

A VALENTINA

Yo me he quedado cerca, deferente
junto al ciprés y al blanco solanar
con la risa del último muriente
en lado opuesto del tiempo lunar.

164

Cerca de ti yo equívoco y ausente
celando en el reverso de la vida
la esperanza sin voz de la simiente
y la voz sin palabras de la herida.

En esa nuestra infancia de la aldea
—risas sin fondo y pálidos cuadrantes
de sol donde la luna se clarea—

allí nos estaremos igual que antes
mientras que un aire alterno la azotea
de olvidos colgará y ecos distantes.

A menudo hay cierta dureza en la expresión poética de
Pepe como en la de la mayor parte de la poesía española.
No tenemos en España un lenguaje poético ya hecho en el
que todos coincidan a través de las escuelas y las edades
como sucede en Francia desde Ronsard hasta Hugo y Valery.
No digo que tener ese lenguaje sea mejor. Es en todo caso
cuestión de gustos. El de Pepe es un poco violento y desigual, pero la violencia es sólo formal, y oculta un océano
de mansa ternura para los seres y las cosas de la creación
en la que estamos integrados.

El soneto siguiente —llamémoslo así, aunque es irregular
y está fuera de los preceptos— parece referirse a las ruinas
del colegio de Reus.

A UNA IMAGEN CAIDA

Con las carnales hojas del grimorio
rendidas entre el arco y la colina
suspiran por un nuevo adoratorio
a veces juntas la leche y la ontina.

Quédate aquí esperando, peregrina,
del haz del sol haciendo tu cayado

y del vino labial y de la harina
consagrable un amor no averiguado.

Si es verdad que en el ámbito sensible
del ser sin voluntad y su amargura
hay todavía alguna fe posible

deja que llore sobre tu estructura
y mi amor, que es un odio reversible
sangre te ofrecerá y aves de altura.

Este otro que sigue es en cierto modo una proyección de
su dolor de soldado que vuelve al hogar y contempla los muros
llenos de alusiones:

EL RECUERDO

Quietos en este hogar mis yos plurales
permitid que me asome a la porfía
de los tiempos del mal y en los anales
de la infancia dejar mi alegoría.

El día llegó ya de renunciar
a los grandes recursos, tú lo sabes
nadie quiere ser él, pero hay que dar
vivas las venas a las negras aves.

Sé de antemano que me voy a ver
a mí mismo tal como me han odiado
los aspirantes al permanecer

en sombra sin relieve limitado
y por los perros del atardecer
paréntesis de luz, yo, devorado.

166

Por fin este soneto, más flúido y espontáneo:

A VALENTINA

Tú pensarás si vivo o ya no vivo
yo pregunto qué azar te inmoviliza,
tú mirarás atenta la ceniza,
distraído contemplo yo el calivo.

La brisa en tanto va llegando y triza
en mis ojos la arena del desierto,
creo ver en la tarde el cielo abierto
pero en una ilusión advenediza.

¿Qué hacer aún? A ti y a mí nos echa
de ayer el hierro y en nuestros mañanas
la nada amortajable nos acecha.

Mientras llama el otoño a las ventanas
voy marcando en el agua aquella fecha
floral de nieve y tierna de semanas.

Es el sentimiento solamente una circunstancia del *estar* y no del *ser*. Es decir del ser sin circunstancias al que dirige el joven soldado los movimientos de su vida diaria y su material y moral experiencia. (Y también su secreta y vigilante avidez.)

Tampoco lo social y político ni otras formas de realidad positiva o interesada aparecen en su narración sino por deducción nacida a menudo del contraste natural de los hechos.

AQUI COMIENZA, VERDADERAMENTE,
"HIPOGRIFO VIOLENTO"

Por la noche las torres de la ciudad seguían iluminadas. Hileras de lámparas eléctricas marcaban los perfiles de las torres, las molduras de los repalmares y las ventanas. Desde las sombras de mi celda la ciudad era una fantasmagoría. El letrero *In hoc signo vinces* y el lábaro de Constantino, parecían flotar en el cielo. Yo aprendí aquel día el nombre de un emperador: Constantino el Grande, y un adjetivo bastante feo y que todos usaban: *constantineano.*

Al día siguiente me trajeron los cubiertos en los que habían grabado las iniciales J. G. y un número: 101. Con la cuchara, el tenedor y el cuchillo había también un servilletero. Los chicos que comían en mi mesa decían que mi número era un capicúa y que me daría buena suerte en los exámenes. Hablaban y reían —aquel día era jueves y permitían hablar en el comedor— como si estuvieran borrachos. Las fiestas *contantineanas* los tenían a todos excitados y felices.

Estuvo el primer día lleno de novedades —caras, nombres, acento catalán, miradas de una curiosidad indiferente— en las que me perdía un poco a fuerza de querer verlo todo al mismo tiempo.

Tuve dos cartas. Una de mi hermana Concha y otra de Valentina. Esta, muy larga. Repetía, siempre Valentina la misma expresión para mostrarme su entusiasmo de novia: *mi cielo.* Me llamaba *mi cielo.* Y en relación con nuestra separa-

168

ción su madre le había dicho un proverbio en verso, muy sabio, que copiaba:

> *La ausencia es aire*
> *que apaga el fuego chico*
> *y aviva el grande.*

Yo pensando que doña Julia, la madre de Valentina, se interesaba de aquel modo en nuestras dificultades, me sentía feliz. Contesté a Valentina el mismo día aunque no estaba permitido escribir cartas sino los domingos. Me dieron aquella libertad suponiendo que por acabar de llegar tenía cosas urgentes que decir en relación con los detalles de la instalación.

Dije a Valentina que la ciudad estaba iluminada y le expliqué lo mejor que pude quién era Constantino. Al final le dibujaba el lábaro tal como lo había visto desde la ventana de mi celda.

Mi padre se había marchado de Reus el día anterior y yo quedaba entregado a toda aquella magia que era mía y que parecía haber sido motivada por mi llegada a la ciudad. Desde que estaba en Reus me daba cuenta de que la vida tenía espacios y niveles que no había podido sospechar antes. En aquel edificio inmenso donde todo estaba tan bien organizado y tan limpio, cuyas ventanas se poblaban durante la noche de castillos de luz, debía esperarme sin duda alguna gran novedad.

Por de pronto la religión católica que en mi aldea me parecía cosa de mujeres viejas y de pobres diablos sin edad comenzaba a mostrarse en Reus con cierta verdadera grandeza. Lo que más impresionaba era aquel derroche nocturno de luz eléctrica y la alusión a un emperador romano y a cosas nobles pasadas hacía quince siglos en las cuales como me dijo un fraile se habían unido la cruz, la espada y la ley. Yo lo creía sin demasiado fervor, pero deslumbrado por las luminarias.

Los frailes que había visto los primeros días me parecían verbosos y fríos. Al lado de mosén Joaquín, el capellán del convento de Santa Clara, los de Reus eran como funcionarios bien peinados que reclamaban la admiración en nombre de no sé qué. El padre Miró bondadoso, natural y un poco simple. El hermano Pedro sólido, ceñudo y veraz como un viejo campesino. Desde el primer momento el hermano Pedro me pareció el mejor.

Dentro del colegio vestían los estudiantes unas blusas azules y blancas con cinturón y gran cuello cuadrado de marinero. A mí aquella costumbre me parecía de una delicadeza algo cómica. Los frailes vestidos de negro, con sotanas y fajas como los jesuitas, tenían un aspecto severo. A través de los movimientos aparentemente libres de los estudiantes estaba siempre la disciplina presente.

Los primeros días fueron turbios y lluviosos. Las noches con sus luminarias parecían tener más luz. Un chico me dijo:

—¿Tú eres castellano?

Llamaban castellanos a todos los que no eran catalanes. Dirigiéndose a sus amigos, añadió:

—Este, como es castellano, habla igual que en el teatro.

Estábamos en un patio rodeado de claustros de piedra. Comenzaba a lloviznar. El suelo que era de asfalto con la lluvia se ponía negro y brillante. Los chicos me dijeron que tendría que rendir obediencia al gallito del primero y del segundo curso. Señalaban al héroe, que apoyado en una columna me contemplaba desde lejos sin pestañear. Era más viejo que yo, estaba en tercer año y aunque muy delgado se veía que su delgadez era fuerte y atlética. Se llamaba Prat, era hijo del gobernador de Gerona y afectaba una voz viril y grave que a veces se le quebraba en la garganta dando registros atiplados.

Me fui con algunos compañeros bajo los soportales para evitar la lluvia. Quedaban los otros patinando sobre el suelo mojado que reflejaba como un espejo las columnas del claustro. De mis tres primeros amigos dos eran hermanos y su familia vivía en Amposta. Se llamaban Pere y Pau, lo que no dejaba de tener gracia. Eran rubios e iban siempre juntos. El tercero era de Castelbell y se llamaba Roig. Este fue a Prat a llevarle informes sobre mí. Prat escuchaba con una expresión ofendida e impaciente —¿por qué?— y yo me dije: esto se pone feo. Tendremos que pelear. Era seguro que tendríamos que pelear. Prat me aventajaba en estatura. Yo disimulaba, pero no dejaba de calcular los pros y los contras.

Dentro de uno de los claustros laterales, que eran bastante anchos, seguían los chicos jugando al balón como energúmenos, dando voces, patadas y brincos. Detrás de una de las metas señaladas por el espacio entre la última columna del claustro y el muro de piedra había quince o veinte retretes uno al lado del otro. Las puertas no siempre cerradas se alineaban simétricamente y cuando el balón daba en una que estaba entreabierta la cerraba produciendo un ruido enorme. Pere, Pau y yo estábamos apartados del juego hablando junto a una columna. La tarde seguía siendo gris. Había en el aire una rara intimidad como si el cielo nuboso y bajo fuera el techo de una habitación donde hubiera por ejemplo una niña convaleciente. No tardó en llegar Prat.

—¿De dónde eres tú? —me preguntó.

—De Aragón. ¿Y tú?

—Eso a ti no te importa.

Aquello comenzaba mal. Prat se dirigió a Pere y a Pau:

—¿Os ha hecho algo? —preguntó.

—No, al revés. Somos amigos y parece que nos hemos conocido de siempre. Se llama Pepe y en su pueblo tiene novia. Una novia verdadera que le escribe cartas.

Prat me miraba con impertinencia:

—Yo tengo dos. Sólo que una es más bien mi prima. Si buscas pelea —dijo gravemente— verás lo que es bueno.

Yo pensaba que si el primer día me dejaba maltratar estaba perdido. En aquel patio los riesgos y las cosas propicias tenían otro sentido que en la aldea, como si se produjeran en la corte de un rey y pudieran relatarse en delicados romances.

Pero las cosas se agravaban. Prat me miraba en silencio y se mojaba el dedo con saliva. El signo de la esclavitud con-

171

sistía en mojar la oreja del contrario según me había dicho Pere. Y Prat lo hizo. En aquel momento y cuando recogía mis fuerzas para responder llegó por el aire el balón como un proyectil, dio de lleno en la mejilla de Prat, hizo chocar la cabeza del muchacho contra la columna y el héroe de Gerona cayó a mis pies sin sentido. Pere y Pau corrían a buscar al padre Salvá, el de la enfermería, y yo no sabía qué hacer, a un tiempo culpable e inocente. Bajo las nubes oscuras Prat tenía en el suelo un aspecto de veras lamentable. Sus piernas habían quedado fuera del claustro y llovía sobre ellas furiosamente. Los estudiantes llegaban y formaban corro. El que había dado aquella patada tan oportuna era Planibell, un chico con cara de arcángel San Miguel que sin duda podía hacer milagros. Prat volvió en sí, se levantó y yo me alejé prudentemente. Desde lejos oía a Prat preguntar:

—¿Qué me ha hecho el castellano?

Se frotaba la mejilla creyendo haber recibido una tremenda bofetada. Y la había recibido aunque no de mí sino del azar. Simulando indiferencia saqué del almacén una bicicleta y comencé a aprender a montar. Dos o tres chicos me ayudaban por cortesía con el recién llegado o por creer que podría ser un rival de Prat. Este me seguía con la mirada:

—¿Qué me ha hecho el castellano?

En las clases se sentaban los chicos por orden de méritos estudiantiles y en la de latín había dos bandos rivales que resucitaban las antiguas pasiones de las guerras púnicas: cartagineses y romanos. El primer día me cedieron el cuarto lugar en la sección de los romanos.

Todos los chicos tenían apodos y a mí me llamaban el Castellá. A mi vecino le decían *Caresse,* porque en la clase de francés habiendo visto que el fraile preguntaba a veces por tiempos inexistentes de verbos irregulares y que los alumnos respondían "carece" él usaba en todos los casos aquella muletilla encontrándola cómoda. Arrastraba la *s* a la manera catalana.

172

Las clases eran sombrías y tristes. No llegaban a ser un suplicio, pero la falta de interés unida a la autoridad demasiado presente del profesor me producían una impaciencia incómoda.

En las clases se hablaba castellano y el mío era un poco mejor que el de los otros. Esto me daba pequeños privilegios. A un chico pelirrojo le llamaban Bubú porque en la clase de francés en lugar de pronunciar *vous* pronunviaba *bú* y el fraile decía indignado:

—¿Qué es eso de bu-bu?

Entonces el alumno decía abriendo muchos los ojos:

—*Fuz afez* ...

Prat y yo nos hicimos amigos cuando comprendimos que no había más opción que matarse o hacer una alianza. A veces yo me sentía inferior a Prat que era más viejo y daba una impresión distinguida y naturalmente arrogante. El era un chico de la ciudad y yo de la aldea. La diferencia era enorme, pero yo ocultaba mi sentimiento de inferioridad con cuidado.

Algunos días ayudaba a misa en la capilla y lo hacía mecánicamente distrayéndome con mil pequeñeces: contando en el mantel del ara los huesos humanos bordados, las calaveras, los corazones o las llamas y las lágrimas de oro de la casulla.

Dos semanas después de entrar en el colegio comenzaron los frailes a preparar un programa de fiestas cuya parte principal consistía en la representación de "La Vida es Sueño", de Calderón. El colegio tenía un teatro en el que cabían cerca de mil personas con entrada independiente desde la calle por una amplia escalinata que habitualmente estaba cerrada y usaban sólo en las grandes ocasiones.

Suprimieron de "La Vida es Sueño" los papeles femeninos, con lo cual no se perdió gran cosa porque las mujeres no tienen relación con el esquema filosófico de la obra. Siendo mi pronunciación castellana mejor que la de los catalanes, después de compararla con la de otros estudiantes me encargaron el papel del protagonista: el príncipe Segismundo. Fue una distinción que me tuvo medio mareado algunos días.

173

Tardé un mes en aprender el papel de memoria. En los ensayos de escenas sueltas no podía darme cuenta del conjunto de la obra, que no había leído. Los frailes no creían indispensable que conociéramos antes la obra para representarla bien. Sólo sabía yo que era necesario mostrarse melancólico y soñador en la gruta, airado en el palacio, dubitativo otra vez en la gruta, violento en la batalla y piadoso al final, después de la victoria. No comprendo hoy cómo podía interesarme aquel trabajo sin saber lo que sucedía en el drama ni las motivaciones de mis largas tiradas de versos.

Pero me di cuenta de lo que pasaba durante el primer ensayo general. El profesor de Geometría, cuando comencé a declamar:

Ay mísero de mí, ay infelice...

hizo ruido de cadenas y a partir de aquel instante la obra comenzó a mostrarme su fondo aventurero y romántico. Estaba muy satisfecho con mi papel.

—¿Sabe por qué gana Segismundo la batalla? —le dije—. Porque cree que todo lo que le pasa es un sueño y no tiene miedo a que lo maten.

No había quien me sacara de esa reflexión: "Todo le sale bien porque cree que está soñando y no toma en serio lo que hace ni tiene miedo a nada ni a nadie." En cambio cuando el príncipe, por un momento, creía en su situación verdadera de heredero del trono quería matar a Clotaldo, arrojar a un noble por la ventana, insultaba a su padre y se metía en dificultades innecesarias. Las cosas iban mal y volvía a dar con sus cadenas en la prisión. Allí veía yo un misterio importante, pero el padre Ferrer escuchaba con un oído y exclamaba: "Bah, tonterías. Tú haz lo que te diga yo."

En la ciudad había a veces desórdenes callejeros con motivo de las huelgas de las fábricas. Era una ciudad industrial y esos hechos tenían a menudo derivaciones sangrientas. Era el colegio un edificio enorme aislado por los cuatro costados y rodeado de jardines. Por la parte posterior daba a una avenida

174

no muy ancha al otro lado de la cual había una fábrica de electricidad con dos altísimas chimeneas de ladrillo rojo.

Aunque en tiempos de huelgas violentas los frailes tenían miedo yo no había tomado en cuenta aquellos peligros ni los creía verdaderos. La gente de la calle, el pueblo, me parecía incapaz de hacer daño. De noche, por la ventana de mi celda veía sobre el fondo de la iluminación conmemorativa las chimeneas de la fábrica y pensaba no sé por qué en la amistad de los obreros que trabajan allí. Si un día asaltaban el convento y lo incendiaban me sacarían de allí lo mismo que sacaban a Segismundo los conspiradores. Degollarían quizá —eso sería lamentable, pero inevitable, como en la escena— a los Clotaldos con sotana persiguiéndolos por los claustros. Había oído decir que los frailes solían conectar las verjas del parque y las ventanas bajas con cables de alta tensión en tiempo de revueltas y peligros. Si era verdad, yo debía averiguar dónde estaban los conmutadores y cortar la corriente en el momento crítico, con riesgo de mi vida. Los obreros entrarían entonces sin peligro y degollarían a todos los frailes menos al hermano Pedro y al padre superior. El primero era mi amigo. El otro era un sacerdote plácido y gordo por quien sentía respeto.

En cuanto a los alumnos de primero y segundo curso, si el caso llegaba, yo intervendría para que los perdonaran, incluso al terrible Prat. Y entonces comenzarían las explicaciones. ¿Cómo habían podido asaltar el colegio si las rejas estaban conectadas con cables de alta tensión? Y declamaría, como Segismundo, aunque cambiando la palabra vasallos por "obreros":

> *Obreros, yo os agradezco*
> *la lealtad. En mí lleváis*
> *quien os libre, osado y diestro*
> *de extranjera esclavitud.*
> *Tocad al arma, que presto*
> *veréis mi inmenso valor . . .*

Había hecho preguntas al profesor de Geometría sobre el significado de algunos episodios de la vida del príncipe Segismundo y el fraile que no daba la menor importancia a mis opiniones dijo:

—Atiende hasta la última escena y verás. Todo esto no es más que un símbolo.

Estaba el fraile muy atareado con las pelucas que iba disponiendo sobre pivotes de sillas. Y volvía a pensar en los obreros. Lo que necesitaban era un buen jefe, como los conspiradores de "La Vida es Sueño". Quizá era yo demasiado joven para que me acogieran como caudillo, pero mi juventud podía ser un aliciente más. Igualmente joven era en el escenario, y, sin embargo, los enemigos del rey de Polonia me aclamaban. El fraile decía:

—En el primer acto llevarás una peluca vieja e hirsuta. En el segundo esa peluca la lleva el Criado I y tú te pondrás esta otra.

Me mostraba una muy hermosa, que caía en bucles por los lados. Prat llegaba con un andrajo peludo en la mano:

—Este peluca tiñosa —decía— no debe ser para mí.

El hermano Pedro miró el revés y vio escrito con tinta violeta: *Criado I*.

—Sí, hijo mío —le dijo—. Esta peluca es tuya. Ahí lo dice. Y es la letra del padre Ferrer.

Prat argumentaba:

—Soy criado del rey y eso es tanto como el duque de las Torres que es secretario del rey de España.

—Miren el presumido. Pero yo soy sordo del lado izquierdo —decía el hermano Pedro— y además, si crees que debes hacer el primer papel porque tienes mejor figura que Pepe yo te digo que tu español suena como el cacareo de una gallina.

Esto debió herir terriblemente a Prat, y, por lo tanto, era para mí la más dulce de las músicas.

En aquellos días de los ensayos, con los nervios todavía llenos de las vibraciones de la vida exterior y las luces nocturnas de la ciudad, me sentía hundido en una gustosa confusión y repetía las estrofas de Calderón de la Barca. El domingo escribía a Valentina contándoselo todo y haciéndole encargos como el de cuidar de los grillos del jardín y enviarme alguna foto suya reciente. Esto de fotos *recientes* lo había oído a mi hermana mayor.

Prat a veces me trataba con amistad y otras con resentimiento.

Además del acento catalán, Prat no podía hablar dos palabras sin que se le quebrara la voz en la garganta y era tan mal cómico que una sola frase que tenía que decir al despertar Segismundo la colocaba siempre a destiempo. Su frase era:

¿Volverán a cantar?

Segismundo, es decir, yo, respondía:

No.
no quiero que canten más.

En medio de un diálogo muy animado y en verso la precisión era importante, pero Prat siempre entraba demasiado pronto o demasiado tarde. El padre Ferrer le corregía y el chico se ponía nervioso y cuando iba a llegar su momento se encogía como un gato que va a saltar. Caía otra vez fuera de lugar y anticipándose a las censuras decía:

—Si me he de poner esa peluca yo tampoco quiero hacer el papel.

Era el actor de menos importancia y el que más conflictos creaba. Pero el padre Ferrer estaba demasiado atareado conmigo:

—Repite con énfasis la segunda parte de la tirada de la gruta.

Yo pensaba en el degüello general de frailes, comenzando por el padre Ferrer, lo miraba fijamente y decía:

Si este día me viera
Roma en sus triunfos de la edad primera

177

> *oh, cuánto se alegrara*
> *viendo alcanzar una ocasión tan rara*
> *de tener una fiera*
> *que sus grandes ejércitos rigiera*
> *a cuyo altivo aliento*
> *fuera poca conquista el firmamento.*

El padre Ferrer se mostraba satisfecho:

—A ti te van bien los monólogos y los apartes —decía como si yo fuera un gran cómico.

En aquellos días yo tenía al padre Ferrer dominado y sometido, lo que no dejaba de causar extrañeza a mis compañeros. El fraile, que mostraba una movilidad y una agudeza de ratón y que estaba a todas horas en todas partes adulaba a sus actores y sobre todo a mí de quien dependía su éxito como director de escena.

A veces pasaba por el escenario como una sombra el padre Lucas, pálido y evasivo. De él decían los chicos que durante la semana trágica de Barcelona había recibido quemaduras en el incendio de un convento. Tenía una expresión ascética y sombría. Yo, mirándolo, recitaba:

> *¿Qué es la vida? Un frenesí,*
> *¿qué es la vida? Una ilusión,*
> *una sombra, una ficción*
> *y el mayor bien es pequeño*
> *pues toda la vida es sueño*
> *y los sueños sueños son.*

El padre Lucas miraba de reojo —sin volver la cabeza— y se iba silencioso y desconfiado.

Yo no estudiaba. ¿Para qué? Aunque me daba cuenta de que la escena no tenía relación con la verdadera vida, mi papel de príncipe me parecía una victoria. Y durante las horas de recreo —fuera de la escena— tenía todo lo que podía apetecer: patines, bicicletas, juegos de todas clases. No había más que entrar en el almacén y escoger.

Pero volvamos al escenario. Para la batalla, que prometía ser memorable, el padre Ferrer tenía muchos petardos de una capacidad explosiva diferente: mosquetes, artillería, pistolas. Yo escribí a Valentina explicándole aproximadamente cómo serían aquellas armas si realmente las tuviéramos y cuáles sus calibres. (Sobre esto de los calibres me extendía en pedantes consideraciones.)

Un hermano lego se afanaba pintando en su taller. El padre Ferrer me había dicho que fuera a recordarle que la puerta de la gruta debía tener una verja practicable, es decir, que se pudiera abrir y cerrar. Cuando fui al taller hice interesantes descubrimientos. El lego había dejado la sotana colgada de una percha y llevaba pantalones de pana, como los campesinos. Las mangas de la camisa dobladas y recogidas en los codos. Hicieron impresión en mí sus manos callosas de manejar escoplos y cepillos y su rostro que cuando no hablaba era triste y dramático y cuando hablaba parecía iluminado.

—¿Usted es también padre? —pregunté.

—No, yo no soy más que hermano.

—¿Por qué no va a la vela ni a la iglesia con nosotros?

—Ay, amiguito. Yo no tengo importancia para eso.

Le di el encargo del padre Ferrer y el lego escuchó muy atentamente y fue después a un rincón del taller. Sus movimientos eran indolentes, pero seguros. Había allí unos listones de madera cruzados.

—Esta es la reja —dijo—. No está terminada y además hay que pintarla.

Yo creía que el lego no daba al asunto la importancia que merecía. Viendo aquellos listones le dije que la reja debía ser más fuerte porque era la de una prisión antigua. El lego sonreía:

—No crea, hermanito. Desde la sala parecerá de hierro. Además, mire usted.

La hacía girar sobre un gozne y gemía como si fuera de veras. Después el lego desplegó un papel sucio que ocupaba gran parte del pavimento del taller.

—Esta es —dijo— la montaña y encima está la fortaleza.

Yo no veía sino unos brochazos toscos y la línea de una muralla de piedras torcida por las dobleces del papel. ¿Era posible que aquello fuera una montaña?

—Aquí —dijo el lego sin dejar de sonreir— hay una ventanita cerrada con un papel transparente y detrás pondremos una velita. Desde lejos hará como que en el castillo hay gente viviendo por la noche.

Con aquellos papeles pintados yo creía que no se podía llegar a dar la ilusión de una montaña. El escenógrafo, sin embargo, parecía seguro de sí. Preguntó:

—¿No hay tormenta? En las grandes obras siempre hay una tormenta.

Yo declaré lamentándolo mucho, que no había tormenta.

—Pero en cambio —añadí—, hay guerra.

El lego levantó la cabeza y chascó dos veces la lengua. No le gustaba la guerra. Me llevó al fondo del taller, tomó por arriba con las dos manos una plancha de zinc, la suspendió en el aire y la agitó suavemente. La plancha producía unos truenos mejores que los auténticos.

—Lástima —dijo—. También tengo crepúsculos y auroras y relámpagos y granizo. Pero si no hay tormenta...

Yo hablabla de mosquetes y cañones, pero el lego no quería oírme. Parecía moverse otra vez por el taller como si nada en el mundo valiera la pena.

Junto a la pared, sobre un banco de carpintero, había un largo ataúd de cristal y dentro se veía la cabeza de un Cristo yacente, con los ojos cerrados, las mejillas amarillentas y la boca dolorida. El resto del cuerpo no existía. En su lugar había unos listones de madera sin pulir que terminaban abajo en dos pies llagados color de cera. Muy escandalizado dije:

—¡Qué barbaridad! ¡Quién iba a esperar una cosa así! Esto es un engaño.

—No, hermanito. No es engaño sino figuración. Con una colcha bordada de oro y plata cubrimos en semana santa estos palitroques y sólo se ve la cabeza sobre la almohada y los pies desnudos para la adoración. Los devotos desfilan y los besan.

Viéndome escéptico, añadía:

—Pero no debo tenerlo descubierto, porque pueden venir muchachos de poca imaginación como usted.

Esto de la imaginación —pensaba yo— debía consistir en creer en las imágenes. El lego cubrió aquellos pedazos de madera con una tela blanca, dejando visibles sólo las partes esculpidas. Las maderas que quedaban debajo formaban relieves a la altura de las rodillas y del pecho. Cuando estuvo cubierto, el lego fue respetuosamente al extremo de la urna donde asomaban los pies y los besó. En cuanto hizo eso yo percibí en el Cristo su realidad.

—Caballerito —dijo el hermano lego—. ¿No se ha olvidado ya de los palitroques? Diga la verdad.

—Sí.

—Pero, ¿sabe que están ahí debajo?

—Claro que sí.

—Y sin embargo, se ha olvidado. Yo mismo he hecho la imagen con estas manos, pero cuando beso el pie estoy convencido de besar el pie del Hijo de Dios. ¿Qué le parece?

Yo pensaba: "Una tontería." Pero sentía detrás de aquella tontería un misterio, no sé cuál. Vi una banqueta de tallista y en ella un niño desnudo, redondito, con las piernas y las manos en el aire. Me acerqué. Era curioso verlo allí caído de espaldas. El lego acudía:

—Cuando yo lo tallaba me decía la Virgen María: hazle la nalguita más redonda, el taloncito del pie más suave. Y así fui terminándolo poco a poco. Y ahora, ahí está.

El niño era una graciosa muñeca. Más tarde había de verlo en el altar rodeado de bellotas luminosas, guirnaldas de plata, envuelto en nubes de incienso y cánticos. El lego lo miraba, complacido:

—Tú lo adorarás. Tú le cantarás canciones en el coro. Y así debe ser. Estás pensando que no es sino un trozo de madera. Pero, ¿quién se atrevería a decir que la madera no es un milagro, también? ¿Es que Dios no está en la madera? ¿Por qué no pruebas tú a fabricar un trozo de madera?

Ahora parecía el lego enfadado, pero en broma. Yo recordaba la canción de aquel campesino que habiendo visto tallar una imagen de Jesús crucificado la miraba después con recelo y decía:

> Santo Cristo del Milagro,
> cerezo te conocí;
> los milagros que tú hagas
> que me los pongan aquí.

Y señalaba el trasero. El lego reía —su risa era bondadosa— y repetía:

—¿Qué obra es la que hacéis? ¿Cómo dices que se llama?

—La Vida es Sueño.

—Sí, es verdad, caballerito. Un sueño de Dios es la vida.

Reía otra vez y añadía: "Mira esa luz cómo entra por las ventanas y pone unas sombras sobre el Cristo yacente. En que pase un ratito ya no serán esas sombras sino otras. Todo es un sueño. Un sueño de Dios."

Yo miraba entre la piernas del niño Jesús y no veía nada.

El lego se puso muy serio:

—¿Qué papel hace usted en la obra, hermanito?

—El príncipe Segismundo, el protagonista.

—Ah, un príncipe. Ahora usted es un príncipe. Después será un pecador, luego un santo, más tarde un descreído según la luz que envía Dios sobre las cosas. Así es la vida. ¿Y ya sabe su papel?

Me puse a recitar:

> Sueña el rey que es rey y vive
> con ese engaño mandando
> disponiendo y gobernando
> y el aplauso que recibe
> prestado en el viento escribe
> y en cenizas lo convierte
> la muerte —desdicha fuerte.
> ¿Quén hay que intente reinar
> viendo que ha de despertar
> en el sueño de la muerte?

El lego aplaudió. Tenía unas manos pequeñas y regordetas. No consideraba yo a aquel lego como un fraile, puesto que no llevaba el hábito y ni siquiera como a un hombre —era demasiado suave y dulce— sino como un gracioso e inofensivo animal. Cuando reía parecía un perro joven. Cuando estaba serio tenía el triste perfil de un ave. Tal vez —qué extraño— el perfil de un cuervo.

—Con actores como usted ya puede lucirse el padre Ferrer —decía.

Me enseñó otras partes del decorado. Faltaba por pintar el telón de fondo, el de la batalla. Un campo. Rocas a un lado. Un horizonte bajo y lejano. Lo mostraba en un bosquejo.

—Humo —dije yo—. Tiene que haber mucho humo, por los cañonazos.

—Ah, no hermanito, alteza. Yo no contribuyo a la ilusión de la guerra. Lo que puedo hacer —añadió, reflexionando— es poner unas nubecitas lejanas y que el público las entienda como quiera.

Mirábamos el bosquejo. No estaba mal —pensaba yo— aunque no se veía gente por ningún lado. Y faltaban otras cosas importantes.

—Debe haber pájaros carniceros en el aire —le dije—. Son los que van a comerse a los muertos.

El lego dudaba:

—No se puede. Si pongo aves carniceras en el aire siempre estarán en el mismo sitio y la ilusión será falsa.

—Yo he visto a los esparveres en mi pueblo volar y estar quietos en el aire sin subir ni bajar. Y eran esparveres con su pico y sus garras.

—Ah, sí. Estaban cazando. Bueno. Yo los pondré. ¿Cuántos?

—Ocho.

Con un lápiz el lego hizo unas rayitas en el diseño.

—No, mejor diez —rectifiqué.

El fraile añadió dos más. Yo quería que pusiera también una pieza de artillería rota con muertos al pie.

183

—No, ya he dicho que no. Si pongo eso, ¿cree usted hermano que el público sentirá piedad? Lo que sentirá es deseos de ir a matar a otros semejantes.

—¿Y eso qué importa?

—¿Cómo qué importa? ¿Está usted loco, hermanito?

Me miró con asombro y añadió:

—No. Pídame lo que quiera, pero eso, no.

Tomaba una lata de barniz y se acercaba al niño Jesús para darle la última mano.

—Déjelo usted —le dije—. El padre Ferrer me ha dicho que tiene que dejarlo todo para terminar el decorado. ¿No ve usted que es lo más urgente?

—Ya, ya —contestaba riendo—. En un minuto estará listo. A mí también me parece importante "La Vida es Sueño". Un sueño de Dios es la vida.

De pronto se puso muy serio:

—No le digas al padre Ferrer que yo he dicho eso. Porque como no estoy ordenado parece pedantería.

—¿Qué pedantería?

—Eso del sueño de Dios.

Recordaba yo palabras oídas cien veces en la iglesia:

—¿Pero no cantan las glorias de Dios los pájaros en los árboles?

—Es usted muy agudo, alteza, hermanito —y reía, abandonado y sin control—, aunque no sabe de estas cosas. Yo sólo puedo hacer igual que los pájaros. Cantar las glorias de Dios. Es lo que hago —y mostraba con un gesto tablas, telas, esculturas—, pero no debo tener opiniones porque como le dije no estoy ordenado en teología. Ni conseguiría nunca ordenarme, suponiendo que tuviera esa ambición. Me falta meollo, hermanito. Siempre he sido un zote.

El lego extendía el papel del último decorado en el suelo y preparaba las brochas. Yo iba y venía por el estudio.

—¿Por qué se ríe usted siempre —le pregunté—. Parece como si estuviera bebido.

—Volvió a reír el fraile con mis palabras:

—Sí, estoy borracho. Pero no de vino. El aire, la lucecita, el sonido lejano, la palabra de los otros. Todo me embriaga de alguna manera. Ahora es usted quien viene y me habla. Cuando se vaya me pondré tan triste que parecerá que me duelen los dientes.

Diciéndolo el lego ponía cara de payaso.

—¿Y por qué se pondrá tan triste? —pregunté.

El lego reía aún:

—¿No quiere cenar, alteza? ¿Es que no va a cenar esta noche?

Me llevaba a la puerta y me marché. En el refectorio dije a mis amigos que había estado en el taller y que el hermano lego no era persona.

—¿Pues qué es? —preguntaba Pau, quien creía todo lo que yo decía.

—Algo así como un perrito. Brinca y ladra y mueve la cola.

Los otros parecían también impresionados por mis opiniones. Hablábamos en voz baja porque aquel día no era de parla, en el refectorio.

Desde que yo les hablé del hermano lego algunos chicos querían asomarse al taller. Creían de veras que se trataba de un fraile que ladraba y brincaba. Algunos chicos decían que lo habían visto andar a cuatro manos, oler el muro, volver a olerlo y, por fin, alzar la pata. Esas versiones circularon rápidamente y un día el padre Ferrer me llamó y me preguntó si había dicho aquello del hermano lego. Parecía en actitud amistosa y confesé. El padre Ferrer se mostraba severo: "Vas a ir a darle una explicación." Y me llevó al taller. Me dejó allí advirtiendo al lego que quería decirle algo. El lego, en cuanto el padre Ferrer se marchó, volvió a su alegría:

—¿Qué tienes que decirme, hermanito?

—Nada. Pero me gusta venir a verle.

—Ya me lo figuraba. Eso lo ha inventado el padre Ferrer, un padre de grandes luces que un día será prior.

Y comenzó a contar cosas sensacionales de perros que había conocido y que eran más leales y buenos que las personas.

Estaba el hombre tan contento que al hablar de los perros
daba de vez en cuando pequeños ladridos. La cosa era tan
simple y cómica que a mí no se me ocurrió darle explicación
alguna. Me pidió que recitara algo más de "La Vida es Sueño"
y no me hice rogar:

> *Apurar cielos, pretendo*
> *ya que me tratáis así,*
> *¿qué delito cometí*
> *contra los hombres naciendo?*
> *Aunque si nací ya entiendo*
> *qué delito he cometido,*
> *bastante causa ha tenido*
> *Vuestra justicia y rigor*
> *pues el delito mayor*
> *del hombre es haber nacido.*
> *Sólo quisiera saber*
> *para apurar mis desvelos*
> *dejando a una parte, oh cielos,*
> *el delito de nacer*
> *qué más os pude ofender*
> *para castigarme más.*
> *¿No nacieron los demás?*
> *Pues si los demás nacieron*
> *¿qué privilegios tuvieron*
> *que yo no gocé jamás?*

El lego escuchaba, decepcionado.

—Perdone, pero hay cosas que no me gustan. Eso de
apurar, cielos, no está bien. Es un juramento. Y además
el nacer no es un delito. Ese hombre estaba desesperado.
Suele suceder a los hombres importantes así como los prín-
cipes y los millonarios.

Me llevó a un extremo del taller donde había esculturas
religiosas. Yo le hablaba de un modo un poco arrogante, con
el acento de mi retórico papel en la escena. Decía que me
habían encargado el príncipe Segismundo porque hacía falta

186

un hombre valiente y sin miedo. La palabra *hombre* hizo
volver la cabeza al fraile, sorprendido:

—¿De veras no tienes miedo?

—No. Nunca he tenido miedo.

—¿Nunca?

—Nunca, ¿para qué?

Iba mostrándome esculturas, ángeles, demonios. En un
rincón había un monstruo de madera, algo como un dragón
que a primera vista daba la impresión de una tortuga. El
lego accionó algún resorte sin que yo me diera cuenta y el
monstruo alargó el cuello al mismo tiempo que daba un
rugido como un león. No pude evitar un salto atrás.

—Perdone, alteza, hermanito —dijo el fraile—. Yo creí que
no se asustaría. Esta es la tarasca que sale en la procesión del
Corpus. Sólo asusta a los niños que andan todavía a gatas,
pero ha asustado al valiente príncipe. Claro es que le tomó
de sorpresa, pero así y todo... Hermanito, no hay que pre-
sumir porque hasta los más valientes son en el fondo poca cosa.
Muy poca cosa. Pasto para los gusanos.

Yo me sentía humillado. Todavía me palpitaba el corazón y no sabía qué decir. Por fin miré la tarasca con desprecio:

—Eso sí que es un engaño. ¿Qué tiene que ver la tarasca
con la religión?

—Ah, ah, hermanito. Usted es valiente de veras, pero es
un verdadero borriquito. Todo tiene su razón de ser en nuestra santa Madre Iglesia. La tarasca es el recuerdo de algo que
sucedió en el siglo I de nuestra era. Yo se lo diré en pocas
palabras.

Y sentándose, siguió:

—Cuando Jesús murió en la cruz sus discípulos se espar-
cieron por el mundo para predicar la santa doctrina. A cada
país fue un apóstol según su carácter y sus gustos. A España
vino el apóstol Santiago, es decir San Jacobo, porque no sé
si sabrás que el nombre viene de la manera latina de pronunciar *Sant Jacob, Santiacob, Santiago.* Pues bien, aquí vino
ese apóstol que con el tiempo iba a ser el patrón de España

y de los caballeros españoles que luchaban por la fe. Te digo la verdad —añadió bajando la voz—, yo creo que no hay que combatir con armas ni siquiera por la fe. No repitas esto fuera del taller porque no tengo órdenes y por lo tanto puedo equivocarme. A cada lugar fue un discípulo de Jesús, según la clase de costumbres del país. Y a Francia, ¿quién dirás que fue? Marta, amiga de María Magdalena. ¿No has oído hablar de Marta? En los evangelios está. Pues a Francia fue Marta en un barquito de esos que tú has visto dibujados en tu libro de historia. Casi todos los barquitos que andaban entonces por el Mediterráneo eran fenicios o griegos, con muchos remos por un lado y por otro. Allí iba Marta y desembarcó en Marsella. Cuando pisó la tierra dijo...

—¿Sabía hablar francés? —pregunté yo.

—No. Y no me interrumpas con tonterías, hermanito. Se puede ser valiente e ignorante. En aquella época no se hablaba francés todavía, sino latín. Claro es que Marta hablaba latín. Pues al desembarcar vio un prado lleno de flores y las que estaban más cerca del arroyo eran rojas y tenían una forma que Marta no había visto antes. Preguntó a los marineros: ¿Por qué estas flores tienen color de sangre y forma de dragón? Porque las riega el agua roja que baja de Provenza, dijeron ellos. ¿Y qué pasa en Provenza para que el agua se ponga roja? Que hay una ciudad donde matan a los niños, unos nacidos y otros antes de nacer. ¿Quién los mata? Tarascio. ¿Y quién es Tarascio? Un dragón mitad tortuga, mitad lagarto, mitad hombre...

—Eh, eh —dije yo—. No podía tener tres mitades, hemano.

—¿Cómo que no? Un monstruo puede tener tres mitades y cinco más. Por eso es monstruo. El Tarascio, además, daba grandes rugidos, hablaba como las personas y mataba a los niños. Marta dijo: Llévenme a esa ciudad. Y los marineros formaron un anda con los remos y pusieron en un lecho de rosas a Marta. Caminaron arroyo arriba hasta que llegaron a Provenza, al lugar que hoy se llama Tarascón. Allí Marta se apeó y entró en la ciudad cantando los gozos del señor.

Los vecinos le dijeron que el dragón tenía aterrorizado al país. ¿Dónde está el Tarascio? —preguntó Marta—. Viendo que era una débil mujer todos temblaban, hermanito, por ella. Y nadie quería decirle dónde estaba, para no hacerse responsable de lo que sucediera. Por fin ella supo que vivía en una gruta al otro lado del río. Marta pasó el puente. Llevaba en una mano las flores rojas cogidas en Marsella y en la otra un trozo de la cruz donde había muerto Jesús.

—¿Cómo de grande?

—Una astilla pequeña. Así como del tamaño de la mano. No sea bestezuela, hermanito. No crea que iba con un garrote. El prodigio lo obraba la naturaleza divina de Jesús y no la fuerza bruta. ¿Cómo una débil mujer iba a poder más que el Tarascio? Pues al principio Tarascio salió de su cueva extrañado del atrevimiento de aquella extranjera. Iba echando fuego por las narices y haciendo temblar las montañas como si hubiera un terremoto. A pesar de todo Marta se le acercó sin miedo y le dijo: ¿Quién eres, dragón? Soy el amo de Tarascón. ¿Y tú quién eres? Una más entre las mujeres. ¿Amiga del pecado? No; amiga de Jesús sacrificado. Así siguieron hablando. Y Marta lo dominó y sometió.

—¿Cómo? Llevaría una espada. Algo tenía que llevar.

—La leyenda dice que Marta inmovilizó al dragón diciendo unas palabras en latín y mientras el monstruo estaba indefenso la población armada de horcas y palos lo mató. Ese era el Tarascio. Por eso llamamos Tarasca a ese extraño animal. Y lo sacamos en las procesiones para que la gente no se olvide. Parece que en Francia de vez en cuando Tarascio resucita y mata a los niños.

—Ha dicho usted que mataba a los niños a veces antes de nacer. Eso es imposible.

El lego que había vuelto a trabajar se quedó un momento con la brocha en el aire. Me miró sin saber qué decir. Luego afirmó:

—Tal vez tienes razón, muchacho. Los tiempos han cambiado.

189

Conducido mecánicamente por el tema volví a recitar:

> ...*aunque el pecado mayor*
> *del hombre es haber nacido.*

—Quizá me equivoco volvió a decir el lego—. A mí me suenan esos versos como una ofensa al Señor, a la vida que ha hecho el Señor.

—¿Pero por qué?

—Porque dicen que nacer es un pecado. ¿Un pecado?

Miró en torno y añadió:

—Es mejor ser como un perrito que decir cosas en verso o en prosa de una manera tan arrogante. Nacer es un milagro, hermanito. El milagro más grande del amor.

Llegaba el padre Ferrer y preguntaba con una mirada al lego. Este se apresuró a decir que yo había estado muy amable y generoso y dio al padre la impresión de que le había ofrecido mis excusas. El lego hablaba sin mirar al sacerdote a la cara. siempre hablabla a las personas mayores con la vista baja. Nos acompañó hasta la puerta y se volvió adentro tarareando una cancioncilla en catalán:

> *El bon Jesuset*
> *s'en putxa a la vinya...*

Yo estaba avergonzado por no haberle dado explicaciones, pero la culpa la tenía el lego, quien con su actitud cordial y sus bromas no me permitió ser humilde. De pronto, aquel fraile que parecía simple como un animalito dejaba adivinar obscuridades y laberintos en su carácter. Y miraba de un modo raro como si sus ojos no fueran suyos sino de otra persona.

Me habría gustado conocer las palabras latinas que dijo Santa Marta al Tarascio. Seguramente eran un buen conjuro para casos de peligro. Pero el lego no las sabía.

Al día siguiente fue el primer ensayo general. Yo había recibido una carta de Valentina enviándome noticias sensacionales: se había lavado el cabello y había caído un rayo en la torre de la iglesia. Copiaba como siempre versos de los almanaques eligiendo aquellos que tenían la palabra "amor". A veces resultaban bastante inadecuados:

> *Por el humo se sabe*
> *dónde está el fuego.*
> *Donde están los amores*
> *no faltan celos.*

Iba yo por el escenario repasando mi papel. Andaba también el hermano lego con martillos, clavando aquí y allá y el padre Ferer daba voces más fuertes de lo necesario para decir dónde había de colgar cada tela.

Todo en orden y los actores vestidos hicimos el último ensayo. El hermano lego, desde la sala, parecía complacido. Ver a aquel frailecito era para todos una novedad porque no salía nunca de su taller. Con ese instinto de los muchachos para comprender quién es el menos importante se daban cuenta de que el pobre lego, que no era ni sacerdote ni profesor ni vigilante de la vela, podía ser blanco de las burlas. Prat ladró dos veces y cuando se acercó el padre Ferrer para amonestarle vio que se había puesto la peluca de los rizados bucles. El fraile se la quitó y conservándola en la mano derecha la peinaba amorosamente con la izquierda. Prat parecía resignado, pero decía que a la representación irían sus tíos con la primita Inés de la que hablaba como si fuera su novia. Es decir, su novia predilecta, porque tenía dos.

Otro chico que se llamaba Ervigio y que parecía frágil y delicado pero nos confundía a veces con su genio burlón decía cuando veía a Prat:

> *Inés, Inés, Inesita Inés,*
> *Inés, Inés qué bonita es.*

Prat, si estaba cerca, le lanzaba un puntapié, pero Ervigio lo esquivaba. Seguía Prat mirando con escepticismo la peluca del Criado I. Salir a escena con aquel andrajo lo hacía muy

191

desgraciado. Decía que Inés tenía el cabello más hermoso de toda la ciudad de Gerona. Por contraste la peluca resultaba más miserable. Yo iba y venía por el escenario diciendo que era un hombre entre las fieras y una fiera entre los hombres y dando a mi entonación vibraciones terribles. Pau el chico rubio de Amposta, dijo desde la sala:

—Padre Ferrer, qué bien está.

—¿Quién?

—Pepe.

El fraile asentía, satisfecho. Pero Pau no había terminado de hablar y con un acento de ingenua admiración añadió:

—Parece la Virgen María.

El sacerdote volvió la cabeza nervioso:

—¿Quién ha dicho esa estupidez?

En aquel momento yo llevaba la peluca de gala. El comentario impertinente me ayudó sin embargo a hacer mi papel mejor. Miraba traicioneramente y hacía movimientos de cabeza a cada palabra sacudiendo mi cuerpo con una ira agresiva. Giraba sobre los pies al mismo tiempo que miraba de arriba a abajo al rey mi padre apretando los puños. Y contemplaba con recelo aquella peluca que había sugerido a Pau un comentario tan ridículo. Se la habría regalado a Prat si no fuera por la reflexión de que con ella mi enemigo se daría importancia a los ojos de Inés.

Yo no me sentía a gusto en el escenario cuando apagaban las luces. La bóveda altísima llena de cuerdas y escaleras como un barco de vela con bastidores inmensos que subían y bajaban me hacía una impresión poco tranquilizadora. Además, aquellas grandes masas moviéndose en una profundidad "hacia arriba" me mareaban.

En la tarde tomó el colegio el aspecto de las grandes solemnidades. La escalera de gala había sido abierta. Se veían macetas con palmeras en los descansillos y rellanos. Las familias iban llegando y pasaban a las terrazas que dominaban el patio donde había también palmeras aunque mucho más grandes, en tiestos de cemento que imitaban troncos rugosos de árbol. Los escolares iban y venían en sus trajes de fiesta. Yo ataba las cintas de mi sandalia sobre la piernas hasta cerca de la rodilla donde comenzaban las pieles que me envolvían. Antes de la representación nos hicieron retratos con magnesio cuyas explosiones asustaron a los pequeños.

La agitación de los preparativos era tal que no me dejaba lugar para pensar en mí mismo y por eso la perspectiva de la escena no me intimidaba.

A las seis de la tarde se levantó despacio el telón. Pasó el primer acto sin incidentes y la sala deshacíase en aplausos. Prat, que no tenía papel alguno en el primer acto salió también a la escena a saludar y cuando quedó echado el telón se puso a mirar por los judas buscando a su prima.

Alzado de nuevo el telón la acción sufrió un retraso peligroso. A la hora de salir fui a ponerme la peluca (no lo hacía hasta el momento crítico, porque daba calor) y no la encontré. Corrí de un lado a otro y vi a Prat entre dos cajas con ella puesta. Fui a quitársela, él la defendió, nos cambiamos golpes y rodamos por el suelo. Sólo la intervención del padre Ferrer evitó que derribáramos el decorado.

Como era de temer, Prat no colocó a tiempo su frase y tuve que sustituirla, como hice en los ensayos, pero negándose Prat a quedarse callado hizo dos o tres intervenciones fuera de programa para darse importancia con su prima. Era siempre en relación con los músicos:

Ya dije que se marcharan

O bien con aire altanero:

¿Para qué quieren que canten?

Yo miraba entre bastidores al padre Ferrer que estaba iracundo. (Al menos Prat —es verdad— mantenía el ritmo del romance.)

En la sala los chicos comentaban la pelea —alguien llevó la noticia— y discutían sobre su resultado. A pesar de ese incidente y algún otro la representación salió bien. Cuando iba a arrojar al noble por el balcón lo hice tan a lo vivo que el condenado se asustó y se me agarró al cuello. No quería soltarse por nada del mundo. Hacia el final de la obra tenía que dispararle un tiro a alguien, creo que al duque de Moscovia. Para eso llevaba en el cinto un arma del siglo XVIII descargada pero con una capsulita —el fulminante— puesta en el pezuelo donde antiguamente ponían la mecha. Esto bastaba para producir un pequeño disparo que daba la ilusión. Disparé. El fulminante, que había funcionado siempre en los ensayos, no quiso inflamarse y el duque seguía en pie, retador. Volví a levantar el gatillo y a apuntar mientras el padre Ferrer corría al bastidor lateral más próximo y ponía en el suelo, detrás del duque de Moscovia, un pequeño petardo encendido. Yo apuntaba esperando la explosión y repitiendo los versos. Cuando el petardo estalló, cogió tan de sorpresa al duque que este en lugar de caer se volvió a ver lo que ocurría y encontró el **rostro del fraile iracundo** que le ordenaba que se muriera. **Por fin el duque, perplejo, murió.** Parece que sólo se dieron cuenta de la ocurrencia los espectadores de las primeras filas.

Al final de la representación hubo que **alzar la cortina** ocho o diez veces y después Prat se despojó de su peluca y se fue con su prima, que era bonita y delicada.

Sin peluca también, yo anduve entre el público al que daban un refresco. **Me felicitaban y disfrutaba** de mi gloria como un actor verdadero, pero el padre Ferrer no me hacía caso alguno y yo me sentía defraudado. Me acercaba y le pedía su opinión, pero no me contestaba. Andaba con las damas muy cortés y mundano. Era aquel fraile el más importante de mis profesores y su opinión sobre mi actuación dramática repercutía —pensaba yo— en mi éxito o fracaso como estudiante. Renuncié por el momento a saberla.

Llena sin embargo mi cabeza de los ecos del éxito iba y venía un poco distraído y tuve un tropiezo de vanidad.

Se me acercaron dos señoras muy amables. Mirando mi cuello a la valona que tenía bordados imitando plata, dijo una de ellas:

—¿No es maravilloso?

Creyendo yo que elogiaban mis talentos escénicos, dije:

—Habría sido mejor si no se hubiera equivocado Prat.

Al mismo tiempo me di cuenta de que aquellas señoras hablaban sólo de mi traje y además eran parientes de Prat. Demasiado tarde. Me puse colorado y vi al otro lado de la sala al "secretario del rey" con su primita. Muy linda, aunque no tan graciosa y natural como Valentina. Era Inés una muñeca que parecía hecha de plata sobredorada. Debía tener música en algún lugar, en el pecho o en el vientre o en los muslos. Ervigio, el burlón, guiñaba un ojo y repetía:

Inés, Inés, Inesita Inés...

Luego Ervigio se acercó en compañía de Roig a una dama que llevaba una niña de la mano, muy acicalada y compuesta. La niña tenía una gorra llena de adornos y Ervigio dijo acariciándole la cabeza:

—¡Qué gorrina más linda!

Añadía dirigiéndose a la madre:

—No he visto una gorrina como ésta en mi vida.

Gorrina podía ser el diminutivo de gorra, pero era también el femenino de gorrino —cerdo—, aunque la madre no habría podido pensar que Ervigio jugaba con la palabra.

Me sentía un poco perdido entre la gente cuando llegó el hermano Pedro con una señora que usaba lentes plegables, esas gafas llamadas "impertinentes". Las abría y cerraba a menudo produciendo un ruidito. Elogiaron mi actuación y yo, aleccionado, esperé a estar seguro antes de dar las gracias. Miraba alrededor buscando al hermano lego, pero no lo veía. Nunca estaba allí donde había algo agradable o importante. Yo creo que huía de la gente como algunos animales huyen de la luz.

Tampoco estaba yo acostumbrado a aquellas fiestas tan brillantes. Me sentía nervioso si no se fijaban en mí y si me hablaban me mostraba un poco distraído y superior. El hermano Pedro me traía un vaso de limonada.

—Es muy bueno para la garganta —dijo como si yo tuviera anginas.

A pesar de su gravedad y reposo el hermano Pedro siempre estaba de broma. Sus bromas de campesino no eran muy ingeniosas. Los días de escribir a casa —los domingos por la tarde— yo le pedía dos o tres sobres y él me miraba, zumbón:

—¿Sobres? A mí no me sobra nada.

Suponía el fraile que una de las cartas era para mi familia, pero quería saber para quienes eran las otras. El nombre de Valentina que había visto en cartas anteriores le parecía lleno de misterios.

Como es natural escribí a Valentina sobre la fiesta recordándole que en "La Vida es Sueño" peleaba con mi padre. Lo había vencido, lo que no podía extrañarle ni le extrañó tampoco al público. Repetía mis ideas sobre el sueño y la realidad. Bastaba con pensar que la vida es un sueño para que se acabaran las dificultades en la vida. Y hacía citas: "¿Qué es la vida? Una ilusión." En realidad nada tenía importancia. "Nada más que tú y yo", escribía. ¿Qué era su padre? Un *frenesí*. Y también una especie de animal que sueña que es notario. En cuanto al mío, ¿para qué hablar de él? Sueños. Mi padre era, en la escena, Planibell, con largas barbas blancas y una corona de cartón dorado. Todo era sueño menos nosotros, menos Valentina y yo.

Aquella noche, mirando desde mi celda la ciudad, iluminada todavía, me consideraba como una parte de aquellas maravillas. Las luminarias habían ido disminuyendo en los edificios civiles y se conservaban en los templos y monasterios. Pocos días después desaparecieron casi todas. Nunca se apagaron, sin embargo, en mi recuerdo.

Los domingos teníamos dos horas en las que podíamos leer lo que queríamos. Yo sacaba de los estantes de la sala de estudios pequeños tomos de aventuras marineras, creo que de Salgari.

El hermano Pedro estuvo en los días siguientes hablando a menudo de mis condiciones de actor. Del padre Ferrer no conseguí una sola opinión. Era como si se hubiera olvidado de la fiesta y de Calderón de la Barca y de mis habilidades. Yo me daba cuenta de que el momento de la gloria había pasado. Era triste volver a la normalidad de las horas, los días y las semanas iguales.

Hallé manera de ir otra vez al taller a ver al lego. Era yo el único estudiante que iba allí. Como todas las horas del día estaban ocupadas por alguna actividad prevista y el taller caía fuera de mano tenía que escaparme y después, si me preguntaban, inventar una mentira.

Cuando entré estaba el lego dando otra mano de barniz al niño Jesús. Le pregunté si había asistido a la representación y me dijo que sí.

—Usted, hermanito, estuvo muy bien aunque para mi gusto demasiado pomposo —dijo—. Esto no quiere decir que no le aplaudiera.

Sus palabras me parecían encerrar un elogio frío. El lego añadió:

—Yo estuve en la sala porque quería ver el efecto de las decoraciones con las luces y los actores. Y una vez allí me quedé hasta el fin.

—El decorado no estaba mal —dije yo—, aunque en la batalla no había humo.

El lego dejó al niño Jesús secarse y fue a un rincón para descubrir debajo de un trapo una cabeza de mármol rosa. Era la cabeza de un hombre de media edad, severo y noble. Pero tenía la nariz rota. El lego quería decirme algo: —¿Te gusta? Lástima. Di un golpe con el escoplo, demasiado seco, y ¡zas! se le cayó la nariz. ¿No te parece, hermanito que es una lástima?

En el suelo, al pie del trípode, había un trocito de mármol. El lego miraba aquella cabeza sin nariz con melancolía.

—¿Qué santo es ese? —pregunté.

—No, no es santo. No todos tienen que ser santos. Es una cabeza que quise hacer a ratos perdidos por mi gusto y sólo para mostrar mi... capacidad de artista. Cuando la esculpía hacía algo parecido a lo que tú querías hacer en la escena. Bueno, hermanito, no me entiendas mal. Lo tuyo era mucho más importante. Pero yo quería también decir a la gente: "Eh, ¿no ven qué listo soy?" No estaba mal esa cabeza, pero hermosa o fea no tenía utilidad. Sólo quería yo probarme a mí mismo que tengo talento. Cada cual quiere ser mejor que los otros, ¿verdad? Tontería. Todos somos únicos y no nos damos cuenta. Nadie se da cuenta de que es único en la vida. Porque, vamos a ver: ¿hay otro en el mundo como tú? No. Tu cara es distinta y tu manera de mirar también. Bueno, pues ¿por qué hemos de querer diferenciarnos más, todavía? Cuando yo tallaba al niño Jesús y cuando hacía la imagen de la Virgen o de San José y hasta de la tarasca ¿sabes qué me pasaba? Pues que oía dentro de mi cabeza como un coro de gente sencilla y feliz, cantando. No cantaban como los profesionales de los teatros sino más bien como los segadores o los vendimiadores en septiembre. Pero hace poco encontré ese bloque de mármol, hermanito. Estaba medio enterrado en el jardín. Quizá desde los tiempos de los romanos. Y yo veía en ese bloque una cara. ¿San José? ¿La Virgen? No, mocito. Una cara de muerto y sin embargo viva, como las que se ven, a veces, en los museos. ¿No has visto que esas caras de los museos están vivas y muertas al mismo tiempo? Pues, sí, me puse a trabajar. ¿Para qué? Sólo para mí. Y mientras trabajaba no cantaba nadie aquí dentro. Yo estaba un poco loco, lo mismo que estabas tú en la escena. Mis manos trabajaban, pero no con amor sino con una especie de escondida soberbia. Y entonces, sin darme cuenta, di ese golpe con el escoplo y rompí la nariz. Una lección de Dios.

—¿Qué lección?

Miró alrededor como queriendo convercerse de que no había nadie.

—Sí, alteza. Una lección. Hubo un momento en el que yo pensé: soy un artista. Y en ese momento los nervios del brazo se alegraron tontamente y se dejaron ir. ¡Zás! La nariz rota. Todo perdido. Ahora, ¿qué puedo hacer? La culpa es mía.

198

Uno no es tal vez más que un pobre animal, pero uno quiere ser un hombre. Y más que un hombre. Locura, hermanito.

—Ahora —dije yo—, esa escultura vale más.

—¿Por qué?

—Porque es antigua.

El lego soltó a reír:

—Tú tienes —dijo— salidas para todo, pero no te vale. Yo te vi en el teatro. También tú le rompiste la nariz al príncipe. Es decir, te la rompiste tú mismo. En el escenario querías matar a Clotaldo y a tu padre y ser más que un hombre. Cuando hacía yo esa cabeza sentía que siendo yo un artista verdadero estaba aquí olvidado de todo el mundo. ¡Qué miseria! Lo sentía y era peor que si lo pensara y lo creyera. Esa cabeza me parecía más hermosa que el niño Jesús y el demonio me hablaba y me decía: tú has hecho al Niño, lo pondrán en el altar y la gente lo adorará. Si haces esta cabeza, un día la pondrán en un museo y la gente cuando la vea te adorará a ti. A ti y no al niño Jesús.

El lego reía:

—Patillas es muy listo. Más listo que tú y yo juntos.

Se dio cuenta de que hablaba demasiado y se calló. Pero no tardó en volver a lo mismo:

—Tú también le rompiste la nariz al príncipe. Pero no te preocupes. La gente no se dio cuenta. Yo sí que lo vi, porque te conozco. Y porque no me gustan esos versos, tan arrogantes. "Apurar, cielos, pretendo". Tonterías. Pues bien, le rompiste la nariz. ¿Es más antiguo tu príncipe con la nariz rota? Es posible, pero eso no arregla las cosas.

Llevé mi mano a la cara y palpé mi nariz inconscientemente. El lego volvió a hablar accionando con la brocha:

—Cuando viene alguno al taller y me mira y lo miro así, de frente y cara a cara, me da por decir todo lo que pienso. ¿Es bueno? ¿Es malo? No sé, pero no puedo remediarlo. ¿No te molestas tú con lo que estoy diciendo ahora?

—¿Yo? ¿Por qué? Además eso que dice no es verdad. Con el padre Ferrer, cuando viene aquí, no habla. Yo he visto que no le dice usted nada. Ni lo mira tampoco a la cara.

—Tienes razón, no le digo nada. ¿Qué voy a decirle? El padre Ferrer es un sabio. Escucho y obedezco.

—Y cuando está usted solo, ¿qué hace? ¿Reza?

—Rezo, sí.

—¿En latín?

—No, yo no he estudiado. No sé nada. Sí, no me mires así. Soy un verdadero ignorante.

Me acerqué a una especie de túmulo:

—¿Y aquí? ¿Qué hay?

—Nada. No hay nada —dijo él—, pero así son las cosas. Cuando vienes hablo demasiado. ¿Sabes por qué? Pues porque me pongo sin querer en tu caso como si fuera tú. Llegas, hermano, y te veo. Y por tu manera de mirar y de callar adivino lo que piensas y lo que sientes y lo que quieres. No tiene mérito, porque cuando hay otra persona delante de mí, yo no soy yo. No soy sino él. No puedo remediarlo. No me mires así que estoy diciendo la pura verdad. Tengo aquí dentro un alma. Bueno, mi alma. Todo el mundo tiene su alma. Pero la de cada cual es diferente y la mía es, por decirlo así, líquida. Cuando hay alguno delante de mí se me evapora y entonces el vapor forma en el aire como un fantasma con la figura de los deseos y de los sentimientos del otro. Y aquí me tienes, sin alma. Sí, desalmado. En el buen sentido, claro. No hay que reírse demasiado de mi tontería. Y hablo y digo todo lo que el otro piensa y siente y quiere. Y le contesto a lo que querría preguntar. Pero contigo es diferente, porque eres un niño y tengo la impresión de que eres yo mismo cuando era pequeño. ¿Sabes qué pasa entonces? Pues que yo querría mejorarme a mí. Es decir, a ti. Bueno, perdona, hermanito; en realidad a mí mismo. Bien, tú me entiendes. Y en cuanto has venido he visto cual es tu intención. Sí. Tú sabes que se te fue la mano un poco porque estabas borrachito. Con la luz, la gente, los aplausos. Yo también estoy un poco ebrio con la soledad y con la luz del sol o con la sombra y con el sonido y con el colorcito. Tú lo estabas también, contigo mismo. Y decías: *apurar, cielos, pretendo, ya que me tratáis así...* ¿Qué ibas a apurar? La mano se te iba y... ¡zás! mala suerte. Ahora piensas que con la nariz rota el padre Ferrer no te estima tanto y vienes aquí a que te la componga. ¿Cómo? Diciéndote que eras en la escena un artista sublime. Tú dices con mucha justicia y verdad: el hermano lego es el último mono del colegio y no tiene importancia. De acuerdo. En cambio tú eres un estudiante cuyo padre da dinero a la comunidad. Y el hermano lego que está **contento como un perrito** va a decirte por tu linda cara que tú eras sublime en la escena. Pues bien, esta vez te equivocas. Yo tengo el alma líquida y con un niño como tú quiero hacer lo mismo que con la madera y con el barro y con la piedra. ¿Tú no has visto que el agua cambia la forma de las piedras y las hace redondas y lisas y suaves? ¿No has visto que a la orilla de los ríos hay muchas piedrecitas, todas iguales? El agua las ha ido puliendo. Pues bien, yo te digo que tú quieres ser más que los otros y tengo que advertirte que ese deseo es una tontería y una vulgaridad. Hay que ser como los demás. Sí, hermanito. Hay que ser sencillo, bueno y útil. Los demás tienen su mérito. Mucho mérito. Todos los hombres, los pobres, tienen mucho mérito. Viven. ¿Te parece poco, vivir? Yo no valgo gran cosa, ¿comprendes? Cuando era joven vi que mi alma se me iba por los ojos hacia las personas que me rodeaban y decía y pensaba y sentía lo mismo que ellos. Cada vez una cosa diferente. Algunos se enfadaban y decían: hipócrita. Otros pensaban: es tonto. A su manera tenían razón. Yo no sabía vivir. Ellos sí que sabían y yo no. Era como cuando en un juego una persona no sabe jugar y los otros se incomodan porque les desbarata sus combinaciones. Yo no sabía jugar. Entonces dije: lo mejor es apartarse y dejar que jueguen ellos entre sí. Y aquí me vine. La comunidad está formada por sacerdotes muy meritorios. No creas tú que es fácil enseñar a tantos estudiantes y administrar esta casa enorme con todos sus servicios desde los despenseros que viven en los sótanos hasta el padre astrónomo que está arriba en el observatorio. Los padres son sabios y bondadosos. Pero a los pocos días de llegar aquí me sentía igual que antes de venir. O peor. No servía para nada. ¿Quieres creer que no sé siquiera ayudar a misa? Me daba vergüenza mi inutilidad y me iba solo por los rincones. En lugar de mirar a los santos y sabios padres de la comunidad miraba las cosas: la madera, la piedra. Antes de venir aquí yo había sido ebanista y pintor de puertas y un poco aficionado al arte. Pues comencé a remendar ventanas y mesas y a hacer armarios... bueno, armarios fáciles, así como para las cocinas y las despensas. También cosía zapatos rotos de los hermanos porque entiendo un poco de echar medias suelas habiendo trabajado de niño con un zapatero. Pero lo único que ahora nos interesa es que yo miraba las cosas. La madera, la piedra, el barro. Poco a poco vi que esas cosas tenían también su intención y su deseo y mi pobre alma líquida de tonto y de hipócrita se evaporaba y se iba a ellas y tomaba la forma de sus deseos. No es broma, hermanito, no te rías. Así, desde hace diez años cuando veo un pedazo de madera comienzo a sentir que quiere ser otra cosa: un *ecce homo* o un querubín. O una paloma, o el burrito de la sagrada familia. Y cuando se me ha ido el alma y soy un desalmado bobo y sin substancia me pongo a cantar por lo bajo con la nariz como un pobre animal y tomo las herramientas. Poco a poco va saliendo lo que estaba dentro. Y cuando ha salido del todo y lo barnizo y veo en la forma y el color no mi inteligencia —¿qué inteligencia puedo tener yo, que he venido aquí donde me tienen por caridad, porque no sé ganarme el pan?—. Cuando veo en la escultura el amor de mis pobres manos, entonces rezo. Y me da un contento un poco simple. Ya ves, hermanito. Con esto quiero decir que se puede ser como un perro sin amo y al mismo tiempo querer a la gente y tener un poco de alegría, de esa alegría que Dios ha esparcido por el mundo. Pero usted, alteza, no la tendrá, si se obstina en ser más importante que los otros. Porque usted tiene también —el fraile reía—, un alma líquida. Un almita que se le va por los ojos. Lo malo es que usted la reprime para darse importancia y entonces hace como en el escenario y dice: *Por que el delito mayor del hombre es haber nacido.* Soberbia, hermanito.

A mí aquel hombre seguía pareciéndome inferior al resto de la comunidad y sus opiniones tenían un valor muy secundario. Nunca lo veía con la sotana puesta y si por azar la llevaba, era remangada y atada a la cintura. De este modo salía a veces por los pasillos, lo que causaba cierta sensación porque los chicos nunca habíamos visto un fraile en pantalones. Creyéndome muy avisado le dije:

—A mí no me importan las opiniones de los demás, hermano, pero si las adivina, ¿puede usted decirme lo que piensa el padre Ferrer de mí como artista de teatro?

—Ay, hermanito. Tú eres muy listo.

—No lo dice porque no lo sabe.

—Sí que lo sé. Piensa el padre Ferrer que estuviste muy bien y que las familias de los estudiantes te aplaudían diciendo: vaya muchachos listos los de esta escuela. Eso es verdad. Lástima que tus padres no pudieran verte. ¿Lo lamentas tú también?

—¿Yo? No.

—Ah, hermanito. ¿También crees que eres mejor que tus padres?

Cuando el lego callaba tenía una expresión bastante dramática, como dije antes. Se acercó al niño Jesús a ver si el barniz se secaba. Luego dijo, muy convencido:

—Hay que querer a la gente como es, hermanito y eso no es fácil. Para ti es casi imposible.

Miraba yo los santos alrededor y preguntaba:

—¿No ha hecho usted nunca un demonio? ¿Digo, un verdadero demonio de piedra o de madera?

—No. No necesitamos demonios.

—Pues yo he visto uno en la capilla, a un lado del evangelio.

—Ah, sí. Yo no lo he hecho. Ese, es de fábrica.

—¿Y por qué no hace usted un demonio?

El lego me llevó de la mano a la puerta del talller y bajando la voz y empujándome hacia afuera me dijo:

—Podría hacerlo, pero prefiero trabajar en otras cosas. ¿Sabes por qué? Por que el demonio es sólo inteligencia. La inteligencia sola no me gusta. En absoluto. Más bien le tengo miedo, hermanito.

Pensaba en aquello yendo al refectorio, sin comprenderlo: "¿Cómo puede tener miedo a un diablo de madera?" En el claustro que conducía al comedor se alineaban como siempre los chicos en dos largas filas. Me puse delante de Pere y Pau, teniendo a mi derecha a Planibell, quien al sentarse poco después en su sitio y ver que estaba ya servida la sopa —la cena comenzaba todos los días con una sopa de legumbres— acercaba la nariz al plato y si olía a col, hacía un gesto de repugnancia y decía:

—*No m'agrada res.*

Este Planibel era un chico delicado, con una cara de porcelana, cejas rubias y mentón frágil, pero hablaba como un carretero. Era el único que cultivaba el estilo procaz y escatológico. Nos reunía a los compañeros de mesa en un rincón del patio y nos hablaba empleando las palabras más soeces. Le contestábamos en el mismo tono. Llamábamos a aquella reunión la clase de educación cívica. Planibell, que había pasado un año en un internado de Francia añadía a su repertorio catalán y castellano, palabras sucias francesas que a nosotros nos parecían bastante inocentes por falta de costumbre. De vez en cuando venía Caresse al grupo y se las hacíamos aprender. El chico, que era muy simple admiraba a Planibell y éste le decía:

—Cuando el padre Miró te pida en la clase ejemplos de las partes de la oración deber decirle: sustantivo: *merde.* Adjetivo: *salaud.* Expresión enfática peyorativa: *espèce de con.*

El chico lo aprendía y esperaba una oportunidad para lucirse.

A veces venía a esas *clases* algún oyente como Roig, que era el chico más neutro y sin personalidad del colegio. A todo el mundo decía que sí, y con todos se reía.

Ervigio seguía burlándose de la primita Inés de la cual imitaba los andares y la voz. En el fondo la chica le había gustado y no quería aceptarlo, pero tampoco podía tolerar que fuera la prima de Prat. Iba a Caresse y le decía que si

Prat quería casarse con Inés, que era su prima, tendría que ir a Roma a pie con un bordón y un capisayo y pedirle permiso al sumo pontífice. Caresse lo creía. Y su opinión era que no valía la pena porque hay otras mujeres con quienes casarse en el mundo, sin necesidad de ir a Roma a pie.

—No, eso no —decía Ervigio muy serio—, tú no has visto a Inés. Si la vieras sabrías lo que es bueno.

Con toda su simpleza Caresse tenía su lado peligroso. Crecía muy deprisa, las mangas se le quedaban a mitad del antebrazo que salía desnudo y terminaba en una mano llena de nudos. Había dado dos o tres sopapos memorables. Parecía tener aquel chico más huesos y ser éstos más pesados de lo normal.

Prat venía a veces al grupo de la educación cívica y después de oír las suciedades francesas nos miraba con altivez, decía dos o tres palabras prohibidas españolas que eran mucho más rotundas y violentas y se marchaba, desdeñoso. Sentía cierta antipatía natural por Planibell, pero eran medio parientes y no peleaban, por una especie de solidaridad de clan. Al parecer, durante las vacaciones del verano se habían dado grandes palizas.

Frente a los frailes fingíamos una sumisión pasiva. Sabíamos que escribían informes secretos a la familia, que cualquiera que fueran los hechos, nuestros padres les oirían a ellos antes que a nosotros y además que por ser sacerdotes hablaban en el nombre de Dios. Toda resistencia o tendencia conspirativa sería inútil.

Sin embargo no había chicos aduladores o soplones. En el tiempo que estuve allí no vi un solo caso de traición.

Entre los frailes los había de todas clases y nuestras opiniones sobre ellos debían ser bastante justas, como suele ocurrir con los chicos. En general estábamos dispuestos a creer en un hermano antes que en un padre. A medida que subían en importancia se nos hacían más sospechosos. Por una rara contradicción respectábamos y queríamos al que ocupaba la cumbre de la pirámide, al padre superior. Tal vez porque no daba clases y por lo tanto casi nunca lo veíamos.

El padre Miró educado en Francia, donde la iglesia no tiene privilegios especiales, era suave, comprensivo y razonador. No se veían en él, como en otros profesores, las arbitrariedades del temperamento. Y miraba con ojos grandes y lentos.

El día que Caresse soltó las frases aprendidas en la clase de educación cívica se puso el padre Miró rojo de indignación y lo hizo salir al pasillo donde debía esperar medidas disciplinarias. Luego lo perdonó. Caresse no denunció nuestros ejercicios de escatología franco-española. Pero desde entonces nos miraba con escepticismo pensando en los riesgos de la confianza y las decepciones de la amistad. Sus largas manos huesudas colgaban de las mangas, amenazadoras pero inútiles, porque los seis de la mesa hacíamos causa común con Planibell.

Hablábamos los chicos de nuestras familias y yo no hablaba nunca de mi padre sino de mi abuelo hasta el extremo de que un día un muchacho simple, del primer año, dijo de buena fe hablando de mí que yo era hijo de mi abuelo y no de mi padre.

Ciertamente que yo pensaba en mi abuelo como un ejemplar a imitar, en todo. Lo único que me parecía mal era que vistiera de corto como los campesinos ignorantes porque vestido de aquella manera si iba a la ciudad llamaría la atención y todo el mundo diría al verlo: un baturro. Es decir un campesino de la tierra baja y demasiado atrasado de costumbres para vestirse a la moderna.

Sin embargo, para mí el hecho de que mi abuelo se vistiera de aquel modo no era un signo de inferioridad sino solo de peculiaridad y aunque yo lo admiraba con un traje o con otro no quería mostrar a mis amigos la foto que tenía de él para no revelarles aquel detalle de sus costumbres.

Es verdad que mi abuelo vivía no como en el siglo pasado ni el anterior, sino como habían vivido siempre los hombres en las aldeas desde que abandonaron el nomadismo en el viejo tiempo —hace más de quinientos mil años— en que descubrieron el fuego.

Yo estaba orgulloso de mi abuelo y no hablaba de él sino con justo motivo de alabanza como se habla de Dios.

Ervigio venía a decirme las sabidas bromas contra Prat y su Inés. Algunos días se burlaba y la llamaba relamida y cursi. Yo le decía:

—¿En qué quedamos? ¿No dices que es un ángel?

Decía Ervigio que si Prat y ella se casaban les enviaría de regalo un orinal con el nombre de Inés en un lado y el del novio en el otro. Yo le advertí que si se enteraba de aquello Prat le costaría la broma cara, pero Ervigio parecía desafiar el peligro con los versos de don Juan Tenorio:

Doña Inés del alma mía . . .

Entre los chicos de sexto año había dos o tres grandes y fornidos que comenzaban a afeitarse y fumaban en secreto. Los cigarrillos les costaban caros, porque para comprarlos tenían que fingir la necesidad de ir al dentista e iban acompañados de un fámulo a quien debían sobornar. Entre unas cosas y otras cada paquete les costaba diez veces su valor. La blusa azul parecía en aquellos estudiantes, tan grandes, un disfraz ridículo. Uno de ellos, un tal Planchat de voz profunda y mirada traicionera, decía medias palabras, terriblemente cargadas de sentido, contra los frailes, especialmente contra el padre Ferrer. Pero si en aquel momento el fraile se le acercaba, Planchat se conducía con una cortesía dulce y sumisa. Cuando el padre Ferrer se alejaba volvía Planchat a sus miradas venenosas y a sus murmuraciones. Tenía Planchat ojos de traidor de melodrama capaz de matar por dinero y a sueldo. Eso me hacía a mí una gran impresión y tal vez él se daba cuenta.

Estaba aquel día Planchat sentado en la balaustrada de los claustros —en el piso segundo— con la vista puesta en la punta de sus zapatos. Casi nunca levantaba la vista como si sus párpados superiores fueran de plomo.

—El día que cada cual diga lo que piensa —rezongaba— veremos a dónde va el padre Ferrer. Porque yo me sé de memoria todos sus trucos.

207

Miraba por encima del hombro al patio donde el fraile dirigía el entrenamiento del fútbol. Ese Planchat a quien yo consideraba como un ejemplo de lo que un chico puede ser cuando llega a mayor, decía las mismas palabras de Planibell, pero no por histrionismo sino espontáneamente y en serio. Sabiéndolo más fuerte de músculos que el fraile no comprendía yo por qué no le daba un día un buen recorrido al padre Ferrer. Planchat miraba otra vez de reojo al patio:

—El día que salga yo de aquí se verá quién soy. Porque el Ferrer que a mí me gusta no lleva sotana. El que a mí me gusta es Francisco Ferrer.

—¿Y dónde está? —pregunté yo.

—¿Dónde está? Debajo de la tierra. Lo fusilaron en los fosos de Montjuich.

Luego bajó la voz para decirme rechinando los dientes, que era anarquista.

—¿Quién? ¿Ferrer o tú?

—Los dos, hombres. Los dos, *redeu*. ¿No lo estás oyendo?

Desde entonces cuando lo veía por las mañanas en la capilla oyendo misa pensaba: un día traerá una bomba y la pondrá detrás del altar. Si era el padre Ferrer quien estaba celebrando la misa lo daba por bien empleado aunque me alcanzara a mí alguna pequeña esquirla.

Le dije a Planchat que yo tenía novia.

—¿Novia para casarte?

—Sí, claro.

—Bah. Eso del matrimonio es una rémora.

—¿Cómo?

—Una rémora. Yo soy partidario del amor libre.

Me explicó en qué consistía y aunque yo no estaba seguro de comprenderlo, la seguridad de su desprecio para el matrimonio me parecía admirable. La palabra *rémora* no la entendía tampoco, pero no quería preguntarle su significado para no mostrar mi ignorancia.

Odiábamos, como digo, al padre Ferrer. Todos estábamos hartos de la falsedad de sus palabras amistosas y de sus miradas frías llenas de reticencias. Miradas de áspid. De un áspid afable. Aprendí entonces que es posible odiar a alguien que se ha conducido correctamente con uno.

También aprendí que se puede ser silencioso, grave, dramático y hasta trágico como el padre Lucas, y, sin embargo, suscitar reacciones cómicas y regocijadas.

El inquieto Ervigio, cuando veía al padre Lucas pasar taciturno y sin ver a nadie (no nos miraba aunque estuviera el claustro lleno de estudiantes) me decía arrugando la nariz:

—¿No hueles a chamusquina?

Lo decía en voz baja, pero de modo que pudiera oírlo el cura. La presencia del padre Lucas despertaba en Planchat reacciones más fuertes que las de Ervigio: "Los curas son una rémora", decía. Si en el momento de decirlo llegaba un profesor, Planchat se ponía de pie como el soldado ante el coronel y contestaba en cortas afirmaciones muy corteses: "Sí... sí señor, desde luego. Como usted quiera, padre." No podía yo comprender aquellas contradicciones serviles del alma de Planchat. Más tarde he pensado que hablaba de aquel modo para impresionarme a mí y que en el fondo Planchat era tímido como un cordero.

Tuve carta de Valentina. Se había lavado el pelo otra vez, pero no había caído rayo alguno en la torre. En vista de la falta de temas me hablaba de su hermana Pilar que estaba furiosa —decía— porque yo era actor de teatro y si Valentina se casaba con un cómico de la legua deshonraría para siempre a la familia. Por lo demás, todos estaban bien (ADG) y me copiaba otros versos donde se hablaba de amor; esta vez nada menos que de San Juan de la Cruz. Yo le envié el programa impreso de la pasada fiesta, una fotografía vestida de príncipe Segismundo y el madrigal de Gutiérrez de Cetina que comienza:

Ojos claros, serenos...

Me quedó alguna reserva pensando que los de Valentina eran negros.

En el patio Planchat me dijo que los domingos no leía vida de santos, sino a Voltaire y Rousseau. Yo pregunté por esos autores al hermano Pedro quien se quedó pensando un momento y dijo:

—Esos caballeros me dan un tufillo de azufre.

No estaban sus libros en los estantes de la sala de estudios. Se lo dije a Planchat y me hizo ver que había entendido mal. Los leía en su casa durante las vacaciones. Añadió que aquellos autores eran verdaderos hombres sin prejuicios y enemigos también del matrimonio. En sus libros les cantaban la palinodia a los obispos.

El padre Ferrer se había enterado de mis deseos de leer a Voltaire y me llamó:

—¿Cómo pueden interesarte los libros de los enemigos de Dios?

Poco después en la clase de historia el profesor, que no era sacerdote sino civil —venía *de la calle* a darnos clase—, y que no se atrevía nunca a reñirnos, me preguntó:

—¿Usted me ha oído alguna vez hablar de Voltaire y de Rousseau?

Me miraba. Su mirada era blanda como la de los amantes románticos del tiempo de Becquer.

—Yo, no. ¿Por qué?

—Quiero decir si ha oído esos nombres en esta clase.

—No.

—Entonces cuando el padre superior le pregunte hágame el favor de decírselo, señor Garcés.

—¿Qué quiere que le diga?

—La verdad. La estricta verdad.

Al día siguiente hubo un registro de mesas en la sala de estudios. Había rumores que inquietaban a los mayores quienes solían tener revistas humorísticas y galantes como "Papitu", con grandes mujeres desnudas.

A Ervigio le encontraron solo direcciones de muchachas. Nada importante. Tenía un fichero en una caja de zapatos y en un lado se veía un letrero: *Mujeres*. Había en aquella caja más de cincuenta fichas con direcciones de chicas amigas y conocidas. En las fichas anotaba detalles como éstos: *Personalidad, sincera. Busto, maravilloso. Pierna, torneada. Edad, 16.* Los frailes se lo quitaron y esto lo sumió en una desesperación sorda. Desde entonces sus burlas eran más corrosivas, especialmente contra Prat e Inés.

La providencia parecía ayudarle en sus bufonerías. Durante aquellos días la tristeza hizo a Ervigio acercarse a mí y yo llegué a tomarlo en serio. Le enseñé una carta de Valentina, cubriendo la firma con la mano. La línea que le mostraba contenía una de las expresiones más frecuentes de amor: *mi cielo.* Pero Valentina había olvidado poner el punto sobre la *i* y por otra parte la *e* no se diferenciaba apenas de la vocal anterior. Entonces lo que leyó Ervigio fue una palabra de sentido humorístico y un poco indecente.

Yo me puse pálido de rabia. Ervigio se dio cuenta y se apartó de un brinco repitiendo:

—Eres su *cielo,* su *cielo*...

Pero no decía su *cielo* sino lo otro. Yo me propuse no volver a mostrar nunca a nadie una carta de amor.

Cuando dos días después durante la vela —así llamaban a las tres horas de estudio diario en la gran sala presidida por el hermano Pedro— fui a pedir un diccionario, el hermano me miró sonriente:

—¿Qué palabras buscas?

—Varias palabras —le dije.

Comenzaba con sus bromas campesinas, pesadas y sin gracia:

—Varias palabras no son más que dos y quiere decir eso: *varias palabras.* Una palabra y otra son varias. Entonces no necesitas el diccionario.

Yo insistía en que tenía necesidad de buscar voces *perplejidad, interfecto* e *inmemorial.* Sabía que los diccionarios eran materia delicada. Sólo permitían tenerlos en su mesa a los alumnos de sexto curso, que se afeitaban. El hermano Pedro no me creía:

—¿No sabes qué es *perplejidad?*

—No.

—Me dejas perplejo.

Estos diálogos en voz baja mientras yo miraba el polvo amarillo de rapé que manchaba la pechera de su sotana me impacientaban, pero él lo hacía apropósito:

—¿Tampoco sabes lo que es *interfecto*?

—No estoy seguro.

—Claro, esas palabras no te las dice Planibell en la clase de educación cívica, ¿verdad?

El hermano Pedro se enteraba de todo, pero nunca nos denunciaba. En eso se basaba la autoridad que tenía con nosotros.

Me guiñaba un ojo. Yo quería buscar en el diccionario los nombres de Voltaire y Rousseau para ver en qué consistía su enemistad con el matrimonio. El hermano me dijo que debía escribir las palabras y él se tomaría la molestia de buscarlas.

Al día siguiente me llevó el padre Ferrer a presencia del superior a quien no veíamos casi nunca. Para llegar a su importante despacho dejamos atrás los corredores donde estaban las clases con sus letreros: *Aula 7 Aula 12, Paraninfo*, etcétera, y entramos en un claustro sombrío con bóveda de piedra. A la derecha vi la sala de historia natural, que no llamaban aula sino gabinete. La puerta estaba entreabierta y en un rincón se veía colgado por el cráneo un esqueleto humano que asustaba a los chicos pequeños. Estos no decían que era un esqueleto, sino *la muerte*. En cambio los alumnos de sexto curso, que estudiaban Historia Natural, llamaban al esqueleto Felipe.

Aparecía el corredor cortado por una verja de madera que lo cerraba a lo ancho y a lo alto. En el centro se veía una pequeña puerta de barrotes y travesaños muy elaborados y encima un letrero: *clausura*. Allí no podían entrar sino los seres del sexo masculino.

Poco después estábamos delante del padre superior. Su oficina era grande y oscura y había en ella, como en las clases, un estrado de madera. Allí nos esperaba el superior con su gran faz impasible. Si el padre Ferrer era delgado y ágil como una culebra —según decía Planchat— el superior era de una obesidad enfermiza. Sus ciento cincuenta kilos no lo hacían, sin embargo, grotesco. El superior extraía de ellos una solemnidad natural y sin aparato. Cada gesto y cada palabra parecían rezumar cordial llaneza. En sus ojos demasiados simples se veía a veces un destello de autoridad que daba a la gran masa de su persona un aura jerárquica y firme.

Recuerdo muy bien la obesidad del padre superior porque no había visto un caso como aquel, ni lo he vuelto a ver. Sobre el cuello de la sotana tenía dos sotabarbas. Los hombros eran redondos y amplísimos y el pecho se abombaba de un modo espectacular. Pero al llegar a la cintura su grasa desaparecía y se proyectaba en la parte posterior que era de unas proporciones inmensas. A pesar de todo esto que probablemente —pienso ahora— tenía por causa algún desarreglo funcional motivado por la castidad, la figura del superior no era grotesca. Hablando tomaba un acento amable y confidencial.

Como era tan gordo andaba lo menos posible. A veces venía a la sala de estudios a presidir la vela, y en el silencio de la sala sabíamos que entraba, sin necesidad de volver la cabeza, por el rumor desigual de sus pasos y por su respiración un poco asmática.

Preguntó algo en catalán y el padre Ferrer primero negó, después me miró, sonrió con los ojos —falso—, luego con la boca —falaz— y dijo con una voz que a mí me parecía rota:

—Hiciste muy bien en el teatro el papel de Segismundo.

El superior hacía avanzar su rostro sobre la mesa para mirarme:

—¿Es verdad que eres de Aragón? —preguntó.

El padre Ferrer se adelantó a contestar:

—Es maño. Mañico.

—No es verdad —dije yo—. Los maños son del bajo Aragón. De Zaragoza y de Teruel. Yo soy de Huesca.

—En eso no estoy de acuerdo, Pepe —dijo el superior—. Todo los aragoneses sois maños. Los del bajo y los del alto Aragón. Y no tienes por qué molestarte. ¿Sabes de dónde viene la palabra *maño*? Del latín *magno*.

Aquello era otra cosa. De magnos (grandes) venía magníficos (grandiosos). No era ridículo ser maños. Miré al superior agradecido y dije:

—La gente del Alto Aragón es más grande que la de la tierra baja, es verdad. Y yo soy de la provincia de Huesca donde mataron a Sertorio. *Urb Victrix Osca,* decían los romanos.

El padre superior parecía escucharme con gusto.

—Bien, Pepe. En todas partes el montañés es más grande que el ribereño. Pero la grandeza del aragonés es moral y no de tamaño. Eso es mejor y vale más. Claro es que no todas son virtudes. Los aragoneses tienen fama de ser obstinados. ¿No es verdad que sois un poco... testarudos?

—Porque tenemos razón, padre superior —dije yo.

Mientras el superior me miraba con una simpatía verdadera el padre Ferrer seguía con su risita incómoda:

—Ya se sabe. A Zaragoza o al charco.

Nadie logra tener gracia sin un poco de inocencia y de bondad. El padre Ferrer no daba la menor señal de esas virtudes. Tenía una idea de sí mismo un poco excesiva y era lo primero que se hacía presente en su carácter, al menos para nosotros, los chicos.

—Lo de Zaragoza o al charco —puntualicé yo— se dice de los baturros. Los de Huesca no somos baturros ni mucho menos.

El superior extendió la mano y la apoyó en la mesa suavemente:

—Eso es otra cosa. El baturro es de la ribera del Ebro. *Baturro* es despectivo y el positivo es *Bato,* que quiere decir bobo. Del griego *battos,* tartamudo. El señor don Pepe tiene razón no queriendo ser baturro ni bato porque no lo es. En "La Vida es Sueño" no tartamudeó ni mucho menos. ¿No le parece, padre Ferrer?

Me daba cuenta de que había en las palabras del superior alguna zumba, pero aquel fraile no podía molestar.

214

—Eso de *Zaragoza o al charco* —insistí— no sé por qué lo dice la gente. Es una tontería. Lo mismo cuando hablando de los catalanes dicen: *catalán fotut.*

No sabía yo entonces lo que querían decir esas palabras.

—Hijo mío —dijo el superior severamente—, esa expresión es de mal gusto. Y lo de Zaragoza o al charco no debe molestarte. No es más que una broma. Siempre se dicen cosas de los campesinos. Y unas veces son verdad y otras no. De los gallegos dicen que son tacaños, de los castellanos orgullosos, de los valencianos falsos.

Desde su estrado el superior se puso a contar el origen de aquella frase —"a Zaragoza o al charco"— que todos han dicho alguna vez cuando hablan de los aragoneses. Viene de un cuento muy antiguo: "Un campesino iba a pie a buen paso por una carretera cuando otro le dijo:

"—De prisa va usted, buen hombre. ¿A dónde?

"—A Zaragoza. Mañana a las siete entraré en la ciudad por el puente de piedra.

—"Si Dios quiere —dijo el desconocido, que era un ángel.

"—Quiera o no quiera Dios mañana a las siete estaré en Zaragoza.

—"Mire —dijo el ángel, amistosamente— que no es razonable hablar así y que Dios podría castigarle.

"—Me castigue o no me castigue a las siete de la mañana estaré en la posada de San Pablo.

"Entonces el ángel le tocó el pie con un bastoncillo de junco que llevaba y lo convirtió en rana. Esto de la rana no es capricho. Los campesinos aragoneses iban entonces y van ahora aún en muchos sitios vestidos de calzón corto y sus piernas sugieren a veces las de aquel animalito.

El padre superior continuó: "El pobre baturro, porque aquel sí que era un baturro, estuvo setenta y dos años en un charco cerca de la carretera croando las noches de verano y pasando como podía los fríos del invierno. Al cumplirse el plazo recobró la figura humana y volvió al camino. Echó a andar hacia Zaragoza como si no hubiera pasado nada y a poco volvió a parecer el mismo caminante:

"—¿A dónde va usted, buen hombre?

"—A Zaragoza. Mañana a las siete cruzaré el río por el puente de piedra.

"—Si Dios quiere, hermano.

"—Quiera Dios o no quiera.

El ángel volvió a tocarlo con el junquillo y el pobre hombre se convirtió otra vez en rana y se quedó en el charco durante otros setenta y dos años. Al final volvió al camino, echó a andar con la misma prisa y apareció el mismo caminante:

"—¿Adónde va usted, buen hombre?

"El campesino lo miró despacio, lo reconoció y dijo de mal temple: "—A Zaragoza.. o al charco."

Yo no comprendía que aquello tuviera tanta gracia. El padre Ferrer, con su sonrisa de roedor o de hombre que se pasa de listo dijo:

—Vamos, tú eres aragonés. Ni maño ni baturro, pero buen aragonés. ¿Por qué no cantas una jotica para que la oiga el padre superior?

—No tengo inconveniente —dije sin mirarle— con la condición de que usted la baile.

El superior aguantaba la risa. El padre Ferrer dijo:

—Está visto que te avegüenzas de ser aragonés. No importa. Pero al menos dile al padre superior de dónde has sacado tú los nombres de esos escritores réprobos cuyos libros pedías.

—¿Quiénes? ¿Rousseau y Voltaire?

—Oh, no es necesario que los nombres aquí.

Comprendí que aquellos escritores eran más importantes de lo que creía y sentí unas ganas enormes de leerlos. No me interesaba, sin embargo, realmente de ellos sino su opinión sobre el matrimonio.

—¿Quién te ha dicho esos nombres? —preguntaba el superior.

—¿El profesor de Historia? —insinuaba pérfidamente el padre Ferrer.

Yo no quería, como es natural, acusar a nadie. Dije que antes de ir al colegio había oído hablar de ellos.

—No en tu casa —dijeron los dos curas a un tiempo.

216

—No. En mi casa no lee nadie. Pero yo quería leer al menos a Voltaire.

—¿Para qué? Nosotros tenemos más experiencia, hijo mío —dijo el superior— y creemos que no es conveniente por ahora. Cuando seas mayor, si tu confesor te autoriza, entonces será otra cosa. Son dos enemigos de la iglesia. Dos réprobos.

Yo dudaba un poco, pero creí que podría decir lo que estaba pensando:

—Yo puedo leerlo todo sin que me haga daño ninguno. Yo tengo... bueno, tengo una manera diferente de ser.

—Ah, ¿una manera diferente? ¿Se puede saber cuál?

—Sí. Tengo el alma líquida. No digo que sea yo el único —añadí pensando en el lego del taller.

—Ah —dijo el superior, asombrado—. ¿Y como es eso?

—Pues... ya usted ve. Es un poco difícil de explicar.

No recordaba lo que había dicho el lego del taller sobre el alma líquida y aunque lo recordara no quería decirlo delante del padre Ferrer que seguía teniendo como siempre una expresión de reticencia. El superior me miraba intrigado. Se oyó una campana lejana y nos despidió diciendo que debía volver a verlo y a explicarle lo que entendía por *alma líquida*.

—Es muy fácil —dije recordando de pronto lo que decía el lego—. Todo consiste en ver un fantasma de vapor de agua que sale por los ojos de uno y adivina las ideas de los otros.

—Vaya, vaya. ¿Un fantasma de vapor de agua? Nunca he oído cosa igual —dijo el padre Ferrer.

Ya fuera el padre Ferrer me iba hablando de Voltaire y de Rousseau. Nuestros zapatos sonaban a compás en el frío y brillante mosaico. De vez en cuando para alcanzar al fraile tenía que dar dos pasos mientras él daba uno.

—Tú sabes? Rousseau era un criminal y murió envuelto en sus propias miserias. La muerte que merecía, el pecador. Ojalá Dios lo haya perdonado.

Yo entendía que el padre Ferrer no quería que Dios perdonara a Rousseau.

—¿Y Voltaire?

—Ah, Voltaire era un cínico lleno de vicios y enfermedades.

217

Ya viejo apareció en su cama un perro negro que fué paseando de la cabecera a los pies, de los pies a la cabecera, hasta acostársele encima de la cara, enroscado. Las lanas sucias de aquel perro negro asfixiaron a Voltaire ¿Quién crees tú que era el perro?

Yo pensaba: el diablo. Pero dudaba de lo que decía el padre Ferrer. Seguramente el superior no me habría dicho nunca una cosa tan difícil de comprobar. Todo lo que decía el padre Ferrer por el mero hecho de decirlo él se me hacía sospechoso.

Aprendí menos en la escuela que en la aldea con mosén Joaquín. Lo único que de veras me interesaba era alguna que otra confidencia clandestina de los chicos de la educación cívica y más que nada el lego del taller. Nunca hablaba yo a nadie de aquel lego y menos a los estudiantes. Ellos lo habían olvidado después de las bromas de los primeros días.

Durante el recreo cada cual mostraba su manera natural de ser. Ervigio tenía un don imitativo curioso y una rara habilidad para encontrar el lado grotesco de las personas. Seguía todavía con Inés en su imaginación y se burlaba aunque a espaldas de Prat. Así y todo aquella burla representaba un peligro.

En nuestros libros lo mismo que al final de las hojas impresas o folletos religiosos había cuatro iniciales A. M. D. G., que quiere decir *Ad majorem Dei gloriam*. Ervigio había hallado una traducción vil en catalán: *al macho donauli garrofes*. Al mulo dadle algarrobas. Muchos escribían esas palabras al lado de las grandes iniciales rituales.

Ervigio veía antes que nadie cualquier irregularidad física en los demás y necesitaba ponerla de relieve de algún modo. (Igual que la había visto en la escritura de Valentina).

A Pau, que tenía muy poca nariz, lo acosaba constantemente:

—Chato, ¿quieres torta?

Y se contestaba a sí mismo:

—No, que tiene "meneno".

Decía "meneno" en lugar de "veneno", como si tuviera la nariz obstruída.

El padre Ferrer caminaba a veces con una prisa cómica, a-gitando la sotana, hablando con dos o tres chicos al mismo tiempo e interrumpiéndose todavía para dar órdenes aquí y allá. Se movía más de lo que convenía a la gravedad sacerdotal. Ervigio cuando lo veía así decía por lo bajo:

—Ay, qué barullo. ¡Qué reverendo barullo!

De la fiesta en el teatro había dicho Ervigio muchas cosas por envidia porque no le habían dado sino una tarea oscura y anónima de traspunte.

Hablaba de sus parientes burlándose también de ellos y decía que su tía cuando llegaba a casa con buenas califica-ciones le daba dos pesetas y le decía:

—Eres un muchacho demasiado procaz para tu edad.

Quería decir *precoz*. Pero la procacidad no le iba mal, tampoco.

Escribí a Valentina doliéndome por vez primera de nues-tra separación y diciendo que no faltaba mucho para las vacaciones de Navidad. Entonces nos veríamos y le diría mil cosas que me callaba por que *no eran para ser confiadas al correo.* (Esta frase la había sacado de una novela.) En la imprescindible *post data* decía: "Mis notas del segundo mes son buenas, pero los frailes las envían a mi padre. Creo que todas son *sobresalientes,* pero no estoy seguro. Así que tú verás. *Vale.*"

Aquel domingo leí la mitad de una novela de aventuras marineras. La novela me traía tan absorto que no podía es-perar el domingo siguiente para leer el final y por la noche, después de apagadas las luces, salí de mi celda y bajé al piso inferior. Nuestras celdas las cerraban todas con una misma llave, desde fuera. Pero podíamos abrir por dentro si que-ríamos ir a los lavabos. En este caso, como no podíamos volver a cerrar la puerta, al día siguiente se sabía quien había salido.

Llegué descalzo a la sala de estudios y saqué de la librería mi libro. Volví con él y al pasar por el corredor donde estaba el gabinete de historia natural no pude menos de pensar en el esqueleto. Como la puerta estaba cerrada no lo veía, pero lo tenía en la imaginación, que era peor. Mis pies descalzos producían un pequeño rumor que en algunos lugares daba eco. Tenía la impresión de que detrás de mí se oían otros pasos desnudos. Un esqueleto no es un ser vivo y en medio de la oscuridad de la noche se supone que puede flotar en el aire, atravesar una puerta cerrada y hasta un muro. Antes de llegar yo a la altura de la puerta no tenía miedo, pero cuando la rebasaba y se quedaba atrás no podía menos de avivar el paso. Llegaba el momento de echar a correr. Cuando el miedo se hacía insuperable me detenía y volvía a mirar atrás. No veía a nadie. Entonces echaba a andar otra vez y al poco rato me sucedía lo mismo. Por fortuna cuando llegué a las escaleras que subían al piso tercero el eco de mis pasos desapareció.

No fui a mi cuarto donde por no tener luz no podía leer. En cambio en los lavabos dejaban la luz encendida toda la noche. Cómodamente instalado en uno de los retretes me puse a leer avergonzado de haber tenido miedo y recordando mis proezas en circunstancias parecidas el verano anterior. Pensaba que la vida en comunidad y sobre todo en comunidad con curas y con chicos mayores me quitaba fuerzas y podía llegar a hacer de mí tal vez un cobarde. En las novelas de Salgari recuperaba mi fuerza.

Me había quedado en la página 123 —lo recordaba bien por el orden de los números— precisamente en el momento en que cuatro hombres a bordo de un barco desmantelado se habían comido ya el cuero de una maleta y a punto de morir de hambre decidían sortear a ver cual de los cuatro debía ser sacrificado para que con su cuerpo se alimentaran los otros. Puestos de acuerdo, uno de ellos preparó varios trozos de cuerda de diferentes longitudes y el que sacara el más largo debía resignarse a morir. Como es natural el marinero señalado por la fatalidad era el que había despertado en el lector mayores simpatías. Yo estaba terriblemente angustiado y me identificada unas veces con la víctima y otras con el más frío e insensible de los otros náufragos, que se llamaba Jackson. "Está bien —decía la víctima—. Lo único que pido es que me matéis inesperadamente y sin que lo sepa yo."

220

Los compañeros de tantas heroicas dificultades pasaban por estados de ánimo contradictorios. Por un lado la amistad. Por otro el instinto de conservación. Yo no podía aceptar que aquello fuera razonable. Es mejor morir mil veces de hambre que comerse a un amigo, pero aceptaba que fuera posible entre otras gentes y bajo otros cielos. Devoraba las páginas.

Tardaba en llegar el asesinato y los lavabos con muros de loseta blanca y suelo sin estera estaban muy fríos. Por fin la víctima cayó con una puñalada en la espalda y se oyeron en el reloj de la capilla las dos. Fui a mi cuarto con el corazón dolorido y pesada el alma. Tenía que atribuir al pobre muerto la cara del padre Ferrer para tranquilizarme. Pero en su conjunto aquella lectura me devolvía mis energías aventureras de los tiempos de la aldea.

Pensé ir a la sala de estudios para dejar el libro en su sitio, pero el marinero muerto y la sugestión del esqueleto al otro lado de la puerta me aconsejaban esperar al día siguiente. Una vez muerto el marinero mi curiosidad perdía sus apremios y podía adormecerse hasta el domingo por la tarde.

Escribí una carta a Valentina dándole noticias sobre el taller del lego y le conté la historia de la tarasca. Después de la firma le puse en la post-data: "Ahora debo decirte que el matrimonio es una rémora y que no necesitamos casarnos para ser felices. *Vale.*"

Pocos días después me correspondió leer en el refectorio mientras los demás comían. Según los reglamentos del colegio sólo se podía hablar durante la comida los jueves y los domingos. Estos días, al llegar al comedor nos instalábamos en nuestros puestos y esperábamos callados la señal del padre Ferrer. Cuando él daba una palmada se producía una explosión de voces, exclamaciones, risas, que revelaban de pronto el esfuerzo que habíamos tenido que hacer para callarnos. Los demás días no se podía hablar sino en voz baja y evitando ser vistos por el fraile guardián. Mientras comíamos en silencio, uno de los chicos subido en una tribuna de madera adosada al muro, leía. No eran muy interesantes las lecturas:

vidas de santos. El que leía comía después, solo, cerca de las ventanas de las cocinas y solía tener postres especiales y golosinas. El día que leí yo, parece que muchos chicos pusieron atención —cosa que no era frecuente— y esto me halagaba. El interés no estaba en mi manera castellana de leer, sino en el peculiarísimo santo cuya vida me tocó en turno.

Para mí fue también una curiosa experiencia. San Benedicto José Labré era un santo de veras interesante. Mientras yo señalaba las particularidades de la vida de aquel hombre, el padre Ferrer me miró dos o tres veces con extrañeza. Era la primera vez que oía el nombre de San Benedicto José Labré y probablemente no podía comprender su caso.

La verdad era que el santo había sido un ciudadano francés sin cultura religiosa ni civil y sin oficio ni beneficio. Un vagabundo. Lo que los franceses llaman *un clochard*. Iba por los caminos descalzo, con un saco a la espalda y un palo. Sus amigos eran también vagabundos, mendigos, que se mantenían como podían al margen de la civilidad y de la ley. De vez en cuando se acercaba Benedicto José a un convento, pedía que le dejaran entrar como fámulo y decía que ser fraile era la más alta ambición de su vida. Le daban un trozo de pan y lo despedían con palabras secas. A veces viéndolo harapiento, le daban el pan y no se dignaban hablarle. Otras veces lo echaban con buenas palabras sin darle nada.

Así anduvo por todo el mediodía de Francia y el norte de Italia. Era, si no recuerdo mal, a fines del siglo XVIII, cuando los franceses bailaban la *Carmagnole* en las plazas de las ejecuciones y hacían sus primeras leyes democráticas.

Mientras yo leía, pensaba en el lego del taller. No era el lego un vagabundo ni vestía harapos, pero tenía algo del hombre del margen. Y si en mi acento se veía alguna simpatía por Benedicto José, era a través del lego del taller. Naturalmente, la causa de mi simpatía no estaba en sus virtudes. ¡Qué podía yo entonces saber de la virtud humana y menos de las cualidades religiosas de nadie! Me gustaba el lego del taller porque podía yo hablar con él de igual a igual y el santo vagabundo porque era el polo opuesto del padre Ferrer. Este iba siempre muy peinado y relamido.

El padre Ferrer pertenecía a una comunidad y nuestro colegio era un convento. (La parte donde vivían los frailes era clausura y allí se hacía vida conventual.) Conventos como el nuestro y frailes como el padre Ferrer habían humillado y hasta insultado, según decía el libro, a aquel santo varón. El pobre vagabundo Benedicto José Labré tenía que dormir debajo de los puentes en la compañía triste de los borrachos, los ladrones, tal vez al lado de degenerados y asesinos. Pero en los últimos años de su vida todas esas gentes lo llamaban *santo*. Y no por su sabiduría ni por las limosnas que daba. ¿Cómo podría darlas si vivía de ellas? Ni por los sermones en los púlpitos tapizados de las catedrales. Para que aquella gente llegara a llamarle *santo* tenía que haber visto otras cosas en él. ¿Cuáles? Aquel misterio me intrigaba.

Desde que leía la primera página de su biografía pensé: igual que el hermano del taller, Benedicto José tenía el alma líquida. Los otros veían su santidad porque a él se le iba el alma por los ojos igual que al lego del taller. Pero aquí me armaba un lío. ¿Quién tenía el alma líquida? ¿El que percibía al otro o el que se dejaba percibir? Incapaz de resolver este arduo problema volvía a pensar en el lego del taller. Este adivinaba la alegría o la angustia de los otros, pero también dejaba abiertas las puertas para que nosotros entráramos en su intimidad. Yo también tenía el alma líquida. Estaba seguro de que el lego me lo había dicho en serio y por nada del mundo permitiría que dudaran de aquella cualidad que consideraba un privilegio. Aunque mi *alma líquida* no lo era a la manera santa. Más bien a la manera mágica.

Terminaba la lectura con la llegada de Benedicto José a Roma donde murió tan oscuramente y tan miserablemente como había vivido.

Otro detalle me había hecho relacionar al santo con el lego del taller. Igual que el lego Benedicto José era duro consigo mismo y muy dulce y benigno con los otros. Al menos esto decía el libro. Poco después de su muerte fueron los vagabundos, los ladrones, quienes sin querer llamaron la atención de la iglesia. "El santo ha muerto", repetían por los caminos y los asilos nocturnos de Francia e Italia. Mucho antes que la iglesia, los vagabundos habían canonizado a Benedicto José. Yo lo imaginaba sucio, harapiento, con su saco a la espalda y una aureola alrededor de la cabeza. Los perros veían aquella aureola y ladraban.

Tal vez cuando el santo estaba de humor jovial bromeaba como aquel mendigo viejo que llegaba los sábados a nuestra casa y decía en el umbral con voz de trueno:

—Una limosna, porque si no...

—Si no, ¿qué? —preguntaba algún sirviente.

—Que m'en iré.

Cuando terminé la lectura estaba seguro de que había conseguido irritar al padre Ferrer. En dos pasajes había añadido al texto una frase aparentemente inocua, pero que establecía una comparación: *como otros eclesiásticos*. Allí donde el texto decía: "no era Benedicto José culto ni docto en ciencias académicas, ni cuidadoso del vestir ni de la apariencia..." añadía yo: *como otros eclesiásticos*. Y esta añadidura iba directa y zumbadora como una saeta contra el padre Ferrer. Sin mirarle veía yo su rostro como una mancha rosácea en el aire. Y no tenía aureola ninguna.

El pobre santo vagabundo no se habría atrevido siquiera —pensaba yo— a acercarse a nuestro convento que tenía un zaguán de mosaico romano y dobles puertas, la segunda de las cuales no se abría sino después de comprobar quién era el osado que se acercaba. La idea de que el padre Ferrer tendría que arrodillarse ante el harapiento Benedicto José era para mí extraordinariamente grata. Pero aquel santo no estaba en nuestra capilla. No estaría nunca en una capilla que tenía un púlpito decorado con plata y oro en cuyo doselete —la parte baja era de cristal opaco— había grabada una paloma, símbolo del espíritu santo. Desde ella caían sobre el orador que hacía el sermón raudales de luz inspiradora.

Y sin embargo Benedicto José era un santo y el padre Ferrer sólo un pecador con sotana. Esto me parecía muy justo y sabio.

Al día siguiente que era domingo escribí otra carta bastante larga a Valentina hablándole de Inés, la novia de Prat. Dije que aunque bonita no valdría ni para descalzarla a ella y que con Prat hacía buena pareja porque Dios criaba a los tontos y ellos se reunían. Esta expresión era una de mis preferidas cuando quería ser satírico. En la post-data escribía: "Como te dije en mi última, soy enemigo declarado del matrimonio y partidario del amor libre. Hoy no tengo tiempo de explicarlo, pero en la próxima carta te lo diré.—*vale*."

Aquel día había tenido otro incidente con Ervigio. De vez en cuando me preguntaba si había recibido carta de mi novia y yo le miraba con las intenciones de Caín y me negaba a contestarle.

Pau, era un año más joven que él y Ervigio lo tiranizaba. Pau le dijo algo y Ervigio mirándolo por encima del hombro contestó:

—No voy contigo porque el que con niños se acuesta, meado, etcétera.

La gente suele decir para evitar el participio indecoroso: *el que con niños se acuesta, etcétera.* Pero Ervigio colocaba el *etcétera* fuera de lugar y cuando no hacía ya ninguna falta. Se lo advertí. Pau rió y Ervigio se atrevió a contestarme mal. Le di un golpe. El me lo devolvió. Luego fue a refugiarse a la sombra de un fraile. Había Ervigio dado el último golpe y eso me tenía resentido e inquieto.

Aquella noche al llegar a mi cuarto comprobé desde la ventana que las últimas luces del centenario de Constantino se habían apagado. La noche ya no tenía lejanías nobles sino que se quedaba pegada a mi ventana, obscura y vulgar y con aquellas dos chimeneas de fábrica que parecían más altas y más vigilantes.

Dos días después fui a ver al lego del taller. Lo encontré muy triste. Antes de hacerme presente estuve mirándolo desde la puerta. El lego con la sotana remangada mezclaba colores en una lata cerca de un infiernillo de alcohol cuya llama apenas si se veía a la luz del día. Estaba tan triste que me quedé dudando si entrar o marcharme. Por fin dije a media voz:

—Eh, hermano . . .

Mi voz debió ir y venir devuelta por los muros desnudos y los rincones fríos. El hermano se asustó. Luego me miró gravemente:

—¿Ya sabe el padre Ferrer que vienes a verme?

—No. ¿Por qué?

Parecía confuso.

—Debes pedirle permiso.

Vi que la cabeza de mármol rosa tenía la nariz pegada. El lego miraba su obra complacido y dijo que no había podido resistir la tentación de componerla. Tenía aquella escultura una expresión que yo no le había visto antes. Se me ocurrió que era la cabeza del santo vagabundo. Hablé de Benedicto José y dije todos los pormenores que recordaba. Dije también la extrañeza que me había causado aquella clase de santidad.

—¿Qué es lo que te extraña?

—Pues hombre . . . un vagabundo que no trabaja, que no hace nada, que no ha estudiado y que es o parece ser un ignorante. No debía saber mucho si no había ido a la escuela —dije yo.

El lego miraba la cabeza de mármol:

—¿No dices que Benedicto José se parece a esta escultura? ¿Y tú crees, hermanito, que esta es la cabeza de un hombre que no sabe nada?

—No.

Tal vez era la cabeza de un hombre que no había ido a la escuela, pero no la de un ignorante.

—Benedicto José tenía el alma líquida como nosotros y podía saber muchas cosas sin estudiar —dije yo.

El lego me preguntó si había dicho a alguien aquello del alma líquida y yo mentí y dije que no. "Tú sabes —repitió una vez más, apenado— que hablando de religión a mí no se me puede ocurrir nada inteligente. Entonces te suplico que no repitas fuera del taller mis palabras." Se lo prometí y él me preguntó:

—¿Por qué dices que esa cabeza de mármol tiene el alma líquida? Ese pedazo de roca no tiene alma, aunque la forma es algo así como el alma de las cosas y a su modo todas, hasta las que parecen más... materiales, la tienen.

Yo dije que aquella cara de la escultura se movía bajo la luz como la mía cuando me miraba reflejado en el agua. En el agua quieta, un poco movediza.

—¿Tu propia cara?

—Y a veces la de los otros cuando nos asomamos varios chicos a la balsa de las Pardinas de mi pueblo. Y una luz va y otra viene.

—¿Las Pardinas?

—Sí, cerca del río. Hay una ermita vieja, que ya no sirve, pero que todavía tiene campana. Los campesinos de la montaña dicen cuando bajan al pueblo y pasan por allí:

Camporretuno,
sin santo nenguno,
uno qu'en habió
el diablo se lo llevó.

Y explicaba, todavía:

—Camporretuno es el nombre antiguo de toda aquella comarca.

Pero la cabeza de mármol estaba allí y yo la veía como en el fondo del agua. El lego parecía interesado y seguí: "Por eso la cara parece viva. Tiene la orejas tapadas, pero yo diría que escucha. Los ojos no miran, pero es como si vieran. Y además está contenta de la vida, pero podría llorar." Nos quedamos callados. El lego dijo:

—Sí, hermanito. En todo eso tienes razón. Se diría —añadió— que ese hombre está contento de la vida aunque podría ser que a menudo pensara en la muerte. En este momento yo podría imaginar, hermanito, cual fue la vida de este individuo. No es cura ni fraile. Es un hombre civil. Más que civil, un pagano. Un patricio. Se casó muy joven, su mujer murió, pensó volverse a casar, pero tenía miedo de que su mujer se muriera también. ¿No lo ves? Parece pensar que hay una catástrofe detrás de cada alegría, hermanito. Y ahora tiene miedo de la felicidad. ¿No es verdad? Es como si quisiera reír y no se atreviera. Tiene miedo. Pero no es un hombre débil a pesar de todo. Es alguien y eso se ve en la frente y en los arcos ciliares. ¿No te parece?

Oyéndose a sí mismo el lego parecía contento.

—La nariz la pegué con una pasta especial y ha quedado más segura que antes. Claro es —añadió con tristeza— que una escultura no debe tener roturas ni remiendos. Debe ser perfecta.

Miraba su obra con melancolía. Se puso a mezclar pintura murmurando entre dientes: "Hago mal en recomponer la cabeza. Si se rompió la nariz era por algo. Me faltaba unción y temple en los nervios y pensándolo bien, rota debía quedarse, amiguito. Cuando las cosas se rompen es que deben haberse roto."

Cerca de la cabeza de mármol había otra de madera, pero vuelta hacia la pared. Estaba nueva, fresca, sin una escoriación. Tenía debajo de la barba un vástago de un palmo de longitud para ajustarla entre los hombros de algún cuerpo que debía andar por allí. "Este santo —dije yo— no parece muy serio."

El lego me dijo que creía que se parecía al padre Ricart, el del observatorio. Para comprobar si el parecido era verdadero quería estar sin ver la cara algunos días. Por esa razón la había vuelto contra la pared.

—Es un santo —dije— que si se contempla no puede uno menos de reírse. ¿Quién es?

—San Felipe Neri.

—Píntele barba y así no se parecerá al padre Ricart.

—Pero es que San Felipe no tiene barba. Si le pongo barba será más bien San Pablo.

228

—Pues, la verdad, así no parece un santo. Da la impresión de que está haciendo morisquetas y de que tiene ganas de reír y se aguanta.

—¿Tú no sabes que San Felipe Neri era un poco bromista? Llevaba una mona pequeñita atada con una cuerda enorme como los cabrestantes de los barcos.

—Vaya un santo —dije escéptico—. ¿Cómo puede haber santos que andan por el mundo con una mona?

—Pero, hombre. ¿Te olvidas de Benedicto José Labré?

—El no tiene mona ninguna.

—Bueno, en todo caso la alegría es de este mundo y Dios quiere que nos riamos de vez en cuando. Pero, ya veo, hermanito. Crees que para salvarse hay que ser solemne e importante. Bien. No digo que no. Pero la importancia nos la da Dios y no es preciso dárnosla nosotros mismos. Nos la da El, amiguito. A cada cual la importancia que le corresponde. Y la más pequeña que nos da El es mil veces mayor que la más grande que nos damos nosotros. San Felipe Neri podía hacer el payaso, si quería. ¿Por qué no? Otros lo hacen cuando quieren y cuando no quieren.

Inclinándose hacia mí y bajando la voz añadió:

—¿No sabes tú que la sabiduría verdadera tiene a veces cara de *clown*?

Aquello era nuevo para mí. Pero recordaba que nunca había podido reírme en el circo mirando a un *clown*. Me parecían los payasos hombres superiores que hacían cosas ridículas porque nos despreciaban. Lo que decía el lego me parecía sin embargo muy complicado. ¿La sabiduría, cara de *clown*? No ignoraba que el padre Ricart, el astrónomo, era el fraile más sabio de la comunidad y publicaba a veces escritos importantes en la revista "El Ebro". La verdad era que aquel padre al que yo había visto en la capilla tenía cara ancha de altas cejas, boca pequeña y expresión asombrada.

—¿Y dice usted que San Felipe Neri era un payaso?

—No, hermanito. Yo no diría nunca eso —negó observando que la mezcla de pintura estaba ya a punto—, sino que podía hacer cosas de *clown* sin perder su naturaleza virtuosa e incluso santa. ¿Qué te figuras tú, que el hombre para ser santo tiene que vestirse de pontifical? La gravedad y la solemnidad son para el ritual de Dios y para su servicio, pero en la vida ordinaria un hombre es un hombre y a menudo menos que un hombre. De esto último yo puedo hablar mejor que otros.

Aquel día le ayudé en su trabajo. Estuve raspando con lija dos planchas de madera. Seguíamos hablando.

—¿Podía San Felipe andar sobre las manos con las piernas al aire? —preguntaba.

—No sé, amiguito.

Chascaba yo la lengua con un gesto de lamentación y censura. Me gustaba discrepar del hermano lego y por provocarle una vez más dije que en el castillo de Sancho Garcés Abarca había una capilla y en ella una imagen de la Virgen y que una vez que iban a cambiarle el manto llegó la mujer de Escamilla con una vela votiva y cuando vio que debajo del manto la imagen tenía sólo una pequeña pirámide de listones de madera se quedó mirando, arrugó la nariz y dijo:

—¿Con que esas tenemos? Me vuelvo a casa con la velica.

El lego recordaba: "Es como aquel otro campesino que había visto el crucifijo cuando no era más que la rama de un ciruelo." Reíamos y seguíamos trabajando. El lego decía: "O como los que creen que los milagros sólo eran posibles en la antigüedad. ¿Tú crees en los milagros, hermanito?" Yo dije que cuando Dios andaba por los caminos podía haber milagros, pero ahora no era tan fácil. El lego exclamó: "Ya sabía que ibas a decir eso." Dejó de trabajar y se me quedó mirando con tristeza:

—Tú crees que este tiempo en el que vivimos es el mejor de toda la historia del mundo. Confiésalo, hermanito. Y que es el único tiempo en el que la gente sabe de veras lo que lleva entre manos. ¿Verdad? ¿Por qué? Porque vives tú. Además crees que entre los demás chicos lo que tú piensas es lo mejor. Bien. A muchos les pasa eso. Y es que la inteligencia les engaña, nos engaña. Tal vez nos puede salvar, pero nos puede perder también, hermanito. Ven aquí y escucha. Nuestro tiempo no es el mejor sino uno más, igual que los siglos pasados y los que vendrán. Y todo era milagro entonces y todo lo es ahora. ¿No es un milagro que tú no creas en los milagros? ¿No es un milagro que tú estés ahí en tus dos patas —*dos piernas,* corregí yo—, bueno, dos piernas y me mires y me oigas y me entiendas y te consideres por encima de los milagros? ¿Por qué puedes estar de pie y oírme y pensar lo que piensas? ¿Qué has hecho tú para ser más que un pedazo de madera o de piedra? Ah, hermanito. Humo. Sólo tenemos humo en la cabeza. ¿Cuáles son tus méritos para poder hablar y reír y repetir en el escenario los versos de Calderón de la Barca aunque, la verdad, a mí no me gusten? Vamos, contéstame.

—Comprendía que podía tener razón el fraile, pero las cosas me parecían más simples.

—Yo soy yo —le dije—. ¿Qué milagro hay en eso?

—Ah, muy bien. Tú eres tú, hermanito. Pero ¿no se te ocurre pensar por qué tú eres tú?

—Pues cada cual es cada cual.

—Sí, pero ¿qué méritos tiene cada cual para ser el que es?

—Dios lo sabe, si tenemos méritos o no.

—Ah, bueno. Dios lo sabe. En eso estamos de acuerdo, pero lo dices como lo diría el campesino. Lo dices pensando: allá Dios. El sabrá lo que hace y por qué. No diría otra cosa el gato, si pudiera hablar. Y entretanto comes buenas chuletas, juegas al fútbol, duermes como un bendito y gozas de la vida. Hasta tienes novia, si a mano viene.

—Claro que sí —dije yo.

—Muy bien. No te censuro por eso. Pero tú dices: Dios sabe por qué. Pues bien, Dios te ha dado una inteligencia para que trates de saberlo tú también. ¿Y no es eso un milagro?

—No digo que no.

—Ay, hermanito. No digo que no. Y lo dices como si le hicieras un favor a Dios. La verdad, Pepe. A veces me pareces muy poco inteligente.

Mirándome con una lástima natural dejó las pinturas, se me acercó y me dijo, despacio:

231

—El otro día tú me reprochabas que yo no mire a la cara de la gente cuando hablo. Es verdad. Casi nunca miro a la cara a nadie. Es por lo grandioso del milagro, amiguito. A ti te miro, es verdad. ¿Sabes por qué? Tú no eres todavía un hombre y ellos lo son. Y cuando viene el padre Ferrer a la puerta y la abre y entra, él, en dos pies —en *dos patas,* dije yo interrumpiéndole—. Cuando entra con su mirada inteligente y me dice: Buenos días, hermano, yo estoy un momento abrumado por el milagro. El viene y me mira y me habla y me dice que desea buenos días para mí. Además por su mirada ve que estoy aquí, que soy hermano lego, que soy yo. Buenos días, hermano lego. Yo, lego. Y él es sabio. Y yo no lo soy. Y entra y me conoce. Y lo miro y lo conozco. ¿No te parece una serie de milagros?

—No, ni mucho menos.

Aunque yo comenzaba a sentir un misterio detrás de aquellas palabras no me parecían convincentes. Si hubiera usado a otra persona como ejemplo y no al padre Ferrer tal vez habría sido mejor. Hablando, la cara del lego tomaba una placidez inspirada. Yo miraba la cabeza de mármol. El lego siguió:

—¿No es un milagro que mi inteligencia mueva mis manos, y dirija mis ojos, y me permita reconocer en un objeto material a un ser humano con su nombre y sus caracteres? ¿No es un milagro que mis manos hagan de un pedazo de piedra una cabeza humana?

—No, porque usted ha aprendido y porque además tiene escoplos y martillos.

—Bien, hermanito. Hablar contigo es machacar en hierro frío. Se pierde el tiempo. No importa. Anda, acércame aquella sierra. Y no tengas miedo a la tarasca, que no muerde.

La sierra estaba encima del monstruo. Yo se la di.

El lego seguía, muy preocupado:

—¿Dices que la cabeza de mármol es como la de Benedicto José? ¿Y que tiene un alma líquida como tú y yo? ¿Cómo sabes eso? ¿Porque te parece verla debajo del agua? —sonreía el lego entre halagado y triste—. No. Esa cabeza aunque tenga expresión no puede tener un alma líquida. Porque la primera muestra del alma líquida es el llanto. ¿Cómo va a llorar? Tú comprendes que es absurdo.

—Tampoco yo lloro —dije apresuradamente.

En los intervalos del ruido de la sierra —estaba el lego serrando madera— siguió explicando: "No hablo del llanto producido por el dolor o la tristeza. Entonces, todos tendrían el alma líquida porque todos lloran alguna vez."

—Menos yo.

—Bueno, bueno. También tú, hermanito, si tuvieras un dolor fuerte o se muriera alguno de tu familia.

—Hace tiempo se murió una hermana mía y como si tal cosa.

—Bueno, pero el alma líquida no lo es por llorar cuando se tiene tristeza y pena, sino cuando no se tiene ningún dolor ni pena alguna. Sólo por pensar que se está vivo en el mundo y que Dios se ocupa de uno como si uno tuviera de veras importancia. ¿Comprendes? Se llora de...

—¿De alegría? Yo he visto un caso en mi familia.

—No. De la sorpresa que da el comenzar a comprender. Bueno, tú eres muy niño para eso.

Yo le pregunté si hablaba con los frailes de aquellas cosas.

—No, pobre de mí. Sólo hablo contigo porque tú vienes a verme y me preguntas. Comenzamos hablando de "La Vida es Sueño" y luego hemos seguido con la tarasca y con las imágenes. Me gusta más hablar de la cabeza de mármol que de tu enemigo Clotaldo.

Yo le tomé la palabra:

> *Pues vil, infame, traidor,*
> *¿qué tengo más de saber*
> *después de saber quien soy*
> *para mostrar desde hoy*
> *mi soberbia y mi poder?*

El lego suspiraba:

—Mira, hermanito. Serías una persona admirable si te conformaras con ser uno más y no especial. Naciste como cada cual. Morirás como los otros. Entretanto vives como viven todos. ¿Me oyes? Cuando viniste a esta escuela traías la cabeza llena de aire. ¿Te atreverás a reconocerlo?

—¿Por qué no? Creía que era el señor del amor y del saber y de las dominaciones. En los últimos tiempos he cambiado un poco de ideas.

Había llegado al colegio hacía dos meses, pero me parecían dos años.

—¿El señor de las dominaciones también? —preguntaba el lego—. ¿Tú sabes lo que son las dominaciones?

—Hombre, las batallas ganadas y los imperios conquistados.

—No, no. Las dominaciones son los coros de ángeles que acompañan al Señor. El Señor en los cielos tiene tronos, potestades y dominaciones. Atributos de poder, pero no como los de la tierra sino muy diferentes. Sin cañones ni espadas. Mira, ven aquí. Ven aquí, hermanito.

Abrió un enorme cartapacio que estaba en el suelo apoyado contra la pared y sacó una hoja donde había dibujado algo. Estaba sin terminar y entre fuertes trazos de lápiz había manchas de color. "Estas son las dominaciones". Yo veía hasta dos docenas de ángeles, unos con las alas desplegadas, otros recogidas, algunos orando, casi todos cantando. Tenían caras de muchachas hermosas. Las alas eran amarillas y negras en unos, azules y blancas en otros. A veces tenían un ala recogida y la otra desplegada como los pájaros cuando yo los sujetaba en la mano y querían volar. Uno de los ángeles se parecía a Planibell aunque seguramente no decía *merde* en francés ni en español. Otro tenía una pierna demasiado gruesa.

—Ese —dije yo— es un ángel demasiado patudo.

—Bueno, el Greco también pintaba así. ¿Qué te parece? Estas son las dominaciones.

Si aquellas eran los dominaciones había estado yo en un tremendo error. ¿Señor de las dominaciones? Dudaba también de que siguiera siendo el señor del saber. El del amor, tal vez. El lego me preguntó de pronto:

—¿Cómo se llama tu novia?

Yo no contestaba. Dije por fin que me había hecho el firme propósito de no decir su nombre en el colegio porque no merecían oírlo ni los frailes ni los otros chicos. Ervigio se burlaba de las novias de todos y había inventado una canción con el nombre de la de Prat. Con el de mi novia no haría bromas nadie.

El lego me miró extrañado y dijo:

—Bien, bien. Se ve que la quieres, a tu novia.

En aquellos días recibí un sobre de Valentina, con fotos. Una de ellas estaba cortada con una tijera para eliminar a alguien que no debía ser visto por mí. Sospeché que era su primo. Escribí a Valentina preguntándoselo y a vuelta de correo me contestó diciendo que era su hermana Pilar y que se había suprimido ella misma porque decía que había demasiados chicos en mi escuela y que todos eran mirones y chismosos. En eso Pilar tenía razón.

Al cambiarme una mañana de ropa interior descubrí en el bolsillo de una camisa nueva una monedita de plata. El dinero no era muy importante, porque dentro del colegio no había ocasión de comprar nada. Pero algunos días salíamos en dos largas filas e íbamos a algún lugar interesante. A menudo nos llevaban al estanque de la mina, un sitio pintoresco. Tenía en medio de un bosque de algarrobos una especie de gruta en cuyo fondo se veía un túnel. No se podía entrar, porque además de estar inundada la galería, tenía una reja para impedirlo. La mina había sido de manganeso y los muros y la techumbre se veían constelados de puntitos luminosos como estrelllas. El agua que salía por allí llenaba un amplio estanque que tenía mirajes verdes y estaba bordeado de un pretil de piedra. Solía haber por allí vendedores ambulantes con los que gastábamos nuestro dinero.

La moneda del bolsillo de la camisa fue una revelación. Mi madre me había puesto otras en las prendas que estaban en la parte honda del baúl calculando el tiempo que tardaría yo en gastar las que tenía al salir de casa. Un minuto después mi celda estaba llena de calcetines vueltos al revés, calzoncillos arrugados, camisetas extendidas. En muchos de los calcetines hallé una moneda de media peseta. El resultado de aquella búsqueda fue considerable, en relación con mis costumbres.

Volví a guardar la ropa, feliz con aquel tesoro. Mi madre se había equivocado si creía que yo iba a esperar a cambiarme de calcetines y ropa interior para encontrar el dinero.

Hablé otra vez con Planchat y le pedí que me explicara mejor lo del amor libre. Con su aire tremebundo Planchat dijo: "la cosa es clara. ¿Qué necesidad hay de bendición ninguna ni del papeleo de los jueces? Esas son pamplinas y engañabobos"El no pensaba casarse. Yo lo escuchaba con una curiosidad enorme.

Le hice más preguntas. Había descubierto en nuestra *clase de educación cívica* la física del amor sobre la que no tenía antes sino vagas ideas. No creía del todo a los chicos, pero suponía que algo había de verdad en lo que hablaban. Aquellas medias nociones no me parecían tan sensacionales como las personas mayores piensan cuando las ocultan a los niños. Para los chicos el sexo tiene mucho menos interés que un pájaro mecánico o una bicicleta.

El amor libre me parecía digno de mí y de las personas expertas, heroicas y despreocupadas como yo. "Tengo que explicárselo a Valentina", pensé.

En el colegio era fácil hacer investigaciones hacia abajo —los sótanos—, pero sólo se podía subir a las terrazas del último piso en compañía de algún fraile. Y de vez en cuando el hermano Pedro llevaba un grupo de ocho o diez chicos para que vieran el observatorio. El padre Ricart mostraba el telescopio grande y otros aparatos. Además enseñaba los dibujos que hacía de algunos astros y planetas a distintas horas de la noche y en distintos días.

Cuando yo subí venía conmigo casi todo el grupo de mi mesa y además Prat. Este había estado en el observatorio otras veces y se daba importancia tratando de conducirnos y aleccionarnos. Entre otras cosas dijo en voz baja algo absolutamente absurdo. No lo habría creído ni Caresse. Dijo:

—Se puede mirar a todas partes menos a Venus porque en ese planeta hay siempre mujeres tomando baños de sol. Verdaderas mujeres desnudas. El que mira a Venus queda excomulgado.

Temiendo que lo hubiera oído el hermano Pedro alzó un poco la voz y añadió:

—Lo he leído en una enciclopedia de *astrología*.

Aseguró que él había mirado por el telescopio a todos los planetas del cielo menos a ese. También había visto la luna, que estaba habitada por hombres muy diferentes de los de la tierra. Sólo se parecían a nosotros en las orejas. Según él los hombres de la luna se llamaban selenitas y aunque tenían cuatro patas eran esbeltos como los taburetes de los bares. Los detalles de Prat eran tan minuciosos que no había más remedio que concederle algún crédito. Planibell, escéptico, le decía: "Mira, Prat, a mí dime todo eso por escrito".

El observatorio era circular y estaba en sombras. Sólo dos pequeñas lámparas de metal daban una claridad débil cada una en un lado contrario de la repisa sobre la cual giraba de un modo imperceptible la media naranja de la cúpula. Esta tenía un gajo abierto por el que asomaba el telescopio. Al entrar allí hablábamos en voz baja como si aquel lugar fuera un templo o se hubiera muerto alguien. Pau abría unos ojos enormes y no se atrevía a chistar.

Prat se anticipaba a veces al padre Ricart en sus explicaciones: la cúpula se movía sola, de este a oeste, lo mismo que el telescopio, obedeciendo a un mecanismo de relojería sincronizado con el movimiento celeste.

Pere hizo una pregunta de párvulo que nos avergonzó. Quería saber si se podían ver las puertas del cielo porque San Pedro era su santo patrón. Suponía que debía estar allí con la gran llave de madera.

Hubo risas y el que reía más era el padre Ricart. Tenía este sacerdote una cara parecida a la del santo del taller. Risueño y muy poco... ascético, por decirlo así. El lego tenía razón. El padre Ricart fumaba un cigarro puro y habiendo percibido en nosotros algo irreverente con motivo de la pregunta de Pere, dijo separando el cigarro de los labios:

—Hijos míos, las puertas del cielo están dentro de nuestras almas.

Prat, más desenvuelto que de costumbre añadía:

—¡San Pedro! ¿Y por qué no Santa Genoveva y las once mil vírgenes?

El astrónomo sin mirar a Prat le dijo tocando aquí y allá misteriosas ruedecitas:

—Vamos, cállate, botarate.

Las once mil vírgenes debían estar —pensaba yo— en Venus tomando baños de sol. De tarde en tarde se oía como un ruidito de cremallera o de rueda dentada. El inmenso telescopio giraba con la cúpula del observatorio y con la misma bóveda celeste.

El padre Ricart maltrataba a Prat de un modo amistoso. Tenía un humor más fino que el hermano Pedro. Decía de Prat que crecía como un dinosauro. Otras veces se lo quedaba mirando y añadía:

—Tú creces a traición, por la noche. Así, nadie se da cuenta.

El padre Ricart tenía las mejillas rojas y hablaba como si tuviera demasiado aire en el pecho, de un modo cortado y por decirlo así, explosivo. Pau, que parecía atreverse con Prat, reía en algún lado y decía: "Lo ha llamado dinosauro". Prat lo oyó y rectificó ofendido: "No es verdad. Ha dicho que crezco como un dinosauro, lo que es diferente."

Se había puesto Prat el primero para mirar por el telescopio y rechazaba la ayuda del astrónomo diciendo que no era la primera vez y que conocía aquellas máquinas. Yo trataba de poner en acción mi alma líquida y miraba al padre Ricart pensando qué cantidad de conocimientos harían falta para ser un verdadero sabio.

En la oscuridad, recostado en el muro, se veía al hermano Pedro sorber escépticamente su rapé.

Sentado en un taburete de metal bastante alto —yo recordaba a los habitantes de la luna— Prat acercaba el rostro al

238

complicado mecanismo y guiñando un ojo se ponía a mirar. El astrónomo decía:

—Ahora el telescopio está apuntando a Marte porque es el tiempo de la oposición y estoy haciendo observaciones.

Nos mostraba varios dibujos aparentemente iguales que había hecho las noches anteriores. "Vean ustedes que el planeta no es redondo del todo, sino un poco achatado, igual que la tierra y que tiene dos casquetes de hielo, uno en cada polo, como dos solideos blancos."

Pau dijo muy serio:

—En esos dibujos no se ve la gente.

Prat que seguía mirando con la cabeza perdida entre tubos, ruedas y engranajes, dijo:

—Yo la veo.

El padre Ricart se volvió ofendido:

—¡Qué gente ves tú, mastuerzo?

Prat Rectificaba:

—La gente no la veo. Pero veo el brillo de las espadas y las bayonetas.

El astrónomo acercaba su rostro al de Prat:

—Faltas a la verdad como un bellaco. Y además no puedes ver nada porque estás mirando por un tornillo.

La lente por donde había que mirar no era más grande que las que tienen los gemelos corrientes de campaña y resultaba difícil encontrarla. Prat se había confundido entre tantas ruedas y tubos y no quería confesarlo:

—Palabra de honor, padre Ricart.

—Te digo que estás mirando por un tornillo, beduino.

Lo sacó del taburete y me hizo sentar a mí. Prat protestaba y el astrónomo dijo:

—No me digas nada, porque nos conocemos hace tiempo.

Yo sentado en el taburete apliqué el ojo derecho a donde el fraile decía. No veía al principio sino manchas luminosas, movedizas y fugitivas. Pronto vi, sin embargo, un disco blanco, inmóvil, en el centro de la lente. Era un poco más pequeño que la luna a simple vista. No era del todo blanco, sino rosáceo. A veces se veían ligeras sombras verdes. Y unas pequeñas rayitas que bajaban del polo norte hacia el centro. Los extremos norte y sur eran muy blancos. Cuando hablé de aquellas rayitas el padre Ricart dijo:

—Son los famosos canales.

Luego añadió: "No es que sean verdaderos canales, sino que los astrónomos han dado en llamarlos así."

Seguía yo mirando. Los demás callaban. En un extremo se oía al hermano Pedro estornudar. Planibell se había puesto detrás de mí y me tocaba la espalda impaciente para que le dejara el sitio. Preguntaba Pau:

—¡Qué más ves?

Antes de que yo contestara el padre Ricart dijo:

—Espero que tú no ves también soldados.

—Yo no digo que haya visto soldados —dijo Prat desde las sombras— sino sólo el brillo de las espadas.

El hermano Pedro intervenía:

—El año pasado dijiste que habías oído el ruido de los tambores y de las tropas desfilando.

Viendo que tenía a todo el mundo en contra, Prat explicó que lo del año anterior era verdad y que los tambores eran ruidos que llegaban de la calle. Cualquiera se habría podido confundir. Además, quizá el año anterior las cosas eran diferentes en Marte.

—Es posible —dijo Planibell, irónico— que aquél día fuera el cumpleaños del rey.

—Y habría fiestas añadí yo.

—Sí fiestas cívicas —concluyó el hermano Pedro ladinamente.

Lo que vi no me interesó gran cosa. Pero me creí en el caso de decir:

—Un día la gente podrá ir a Marte como ahora van a América.

—Tonterías —dijo Prat.

—¿Por qué no? Pepe tiene razón.

El hermano Pedro se ponía de mi parte, pero aquél fraile solía ayudar a los débiles contra los fuertes y su auxilio me deprimía. Yo no quería ser débil. Yo era más joven y eso era todo. Planibell se instalaba en el telescopio y para que no se

240

equivocara como Prat, el astrónomo, ponía su dedo al lado de la lente. Yo me interesaba por los misterios del observatorio mismo más que por los del cielo y miraba alrededor. En una mesita había un cuaderno abierto lleno de notas y fórmulas algebráicas. Pensaba en el hermano lego y me habría gustado estar allí con él. El padre Ricart callaba y chupaba su cigarro. En la mesita donde estaba el cuaderno había una cazuela de barro llena de colillas. Yo deduje: el astrónomo algunas noches no baja al refectorio a cenar porque quiere estar al lado del telescopio y entonces le suben la cena. Aquella cacerola debía haber tenido un estofado o un buen asado al horno y después la usaba el fraile como cenicero. Fumaba el padre Ricart constantemente y al hablar y devolver el humo éste formaba curiosas escaleras en el aire.

Pere y Pau estuvieron poco tiempo mirando y no se atrevieron a hablar después de los incidentes de Prat. Había subido con nosotros un chico a quien apenas trataba yo. Era de Villalonga, se llamaba Ventós y parecía un morito o un hindú. No reía nunca. Su taciturnidad se debía a las añoranzas de su hogar. No se acostumbraba a vivir lejos de sus padres, lo que a mí me parecía incomprensible.

El hermano Pedro, invitado por el astrónomo a mirar dijo con su gran pañuelo de cuadros azules en la mano:

—Todo eso lo veo mejor con los ojos cerrados, padre Ricart.

Parecía el hermano, a veces, saber mucho de la vida; pero a la manera de los campesinos, es decir, callado y cazurro.

La bóveda del observatorio y aquel telescopio que era como un enorme cañón, me confundían y me parecían más misteriosos que la creación entera. Sólo faltaba, para que la emoción fuera completa, aquél ruidito de engranajes que de vez en cuando se oía en un lugar indeterminable.

El padre Ricart tenía cara de payaso y parecía que iba a sacar de su manga soles y estrellas sólo para sorprender a un público que no éramos nosotros y que yo no sabía dónde estaba. Pau lo miraba como si fuera —sin dejar de parecer un payaso— el San Pedro que buscaba entre las constelaciones.

Aquél lugar misterioso parecía más adecuado para rezar que la misma capilla. Me habría gustado estar allí con Valentina, los dos solos. El astrónomo hablaba de años-luz. De trillones de años-luz. Yo pregunté en voz baja al hermano qué distancia había desde donde estábamos hasta Saturno; y el astrónomo, que me oyó, intervino para decir que la distancia más grande en el cielo no era nada comparada con las distancias que nosotros tenemos adentro, por ejemplo, entre el miedo y la esperanza. El miedo a una muerte que no conocemos. La esperanza de una inmortalidad que no podemos imaginar. Me miraba y preguntaba:

—¿No te parece?

Yo le agradecía que me hablara en serio y quería decirle que no tenía miedo. Aquella confianza del padre Ricart me embriagaba aún sin saber exactamente lo que estaba diciendo.

—Yo sé lo que es la inmortalidad —dije—. Es como una estatua.

El hermano Pedro se sonaba y hacía un ruido como el mugido de una vaca. Llegaba Prat asegurando otra vez que el año anterior había visto cosas raras en Marte. Al ver que no le creían comenzaba a morderse las uñas con una súbita indiferencia por todo y a mostrar ganas de marcharse. El hermano Pedro repetía:

—Para mirar al cielo hay que cerrar los ojos.

—Yo —intervino Prat, sin comprender— sólo cierro uno. Hay que cerrar sólo un ojo.

—Y poner el otro contra un tornillo, ¿eh?

Viendo Prat que no lo tomábamos en serio se apartó y se fue al otro lado de la rotonda. Lo vi sacar desimuladamente de un paquete de cigarrillos que había en una mesita dos o tres y guardárselos en la mano doblada. Después, como al azar, se puso la mano en el bolsillo. El hermano Pedro lo veía siempre todo. Me guiñó un ojo y se puso a hacer bromas en catalán con las palabras Prat y Rat-penat (que es un murciélago y también rata penada o castigada).

Salimos de allí sin que hubiera sucedido nada extraordinario. Prat preguntaba al fraile:

—Diga usted, hermano. ¿No es verdad que Marte es el dios de la guerra?

—Y Caco el de los ladrones.

—Bueno, pues yo he leído en libros de este tamaño —y señalaba el de un misal como si aquello autorizara la referencia— que Marte es el dios de los militares y por eso se dice *marcial* del paso de los soldados cuando van a la guerra con música y tambores.

Planibell dijo:

—Nadie va a la guerra con tambores ni con música.

Yo recordaba a mi padre, quien aunque nunca había sido soldado hablaba a veces de la guerra y refería como si los hubiese visto los ataques de los soldados aragoneses a la bayoneta mientras la banda de música del regimiento tocaba la jota.

Los hermanos Pere y Pau se me aficionaron mucho. Quizá por tener sus mesas en la sala de estudios al lado de la mía y ser vecinos también en el refectorio. Y por estudiar yo segundo mientras ellos estudiaban primero. Y también, quizá, por ser los dos muy rubios —lo que suele dar en la infancia una personalidad delicada y frágil— y yo muy moreno. Algo había, en fin, que los aproximaba a mí con una expresión reverencial. Y yo por una reacción natural sentía la tendencia a protegerlos.

En la clase de latín el profesor, que era un sacerdote ya viejo pero tieso y enérgico, nos planteaba problemas que nos obligaban a pensar por nuestra cuenta. Los estudiantes seguíamos divididos todo el curso en dos bandos: cartagineses y romanos. Yo me había pasado al bando de los cartagineses —me gustaba más Aníbal que Scipión— y era entre ellos uno de los mejores, gracias a las lecciones de latín que me había dado en mi aldea el capellán del convento de Santa Clara.

El profesor nos dictó una frase clásica, no recuerdo de quién, pidiéndonos que la comentáramos por escrito. La frase era *Parva propia magna; magna aliena, parva*. El profesor a quien llamábamos Chaveta porque decía esa palabra, a menudo, refiriéndose a las cosas más dispares, se frotaba las manos viéndonos apuntar la sentencia latina. Su manera de usar la palabra *chaveta* era pintoresca: Sertorio había perdida la chaveta en distintas ocasiones de su vida. Sólo a un guerrero que ha perdido la chaveta se le ocurre ser liberal y demócrata, decía el fraile. También había perdido el juicio —es decir, la chaveta— Julio César.

El padre Ferrer se había salvado de los apodos porque nos aterrorizaba con sus sonrisas. El hermano Pedro se había salvado por una razón contraria: por su taciturnidad amistosa.

Cada vez que yo volvía al taller del hermano lego me sentía sin poder evitarlo en presencia de un ser que despertaba alguna forma de compasión. Entendía su sencillez como debilidad. Un hombre importante debía ser enérgico, apto para el mando y merecedor de los honores, los triunfos a la romana, la estatua de bronce con un caballo, es decir, ecuestre. Por eso la autoridad que el pobre lego del taller tomaba a veces sobre mí —sin darme yo cuenta y a pesar de todo—, era un misterio inaccesible.

Aquel día el lego estaba trabajando y canturreando con la boca cerrada, es decir por la nariz. Al verme se le illuminó el rostro.

—Ven muchacho —dijo—, y cierra la puerta.

Luego añadió con una alegría infantil:

—¿No sabes? Tengo un compañero.

Me mostraba un gato que estaba sentado sobre el pecho de un crucifijo tendido en un banco de tallista. El lego se apresuró a advertir que aquella imagen no estaba ni bendecida ni consagrada y por eso el gato sentado encima no representaba irreverencia alguna. Era tal la confusión de objetos en el taller que de no indicármelo el lego yo habría tardado mucho en descubrir al gato.

—¿Sabes? Hay ratones. Y los ratones cuando encuentran un trozo de madera encerada la mordisquean y acaban por comérsela. No toda, sino la superficie, la parte que tiene su salsita fresca. Entonces, he tenido que traer al gato. Es un hermoso animal como ves y buen amigo, sólo que se considera demasiado listo. Cree que sabe más de lo que parece natural en un gato.

244

Pero si eso nos pasa a los hombres, ¿por qué vamos a extrañarnos?

Acaricié al animal, quien apoyó su mejilla contra mi mano, rosnando. No dejó de extrañarme aquella súbita amistad. El lego decía:

—Nos conocemos ya y nos llevamos muy bien. El pobre tiene trabajo en este taller. Pero no son los ratones lo que más le interesa. Se pasa las horas muertas pegado al cristal de aquella ventana mirando los pájaros y cuando ve uno cerca es tan fuerte la emoción que castañetea los dientes y le tiemblan las mejillas. El pobre no puede evitarlo.

Yo miré alrededor y no vi la cabeza de mármol. Pregunté por ella y el lego dijo un poco extrañado:

—Hermanito, ¿por qué te interesa tanto?

—Es la más hermosa que he visto en mi vida.

Me miró despacio:

—Eres un diablo tentador. Hace días que tengo la idea de romperla y esta mañana estaba decidido cuando has llegado tú.

Indicó un lugar donde había varios objetos cubiertos con una tela:

—Ahí está. Ahí debajo.

Fuí a donde él decía, pero le oí añadir con voz suplicante:

—No, hermanito. No la descubras. Déjala como está. Comprendo que quieras verla y que te guste. También me gusta a mí. Demasiado, me gusta. Es que acerté a darle las expresiones contradictorias de un alma líquida, es verdad. Tiene amor en los ojos, pero tiene también indiferencia y pena en la línea de la boca. Tiene firmeza en el perfil pero también bondad y delicadeza. Tiene, diríamos, esperanza en las cuencas de los ojos, pero también desesperación. ¿Sabes una cosa, hermanito? Lo que más me impresiona en esas esculturas es el silencio. Es un silencio que parece que lo ha hecho el mismo artista, que lo he hecho yo. Además, ¿no has visto que muchas veces la cabeza de una persona desconocida que no habla es una cabeza que dice mil cosas al mismo tiempo? Y son cosas importantes, extraordinarias, sublimes. Cuando habla nos decepciona porque sólo dice una cada vez. Sí, hermanito. Y con el acento de la voz y con la poquedad de lo que dice destruye el misterio. Mientras estaba callada nuestra alma iba a ella y le atribuía las grandezas y las confusiones y los anhelos y sobre todo las contradicciones de nuestra propia vida. Era buena y era mala. Era santa y era criminal. Estaba viva y estaba muerta. Pero al hablar ha volado el pájaro.

—¿Qué pájaro?

—El de la maravilla, hermanito. Y no creas que esa maravilla está sólo en el silencio del que hablaba antes. Va más lejos. Voy a descubrir esa cabeza y verás.

Lo hizo, volvió a mi lado y siguió hablando:

—Lo tiene todo, esa cabeza. Tiene hasta la duda de los paganos en los tiempos antiguos. Tú dirás, hermanito: ¿qué duda? Una duda que tendrás tú cuando seas mayor porque eres inteligente. Y que tengo yo ahora. Mira esa cabeza. Podría ser la de Benedicto José, no digo que no. Está por encima de la felicidad o la desgracia, por encima del placer y del dolor, por encima del amor y del odio. Pero en esa cabeza hay duda y el santo francés del que me hablas no debía dudar nunca. De otro modo no podía haber vivido como vivía. Yo sí que dudo, a veces. Bueno, cuando estoy solo. Pero en los últimos días el lugar de la duda ha sido ocupado por un sentimiento nuevo. Sí, hermanito: el gusto de haber hecho yo con mis manos una obra como esa. ¿Comprendes? ¿Tengo derecho a esa felicidad? Yo no sé. No hay que saber sino que hay dolor en el mundo y que ese dolor se convierte en oración. No me interrumpas. Espera, hermano. Hay muchas maneras de rezar. Esto que hacemos ahora, tú escuchando y yo hablando, y esa cabeza mirándonos, es rezar. Sí, hermanito. Cuando tú haces un esfuerzo para entenderme estás rezando. Pero cuando hacía yo esa cabeza no rezaba. Cuando yo hago una cabeza como esa, ¿sabes qué pienso? Pues que soy muy listo. Y me rezo a mí mismo como si yo fuera Dios. Anda, hermanito: toma este martillo y dale un golpe en la frente. Aunque veas que me río estoy hablando en serio. Anda, dale un buen martillazo. A los niños os gusta romper cosas. Tienes una buena ocasión.

246

Yo había tomado el martillo, que era grande y pesado, pero vacilaba. El lego seguía soriendo:

—Rómpela.

—No.

—¿Por qué?

—Parece que está viva. No puedo. ¿Cómo voy a darle en la frente?

Dejé el martillo en la mesa de carpintero, cerca del gato que dormitaba y que al oír el ruido abrió los ojos y alzó las orejas. El lego decía que los dos éramos cobardes por no atrevernos a romper una cabeza de mármol. Y miró al gato.

—Ese animalito a su modo tiene también el alma líquida. Una almita pequeña y líquida. ¿Ves? Ahora está mirándote y pensando: ese chico es joven. Es más joven que el fraile y viene al taller porque está harto de estudiar. Pero voy a llamar la atención del gato y verás lo que pasa.

Tosió dos veces y cuando el animal volvió la cabeza el hermano lego se lo quedó mirando con ternura. Con una ternura un poco tonta. Sabiéndose el gato acariciado por aquella mirada rosnaba, feliz. Cuando el lego dejó de mirarlo el *ron-ron* cesó y los ojos del gato se entornaron. El lego volvió a toser y el gato a despertar. En cuanto sus miradas se cruzaron el animal volvió a ronronear, amistoso. El gato doblaba sus manitas delanteras y se adormecía de nuevo.

—¿Cómo se llama?

—El pobre —dijo el lego— estaba en la despensa y tenía un nombre que no merecía, la verdad.

—¿Qué nombre?

—El hermano intendente lo llamaba Asmodeo.

—¿Quién es Asmodeo?

—Un diablo, hermanito. Un diablo cojo. Me parece injusto. Cojea un poco, el gato, porque puso la pata en una ratonera y se hizo daño, pero yo creo que la cojera no la tendrá siempre porque cada día está un poco mejor y cuando se excita a la vista de los pájaros se olvida de su pata y no cojea lo más mínimo.

247

Como no veía por allí al niño Jesús pregunté dónde estaba. El lego me dijo:

—Lo he puesto en el altar. ¿Sabes cuántas lámparas eléctricas tendrá alrededor? Doscientas sesenta, todas formando rosas y lirios en medio de una floresta de oro. Para las fiestas de Navidad que van a comenzar dentro de unos días. Tú no estarás aquí porque te habrás ido a tu casa a comer pavo y marzapán. Todos se van pasado mañana.

—Todos menos yo —dije—. Bueno, tampoco se van Pere ni Pau, porque ayer se ha muerto su abuela.

—Oh, hermanito. ¿En tu casa se ha muerto alguien también?

—No. Yo no voy porque mi familia está levantando la casa para instalarse en Zaragoza.

—Ah, ya veo. ¿Vais a vivir a la capital?

Dije que sí. Por un lado me halagaba. Por otro me entristecía porque estaría separado de Valentina. La mitad de la familia había ido a Zaragoza y la otra mitad seguía en la aldea. ¿Cuántas lámparas había dicho que tendría el niño Jesús?

—Doscientas sesenta. Luego iré a terminar la instalación. Pero antes bajaré al sótano a buscar cinta aisladora.

Apretaba entre las manos dos pequeñas tablas que acababa de pegar con cola.

—Yo puedo ir si quiere —le dije.

Me gustaba el sótano. Era como la bodega de uno de los barcos de **Salgari**.

—Espera. Llévate esta nota al despensero. Si no, no te la dará.

Escribió dos líneas en un papel. Salí corriendo. En los sótanos se almacenaban no sólo víveres sino otras cosas de uso frecuente: herramientas de todas las clases, cajas de tiza para las pizarras, cuadernos, mesas individuales de pino, sin pintar y tela para blusas o sábanas o toallas. También, al parecer greda húmeda para esculpir.

Pero la mayor parte de aquellos espacios estaba destinada a despensa. Latas de víveres, docenas de jamones, toneladas de

248

patatas, cientos de sacos de alubias y garbanzos, cajas de frutas secas, chocolate, huevos, tocino. Olía aquello de un modo denso y suculento. Los techos estaban abovedados y las cajas apiladas formaban pasillos extensos. En uno de ellos, al pie de un muro hecho con barriles y sacos había una mesita de madera y allí estaba el despensero, hombre ya viejo y de una gordura desorganizada y floja. Vestía pantalones de franela y camisa de cuello romano. Encima llevaba un guardapolvo de dril. En los sótanos no había polvo y en cambio abundaba la humedad. El guardapolvo parecía adaptado al cuerpo como las camisas húmedas del verano. El despensero al que Ervigio llamaba "don Genitivo" estaba muy atareado en la mesa, rodeado de tinteros de diferentes colores y de plumas.

Mi primera impresión fue la de haber visto al despensero antes. Por fin supuse que era el fraile de los sótanos del castillo de Sancho Garcés Abarca. (Aquel fraile que decía que si cortara la cuerda de los ahorcados cada trozo se convertiría en una serpiente.)

Supuse que estaba haciendo las cuentas de la despensa en aquellos cuadernos. El despensero se ponía la pluma en la oreja y alzando sus pequeñas manos reía:

—No sé quién eres, pollastre; pero sé muy bien lo que buscas.

Se levantó y de una caja de metal sacó dos pastillas de chocolate y me las dio. A pesar de su gordura y de sus años —debía tener más de cincuenta— se movía con agilidad. Entretanto miré sus cuadernos y vi que estaba copiando verbos latinos con la más pulcra letra gótica que se puede imaginar, y la primera persona en tinta verde. Todavía el nombre del verbo con los diferentes tiempos acumulados estaba escrito en grandes capitulares. Dijo al verme tan curioso:

—Estudio para cura. ¿No lo sabías? Hace diez años que estudio. El próximo año tendré las órdenes menores.

Y volvía a reír *en i*. Había en su mesa restos de comida y al volver la cara hacia mí yo percibía una ligera brisa a vino. Por supuesto, no de aguardiente ni de otras bebidas viciosas sino de simple y honrado vino tinto. Recordaba yo el estribillo de una canción en la que se cuenta a los chicos la historia de un pequeño ratón goloso que vive siempre metido dentro de un queso. Esa impresión me daba el despensero, quien me miraba con una complacencia de abuela y decía:

—Yo supongo que tú eres un gran latinista. Un gran *pollastre* latinista.

Parecía hinchado y lleno de verbos latinos, de los pies a la cabeza. Le dije que estábamos haciendo un trabajo en latín para el padre Chaveta.

—¿Quién es el padre Chaveta? —Preguntó repentinamente serio—. ¿No es el reverendo padre don Fulgencio Honorato Cabrera?

—Sí, ese mismo.

—Ya sé que Ervigio les pone motes a todos. Mira, aquí los tengo apuntados.

Me mostraba una lista con muchos apodos. Unos los conocía, pero otros eran nuevos para mí. Se referían a los profesores de los cursos avanzados y a otras personas. Entre esos apodos figuraba el del reverendísimo padre Jenaro de la Calambrera, que era el de física. El apodo se refería tal vez a las corrientes de alta tensión de las rejas de las ventanas. Supongo que no era cierto esto último pero los chicos hablaban. También decían que había en largos armeros cerrados con llave fusiles y municiones. Esto sí que lo creo.

En la lista del intendente había nombres con los que estaba yo familiarizado. Por ejemplo, "Chamusquina." No tenían que decirme que era el padre Lucas. El pobre tenía que sufrir las bromas de los chicos por el hecho fortuito de haber podido huir de un convento incendiado.

Parecía el hermano despensero perdonarme lo del padre Chaveta y me preguntaba qué clase de ejercicio latino hacíamos.

—*Parva propia magna, magna alienta parva.*

El despensero plegó los brazos, volvió a reir en *i* y dijo:

—Vamos a ver, ¿y tú qué me dices de eso?

Mi alma líquida me insinuó que aquel despensero tenía la secreta ambición de ser un día profesor de latín. Pero debía

250

darse prisa, porque el poco pelo que le quedaba en la cabeza era ya plateado. En lugar de contestar pregunté a mi vez qué hacía con aquella lista de apodos. Me dijo que estudiaba los motivos que habíamos tenido para dar aquellos nombres a los profesores. A él nadie le había puesto apodos ni se los pondrían. Fue a buscar otra pastilla de chocolate. Yo comprendí que el pobre quería evitar el apodo por medio del soborno. Pero llegaba tarde. Ervigio se había adelantado.

Le enseñé la nota del lego del taller y él la leyó y me dio un rollo de cinta aisladora. Me marché dejando atrás la risa en *i* del despensero. Cuando llegué al taller el lego parecía triste:

—Ya ves —me dijo—. No quieres romper esa cabeza. **Di la verdad. Tienes miedo.** ¿Por qué tienes miedo? Desde que tú lo has dicho, yo tampoco me atrevo. Y ahí está mirándonos.

Cuando volví al patio el padre Ferrer quiso saber dónde había estado. Otras veces había mentido, pero entonces no fue posible. Callaba y pensaba: ah, me vigila. Sospechando que el lego del taller podría tener alguna culpa de mis ausencias me callé y preferí que me dejara dos días sin recreo.

Recibí una carta de Valentina. Contaba los días que faltaban para Navidad —la pobre no sabía que yo no iría— y me decía que los sesenta grillos que habíamos puesto en el jardín se morirían, lo que era una lástima. Su padre repetía; ojalá llegue una buena helada que acabe con todos. Pero leyendo aquella carta yo sonreía con suficiencia. Si las heladas acabaran con los grillos hace tiempo que no habría uno solo en el mundo. Aquellos animalitos sabían meterse debajo de la tierra y esperar la primavera. Cuando llegara mayo vería el padre de Valentina lo que era bueno.

En la post-data Valentina decía que si yo no era partidario del matrimonio, ella tampoco. Me pedía que le explicara más sobre el amor libre. Y me copiaba de su libro de misa un largo párrafo donde se hablaba de amor aunque a la manera mística.

Le escribí contándole la visita al observatorio y hablándole de la cabeza de mármol y del lego del taller del que decía que aunque era muy sabio —más que el padre Ferrer— a veces me pedía un consejo. Del amor libre le decía que era el más adecuado para dos personas verdaderamente enamoradas y le anunciaba una carta próxima con todo género de información. En una larga post-data le dije que mi padre me prohibía ir a la aldea en las navidades.

Al día siguiente comenzaron los estudiantes a hacer sus maletas y dos días después no había nadie en el colegio más que Pere, Pau y yo. El edificio era todo nuestro. Nos perdíamos en el refectorio donde comíamos hablando por los codos sin que nadie nos dijera nada y sin necesidad de subir a leer a la tribuna. Después íbamos a la capilla, al sótano, a la sala de estudios, a todas partes menos al recinto de clausura y al observatorio. Nadie se preocupaba de nosotros. El día parecía mucho más largo a pesar de ayudar al lego en la capilla y de acompañar al hermano Pedro por todas partes.

Además de aquellas actividades voluntarias me quedaba tiempo para leer. Agoté los libros de Salgari y tuve que echar mano de las vidas de los santos. Los misioneros sacrificados por los pueblos salvajes me impresionaban, pero el hecho de que aceptaran el martirio y no trataran de defenderse, quitaba a aquellos hechos gran parte de su sentido humano. ¡Cuanto más convincente era para mí la muerte de Magallanes peleando a brazo partido con los indios en una isla del Pacífico!

Andaba libremente entre los libros aunque los diccionarios seguían encerrados con llave y yo miraba a través de los cristales los tomos de la R y de la V. Sin embargo en aquellos días era feliz y pienso ahora que aquella pequeña prohibición hacía más gustosa mi libertad. En cuanto a estar o no con Valentina la cosa me parecía incómoda pero no trágica. Por el momento sus cartas me bastaban.

Pere, Pau y yo salimos una mañana con un fámulo —es decir, con un sirviente civil de los que limpiaban los cuartos y hacían las camas y otras diligencias— y lo aprovechamos para recorrer la ciudad. El fámulo era un pícaro que decía palabras malsonantes y se burlaba de los curas. Cuando pasaba cerca

252

de una chica bonita se ladeaba la gorra de uniforme empujándola hacia arriba por un lado y decía en catalán:

—Quina noia!

Anduvimos por el centro de la ciudad. A mí aquella pequeña urbe aunque no tenía ya las luminarias del centenario de Constantino me parecía de una belleza fantástica y envidiaba a la gente de Reus sólo por el hecho de vivir allí. Ser empleado de comercio, coductor de tranvía o mozo de restaurante en aquella ciudad me parecía maravilloso.

Había en el centro de la ciudad una calles tan rectas, unas plazuelas tan limpias, unos comercios tan esplendorosos como en la misma Zaragoza. No me cansaba de mirar en la Plaza de la Constitución el monumento a Prim. Sobre un pedestal de mármol había un caballo y un jinete de bronce de tamaño natural. Me dijeron que a aquel hombre lo habían asesinado y yo creía que la gloria consistía en ser muerto a tiros y tener después una estatua como aquella en una plazuela de adoquín mojado por la lluvia.

Las fiestas de navidad fueron menos alegres que en mi casa, pero tuvieron su encanto. Lo más importante fue la capilla, brillante como un ascua de oro. En el centro del altar estaba la imagen del niño Jesús hecha por el lego de taller y recostada en una floresta de metales brillantes cuajada de pequeñas lamparitas. El niño, con los brazos abiertos parecía invitarnos a abrazarlo y todo era en él tan natural que si no tuviera una aureola detrás de la cabeza se habría dicho que era un niño vivo.

Una de aquellas tardes me quedé largas horas en mi cuarto viendo la ciudad bajo la lluvia. Habitualmente ningún estudiante estaba nunca en su cuarto sino a la hora de dormir. Era nuestro cuarto el lugar menos familiar para nosotros. Cada celda tenía una cama de hierro con dos almohadas y una colcha azul. Al lado de la ventana, una percha. Al otro lado un lavabo de hierro. Dos sillas y una mesita de noche completaban el ajuar sobre el suelo de frío mosaico.

Aquella tarde estuve en mi cuarto largas horas solo. Por primera vez en mi vida sentí la angustia de la ausencia. Me sentía lejos y solo. Naturalmente, pensaba en Valentina Y aquella cortina de lluvia menuda con hilos brillantes en medio de otros grises, las siluetas borrosas de los edificios, las chimeneas de la fábrica cuyo ladrillo mojado pasaba del gris a un rosa vivo fueron dándome una tristeza cuyos fondos se perdían en las lejanías remotas, tal vez —pienso ahora— anteriores a mi nacimiento. Habría querido hacer más definitiva y sin remedio mi soledad y prolongar mi avidez. Ir a algún lugar donde no pudiera estar nadie más que Valentina y yo y sentir en él los últimos fondos no sólo de la delicia sino también de la angustia.

Al oscurecer tenía miedo —nunca lo habría confesado, pero era verdad— y volví a la capilla. Los fieles llenaban el templo. Yo estaba con la comunidad en las galerías del segundo piso cubiertas con celosías a través de las cuales se podía ver al público, pero el público no podía vernos. Los curas cantaban villancicos al compás del órgano y entre una canción y otra se nos permitía a Pere, a Pau y a mí soplar en unos silbatos de barro llenos de agua que imitaban prodigiosamente el canto de los pájaros. En esa tarea nos ayudaban los fámulos y el hermano Pedro, que era una especie de director de la orquesta pajariquera.

La música del órgano era acompañada también de panderetas, hierros (un triángulo colgado de la esquina del órgano) y castañuelas. El hermano lego tocaba además una especie de dulzaína o chirimía que llamaba *la tenora*. Con todo aquello había en la iglesia una algarabía notable. Las luces, el niño Jesús, los fieles bien vestidos, daban al templo una atmósfera fastuosa y de una alegría inocente:

> En el portal de Belén
> nació un clavel encarnado
> que por redimir al mundo
> se ha vuelto lirio morado...

Yo cantaba recio y los hermanos Pere y Pau no se quedeban atrás. Veía al lego del taller con la cara iluminada de un gozo interior y los ojos puestos en el altar en cuyo centro estaba el Niño. Me acerqué y dije:

—¿Usted lo hizo y usted le reza?

El pareció despertar:

—Calla hermanito. ¿No te expliqué en el taller? Todos los niños que nacen son como él. ¿Y no vienen de Dios igual que ése? ¿Quién movía mi mano cuando lo tallaba? Quién me daba la luz del día para que pudiera trabajar? ¿Quién había fabricado la madera? Ay, hermanito. Calla. Calla y reza.

Tenía el lego los ojos húmedos. Por ellos se veía —pensaba yo— su alma líquida. Pero volvían las canciones. Cantaban ahora en catalán. Pau me daba con el codo y me decía:

—Esto sí que lo sé cantar. Es *la Pastoreta*.

Porque no sólo se cantaban canciones religiosas sino también profanas.

> *Què li donarem a la pastoreta*
> *què li donarem per ana a ballar?*
> *Jo li donaria una capuxeta*
> *i a la montanyeta la feria ana.*
> *A la montayeta no hi neva ni hi plou*
> *i a la terra plana tot el vent ho mou.*

Al llegar aquí volvía a comenzar la canción por el primer verso, pero Pere y Pau seguían con dos o tres más, que al parecer no se debían cantar, porque el padre Ferrer acudió con un dedo en los labios. Las prohibiciones pequeñas o grandes venían siempre del padre Ferrer, lo mismo en el coro que en la clase y en el patio. Mientras decidíamos lo que aquella orden podría ser cantaban los dos hermanos como becerros:

> *Sota L'ombreta, L'ombreta, L'ombri*
> *flors i violes i romani.*

Estaban todos en el coro, incluso el despensero que se había puesto la sotana.

Después fuimos al comedor. Comimos los tres estudiantes, como siempre, en la inmensa sala vacía, pero al llegar los postres vino a buscarnos el hermano Pedro y nos llevó al refectorio de la comunidad que era un gran salón con una mesa en forma de herradura. Todos los curas y los hermanos estaban en sus puestos y acababan de comer, también. No había en los muros sino un cuadro que representaba a Jesús haciendo el milagro de los panes y los peces y un crucifijo en la cabecera. En el centro de la sala entre los dos lados de la herradura había un ancho espacio vacío. Allí estábamos Pere, Pau y yo sentados frente al padre Superior, que presidía.

Pere y Pau iban en mangas de camisa y yo también, aunque llevaba el chaleco de mi traje de pana verde y en él era visible la cadena de plata de mi reloj. Pere y Pau eran un año más jóvenes que yo y parecían mucho más infantiles. Comimos los postres con la comunidad. Había varias clases de mazapán, turrón de Jijona, guirlache, pasta de nieve y crema de frutas. Nos pusimos como el chico del esquilador.

El lego del taller estaba en un extremo, atento y silencioso.

El padre Ferrer se puso a bromear y a decir, mirándome a mí, que en una noche como aquella el aragonés que se estimaba bailaba la jota. ¡Qué manía con la jota y con el baile! Yo no contesté, pero Pere y Pau comenzaron a dar voces diciendo que ellos la bailarían muy gustosos. Lo malo era que no había música. El lego del taller fue a buscar la tenora al coro. Entretanto el padre Ferrer me dijo:

—¿Por qué no bailas tú también?

Yo lo miraba y no decía nada. Habría bailado si no se tratara de complacerlo a él. Pau se sentía en aquel momento tan alegre con la familiaridad de los frailes que estaba dispuesto no sólo a bailar sino a bailar de coronilla. Me dijo en catalán:

—*Portes armilla i no balles?*

Las risas hicieron coro.

Fuera se oía la tenora del lego, que venía tocando por los corredores. El hermano Pedro había tomado una pandereta y sonaban los crótalos de metal y los golpes del pergamino. Viendo que los dos frailes a quienes consideraba mis amigos intervenían en la fiesta cambié de opinión. Cuando el lego del taller entró al refectorio la música de la dulzaina y la pandereta agitaban de tal modo la atmósfera que bailar era algo natural y sin violencia. Comencé a bailar con Pere y Pau. Si en algún momento me sentía a disgusto miraba al hermano Pedro y él mismo, tal vez para animarme, saltaba golpeando la pandereta en sus rodillas. El lego del taller soplaba en la tenora y tenía las dos mejillas exageradamente infladas como si tuviera dos naranjas en la boca. Seguíamos bailando. Cuando el ritmo del baile cesaba y la tenora marcaba la entrada en la canción yo canté:

> *En el valle sale el sol*
> *en Montearagón la luna*
> *y en el castillo de Apiés*
> *la rueda de la fortuna.*

Pere no quería ser menos y cuando le llegó el turno cantó en catalán:

> *A l'esmorzar em donen sebe,*
> *per dinar, seba amb pa.*
> *i a sopar, per no fer foc,*
> *seba m'en tornen a da.*

Reían los frailes a carcajadas. Volvimos a bailar. El padre Ferrer callaba y miraba con la gravedad de una persona decepcionada. Yo pensaba: "Ah, ya veo. Querías que me negara a bailar porque tal vez has dicho al padre superior que soy insociable como me dijiste a mí una vez". Para mí entonces ser insociable era negarse a bailar. En cierto modo es verdad. Pensándolo entonces bailaba con más convicción.

Tuvimos grandes aplausos. El superior me pidió que recitara algo de "La Vida es sueño" y yo con la respiración agitada por el baile dije:

257

Sueña el rico en su riqueza
que más cuidados le ofrece
sueña el pobre que padece
su miseria y su pobreza
sueña el que a medrar empieza
sueña el que afana y pretende
sueña el que agravia y ofende
y en el mundo en conclusión
todos sueñan lo que son
aunque ninguno lo entiende

Otra vez me aplaudieron y vi que entre los que aplaudían estaban el lego del taller y el padre Ricart con su fama de sabio. Recordaba con placer que aquél cura había llamado a Prat "dinosauro" botarate y beduino.

La fiesta terminó pronto. En el corredor vi al hermano despensero, el de los sótanos, que decía al padre Ferrer con un acento jeremíaco:

—Como se lo digo, padre. Si hubiera seguido yo mismo los consejos que doy a los demás, ahora sería por lo menos canónigo.

De las grandes fiestas siempre salen los chicos enfermos. Pau tuvo una indigestión, Pere un resfriado. Yo, anginas. Como ellos no tenían fiebre siguieron haciendo la vida ordinaria y siendo los amos del convento. Yo con fiebre alta me quedé en la cama. Pero tenía papel y pluma y escribí a Valentina. Le decía más o menos lo siguiente:

"Tengo que decirte que estoy bien (ADG) y que como te decía en las dos cartas anteriores, el mejor amor es el que llaman amor libre. Esto consiste que nos ponemos a vivir juntos sin boda ninguna porque el matrimonio es una rémora. Así, que ya ves.

"No he ido de vacaciones. Mi padre y el tuyo están de acuerdo para que no nos veamos, pero un día saldré de aquí y entonces ¿qué?

"En tiempos como los de los abuelos se comprendía el matrimonio, pero entonces no había luz eléctrica. Ahora

258

es distinto. Piensa en el amor libre y dime qué opinas. Yo con el amor libre te querré igual que ahora, porque más es imposible. Así que tú verás.

"Sobre el señor de las dominaciones tengo que decirte que era broma. Las dominaciones son coros de ángeles unos verdes, otros amarillos y otros de mezcla y en todos ellos manda Dios. Algunos son bastante patudos, pero no importa. Yo soy más fuerte que otros chicos dentro del tamaño y la edad. Esto es por la vida en el campo donde no es como aquí, porque en el campo la gente vive más natural y cuando es vieja se muere muy sana.

"Aquí le gano a Prat aunque es más grande, pero es por algo que pasó el primer día que llegué al colegio. Ya te lo contaré verbalmente.

"Tu inolvidable.—Pepe.

"P. D.—He visto Marte, la luna, el sol y la vía láctea con Santiago sentado en su trono.—Vale."

Y todavía en una segunda post-data añadía una canción que yo le había "sacado":

De los altos Pririneos
bajaba una cardelina
por ver un amor que tengo
que se llama Valentina.

Estuve en la cama todo el día, bastante aburrido. Por la mañana, hacia las diez, había subido a verme el hermano Pedro:

—Aquí vengo con los Santos Oleos, dijo, bromeando.

Dejó en la mesilla un vaso de jugo de naranja y una aspirina y se fue. No permitían a los otros chicos venir a verme, por el miedo al contagio.

Aquél día el cielo se veía cubierto y a ratos la lluvia volvía a tender sus tristes cortinas. A las cuatro de la tarde la celda estaba en sombras y hasta las ocho en que subían Pere y Pau y me traería al hermano Pedro la comida estuve a oscuras. Durante cuatro horas no vi más que un pequeño rectángulo de luz amarillenta proyectado en el suelo por la mirilla pautada que había en la puerta.

En aquellas cuatro horas la fiebre subió y vi y sentí cosas raras que hoy recuerdo perfectamente. Veía a través de los cristales de la ventana nubes lejanas que se confundían con el humo de las chimeneas de la fábrica. Estas eran mucho más altas que el edificio del colegio, pero desde la cama se veían los remates.

Las sábanas estaban frías. La fiebre alta daba al miedo extrañas proyecciones. No pensaba en nada y me quedé adormecido con la sensación extraña de que me disolvía en las sombras del cuarto. Cuando desperté volví a pensar en Valentina. Mis reflexiones eran pesimistas, porque me gustaba pensar que no la vería nunca más. Pero si no la veía —porque mi familia se iba a vivir a Zaragoza— ¿cómo iba yo a vivir sin ella? Consideraba aquello una desgracia irremediable y habría querido ponerme enfermo, más enfermo. Realmente enfermo. Las nubes bajas y la lluvia me deprimían. Habría querido morirme, aunque sólo fuera para molestar a mi familia. ¿Qué podría hacer para agravar el estado de mi garganta? Se me ocurrió una solución infantil: contener el aliento. Lo contenía lo más posible y sólo volvía a respirar cuando me sentía entrar en la asfixia. Estaba seguro de que repitiendo aquel ejercicio acabaría por empeorar mi garganta. No percibía ningún síntoma y lo atribuía a que no contenía bastante la respiración. Sucedía un hecho curioso. Cuando creía entrar en la asfixia veía que las sombras del cuarto se iban haciendo color rosa. Aquello me intrigó y me propuse resistir más. Percibiendo sin embargo a mi alrededor el aire completamente rojo, me asustaba.

Repetí la experiencia hasta llegar a sentir zumbidos en los oídos y las sombras se hicieron color rosa y luego negras. Después, de improviso, completamente rojas. Asustado me puse a respirar normalmente. Y a pensar en cosas agradables. Por ejemplo, la cabeza de mármol. Tenía una preocupación extraña. Creía que yo mismo, José Garcés, podía ser un santo como el vagabundo Benedicto José, sin estudiar y sin aprendar nada. O como el payaso San Felipe Neri. Aunque prefería el vagabundo. A veces creía que tenía yo un halo amarillo alrededor de la cabeza. Pero pensaba: eso es absurdo. Si lo dijera a los frailes creerían que estaba loco. Sin embargo y aunque no fuera santo bien podría ser un mártir. Y los mártires tenían aureola. Yo era en realidad un mártir o al menos heróicamente desgraciado, lejos de Valentina. Tal vez de esa desgracia, que se aproximaba al martirio, venía el halo. El halo de los mártires del amor.

Al día siguiente pude levantarme y hacer la vida ordinaria. Llovía aún y todo parecía demasiado mojado y lejos del mundo.

En la capilla creía percibir el halo amarillo en torno de mi cabeza. De mi cabeza de mártir de la crueldad paterna.

Por la tarde fui a la sala de estudios y como estaba solo y nadie me vigilaba anduve por las estanterías tomando y dejando libros. Una vez más miré si los diccionarios me eran accesibles, pero en aquél lado de la librería había correderas de cristal cerradas con llave.

Días antes había leído un cuento sobre un rey antiguo a quien sus enemigos querían envenenar. No podían porque el rey bebía siempre en un vaso hecho con un cuerno de unicornio y en ese vaso todos los tósigos perdían su morbilidad. Yo estaba intrigado con el unicornio y fui al hermano Pedro a pedirle una vez más que me dejara el diccionario. Después de grandes dudas el hermano sacó el tomo de la U, buscó unicornio y cuando lo encontró me dijo:

—Anda, lee deprisa porque tengo que hacer y no puedo estarme aquí toda la tarde.

Leí intrigado por los dibujos —nunca había visto un caballo con un cuerno en la frente—. El libro decía que era un animal muy feroz pero dulce con las mujeres virtuosas y que sólo una virgen podía acercársele y dominarlo. Devolví el diccionario y mientras el fraile lo guardaba otra vez con llave pregunté:

—¿Qué es una virgen?

El fraile parecía arrepentido de su tolerancia. **Por fin** dijo:

—¿No sabes quién es la Virgen María?

—Sí.

—¿Qué sabes de ella?

—Que era virgen antes del parto, en el parto y después del parto. Pero. . . ¿no hay otras vírgenes?

El fraile parecía incómodo:

—Claro, muchas más. Pero las otras vírgenes son. . . profanas por decirlo así.

Sacó un reloj enorme, miró la hora y dijo que se le hacía tarde. Salió deprisa y lo oí alejarse por los corredores. Fuera, seguía lloviendo.

Quería leer, pero los libros de las estanterías eran casi todos de devoción y los de entretenimiento los conocía ya. Acerqué una silla y traté de alcanzar los más altos. El primer volumen tenía la palabra "amor" en el lomo. Y era un libro grueso. Debía haber allí una gran cantidad de amor. Estaba escrito en latín, pero pensando que tal vez por eso sus enseñanzas serían más secretas y difíciles me apoderé de él. Suponía que podría yo entender algo de todo aquello.

Me di cuenta en seguida de que el libro estaba lleno de cosas importantes. El autor era un sacerdote. Un tal Fray André Chaplain, y lo había escrito en 1170. Ayer, como quien dice. Trataba de las cortes de amor en Provenza y citaba nombres de personas que vivían entonces e incluso opiniones de un Papa, Inocente V, de Aviñón. Todo parecía lleno de misterio y autoridad. Amor. En aquellas letras góticas de la cubierta la palabra "amor" me parecía grandiosa. Pensaba en Valentina.

Llevé el libro a mi mesa junto a una ventana enorme que daba al claustro del segundo piso. Fuera del claustro la lluvia seguía cayendo y era como una oración en un idioma antiguo. Saqué una hoja de papel y un lápiz por si llegaba algún fraile. De este modo sería más fácil disimular.

Comencé por el índice. Mi curiosidad se había quedado prendida en un capítulo que tenía el siguiente enunciado: "El verdadero amor, ¿puede existir entre esposos?" La duda me pareció escandalosa. Vi desfilar muchas opiniones de gente distinguida: princesas, duques, sacerdotes, diciendo todos que no. El matrimonio hacía del amor una obligación. Las razones, muy largas y filosóficas, no me preocupaban, pero esa afirmación tan categórica hacía crecer de un modo inesperado mi estimación por Planchat. Sin duda él había leído también aquél libro.

Apunté en latín la frase donde esa afirmación era más clara con la intención de enviársela a Valentina y a algunos amigos, traducida. Todavía hoy la recuerdo en latín: *Dicimus enim et stabilito tenore firmamus amorem non posse inter duos jugales suas extendere vires.* (Afirmamos y sostenemos por la presente declaración que el amor no puede extender sus derechos sobre dos personas casadas). Luego venían los nombres, como digo, de más de cincuenta hombres y mujeres al parecer respetables en su época. Incluso sacerdotes y monjes. No se me ocurría a mí entonces pensar que el matrimonio del siglo XII debía ser bastante distinto del de hoy. El marido tenía entonces derechos sobre la vida de la mujer y había otras circunstancias crueles. Si el marido podía matar a su mujer, la fidelidad no tenía gran valor. La esposa sentía más miedo que amor.

Tales codicias y curiosidades despertaba aquel libro que habría querido leerlo no página por página sino todo junto y de una vez. Pero había partes que no entendía.

Naturalmente, pensaba en Valentina, en sus padres y en los míos. La sentencia latina que sonaba a ley y a edicto y a dogma y a liturgia, me parecía inapelable. Aquellas mismas personas que firmaban la tremenda declaración habían escrito una especie de código del amor con treinta y tantos apartados. Todos ellos sonaban dulcemente a mis oídos por tratarse de amor. Recuerdo algunos más o menos exactamente porque los copié y quise aprenderlos de memoria como aprenden algunos abogados los artículos de las leyes:

"Nadie puede ser privado de su derecho al amor." (Yo pensaba en las arbitrariedades de don Arturo.)

"Por la acción de los celos la dolencia de amor crece siempre."

Eso de la "dolencia de amor" me parecía en aquellos días muy adecuado, porque la soledad y la lluvia me hacían sentir por primera vez que el amor podía ser motivo de tristeza y volvía a considerarme a menudo un mártir con mi aureola y todo.

Había cosas en aquel código de amor que yo no entendía. Por ejemplo:

"La persona que ama, palidece en presencia del ser amado."

"El enamorado está siempre temeroso."

No recuerdo ahora sino algunas sentencias entre las que copié. Pero el código terminaba de un modo triste y contradictorio. Decía que nada se oponía a que un hombre fuera amado por dos mujeres y una mujer amada por dos hombres. Esto último era intolerable y me hacía pensar en el primo de Valentina, el hijo del *político nefasto*.

Era la tarde de una tristeza angustiosa. La lluvia seguía. No siempre el tiempo era lluvioso en Reus, pero los días de sol esplendoroso los recuerdo menos. Aquella tarde parecía que todo el mundo lloraba porque yo no había ido a casa ni podía estar con Valentina. Los primeros días de Navidad fueron agradables porque el hecho de verme solo en el colegio tenía una gustosa novedad. Después pareció que el universo se me caía encima. Ni Pere ni Pau ni yo íbamos al almacén a sacar bicicletas ni patines. Nos quedábamos dentro del edificio todo el día.

Yo pasaba páginas y más páginas del libro de Fray André Chaplain confuso por aquella última conclusión del código del amor. Pero podía muy bien aprovechar lo que a mí me convenía en relación con el amor libre y desechar el resto. Las cosas que me parecían inadecuadas las consideraba como tonterías de personas mayores.

Al caer la tarde oí un rumor en el pasillo de acceso a la sala. Era uno de esos rumores que hacen sospechar la aparición de un fantasma: unas zapatillas rozando el suelo de una manera rítmica y una respiración asmática. Supuse que era el padre superior y como no tenía tiempo de llevar el libro a su sitio, lo guardé en mi pupitre y me puse a escribir una carta.

Cuando me vio el superior, dijo:

—Eh, tú, Pepe. ¿Qué haces aquí tan solo?

—Escribir a mi familia.

El padre se acercaba. Parecía querer aprovechar aquella ocasión para decirme algo. Vino a mi lado y se sentó en la mesa próxima:

—Ya que estás aquí, quiero hablarte. Me han dicho que tus calificaciones no son buenas y puedes suponer que a mí me duele tener que enviarlas a tu familia. No quiero dar un disgusto a tu padre.

—Pueden enviarlas. No importa, —dije sin cuidado alguno.

—¿Cómo que no te importa? ¿Qué estás diciendo? Debes pensar que tu padre te quiere y paga para que te eduques y te hagas un hombre de provecho.

—Yo creo que mi padre no paga sino para sacarme de casa. No quiere que esté allí. ¿No ve usted que ahora mismo me obliga a quedarme en el colegio en lugar de ir de vacaciones como van los demás?

—Vamos, vamos. ¿Cómo puedes pensar eso?

—Porque es verdad.

—¿En qué te fundas?

Mi propia voz me parecía impresionante. Me dispuse a hablar acumulando la mayor autoridad posible. Con el superior no podía menos de ser sincero. Y queriendo convencerle recordaba los hechos de los que se desprendían mis argumentos mejores. Una vez yendo yo con mi padre por la calle pasó un conocido y dijo: "Don José, no es necesario que diga quien es este zagal porque salta a la vista. Es su propia estampa." Más tarde mi padre se me quedó mirando con una expresión fría y dijo: "No sé qué pasa. Yo no te veo el menor parecido conmigo.". Dije al padre superior:

—No me quiere porque no me parezco a él.

—Vamos, vamos. No seas tonto.

—De veras, padre. Crée que no soy hijo suyo.

El superior me miraba asombrado. Aquel asombro me hacía sentirme ridículo y busqué más argumentos:

—Tampoco lo cree mi madre. Un día dijo que yo no podía ser hijo suyo y que alguno debía haberme cambiado en la cuna cuando yo era pequeño.

El superior soltó una carcajada. Luego me pidió que cuando terminara la carta fuera con Pere y Pau, que andaban buscándome. Pero me miraba como si quisiera seguir hablando. Y no decía nada. En vista de eso continué yo:

—En nuestra tierra se dan casos de chicos cambiados en la cuna. Yo he oído contar historias de esas.

Me di cuenta de que el superior no me creía. Fuera seguía lloviendo.

Sin añadir una palabra el padre superior se levantó, fue despacio hacia las estanterías tomó un libro y volvió a salir lentamente.

Aquellos lugares del colegio donde yo había estado otras veces con todos los demás chicos y ahora eran sólo para mí me daban una sensación de poderío un poco mágica.

Volví al libro sobre el amor.

La lluvia me aislaba del mundo. Tenía la lluvia el don de convertir cada claustro en un alcázar o en un barco fantasma. El rumor de la lluvia producía tristeza, pero era una tristeza gustosa. Recordaba algunas tardes pasadas en las Pardinas de mi pueblo donde de pronto se ponía a llover y llovía sobre la que llamaban "balsa quemada" —un ancho estanque— del que los patos salían corriendo y escandalizando. Una tarde estaba allí con Valentina, en una ventana, mirando la lluvia. Llovía encima de la balsa y Valentina decía que en la superficie del agua se formaban ampollitas como de cristal y que cuando era más pequeña creía que eran canicas de vidrio. Los patos corrían al cobertizo. En una torre truncada había un nido de cigüeñas y Valentina veía que se mojaban las dos grandes aves y decía muy seria que le gustaría subir con un paraguas y ponérselo a las cigüeñas encima. Yo la tranquilizaba diciendo que tenían una capa de plumas mejor que todos los paraguas del mundo.

Tenía Valentina muchas ocurrencias curiosas. También decía que el año anterior había visto patinar a unos chicos en patines de ruedas y creía que les habían puesto aquellas cosas en los pies porque no podían caminar.

Recordaba también aquella tarde en el colegio que por las Pardinas pasaba a veces un mendigo viejo que me miraba y miraba a Valentina sonriendo y yo pensaba que aquella sonrisa me inquietaba un poco mientras que Valentina le sonreía también con una completa confianza. Luego ella me decía: "Yendo contigo toda la gente me parece buena."

Como se ve en el colegio había cambiado yo bastante. Me atrevía a confesarme a mí mismo que a veces tenía miedo. Pienso que esto se debe a que estaba obligado a convivir con chicos más grandes y más fuertes ante los cuales no valía hacerse el valiente.

Parecía la lluvia diferente de la que yo estaba acostumbrado a ver en las Pardinas, en el castillo de Sancho Abarca y en la aldea. Ponía un telón gris detrás de los arcos del claustro y resbalaba graciosamente por las cornisas exteriores y los capiteles. No hacía frío. Nunca hacía frío, en Reus.

Hechas mis anotaciones sobre el libro del amor me levanté y fui a dejarlo en la estantería. Luego salí y bajé al primer piso evitando los lugares donde suponía que estaban Pau y Pere. Me asomé al estudio del hermano lego. No estaba. Yo sabía que se había marchado días antes a visitar a su familia que vivía en una aldea próxima. En el estudio no había nadie. Es decir, estaba el gato, como siempre, sentado sobre el pecho del crucifijo de madera. Por los anchos ventanales se veía la cortina persistente de la lluvia. El gato al oír mis pasos abrió los ojos y me miró. Luego volvió a **cerrarlos.**

Buscaba yo la cabeza de mármol sin hallarla, cuando oí ruido en la puerta. Eran Pere y Pau, que me habían seguido, pero parecían intimidados por el lugar y vacilaban. Salí a su encuentro:

—Fuera. Aquí está prohibido entrar.

Pensaba que los secretos de la contrucción de las imágenes, con pechos de madera y rodillas falsas cubiertas con colchas bordadas de oro no debían mostrarse a chicos pequeños y "faltos de imaginación" —eran las palabras del lego—. Salí con ellos cerré la puerta con llave y dije:

—A este cuarto no se puede venir.

Por si acaso, volví a la puerta, saqué la llave y me la guardé en el cinto. Me miraba Pau con admiración. Pere como si quisiera compensar mi autoridad me enseñó una carta de su padre en la que le había incluído un billete de veinticinco pesetas. Yo pensaba en mi padre. "A mí no me envía dinero —pensé— porque no soy su hijo". Esta reflexión me daba una extraña importancia ante mí mismo.

Desde aquel día y creyendo que tenía derecho a la venganza contra mi padre por haberme dejado en la escuela durante las vacaciones, me propuse estudiar menos y ser el peor alumno. Mantuve este propósito con el mayor celo.

Al hacerse de noche la lluvia perdía importancia. La luz artificial alteraba el orden de nuestros sentimientos y los tres chicos fuimos al comedor a jugar a la oca. Este es un juego en el que pueden intervenir tres o más personas y era el preferido de Pere. Pau iba sacando de una bolsa de cuero bolitas de madera con números. No decía el número sino por alusiones y símiles poéticos que nosotros conocíamos ya. Por ejemplo, en lugar del 15 decía "la niña bonita". En lugar del 22, "los dos patitos". En lugar del 25, "Vicentico". En lugar del 77, "la guardia civil". En lugar del trece, "cara sucia". Y así los demás.

Aunque físicamente Pere y Pau eran casi iguales su carácter era muy distinto . Pere era irritable y quisquilloso y Pau paciente y sin nervios. Estuve a punto de preguntarles si sabían lo que era *una virgen*, pero me pareció humillante siendo ellos más pequeños. Me reservaba para hacer la pregunta a Planchat porque la reacción del hermano Pedro me advertía que era cosa de sexo y que no debía esperar de ningún otro fraile revelaciones sobre aquella materia.

Llegó otra carta de Valentina. Decía que estaba de acuerdo con el amor libre. Pero luego estuve muchos días sin noticias de ella y mi hermana Concha me escribió que había estado enferma y que no la dejaban salir. Parece que estando en la mesa un día que tenían invitados se habló de matrimonio y cuando la madre doña Julia le dijo a Pilar que el matrimonio era la finalidad más importante de la vida, Valentina intervino y causó escándalo con sus ideas. Comenzó por decir que el matrimonio era una rémora. Después declaró que ella no se casaría nunca.

—¿Y lo dices tú que tienes novio? —preguntó la madre.

—Sí, mamá. Pero Pepe y yo no nos casaremos, porque somos partidarios del amor libre.

El padre dió un golpe en la mesa que hizo bailar los saleros y aguantando la risa ordenó a Valentina que saliera del comedor. No sabiendo si ofenderse o reírse, murmuraba: "La mocosa... ¿de dónde sacará esas ideas?" Lo que más asombraba a don Arturo era que sus reprimendas no le hicieran a la niña el menor efecto.

Poco después comenzaron a volver los estudiantes. Llegaban ruidosos y alborotadores, como siempre.

Escribí a Valentina diciéndole que el amor entre esposos era imposible y que más tarde le enviaría la declaración en latín firmada por los sabios franceses. Le decía luego que yo tenía una aureola y que también la tenía ella porque éramos mártires de nuestros padres y sufríamos por amor y teníamos el alma líquida. De todo eso le hablaría el domingo por la tarde, que volvería a escribirle.

Los chicos hablaban de los regalos de los Reyes Magos. Muchos creían aún en Melchor, Gaspar y Baltasar. Yo mismo dudaba a veces y tan pronto creía que existían como que no. Se me contagiaba la fe inocente de los chicos más jóvenes.

En la sala de estudios el hermano Pedro me miraba a veces y me hacía un guiño sorbiendo rapé con sus grandes narices porosas. Presidiendo la sala el hermano era como un ídolo antiguo de piedra. A veces yo, fatigado de la inmovilidad y el silencio me acercaba y queriendo saber lo que duraría todavía el suplicio de la vela le preguntaba.

—¿Sabe usted que hora es?

El hermano sacaba un gran reloj de níquel, abría la tapa, volvía a cerrarla, se lo guardaba y me decía:

—Sí. Sí que lo sé.

Era otra de sus bromas campesinas. Entonces yo le pedía que me lo dijera y haciéndose el sorprendido decía:

—Con mucho gusto. Son las siete y diez. Pero tú sólo me habías preguntado si sabía la hora.

Al día siguiente durante el tiempo de recreo fui al taller. El hermano lego había regresado.

Me recibió muy contento y sin dejar de sonreír me dijo que su padre estaba muy enfermo y que tal vez moriría pronto. Me extrañaba que pudiera hablar de aquello tan ligeramente y el fraile alzó las cejas:

—¿Por qué? ¿Qué es lo que no comprendes?

—Parece como si se alegrara de la muerte de su padre.

—Hombre, hermanito, tanto como eso. . . pero el pobre ha sufrido mucho en la vida y le espera el premio. Claro es que yo no me alegro de que se muera. Pero tampoco me parece una catástrofe que cambie sus ochenta años tristes por una eternidad de bienaventuranza. ¿No te parece natural? ¿O es que por egoísmo sería mejor desear que siguiera viviendo entre enfermedades, sombras y recuerdos amargos? No, hermanito. Eso sería ridículo. Yo quiero mucho a mi padre, pero no puedo quererle más que Dios mismo. La cosa no es fácil de comprender para la gente, pero tú eres distinto.

¿Yo? Para mí la muerte era una tremenda desgracia y sólo la del padre de Valentina o la del mío podían ser entendidas de otro modo (especialmente la del mío). No creía que el padre del hermano lego estuviera en el mismo caso.

Conté al fraile los acontecimientos de los últimos días. Tuve fiebre alta y estuve en la cama y nadie subió a verme. También le dije que desde entonces tenía a veces un aura amarilla alrededor de la cabeza.

—Mejor es —dijo el lego después de reflexionar un poco— que no vengas al taller tan a menudo.

Creía que esa ilusión de la aureola era por nuestras conversaciones.

—Es mejor no hablar de esas cosas —añadió.

—¿Por qué?

—La gente común no las entiende.

—Pero yo la tengo, la aureola. ¿No le parece?

—Claro que sí.

Esto me dejó asombrado de veras. Le dije riendo que no. Yo sabía que no la tenía, pero me gustaba imaginar que podía tenerla, sobre todo cuando era desgraciado.

—Pero la tienes de veras —decía el lego.

—¿La ve usted?

—Sí. La veo en todos. Todos los hombres la tienen.

—No. Usted olvida que hay ladrones, bandidos, asesinos, moros, renegados. . .

—Ellos —dijo el lego bajando la voz y mirando alrededor— también. Sólo que nosotros no la vemos. Para ver esa aureola del criminal hay que saber más que tú y yo, hermanito.

Y añadió, viéndome todavía confuso: "Todos la tienen, pero por favor no repitas estas cosas fuera del taller. Como te digo, amiguito, todos tienen tu aureola porque no hay un solo hombre sin su conciencia y en ella sufren y purgan sus pecados antes de morir. Y la providencia que todo lo dirige y vigila sabe que los malvados son igual que los demás. Cuando un criminal o un santo hacen algo bueno o malo con la luz o con la sombra del bien o del mal que han hecho la providencia les prepara otros sucesos y no puede nadie evitarlos. Y sufre o goza otra vez y así se va formando una cadena que los ata a la roca del destino igual que a nosotros y que a todos. Vivir tiene mérito, hermanito. Tiene muchísimo mérito. Y la aureola la merecen todos. Los buenos y los malos, por el simple hecho de haber nacido.

El lego descubría la cabeza de mármol que estaba otra vez tapada con un lienzo. Detrás de ella había una vieja cornucopia rota donde la luz última de la tarde se reflejaba. El lego miraba su obra:

—Ahora —dijo— parece que esa cabeza vive por derecho propio. Vive más que tú y que yo porque no nos atrevemos a hacer nada contra ella.

Yo pensaba en lo que había dicho antes sobre la aureola. Me parecía bien, pero no podía aceptar que la tuvieran personas como el padre Ferrer y chicos como Prat y Ervigio. Y menos hombres mayores como mi padre. La idea de que mi padre tuviera una aureola me incomodaba.

—Ya veo, hermanito. Quieres la aureola para ti y en todo caso para tus amigos. Y eso no es justo. Hay que ser generoso y desear el bien de los otros. No sólo en eso de la aureola sino en todo. ¿Tú sabes? Si fueras mayor, me comprenderías. Todo lo que vive merece respeto y amor. Lástima. Un día serás mayor. Y quizá seguirás siendo egoísta y orgulloso. Y yo no me atreveré a hablarte, hermano. Por eso te hablo ahora. Te veré cuando seas grande y no sabré qué decir. Porque seré tan inferior a ti que me dará vergüenza mirarte. Oyeme bien, ahora. Podemos tenerlo todo, pero todo lo perdemos en la vida. Todo, menos lo que hemos dado voluntariamente. Es decir, que sólo la generosidad y el amor nos salvan, hermanito. ¿Qué es el amor? Ante todo, el deseo de no ser más que los otros y de hacer lo que nos toca en la vida. ¿Tu ves? Cuando hablabas mal del padre Ferrer eras desgraciado. No me digas que no, porque yo lo sé. ¿Quién sabe a que extremos de infelicidad podría llevarte ese odio? En cambio si probaras a hacer algún acto de humildad con él y con los chicos que te enfadan verías en seguida que eras mucho más feliz. Es buen negocio, ser bueno. Yo no te pido que hagas esas cosas, compréndeme, hermanito. Son ejemplos que te pongo. Esas cosas no se hacen porque otro las diga. Aunque cuando llegue el caso estará bien que les demuestres que no los odias y que olvidas tus resentimientos si los tienes. ¿Me oyes, borriquito?

—Eso es lo que dice la doctrina. Amar a los enemigos. Pero, la verdad, eso es una tontería, hermano.

—¿Por qué?

—Pues, salta a la vista. ¡Querer a las personas que no nos gustan! Bah. Eso es imposible.

Seguimos hablando de otras cosas.

Estuve algunos días pensando en esto y por fin una mañana de domingo después de confesar y comulgar fui al patio dispuesto a reconciliarme con todo el mundo. Tal vez el hermano lego tenía razón. El padre Ferrer no estaba. Iba y venía en su lugar el hermano Pedro. Prat trataba de ponerse unos patines y sentado al pie de una columna se hacía un cuatro para ajustárselos al pie. Fui a su lado a ayudarle. Vi que la presión de la abrazadera de metal era suficiente. Luego pasé las correítas, las enlacé con las hebillas y dejé los pies listos y en perfectas condiciones. Prat me dejaba hacer y se mordía las uñas. Yo estaba casi arrodillado. Cuando terminé salió Prat patinando sin darme las gracias. Luego volvió a toda marcha, se agarró a una columna, dio una vuelta entera alrededor y dijo:

—Castellá, si quieres que le dé un par de cates a Ervigio sólo tienes que avisarme.

Quise decirle que otras veces se los había dado yo y que no necesitaba ayuda, pero me callé. Esperaba yo a Ervigio con intenciones bien distintas. Cuando aquel zascandil vio que me acercaba se puso a recitar grotescamente aludiendo a lo que acababa de ver y haciendo gestos de teatro:

Doblo la cerviz rendido
y vuestra clemencia imploro.

No podía imaginar Ervigio que yo acababa de librarle de dos cates de Prat. Miraba su cabeza y recordaba lo que me había dicho el hermano sobre las aureolas. Con Ervigio se equivocaba. Tenía algunos días Ervigio una cabeza de ajo frito incapaz de ser relacionada con una cosa tan noble como una aureola. Le dije a pesar de todo:

—Somos amigos y puedes decir lo que quieras porque no me ofendo.

Le golpeé amistosamente la espalda y lo dejé lleno de confusiones. Cuando me alejaba oí que le decía a Pau:

—Ahora Prat tiene un criado nuevo: el Castellá.

Pero en su acento no había rencor ni saña alguna. Fui a recostarme en una columna. Veía las nubes blancas sobre el cielo y me sentía agradecido a mí mismo. Luego recordé que tenía que indagar por cualquier medio lo que era una virgen. Tal vez Planibell lo sabría. Planibell me había visto también atarle los patines a Prat. Hizo como que perdía el equilibrio —estaba patinando— se agarró a mí y rodamos los dos por el suelo. Yo me hice una fuerte escoriación en la rodilla y sangraba. El culpable quiso huir pero el justiciero padre Ferrer —había que reconocerle a veces esta cualidad— apareció de pronto. Le llamó bárbaro y le dijo que se quedaba sin recreo. Tratando de ayudar a Planibell yo afirmé que la culpa había sido sólo mía. Planibell se mostraba confuso y repetía:

—¿Usted ve? El mismo lo dice.

Fui cojeando a la enfermería donde me pusieron yodo. El fraile seguía acusando a Planibell a quien yo defendía tímidamente. Tanto insistí que el fraile acabó por perdonarlo. Luego me miró con una expresión lejana y me dijo:

—¿Qué te pasa, Pepe? ¿Es que no te sientes bien?

Por la tarde escribí a Valentina enviándole la sentencia latina sobre el amor. Le hablé también de la aureola y de que todos la tenían menos algunas personas como Pilar.

En la sala de estudios cedí mis lápices de colores a Pau y ayudé a Pere a hacer una tarea difícil de geometría.

Continué portándome así con todo el mundo y tres días más tarde ví que comenzaban a ponerme fama de santo. A los hermanos Pere y Pau no les faltaba sino arrodillarse a mi paso. Fui al hermano lego y le conté lo que sucedía. Todos hablaban de mi santidad. Era muy difícil ser uno del montón y pasar desapercibido. El lego movía la cabeza como si el ser santo o parecerlo fuera una desgracia. Y me dijo:

—Es verdad. Debes evitar que hablen de ti, hermanito.

Comprendía que el lego tenía razón y me propuse desde entonces ser lo más discreto posible. Había observado que después de hablar los chicos de mi santidad y comprobar luego que no era tan santo por pequeños detalles en los que me mostré egoísta y fanfarrón comenzaban a dejarme en paz. Parecía que la decepción de la santidad hacía de mi un chico sin interés.

Dejaba la iniciativa de las bromas a Prat o a Ervigio. Incluso de las bromas con Caresse, que solía ser mi víctima así como Pau era de Planibell y Ventós de Prat. Lo curioso era que a nuestras víctimas las defendíamos de los otros, siguiendo la tradición clásica según la cual el esclavo adquiere derechos con su señor.

Un día estando en el gimnasio con Ervigio le pregunté si sabía lo que era una virgen. Le expliqué lo del unicornio y cómo sólo una virgen podía acercársele y dominarlo. Ervigio me decía:

—Todas las mujeres que se llaman María son vírgenes. ¿No ves que están bautizadas bajo el patronato de una virgen? María de la Concepción, María de los Desamparados, María de las Angustias, y así todas. Eso lo sabe cualquiera.

Pero el chico traía una intención secreta, no conmigo sino con Caresse a quien se acercó muy extrañado:

—¿Qué te pasa? —dijo—. ¿No te duele algo? Parece que tienes la cabeza inflamada.

Caresse se había quitado la gorra de uniforme que era parecida a la de los oficiales de marina y la había dejado en la percha. Caresse miró a Ervigio y dijo:

—Sal de mi presencia, traidor.

Ultimamente llamaba traidor a todo el mundo como consecuencia de las decepciones de nuestra amistad. Lo curioso era que a pesar de todo volvía a caer pronto en alguna nueva inocentada. Fue y vino haciendo ejercicios gimnásticos. Otros compañeros preparados por Ervigio se acercaron a Caresse a decirle también que parecía tener hinchada la cabeza. Entretanto Ervigio tomó la gorra de Caresse y puso adentro, debajo de la banda de cuero, varias tiras de papel muy bien ajustadas de modo que no se vieran por fuera.

Cuando Caresse terminó sus ejercicios fue a ponerse la gorra y comprobó que no le entraba. Palideció. Ervigio acudía, consolándole:

—Con una semana en la cama y quizá una pequeña operación en las glándulas ciríacas todo pasará.

—¿Qué son glándulas ciríacas? —peguntaba Caresse.

Tratábamos de ponerle la gorra y al ver que realmente no le cabía, Ervigio comenzó a decir:

—Lástima, a tu edad. Es el mismo caso de mi tía, sólo que a ella le extirparon la cariátide y se puso bien.

Caresse fue al hermano Pedro, quien descubrió el papel debajo de la badana. Al día siguiente todo el mundo decía que a Caresse se le hinchaba la cabeza en el gimnasio. El chico perdió la paciencia y dio dos o tres golpes con sus largas manos huesudas.

Pocos días después hicimos una excursión al pantano de Riudecañas. Fuimos en el tren. Ocupábamos varios coches. Habían llevado sacos de cacahuates, de manzanas, de naranjas. El hermano Pedro a pesar de las molestias de una excursión como aquella parecía divertirse también.

Llegamos a media mañana.

El pantano era como todos: una enorme presa de piedra en el lecho de un río. Las aguas remansadas reflejaban un cielo azul tranquilo y limpio.

Vimos las cámaras donde estaba el mecanismo para abrir las esclusas, las instalaciones de turbinas generadoras y nos hablaron de la fuerza de resistencia de la presa, de la fuerza de expansión del agua y de la energía que liberaba cuando era abierta la esclusa maestra. Nadie hacía gran caso. Ervigio buscaba a los campesinos a quienes llamaba "bucardos", para

276

reírse de ellos. Les hablaba en una mezcla de catalán y castellano diciéndoles cosas incongruentes con una gran seriedad. Ellos lo miraban con recelo.

Comimos al aire libre de un modo gozoso y campestre.

En la parte baja de la presa el muro producía eco y los chicos iban allí a dar voces. Mientras discutíamos Pere y yo sobre la cantidad de aldeas de aquel valle que serían inundadas si la presa del pantano fuera destruida, vino Pau a hablarnos del eco. Detrás venía Prat. Yo le dije a Pau que había ecos y ecos y que no todos eran iguales. Ervigio me daba con el codo y decía por debajo: "Redeu, este Pau se lo cree todo." Luego me guiñaba el ojo y me decía algo al oído. Pau preguntaba:

—¿Qué ecos dices que hay?

—Los hay muy sinvergüenzas —respondía yo después de oír algo que Ervigio me había dicho al oído.

Ervigio se había puesto de acuerdo con Prat para burlarse de Pau. Yo también era más amigo de Prat desde que le ayudé a ponerse los patines. Prat se había escondido detrás de **unas rocas** y delante del lugar de la presa donde se produ**cía el eco.**

Llevamos a Pau al pie de la presa y primero gritó el nombre del pantano:

—¡Riudecaaaaañas!

El eco devolvía las voces, pero un poco distintas: —¡Pelaaaaanas!

Pau sin poderlo creer decía: "se ha equivocado. ¿Na habéis visto que se ha equivocado?"

Luego gritaba el nombre de su pueblo:

—¡Ampoooosta!

Y el eco respondía:

—¡Idiooooota!

Volvía Pau a su asombro: "No dice exactamente lo mismo que yo. Cambia algunas letras."

Y volvía a dar grandes voces:

—Yo soy Paaaau. . .

—Tú eres Paaaau. . .

El chico se volvió hacia mí:

—Ahora —dijo— el eco ha respondido bien.

Todos estábamos muy serios. Pau gritó un nombre de mujer, el de su novia, quizá:

—¡Loooola!

—¡Leeeelo!

Pau decía: "se ha equivocado otra vez y siempre que se equivoca me insulta". Corrió al hermano Pedro, quien acudió a ver qué sucedía. Pau le decía que el eco allí estaba insultando a la gente.

Gritó Pau otra vez su nombre y Prat que no sabía que el fraile estaba escuchando dijo dos o tres suciedades que rimaban con "au". Al hermano Pedro le entró una risa espasmódica que nos contagió a todos. Pero la cosa era aburrida y nos fuimos.

Después de la comida pasó un avión en dirección a Tarragona. Los aviones eran entonces una novedad. El fraile nos dijo que hacía ocho años había visto volar el primer avión sobre Cataluña y que fue de Reus a Tarragona en treinta y cinco minutos. El aviador era francés y se llamaba Vedrines.

No creía el hermano Pedro que esos inventos fueran necesarios. ¿Para qué tanta prisa? Yo contaba que a un tío mío, campesino, le proponían comprar un coche y le decían: "Sale usted con este automóvil, es un suponer, a las nueve, y a las diez está en Zaragoza." Mi tío decía: "No me conviene. ¿Qué hago yo a las diez en Zaragoza?"

Yo no hablaba a ningún estudiante del lego del taller porque consideraba su amistad como un privilegio secreto. Creo, sin embargo, que el hermano Pedro estaba enterado. Aquel fraile sabía todo lo que se relacionaba con nosotros. Me puse a hablarle mal de Ervigio. El hermano sonreía, me miraba y volvía a sorber rapé sin decir nada. Nunca conseguí hacerle hablar mal de nadie.

Un chico de primer año se hizo una lesión en el muslo tratando de partir una rama seca para hacer fuego. La herida era pequeña, pero profunda y tenía forma triangular. Mientras lo curaban —apenas si le salió sangre— yo veía que en la herida la carne mostraba grasa blanca igual que la carne de cerdo y pensaba que tal vez se podía freír como el tocino. Esta idea me parecía estúpida pero no la podía evitar.

Volvimos al tren y a las cinco de la tarde estábamos en el colegio otra vez.

Dudaba de lo que me haba dicho Ervigio sobre la virginidad de las Marías y pregunté a Planibell. Este también estaba confuso y cuando le dije la opinión de Ervigio dijo que sí, que las vírgenes eran mujeres que se llamaban María. Yo pensaba con desánimo en mi hermana pequeña que tenía ese nombre. Ir con ella a cazar el unicornio me parecía denigrante.

Ervigio se acercaba los domingos por la tarde a mi mesa mientras yo escribía cartas y miraba por encima de mi hombro. Cubría yo el papel con la mano y me volvía a mirarle. Entonces él se iba bailando y repitiendo:

Inés, Inés, Inesita, Inés

El nombre de la prima de Prat lo decía Ervigio para aludir a las novias de los otros, a las cartas de amor y a todo lo que tenía relación con esas importantes cuestiones de nuestra vida privada.

Aquella tarde fui a ver al lego del taller. Y me sucedió algo de veras extraordinario. Abrí la puerta, entré y al principio no vi a nadie. Pero tenía la seguridad de que el lego estaba allí. No tardé en verlo caído en el suelo boca arriba al pie de un San Miguel que tenía la espada alzada en el aire y parecía amenazarle. La impresión primera fue que estaba muerto. Desde el pecho del crucifijo el gato me miraba y miraba al lego, indiferente. Yo salí de espaldas, sin dejar de mirar al fraile que seguía en tierra, inmóvil. "Se ha muerto", repetía y no sabía qué hacer, si correr a decirlo a los otros frailes o guardar el secreto. Cuando llegaba a la puerta me pareció que el lego se movía. Salí sin hacer ruido y esperé afuera, un poco. Luego volví a asomarme y vi que mi amigo estaba trabajando como si tal cosa. Entré otra vez. En el muro, dos de las ventanas estaban abiertas de par en par.

En cuanto el fraile me vio se dio cuenta de mi extrañeza:

—Hermanito —me dijo—. Tú has estado antes aquí y me has visto caído en el suelo. ¿No es verdad?

Yo no decía nada. Me parecía escandaloso haber visto a alguien "muerto" y volver a verlo vivo. El lego se daba cuenta:

—Has venido, me has visto caído en el suelo y te has marchado corriendo, asustado. ¿No es eso?

Yo afirmaba con la cabeza. El fraile dijo:

—Ya pasó. He abierto las ventanas. Ahora estoy mejor, pero tengo la cabeza pesada y el estómago agitado. Quizá tendré que ir al retrete a devolver. ¿Qué pensaste cuando me viste caído ahí? ¿Que estaba borracho? ¿Que estaba muerto?

—No. Pensé que estaba en trance como Santa Teresa.

El lego quiso reír pero no pudo. Se llevó las dos manos a la boca, se puso más pálido. Luego me miró lánguidamente y dijo:

—He encendido una hornillita de carbón para hacer unas soldaduras de estaño y el gas carbónico se me ha subido a la cabeza. Otra vez me pasó lo mismo, hermano. Ahora con las ventanas abiertas no hay cuidado. Como ves valgo poca cosa. Soy flojo. Dos alentadas de gas y ya ves: el hombre patas arriba. ¿Te has asustado?

—No. Sólo que cuando lo encontré muerto a los pies de San Miguel, que tiene la espada levantada, parecía usted el diablo.

Entonces se rió el fraile. Contagiado reía yo también. No creía lo que me había dicho el lego. Mentía —pensaba yo— y trataba de encubrir algo, tal vez algún secreto de personas mayores como el de las vírgenes sobre las que nadie quería dar noticias. El fraile se sentó un momento y se llevó las dos manos a la cabeza.

—No tiene importancia —dijo— pero podía haberme muerto, hermanito. Se dan casos.

—Usted —dije yo, animado por sus palabras— estaba bien muerto cuando lo vi.

—No. Muerto no. Sólo desmayado.

—¿Y qué vio usted durante ese. . . desmayo? ¿vio usted el cielo? ¿O el infierno?

—No, hermanito. No vi nada. Nada de nada.

Seguía yo sin creerlo. Tenía la impresión de haber descubierto algo de lo que no debía hablar y tal vez por eso tenía unas ganas de hablar tremendas. El lego lo comprendía y ni siquiera me pedía que guardara el secreto porque suponía que sería inútil. Me mostraba la hornilla encendida y repetía: "Eso produce gas carbónico. ¿Oyes? Si tú respiraras de cerca este gas te desmayarías también, hermano. Esto le pasa a todo el mundo." Yo creía a medias lo que oía. Había en todo aquello un misterio que relacionaba en aquel instante con el de la aureola. Buscaba con los ojos la cabeza de mármol. Otro misterio. La tarasca en un rincón miraba con la cabeza baja como si fuera a embestir. El gato sobre el crucifijo tenía a veces los ojos de un color verde marino con una rayita de luz perpendicular. ¿Qué pensaría el gato de todas aquellas figuras e imágenes? ¿Le impresionarían como a mí? El fraile me empujaba hacia afuera:

—Anda, márchate, hijo. Yo no me siento bien. Quizá tú vas a ponerte enfermo también. Márchate y si quieres ven a verme más tarde, cuando se haya limpiado el aire.

Salí. Como era natural lo primero que hice fue contarle lo ocurrido a Planibell, muy en secreto. Le dije que había visto al hermano lego como muerto. Planibel me escuchaba con cierto aire de superioridad y dijo que aquello se llamaba trance y arrobo, pero que no creía que fuera verdad porque a un lego no pueden pasarle esas cosas. Hay que estar ordenado de cura.

Se lo dije a Pau y a Pere. Ellos creían que Planibell mentía puesto que Santa Teresa no era cura, y, sin embargo, había caído muchas veces en arrobo. Lo que le pasó al lego no era trance ni arrobo, sino éxtasis. Y me enseñaron una estampa del libro de rezos donde estaba San Ignacio en éxtasis. Yo seguía hablando de aquello con los chicos y pocos días después todos los estudiantes repetían que el lego era un santo y hacía milagros. Esta vez nuestras habladurías no llegaron a conocimiento del padre Ferrer, ni de los otros frailes.

Jugábamos en las clases sin que los profesores se dieran cuenta. Sobre todo en la de francés. Me sentaba cerca de la puerta y llevaba preparado un muñequito de papel al que llamábamos el *perro del hortelano*. Tenía cuatro patas y una cabeza y podía ser lo mismo un perro que un gato o un león. Lo ponía en el suelo frente a la puerta por debajo de la cual entraba una ligera corriente de aire. Empujado por ella el perro del hortelano daba alegres carreras sobre el suelo de mosaico. El profesor no podía verlo porque estaba en un pequeño estrado y detrás de una mesa. Cuando el perro corría era difícil contener la risa. Sobre todo para el inocente Caresse, quien finalmente irritaba al profesor y era castigado.

Había un grupo de chicos catalanes muy beatos. Eran callados, obedientes, y dos o tres de ellos hablaban de hacerse curas. Con ellos hizo un efecto tremendo el éxtasis o arrobo o trance del lego, que yo les había contado. Me escuchaban con la boca abierta.

Días después uno de ellos, que se llamaba Tarsicio me dijo que sería cura y que terminaría la carrera a los diecinueve años. Yo le dije que seguramente no lo aceptarían si no podía enseñar un expediente de "limpieza cataláunica". Los otros tres beatos que andaban siempre cerca de Tarsicio se acercaron a preguntar qué era la limpieza cataláunica.

—Es para poder demostrar —expliqué muy serio— que vuestros antepasados no intervinieron en la muerte de Jesús.

Añadía como si fuera un hecho generalmente sabido que a Jesús lo mataron los catalanes.

—No, eso no es verdad. Lo mataron los judíos —dijo alguien muy excitado.

Yo simulaba una calma de persona mayor:

—¿Vosotros no sabéis que Poncio Pilatos antes de ser gobernador de Judea tuvo el mismo cargo en Tarragona? Ah, si no sabéis historia yo no tengo la culpa. Pero podéis mirarlo en el diccionario.

Tarragona estaba muy cerca de Reus. No más de una hora en tren y era sabido que allí estuvieron los romanos. Este dato tan concreto desarmaba un poco a los futuros sacerdotes. En cuanto al diccionario yo sabía que no podrían consultarlo.

—Vosotros sabéis —les dije— que los romanos sacaban sus tropas de las colonias y que los mejores soldados de aquel tiempo eran catalanes de la ribera de Llobregat.

—De allí soy yo —dijo uno.

—Y como eran tan buenos soldados Pilatos se los llevó a Jerusalén. Cien soldados y un centurión. El centurión era de Arenys de Mar e iba siempre jurando: *redeu, redeu, filldeput.* Ese es el que prendió a Jesús, lo clavó en la cruz y se jugó sus vestidos. Y se llamaba Lonchinat, de donde vino Longinos, el que dio también la lanzada a Jesús . Por eso, antes de ser curas los catalanes tienen que mostrar la "limpieza cataláunica". Desde hace cincuenta y dos generaciones. Para eso hacen falta muchos papeles. Muchísimos papeles. Y escudos, y árboles genealógicos.

—¿Cómo sabes tú eso? —me preguntó Tarsicio.

Yo tenía que buscar alguna garantía autorizada y dije que me lo había dicho el lego del taller. Para tranquilizarlos añadía:

—Ahora, si tenéis el árbol genealógico ya hecho la cosa es más fácil.

Los chicos escuchaban perplejos. Aquella palabra última —genealógicos— no la podían pronunciar fácilmente sus laringes catalanas. Por fin, uno declaró que su familia tenía esa limpieza cataláunica porque había en ella una monja y suponía que habían hecho las investigaciones para ella. Mientras hablaba llegó Ervigio, que escuchaba en silencio. Al oír lo de la monja intervino:

—No, eso no vale. Con las monjas rige otra ley. La ley de las Oblatas cuaternianas de Trento.

Luego, nos fuimos. Dejamos a los chicos llenos de dudas. Hablando de los milagros del lego, Ervigio, que tenía que burlarse de todo decía que el lego del taller moriría en olor de santidad y que tenía ya un poco de ese olor anticipado. Lo decía con su gesto habitual, arrugando la nariz. No quería decir que el lego olía mal, sino que llevaba la ropa impregnada de olores de pintura. Yo me llevaba, entonces, bien con Ervigio, quien me habló de un plan que había hecho con Prat para molestar al padre Lucas. Este sacerdote iba a tener a su cargo el sermón de viernes santo y había que deslucirle la fiesta. Ventós, el chico de aire hindú que andaba por allí se nos acercó y Ervigio interrumpió sus confidencias. Parecía Ventós ir sacando los pies del cesto y aprender de Ervigio. Viendo pasar al organista que era bastante enfermizo, dijo:

—Ahí va. Al pobre ya no le queda ningún órgano completo.

Ervigio siguió diciendo en qué consistía la broma contra el padre Lucas. Estaba de acuerdo con Prat y entre los dos la habían bautizado con el nombre de "el bostezo correlativo" que les parecía un nombre muy refinado y culto. El día del sermón mostraríamos nuestro aburrimiento en la iglesia bostezando al unísono por filas enteras.

Todo salió como estaba calculado. Prat tosió dos veces, lo que significaba que debíamos estar alerta. Luego una vez más (esa era la señal ejecutiva) y como en los movimientos gimnásticos al oír el segundo aviso los viente o treinta alumnos de la primera fila simulamos al mismo tiempo un largo bostezo cubriendo la boca con la mano abierta y echando la cabeza atrás. Al terminar la primera fila hizo lo mismo la segunda, luego la tercera y las siguientes hasta la última. El padre Lucas interrumpido en medio de una larga cita de San Jerónimo estuvo callado un momento, sorbió aire por la nariz, nos miró, miró también al coro como si buscara auxilio del padre superior y luego comenzó a vacilar —Prat decía a cacarear— hasta que decidió acabar el sermón alzando los ojos y diciendo otra frase en latín, también de San Jerónimo.

Los curas se dieron cuenta y nos preguntaron, pero todos dijimos que había sido una coincidencia y que los bostezos son siempre contagiosos. Yo veía al hermano lego en un extre-

284

mo del presbiterio, arrodillado. Oía toda la misa de rodillas, inmóvil, con una expresión de una discreta humildad. Pero desde que yo lo había visto caído en el suelo y sin conciencia lo imaginaba a menudo en aquella misma actitud. Muerto. Y suponiéndolo muerto pensaba en el "olor de santidad" del que hablaba Ervigio. Lo que creía ver detrás de su cabeza —a veces, de veras— era la aureola. Y me asombraba de que los otros frailes no se hubieran enterado del accidente del gas carbónico, porque los chicos hablaban de aquello dándole sentidos fantásticos. Nadie creía que el lego pudiera hacer milagros, pero a fuerza de decirlo se formaba en torno al lego una atmósfera de magia.

Escribí una carta a Valentina hablándole del bostezo correlativo, del unicornio, que seguía intrigándome y de que como ella se llamaba Valentina, y por lo tanto, no era virgen, no podría venir conmigo a cazarlo. Dije también otras cosas igualmente arriesgadas. Que tenía un amigo anarquista, que tal vez un día los obreros asaltarían el convento, que mi amigo el lego había muerto y resucitado y finalmente le copiaba unas líneas de amor místico —era el único que encontraba en el colegio— donde se hablaba del *deliquio*. Eso del deliquio me parecía a mí como un eufemismo del beso. Un deliquio era un beso en los labios. La prueba del verdadero amor me parecía entonces el beso en los labios . Era para mí repugnante la idea de besar a nadie en los labios. La sola imaginación de un beso así, me alteraba el estómago. Besar a una chica linda podría hacerlo sin necesidad de sentir amor por ella. En las mejillas, en la frente, en el cuello. Pero para besarla en los labios —lo que me parecía ligeramente sucio— había que estar de veras enamorado. Sin embargo, cuando pensaba en besar a Valentina en los labios no sólo no me repugnaba sino que me parecía gustoso. Quería tanto a Valentina —pensaba entonces— que podría, incluso, besarla en los labios. Aunque estuvieran húmedos de saliva. Eso debía ser el *deliquio*. No le dije estas cosas, pero sí otras parecidas.

Afortunadamente cuando escribí el sobre de aquella extravagante carta, la plumilla tenía demasiada tinta y dejó caer un borrón. Quedó el sobre sucio y con el propósito de cambiarlo dejé la carta en mi pupitre. Gracias a Dios esa carta no fue nunca al correo. Imagino lo que habría pasado en el caso de verla don Arturo, el padre de Valentina. Porque en la post-data le decía otra vez que como ella no era virgen no podía venir conmigo a cazar el unicornio.

Fui a ver al lego del taller quien me recibió con un rostro falsamente agrio.

—Aquí viene —dijo— el de los bostezos en la capilla.

Le juré que la idea no había sido mía. El me creyó y no quiso pedirme el nombre del culpable. Luego dijo:

—Sois injustos con el padre Lucas. El es bueno y os quiere. Además, es un sacerdote muy leído, muy culto.

—También nosotros lo queremos a él, hermano.

—Ya lo sé.

—Entonces. . .

—Eso digo yo. Entonces ¿por qué hacerle la vida imposible?

Ver al padre Lucas y sentir ganas de hacer algo contra él era todo uno y no había quien pudiera remediarlo.

Insistía yo en que queríamos a los curas y hermanos del colegio menos al padre Ferrer y el hermano lego me escuchaba con un oído y pulía un trozo de madera torneada en forma de columnita salomónica:

—Al padre Ferrer también lo quieres, —me dijo.

—¿Yo?

Sí, tú; si el padre Ferrer te dijera: Pepe, tú eres un excelente muchacho y el mejor actor que ha pasado por esta escuela. Si te dijera ésto, tú te considerarías el más feliz del mundo. Estoy seguro. Pero crées que él no te estima en todo tu mérito. No digas que no, porque sabes que estoy viendo todo lo que pasa dentro de ti. Pero hermanito, el padre Ferrer no puede estar siempre adulando a sus estudiantes. Trata con muchos y tiene que ser firme, justiciero y frío.

Yo callaba. El lego concluyó:

—¿Sabes, hermanito? Siempre tiene que haber alguien que lleve el peso de la disciplina. El padre Ferrer es el más sencillo y cordial de la comunidad. Pero es el que trabaja más con los estudiantes. ¿No has visto que siempre está con vosotros en el patio, en el refectorio, en la iglesia, en las clases? Trata de verlo tal como es y comprenderás que cuando hablais mal de él sois injustos.

—Bueno, —le dije yo cambiando de tema—. ¿Y usted cómo se encuentra?

—¿Yo? Bien gracias a Dios. ¿Por qué?

—¿No ha vuelto a. . . caerse muerto en el suelo?

—No, hermano. Antes de encender la hornilla abro las ventanas.

Olía a aceite, aguarrás, a barniz. Yo pensaba que tal vez ese era el olor de la santidad. Le hice otra pregunta:

—¿Y su padre? ¿No se ha muerto aun?

Pareció sobresaltado. Se quedó con la brocha en el aire, como dudando. Luego dijo:

—No. ¡Qué cosas dices!

A un lado estaba la cabeza de mármol. El lego parecía aquel día poco locuaz. Yo le dije por congraciarme con él que si me daba un martillo rompería la escultura. Estaba dispuesto a cerrar los ojos y dar un buen martillazo. El lego dijo que no y viendo que había un martillo a mi alcance lo tomó y lo puso más lejos para evitar tal vez la tentación. Se puso a preparar un lienzo para pintar. Tenía sobre la mesa una estampita pequeña de Murillo que al parecer se proponía copiar. No me hacía caso aquél día. Viendo que yo me disponía a salir dejó de pronto la brocha, vino hacia mí y me puso las manos en los hombros:

—Perdona, hermanito. Hoy no tengo tiempo. Y tu piensas que no te doy bastante importancia y te marchas enfadado. No te enfades con nadie y menos conmigo. Sobre todo ahora que se acerca el fin de curso, y por lo tanto el día de dejar el colegio. Voy a pintar una Purísima Concepción para el convento de Tortosa y tengo que darme prisa. Pero yo sé que vendrás otro día. Lo único que te pido es que no hables demasiado de mi. No digas que me he muerto y que me viste resucitar, no digas que soy esto o lo otro. Si se enteran los padres no puede sentarles bien tanta habladuría. ¿Tú sabes? Hay una aureola buena y otra mala. Una de oro y otra de lata. Cuando hablamos ligeramente de otros les robamos el oro de su aureola para ponerlo en la nuestra. Es lo que hacéis con el padre Lucas. Su aureola perdió el oro. Ahora es de lata roñosa y abollada. A mí no me importa que lo hagas conmigo. Mi aureola ha sido siempre de lata y no merezco otra. Pero si lo haces me dará pena porque creeré que me tienes malquerencia. Yo te considero mi amigo. ¿O es que no eres amigo mío?

Yo tardaba en hablar, conmovido. Por fin dije:

—Es usted el único amigo que tengo en la vida.

Lo miré solemnemente y añadí:

—Algún día le demostraré mi amistad, hermano.

Pareció alarmado.

—No, alteza. No me demuestres nada. Te veo ahora como cuando estabas en escena. Prometedor, amenazador. Los verdaderos sentimientos no es necesario demostrarlos. No tienes que demostrarme nada. Tu sabes que mi alma es líquida y que percibo todas las cosas. . . bueno, en lo que se refiere a tus sentimientos. Por favor, no trates de demostrarme nada, hermanito.

Se diría que entendía mi promesa como una amenaza. Salí despacio. En la puerta me volví a mirarlo. El pobre tenía una expresión temerosa, de angustia. Sabía que todos los chicos hablaban de él y tenía miedo. No me negaba la entrada al taller porque me quería y porque en caso de cerrarme la puerta temía que mi amistad violenta se convirtiera en resentimiento y odio. El sabía todo lo que yo pensaba de él y no podía menos de agradecerme mis sentimientos, pero no veía en ellos sino dificultades y mal entendidos. El escándalo de la santidad. El malentendido de sus *éxtasis*. El peligro de nuestras aureolas. El sabía que todos los chicos después de haber hablado de él, como de un perro que alzaba la pata contra el muro hablaban de sus arrobos y éxtasis y deliquios milagrosos. Debía el pobre arrepentirse de haberme permitido entrar la primera vez en su estudio. La vida es amarga y la amistad es un consuelo que crea a su vez incomodidades y nuevos problemas. Era "la escala de Jacob". Una escala infinita de luz y sombra y luz y sombra y luz y sombra. En los intersticios, diablos tallados en caoba roja, pintados de purpurina. O ángeles —querubes— que a distancia no se diferenciaban mucho de los diablos. Yo debía ser para él un elemento perturbador y al mismo tiempo una especie de ventana abierta a las alegres confusiones del mundo.

Acercándose los exámenes de la primavera —los exámenes privados del colegio, que eran preparatorios del exámen de fin de curso con los profesores del instituto provincial —estábamos bastante preocupados—. Aparte del padre Miró, cuya bondad era estimulante, los otros no habían logrado hacernos trabajar. Simulábamos estudiar en la *vela,* pero lo que hacíamos era "iluminar los programas", es decir poner iniciales, medias palabras y otros signos cabalísticos muy pequeños en las márgenes. Yo ponía muñecos que representaban al hermano lego con su aureola —la verdadera, la de oro— simulada con fuertes manchas de lápiz amarillo. Otros leían cuentos de Calleja, que como eran muy pequeños se ocultaban fácilmente dentro de los libros.

Estábamos muy mal preparados para los exámenes y no teníamos intención de mejorar si eso representaba alguna forma de esfuerzo. La cosa se presentaba amenazadora y Planibell, una tarde que estábamos comentándolo, dijo:

—El milagro de que yo apruebe no lo hace ni el lego del taller. ¡Ojalá me ponga malo!

¡Lástima de anginas o de muermo!

Estaba Prat también con nosotros. Dijo que el muermo era enfermedad de caballos y vacas. Ervigio parecía soñador. Planibell añadió:

—¿Sabes lo que digo yo? ¡Quién pudiera tener una buena ictericia como la que tuvo mi primo en el cuartel para escapar de las maniobras militares!

—Yo prefiero el examen, —dijo el pequeño Ventós, siempre razonable.

—Cállate tú —Planibell no toleraba a Ventós hablar delante de él—. Mi primo se puso enfermo *de conveniencia* el día antes de las maniobras y lo enviaron al hospital. Un buen truco.

Bajando la voz, añadió:

—Si tuviera yo un poco de azafrán veríais vosotros si me escapaba o no de los exámenes. Pero en esta escuela todos nos chupamos el dedo, todavía.

Explicó que su primo tomando en ayunas un poco de azafrán se había puesto amarillo como si tuviera la ictericia. Se pasó una semana en la cama bien tranquilo, leyendo y fumando.

Pensando en el despensero, dije yo que me comprometía a conseguir azafrán. Todo el grupo se llenó de esperanzas y quedamos en que iría a buscarlo. El despensero lo tenía en un tarro bastante grande, donde decía con las mismas letras visigóticas del *fuero juzgo: Bulbus irideus* . Pero estaba demasiado cerca de la mesita donde trabajaba y como yo no podía robarlo sin que me viera subí a decir a Ervigio que llamara por teléfono a don Genitivo para alejarlo del lugar.

Así lo hizo y pude alcanzar el tarro. Con los bolsillos llenos de azafrán salí de la despensa dejando al latinista en el teléfono.

Al día siguiente antes de tomar el desayuno repartí el azafrán entre Prat, Ervigio, Caresse, Planibell, los hermanos Pere y Pau y el pequeño Ventós guardando para mí una dosis mayor por ser el que lo había robado. Prat me pidió más porque según decía era más grande que nosotros.

Lo tomamos en ayunas y bebimos tres vasos de agua. No estábamos seguros de que el truco diera resultado. Pero lo dio. A media tarde estábamos amarillos como limones y el hermano Pedro iba y venía alarmado diciendo que aquello tenía que ser una epidemia.

Nos llevaron a la enfermería y al día siguiente comenzaron los exámenes. La cosa había salido bien. No nos dolía nada, aunque decíamos que teníamos vagos dolores para hacer la cosa más verosímil. En unos el dolor era en la garganta, en otros en el costado y en los más en la cabeza. Temeroso Prat de que lo dejaran demasiado tiempo sin comer dijo que le dolía un pie —era el miembro más alejado del estómago— y aquello le extrañaba mucho al médico.

Pero la aventura tenía sus peligros y nos dimos cuenta al ver que el doctor sacaba sus agujas de inyecciones con misteriosas ampolletas. Prat que presumía de valentía gritó como un cerdo, al pincharle. Cuando poco después se fue el médico, dejando a cada cual con su inyección, nos quedamos pensando si aquello valdría la pena. Viendo que la moral flaqueaba acordamos juramentarnos para no traicionar, cualquiera fueran los acontecimientos.

Yo, que veía el miedo de algunos (los hermanos Pere y Pau, a pesar de su delicadeza, afrontaban la aguja de inyecciones muy bien) trataba de asustar a Prat: no debía decir que le dolía un pie porque había casos de ictericia en los que cortaban una pierna. Decía también que en la aldea estuvieron a punto de cortarme el brazo derecho y que como el médico no tenía anestesia lo dejaron para otra vez.

—¿Qué es la anestesia? —preguntaba Prat.

—Era para que el ruido que la sierra hace contra el hueso no me diera dentera.

Prat estaba lívido. Yo seguía hablando de cómo los cirujanos cortaban los pies y los brazos y decía por haberlo oído que después de cortados seguían doliendo. Los chicos me escuchaban dos veces amarillos: por el azafrán y por el miedo.

Al final de mi larga disertación Prat que se levantó para ir al cuarto de baño iba cojeando un poco.

La cama de Prat estaba al lado de una ventana. La mía en un extremo de la sala y a cada lado de la puerta las de Pere y Pau. Las otras en el centro. Pere y Pau eran casi albinos y tenían un color lamentable. El médico mientras atendía a Prat o a mí se volvía a mirar a Pere y Pau asombrado de su color de limón maduro. Nos ponía el termómetro y viendo que no teníamos fiebre y que las funciones de nuestro cuerpo eran regulares, se quedaba confuso. No subían a vernos los otros chicos, pero como éramos tantos en la enfermería no nos aburríamos. Para que todo saliera bien el padre Salvá, que era el enfermero y tenía fama de ser riguroso y estricto, no vino a atendernos porque estaba él mismo en la enfermería de la comunidad con un fuerte resfriado. El que vino a vernos —es decir a verme a mí— fue el lego del taller. Yo había dicho a mis amigos que aquel frailecito adivinaba todo lo que sentíamos y pensábamos los demás. Caresse llamaba a aquello prestidigitación confundiéndolo con la telepatía, de la que había visto ejemplos en los circos. Yo no quise hablarles del "alma líquida" porque sabía que no lo comprenderían y que yo tampoco podría explicarlo suficientemente. En cuanto apareció el lego yo pensé: Va a descubrir nuestro truco. Llegaba con unas cajas grandes de cartón que dejó en el suelo. Nos miró a todos y dijo:

—¿Cómo se encuentran ustedes hermanitos?

Ventós que se sentía deprimido por las inyecciones le pidió que rezara por nosotros. El lego no dijo nada. Yo sospechaba que se daba cuenta de que sucedía algo censurable porque de otro modo habría ofrecido rezar. Miraba a Ventós, a Prat, a mí, en silencio. No dijo si rezaría o no. Prat se puso impertinente:

—Nos mira usted —dijo como si dudara de que estamos enfermos. ¿Por qué nos mira usted así? ¿O es que va a hacer un milagro? —yo me ruboricé, es decir me puse más amarillo—. Si va a hacer milagros comience con Pepe Garcés.

—Vaya —dijo el fraile—, veo que están ustedes irritables.

—A mí —dijo Ervigio— el que venga usted a vernos o se vaya ni fú ni fá.

Planibell añadió:

—A mí más bien fú.

Yo los habría insultado a todos, pero veía que el hermano lego no estaba ofendido. Había venido —pensaba— a verme a mí y no a los otros. En cuanto me hice esa reflexión pensé que el fraile se daba cuenta de ella. Siempre sucedía eso.

—He venido a verles —dijo— a todos ustedes, amiguitos. No sólo a Pepe, sino a todos ustedes. Pero estoy viendo que mi visita no les agrada.

Sacó del bolsillo un puñado de caramelos y fue dándonos dos a cada uno. Cuando se acercaba, se percibía el olor de barniz, el olor de santidad. El fraile había venido dispuesto a divertirnos, tal vez a contarnos alguna historia interesante. Pero quería marcharse. Su "alma líquida" estaba diciéndole que no le queríamos. Lo que pensaba era que todos tenían miedo a sus "milagros", es decir a que adivinara lo que habíamos hecho. Ervigio le preguntó por qué siendo pintor era el que menos pintaba en el colegio. Los otros rieron y el fraile dijo:

—No sólo en el colegio. En todas partes. Yo no pinto nada. En cambio ustedes se pintan solos para todo.

Corrió por la sala una brisa de alarma. El frailecito sonreía:

—Pero no se preocupen. Yo no digo nunca nada. Ni lo que sé ni lo que no sé. Punto en boca.

Nos contó un cuento de un zorro muy listo que al final era atrapado y castigado. Pero el castigo era suave. Todos escuchaban tratando de encontrar en lo que decía el fraile sentidos secretos e indirectos. Naturalmente, no los encontraban. Poco después se fue el fraile deseándonos paciencia y buen humor. No habló para nada de la salud, de nuestra salud. Las cajas que había dejado en el suelo contenían juegos de damas, un billarcito chino y un juego de ajedrez. Mientras preparábamos las piezas, Pere adulaba a Prat diciéndole que había estado muy bien con el fraile y Prat se pavoneaba:

—Con lo que yo no puedo es con la hipocresía.

Yo no sabía jugar al ajedrez y oía a Prat y a Caresse pelear por si hacían trampas o no. Caresse era un jugador muy original. Cuando Prat le daba jaque mate, Caresse se indignaba y decía que no era verdad. Prat desdeñoso se levantaba:

—¿A dónde vas a llevar al rey?

—Aquí.

—Ahí lo como con el caballo.

—Mentira. Al rey no se lo come ninguna pieza.

Entonces, con Caresse el juego no podía terminar nunca.

Como teníamos las chaquetas colgadas en un cuarto ropero, Ervigio hizo una ratería. Le quitó a Prat su cuadernito de direcciones. Pero no se paró en barras y apuntó la de su prima Inés. El domingo nos trajeron papel y tinta por si queríamos escribir, y Ervigio disimuladamente escribió una carta a la muchacha. Eso había de traer cola porque el chico a la hora de firmar tuvo grandes dudas y vacilaciones y por fin decidió poner mi nombre. Escribió, pues, una declaración de amor a Inés y firmó Pepe Garcés con la mayor desenvoltura.

Luego estuvo un día o dos bastante preocupado. Como yo no sabía entonces la verdadera causa, lo atribuía al miedo que todos tenían al médico. A veces me llevaba aparte y me decía:

—¿No te parece que Inés, la novia de Prat, es muy bonita?

—Sí, —decía yo—, pero no tanto como la mía.

—¿Cómo se llama la tuya?

Yo le miraba con altivez y no respondía. Ervigio se disponía a decir algo sobre mi novia, pero renunciaba viendo amenazas en el aire. Luego decía:

—¿No crées tú que poniendo las cosas en su justo medio, Prat no la merece a Inés?

—Es posible —decía yo enigmático.

—Ella debía tener un novio más refinado. Y de su edad. Porque Prat es viejo para ella.

—Es posible, —repetía yo.

Ervigio se enfadaba con mi sorna.

Se me ocurrió que Prat, dos años más viejo que yo, debía saber algo de la virginidad. Conté lo que decía el diccionario sobre el unicornio. Prat divagaba. Se veía que era tan ignorante como yo, pero no quería aceptarlo. Ervigio repetía su doctrina sobre las Marías y en un extremo de la enfermería se oyó al más pequeño, a Ventós, decir:

—Tonterías. Vírgenes son todas las mujeres que no han dado a luz.

Hubo un silencio que Planibell resolvió con una cita muy autorizada: "De ahí viene eso de que la Virgen María era virgen antes del parto, en el parto y después del parto". Yo pensaba que Ventós tenía razón aunque aquello de "después del parto" parecía contradictorio. Me propuse romper mi carta anterior a Valentina y escribir otra. Me alegraba de que Valentina siendo virgen fuera capaz de venir conmigo y dominar al unicornio. Pero sobre ese animal había diferentes opiniones. Planibell no creía que existiera y yo como supremo argumento le decía que estaba en el escudo de los reyes de Inglaterra según había visto en el dicionario.

Planibell y yo dialogábamos a veces horas enteras, porque éramos vecinos de cama. Censurábamos nada menos que los métodos de educación del colegio. Prat desde lejos nos miraba, celoso de la altura de nuestro diálogo.

—A mí no me interesa nada de lo que estudio, —decía Planibell.

—Hombre, a mí me interesa la clase de latín, —decía yo.

—¿El latín? ¿Para qué sirve el latín? ¿Quieres tú decírmelo?

Intervenía Caresse:

—Para decir misa.

Planibell decía que el estudio del latín sólo podía ser interesante porque nos enseñaba a aburrirnos. Y tal vez en la vida tendríamos que aburrirnos muchas veces. Caresse reía: "Este Planibell tiene salidas de mucha miga". Yo dije que el latín servía para leer los documentos antiguos y refería lo que había visto en el libro sobre el amor, escrito por André Chaplain, en la Provenza. Recité algunas frases que recordaba y dije que los verdaderos enamorados no debían casarse nunca.

—Eso sí que está bueno —comentó Caresse—. Es la primera vez que oigo decir una cosa así. Eso es como los gitanos, que se reúnen y dicen: ¿Me quieres? Te quiero. Rompo un puchero. Y tiran al aire una olla de barro que se rompe en mil pedazos y luego bailan y ya está hecha la boda.

Planibell miraba desde su cama a Caresse y decía: "Desde lejos pareces un besugo. Ahora, pintado de amarillo, pareces un besugo a la mayonesa". El chico se ponía furioso, pero se callaba o cuando más le arrojaba la almohada.

Solíamos andar todo el día por la enfermería. En casos de alarma nos acostábamos, pero en cuanto el ruido de pasos se perdía en el corredor volvíamos a formar grupos y a jugar o a pelear. Unos vestían batas y otros no. Los que no las tenían se envolvían en una sábana y tomaban aires de senador romano.

Prat se había revelado como el más cobarde en materia de medicina. Cuando alguien se lo decía se ponía muy serio:

—Que me corten la cabeza. No me importa. Pero eso de que le pinchen a uno con una aguja de acero así de larga... —y mostraba un tamaño seis veces mayor que el verdadero— eso me da frío en la rabadilla y siento ganas de vomitar.

Ventós callaba y de vez en cuando —creyendo que estaba enfermo de veras— hablaba de su familia con voz doliente y de su madre que si estuviera allí le llevaría buenas tostadas con miel. En cuanto a Ervigio después de cada inyección torcía el gesto y gruñía:

—Me ha llegado al hueso.

Al ponerse amarilla la cara de Ervigio parecía haberse reducido y el chico mostraba una cabeza de canario muy humorística. A veces me llevaba aparte y me decía dando a sus palabras una gravedad que yo no acababa de comprender:

—¿Tú qué dirías de Inés suponiendo que hablaras de ella?

—Nada. Yo nunca hablo de ella. ¿Para qué?

Las inyecciones tomaban bastante tiempo porque antes colocaba el médico en el brazo unas gomas para que la vena se hinchara y luego pinchaba e iba haciendo entrar el líquido. Entretanto había un silecio sepulcral en la enfermería y de la cama de Prat llegaba un ruidito rítmico. Era la cruz del rosario colgado a la cabecera que golpeaba contra los hierros a cada latido del corazón del héroe.

El médico que era un anciano bondadoso habló una vez de *toxinas*. De las *sucias toxinas*. Los catalanes entendieron *tosinas*, es decir tocinas. Pere, amarillo hasta las orejas decía que sentía agitarse en su sangre las *tosinas*. Lo raro era el género femenino. ¿Por qué cerdos hembras? Nadie podía imaginar a qué clase de puercos se refería el médico. Cuando Pau hablaba de las tocinas que le corrían por adentro, lo escuchábamos asombrados. "Yo no siento nada", decía Caresse. Pero el médico lo había dicho cuando inyectaba a Pau. Prat tenía alguna esperanza en relación consigo mismo. Un día preguntó tímidamente al doctor si él tenía también *tosinas* en la sangre. El doctor entendió *toxinas* y dijo:

—Claro, caballerito. Todos ustedes las tienen.

Añadió que las inyeciones eran para evitar que se multiplicaran y para ayudar al organinsmo a destruirlas. Eso nos pareció una explicación del sexo de nuestros cerdos. Por eso eran hembras. Cuando se fue el médico nos dejó llenos de confusión. A nadie le quedaban dudas. Ervigio era el único que dudaba sobre la sabiduría del médico a quien desde aquel instante llamaba de un modo grotesco: *mérdico*. Caresse trataba de explicarse el misterio:

—Es que el azafrán —decía dirigiéndose a mí— estaba lleno de bichos. Yo los vi.

—¿Y crecen dentro de las venas? —preguntaba Prat con un gesto de asco.

—Pues, claro —deciá Caresse aprovechándose del miedo de Prat.

Ervigio imitaba el gruñido del cerdo. Decía que oía aquel gruñido detro de su cuerpo y que era una tocina que se estaba muriendo en sus venas, con la inyección.

La verdad era que todos sentíamos los cerdos dentro de

nuestra sangre y la cosa iba haciéndose incómoda. Ventós, el campesino, dudaba:

—¿Cómo van a salir tocinos del azafrán? De las plantas no nacen más que pulgones, que yo los he visto.

Los exámenes habían terminado hacía cuatro días y nosotros seguíamos en la cama. El aburrimiento nos ponía de mal humor. Consideraba yo inferiores a todos los chicos menos a Prat por su estatura y a Planibeil por su inteligencia. Ervigio, que gastaba bromas pesadas a Pere y Pau, no se atrevía a ir muy lejos conmigo. Se limitaba a poner un cepillo sobre la llave de la luz, a oscuras, de modo que cuando quería yo encenderla desde mi cama tropezaba en las sombras con los pelos en punta del cepillo, que me pinchaban. Yo no podía imaginar de qué se trataba.

Pasábamos el día mirándonos en un espejo que había en el cuarto de baño, a ver si el color amarillo cedía o no. Ervigio decía que lo mejor era beber mucha agua, pero que había el peligro de criar ranas. ¿Sería mejor tener ranas que tocinas?

Ventós hablaba de escribir a su casa y de que yo los había envenenado a todos. Planibell me defendía, pero tímidamente.

Una vez Prat preguntó mirándome de reojo si a los envenenadores los ahorcaban. Yo sentí un vuelco en el corazón. La aventura iba haciéndose terrible. Todos se consideraban enfermos. Creíamos que el azafrán por un lado y las inyecciones por otro podían matarnos de veras. Por el momento aquellas tocinas en el cuerpo eran repugnantes y amenazadoras.

Pau, que parecía el más sereno decía:

—Ahora pertenecemos a la raza amarilla.

Hubo días de una gran depresión. Por la noche se oía en el tejado el silbido de una lechuza. Ventós, temblaba en sus sábanas y decía que llegaban "les olives". Según él, sólo acudían a los lugares donde había algún muerto para sacarle los ojos. Pere habló de confesarse, pero si se confesaba tendría que revelar el truco del azafrán. Planibell y yo protestamos. Habíamos jurado morir inconfesos y afrontar el fuego eterno. Sin embargo, pensábamos a veces que los exámenes, bien mirado, no eran tan terribles.

En medio de aquellas dudas las tocinas seguían agitándose en la sangre.

La convivencia forzosa nos hizo cada día más irritables y una mañana Prat le dio dos bofetadas a Ervigio. Este se las guardó y quiso tiranizar a Pau, pero yo intervine en su favor y al verse Ervigio amenazado por los dos lados —por Prat y por el contendiente de Prat, que era yo— se vio perdido y para demostrar que no tenía miedo, se puso a exagerar sus bufonadas. Con una sábana como toga romana bailaba danzas: la danza del suspenso. La del padre Chaveta. La que tenía más éxito era la de las *tocinas agonizantes*. Los pequeños Pere y Pau reían y Prat se mordía las uñas.

Ervigio encontró en el cuarto de baño un par de alicates y vino dando brincos y haciendo gestos ridículos como si se arrancara los dientes. Pere y Pau que se creían obligados a adular siempre a alguien más viejo o más fuerte, reían a carcajadas. Ventós miró a Ervigio de arriba a abajo y dijo en catalán:

—*Tontu*.

Ervigio fue a pegarle y Planibell gritó desde su cama que si tocaba a Ventós tendría que vérselas con él. Dudó Ervigio un momento y por fin se acostó resignado y dijo: "¡Qué barbaridad! Todo el mundo tiene aquí su cabo de vara. ¿Y a ti, Pepe? ¿Quién te protege?" Yo le dije que no necesitaba protección porque podía pegarle yo mismo. El se quedó pesativo. Seguramente estaba reflexionando sobre los riesgos que podían derivarse de la carta que había escrito a Inés. Luego estuvo muy fino conmigo, casi adulador.

Pau canturreaba:

Qué li donarem a la pastoreta. . .

Planibell dijo que la pastoreta era Ervigio y así nació ese apodo ignominioso. Se veía Ervigio perdido, pero comenzó a imitar otra vez al cerdo. La verdad es que lo hacía muy bien.

Por fin un día dijo el médico que estábamos curados y que podíamos dejar la enfermería. Fue un gran descanso para todos. Y fui a ver al lego. Me recibió sin sorpresa ni alegría:

—¿Estás ya bien? —me preguntó no sé si en serio.

En vista del ligero acento de broma no le contesté. El lego había terminado el cuadro de Murillo y lo barnizaba. La Virgen tenía una media luna bajo el pie.

—Eso, no es verdad —dije dispuesto como siempre a la crítica—. Esa media luna no es verdad, porque en el cielo nunca hay media luna, sino luna entera.

—Bueno, es una ilusión. Pero también hay gente que crée estar enferma y todo el mundo lo acepta. Y les ponen inyecciones y les rezan padrenuestros. Además, en este caso, la mentira no lo es. Es sólo arte. Pero quien sabe si lo que nosotros llamamos mentira es para Dios más verdadero que lo que consideramos verdad. Nosotros no sabemos. Dios sólo sabe lo que es verdad y lo que es mentira, hermanito.

El fraile buscó la cabeza de mármol con la mirada. Luego sus ojos fueron al martillo que se veía sobre la banqueta de carpintero. Después aun me miró a mí como consultándome. Era tal vez la vieja pregunta. En los últimos días había cambiado de opinión sobre aquella ardua materia. ¿Sería capaz de romper la cabeza? ¿Querría yo hacerlo por él? Negué y seguí mirando la Inmaculada concepción. La figura era muy hermosa pero lo que me fascinaba era el cielo nocturno que se veía detrás, con sus estrellitas. No había nubes. El azul a veces claro y a trechos oscuro era tan flúido y diáfano que mirando fijamente yo creía descubrir estrellas nuevas en los lugares donde no las había. Le pregunté si en los días últimos había perdido el conocimiento y me dijo que no. Me agradecía mi interés, pero siempre que encendía la hornilla abría las ventanas. No volvería a sucederle aquel estúpido accidente. Como era natural el gato aprovechaba las ventanas abiertas para escaparse. Iba a cazar. Como era ya la primavera los pájaros formaban sus nidos y el gato andaba

300

buscándolos para comerse a los pájaros recién nacidos. Mientras hablaba el fraile el gato escuchaba, bondadoso y rosnaba lleno de amistad. Viéndolo nadie le atribuiría al animal costumbres tan inciviles.

Trabajábamos. Yo le ayudaba al fraile a lijar una tabla y él me decía que la cabeza de mármol le perturbaba de tal modo que no le dejaba dormir. Me agradecería que la rompiera. Le contesté que gracias a mi alma líquida estaba viendo que si yo la rompía él se llevaría un disgusto. "Eso es verdad —dijo el lego— pero también me alegraría. Lo sentiría y me alegraría al mismo tiempo". El lego tenía miedo a aquella cabeza. Yo la miraba como a una tercera persona en el taller.

Cuando oí la campana del refectorio salí corriendo.

Era jueves, y como llovía y no hubo recreo nos permitieron escribir a casa. Escribí a Valentina hablándole del azafrán y de las tocinas —decía que las habían tenido los otros, no yo,—. Volví a explicarle lo del deliquio.

Cerca ya de los exámenes finales —los verdaderos— con profesores que no eran curas y a quienes no habíamos visto nunca, hubo en la ciudad un hecho inesperado: una huelga. Al principio no parecía gran cosa, pero se complicó y acabó por convertirse en huelga general con carreras por las calles y disparos lejanos. Los frailes estaban un poco inquietos. Yo me sentía entrar en el trance heróico que había esperado desde la representación de "La Vida es Sueño".

Buscaba a Planchat, quien me decía:

—Mi padre tiene miedo porque las huelgas le hacen perder dinero. Me alegro. Y no es por nada. Yo lo quiero de veras, a mi padre, que es muy bueno a su manera. Pero eso no quita para que sea un cochino burgués.

Yo no sabía nada de los conflictos sociales. Me explicó que una huelga general era un hecho gravísimo. Comenzaba con tiros en las calles y al tercer día los huelguistas asaltaban los conventos. El nuestro no corría peligro, porque si se acercaban los obreros a las verjas y tocaban los hierros morirían electrocutados. Eso, a pesar de sus ideas anarquistas, no dejaba de tranquilizarle. Planchat creía que debían quemar todos los conventos menos el nuestro. Si los quemaban, el fuego comenzaría por los confesionarios de las capillas. Añadía Planchat otros detalles igualmente sensacionales.

Yo encontraba en la revolución también un aspecto propicio:

—Entonces, ¿no habrá exámenes?

—No. Eso del estudio se suprime siempre en las revoluciones. ¿Para qué? Todos seremos iguales y el que no quiera serlo. . .

Planchat hacía un ruido gutural muy raro y al mismo tiempo con la mano abierta se rebanaba la cabeza.

A mí me parecía bien, con la condición de ser yo de los que dirigían a los incendiarios. Por la noche desde mi celda escuchaba rumores de la ciudad y como teníamos una fábrica al lado y estaba custodiada se oían los cascos de los caballos de la guardia civil. Al día siguiente Planchat que estaba muy atento a lo que pasaba me decía:

—¿Has visto que los frailes tienen miedo? Sobre todo el padre Ferrer.

El supuesto miedo del padre Ferrer hacía muy feliz a Planchat. Miraba de reojo, comprobaba que el padre Ferrer estaba lejos y decía dándome con el codo:

—No les valdrán los alambres de alta tensión, porque hay más obreros que soldados y guardias. ¿Qué son unas corrientes eléctricas al lado del cuchillo y de la lata de petróleo? Ah.

Tenía Planchat una alegría diabólica. Yo repetía aquellas palabras a Pere y Pau. Mis conocimientos sobre la situación —lo que oía de Planchat— me dieron un prestigio mayor con ellos. Planibell venía también a preguntar si la revolución llegaría antes que los exámenes. Más o menos todos esperábamos salvarnos con la revolución. Pero tenían que darse prisa los obreros porque el día de los exámenes se acercaba. Yo no comprendía por qué tardaban tanto.

Llegó otra carta de Valentina. Yo estaba seguro de que la revolución no afectaba a las aldeas, sino sólo a las ciudades. Estaba Valentina de acuerdo con ir a buscar el unicornio y decía que no comprendía lo del azafrán, pero que para ser como yo, iba a comer un poco, a ver qué pasaba.

Escribí a vuelta de correo diciéndole que no debía comer azafrán aunque no le hablaba concretamente de los peligros de los cerdos en la sangre y de las inyecciones. Después decía: "Estamos sobre un volcán —esta frase se la había oído al padre Miró—. Hay arena en las calles para que los caballos no resbalen durante las batallas". La carta era aquel día bastante larga. Seguía: "Puede que asalten el colegio porque además de escuela es convento y clausura. Pero yo aprendí en "La Vida es Sueño" lo que hay que hacer con los conspiradores. No me extrañaría nada que mataran a todos los frailes menos al superior y al hermano Pedro. Al lego del taller que hace santos y tiene éxtasis no sé que va a pasarle. No es verdadero cura y no viste sotana casi nunca. El quiere ser mártir, pero no sé si en estos tiempos se usan los mártires todavía".

"Sé donde está la electricidad de las rejas y cuando esta carta *obre en tu poder* —esta frase me parecía muy adulta— ya la habré quitado. Así es que tú verás. El unicornio será más fácil cazarlo ahora, bueno, cuando salga yo del colegio, con los disturbios".

"Cuando los obreros entren yo les diré como quité la electricidad de las rejas y ellos dirán ¡vitor! y yo diré:

> ...*salga a la anchurosa plaza*
> *del gran teatro del mundo*
> *este valor sin segundo*
> *porque mi venganza cuadre.*
> *Véanme vencer al padre*
> *de Valentina, iracundo.*

El último verso lo había inventado. En la post-data dije: "No hables de esto con nadie porque tu padre se enfadará y Pilar se burlará de nosotros. Y además porque entre novios hay secretos y así es la vida. Vale".

En algún lugar del edificio debían estar los cables de alta tensión y los conmutadores y tenía que averiguarlo para poder cortar la corriente en el momento decisivo. Me puse a pensar que necesitaría un cómplice entre los fámulos. Pero los fámulos eran inseguros. Unos me parecían demasiado cínicos. Otros demasiado beatos. Lo que hiciera lo haría yo solo y sin ayuda. Así toda la gloria sería para mí.

Añadí a la carta una segunda post-data:

"Cuando estén muertos los frailes del convento iremos a buscar a los que han tenido la culpa y aquí viene aquello de:

A reinar, fortuna, vamos
no me despiertes si duermo
y si es verdad no me aduermas.
Mas sea verdad o sueño
obrar bien es lo que importa
si fuere verdad por serlo;
si no, por ganar amigos
para cuando despertemos.

"Y cuando todo esté ya incendiado y saqueado iré a buscarte y cazaremos el unicornio y nos pondremos a vivir juntos por el amor libre.—Vale".

En aquellos días y sin darme cuenta yo identificaba el unicornio y su caza con la revolución de la que me hablaba constantemente Planchat.

Me puse a investigar dónde estaban los cuadros de la electricidad. Dos días tardé en averiguarlo. Al lado de la portería había un cuarto oscuro y sin ventanas con una serie de conmutadores grandes en la pared, que tenían manoplas de porcelana blanca. La seguridad de haberlo descubierto me dio una gran tranquilidad. Sabía ya cual era mi objetivo principal. En cierto modo pienso ahora que aquel cuarto oscuro era el lugar del unicornio y que éste era una especie de caballo eléctrico, azul como los relámpagos.

Cuando oía afuera galope de caballos, calculaba si habría llegado el momento. Pero no se oían tiros ni voces. Fui a ver al lego, que seguía trabajando en paz.

—Hermano, —le dije—. ¿No sabe que hay revolución?

—Siempre la hay —dijo él sin alterarse ni interrumpir su trabajo—. Siempre la hay. Con violencia o sin violencia.

—A mí me han dicho que el padre Ferrer tiene mucho miedo.

—No, hermanito. Nadie tiene miedo sino el que habla de él. ¿No lo sabes? Y yo sólo siento pena. Pena por los obreros. ¿Ves? La cabeza de mármol en un lado. Jesús en otro lado, lo mismo que en la calle y en la revolución. Allá —dijo señalando al arcángel San Miguel— está la guardia civil. No creas que me gusta. Ni siquiera en un arcángel me gusta la espada. ¿Para qué la violencia? ¿No tenemos todos bastante violencia dentro del alma? ¿Para qué más? Pero la gente sufre y a veces se vuelve loca y quiere sufrir más o hacer sufrir a los otros.

—¿Usted cree —le dije— que el colegio está defendido?

—¿Por qué no? A los hombres los defiende su propia inocencia.

—Y también —dije yo— los cables de alta tensión.

El hermano dejó de trabajar y me miró:

—¿Qué cables?

—Unos que están conectados con las verjas del jardín y las ventanas.

—¿Para qué?

—Para matar obreros.

—Vamos, vamos, Pepe. Eso es una mentira criminal.

Yo no me atrevía a continuar. Por fin dije:

—Usted es inocente y tiene razón. La inocencia le defiende. Yo también. Pero ¿y los otros? Ah, eso es lo que habría que ver.

Pensaba en el padre Ferrer y en las cosas que Planchat me había dicho sobre las huelgas y las revoluciones. Y dije:

—¿Crée usted que no hay anarquistas? Yo he oído hablar de ellos y de otras cosas, hermano. También hay socialistas.

Los nombres de esos grupos políticos sonaban en el taller como disparos. El lego decía:

—Para mí, no hay más que seres humanos. Unos más desgraciados que otros. Algunos pierden la cabeza y quieren cosas raras. Quieren ser más desgraciados o más felices que los otros. Y que los vean y que los oigan. Y dan voces. En definitiva, nada. Nada de eso rompe la armonía de Dios. ¿Tú qué crées, tontito? ¿Crées que podemos hacer algo contra El, quiero decir contra Dios?

—Yo no digo eso.

Nos quedamos callados. Luego dije que él no debía tener miedo alguno como el padre Ferrer. No sé cómo lo diría pero el hermano lego me miró sonriendo con todo su ser: con los ojos, los labios, las manos que acariciaron mi hombro. Cuando salí al comedor pensé un poco decepcionado: "No, el hermano lego no tiene miedo. Seguramente, con todas sus bravuras y amenazas tiene más miedo Planchat".

Una noche, haría una hora que me había acostado cuando al otro lado de la fábrica se oyeron tres o cuatro disparos —o supuestos disparos— y una voz que gritaba algo. No era una voz de dolor ni de protesta sino de alguien que llamaba a otro. Se oían también caballos al trote sobre las piedras de la calle. Y salí de mi cuarto a medio vestir y descalzo. Fui a la portería y me detuve delante de la puerta del cuarto oscuro. El unicornio. Tenía yo miedo de entrar, pero también de que me descubrieran allí a aquellas horas. Por fin penetré. Me quedé delante del cuadro de distribución, indeciso. Todas aquellas palancas tenían sus secretos. Supuse que lo más acertado sería poner los conmutadores en una posición distinta de la que tenían. Si las verjas tenían corriente de alta tensión, era natural que el flúido quedaría cortado. Sin pensarlo más levanté las palancas que estaban **caídas y bajé las que estaban levantadas.** Luego, satisfecho

306

de mi obra, salí y volví corriendo hacia mi cuarto. Todo el edificio estaba encendido como un ascua de oro.

El hecho de que fuera el plan sólo mío le daba un valor secreto y conspirativo tremendo. Y pensaba en el lego y me decía: "Seguramente a él le gustaría esto de salvar la vida a los obreros, que al fin no son sino seres humanos".

Había hecho bien en ir descalzo porque los corredores estaban iluminados y todo parecía en fiesta. Cuando llegué al tercer piso con la respiración acelerada oí rumores en la parte del convento donde vivían los frailes. Parece que con los conmutadores yo había apagado las luces de la clausura y encendido las demás. Luego supe que dejé a oscuras a los frailes cuando estaban en sus rezos nocturnos y que por el contrario encendí las luces de la capilla, de los corredores y de los jardines. También las luces supletorias, que estaban todavía instaladas, desde las fiestas del centenario de Constantino. Viendo aquello los frailes estaban extrañados y no sabían qué pensar.

Antes de entrar en mi celda oí en el piso inferior pasos y rumores de voces. Eran frailes. Sus zapatos sonaban de un modo distinto a los nuestros. Uno de los que hablaban era el hermano Pedro y decía: "Hay que ir a los lavaderos y cortar la corriente". En aquel momento se oían más caballos en la calle. Entré en mi celda y acabé de vestirme, esperando los acontecimientos. No dudaba de que había llegado el momento del asalto. Escuchaba de vez en cuando con la respiración contenida, pero no oía más que el rumor de patrullas de caballería más o menos cercanas.

No dormí hasta el amanecer. Fatigado, cuando comenzó a hacerse de día, pensé que mis previsiones habían sido falsas. La luz del día me hacía volver a la realidad. Más tarde había de ver amenudo que las cosas más difíciles parecen sencillas en la noche. Y que la luz del día las desvanece y nos muestra nuestra propia extravagancia.

Con la luz del alba vi que la vida era la misma. Mis esperanzas de que los obreros asaltaran el convento me parecieron un poco fuera de lógica. Pero pensando en mi carta a Valentina, me alegraba de haber cambiado de posición los conmutadores. Porque yo le había dicho que lo haría y a Valentina no debía mentirle.

Al día siguiente los sacerdotes y los hermanos estaban un poco inquietos. El padre Miró se veía distraído en la clase de francés. En la de latín cuando yo miraba al padre Chaveta, me decía: "No sé por qué se preocupa. Probablemente a él no le pasará nada". Después, en la clase de geometría, contemplaba al padre Ferrar recordando "La Vida es sueño".

Una vez más al terminar la clase busqué a Planchat. Pero era él quien venía a mí con noticias:

—¿Oíste —me dijo— los tiros anoche?

—Sí. Hacia la parte de la fábrica.

—No. Fue más lejos. Una verdadera batalla. Debió ser hacia el estanque de la mina. Los míos, los anarquistas, saben lo que hacen y los frailes tienen miedo. Lo peor, bueno, lo mejor, es decir, según se mire, es que los fámulos están de acuerdo con los huelguistas porque anoche hicieron sabotaje dentro del convento. Apagaron las luces de la clausura y encendieron las del jardín.

Yo no sabía lo que era sabotaje, y Planchat me lo explicó. El sabotaje lo había hecho yo, pero no se lo dije. Recordé aquella palabra nueva para escribírsela a Valentina. Sospechaba en Planchat miedo y recelo. Tal vez no era tan bravo como decía. Y me explicaba lo de las luces como si yo no supiera nada:

—Cortaron la electricidad cumpliendo órdenes secretas llegadas de fuera. Los fámulos. Yo he visto esas órdenes.

Volvió a decir que antes de una semana la revolución habría triunfado en todo el país. No había ni que pensar en los exámenes. El había arrojado según decía sus programas al retrete. Y los libros los pensaba tirar al mar en Salou, la playa más próxima a Reus. Hablaba mirando de reojo, para cercionarse de que no había frailes en los alrededores; pero Planchat estaba perdiendo su prestigio conmigo. Yo no podía menos de mirarlo con un aire escéptico. Por la tarde, a la hora del recreo, conseguí disimuladamente encaminarme al taller.

Pero antes de llegar tuve un encuentro sensacional. Vino Prat con una expresión iracunda. Se plantó delante de mí, cerrándome el paso, y me dijo con los dientes apretados:

—Si yo escribiera una carta de amor a tu novia, ¿qué harías tú?

—No sé, —dije—. Pero más vale que no hagas la prueba.

—¿Por qué?

—Por si acaso.

Yo le hablaba también con los dientes apretados y separando las sílabas. Prat sacó una carta del bolsillo y me la mostró. Era la que Ervigio le había escrito a Inés y comenzaba con la consabida frase: "Señorita, desde la primera vez que la vi. . ." Dije que aquella carta aunque estaba firmada con mi nombre era de Ervigio. Conocía la letra. Añadí que si la hubiera escrito yo no lo negaría y que en ese caso sería cuestión nada más que de matarnos en duelo. Prat sonrió venenosamente:

—Eso mismo es lo que pensaba yo. Pero si es verdad lo que dices tendré que vérmelas con la Pastoreta. Lo siento. Preferiría pelear contigo, Castellá.

—No sería la primera vez —dije recordando la bofetada que le dio la *providencia* poco después de mi llegada a la escuela.

Prat dijo que iba a vérselas con Ervigio y yo le pedí que esperara porque antes de que él lo desafiara en duelo tenía que darle yo algunos golpes para castigarle por haber usado mi nombre. Le pareció razonable y quedamos en que nos pondríamos de acuerdo. Prat agitaba la carta en la mano y decía:

—Esto es lo que se llama un ultraje.

Se marchó y yo seguí mi camino hacia el taller sin dudar un momento de que Prat tenía motivos para matar a la Pastoreta. La primavera se sentía en el aire y cualquier violencia parecía más natural que en otras épocas de año.

Fui al taller. El lego trabajaba en la cabeza de mármol. Frotaba la frente y las mejillas con tanta fuerza que su respiración se aceleraba con la fatiga. Al verme sonrió como siempre. Yo le dije que estaba preocupado pensando en los peligros que nos rodeaban y él me miró con ojos burlones:

—No hay peligro ninguno, hermanito.

—¿Qué crée usted? ¿Los obreros son buenos o malos?

—Ni malos ni buenos. Son hombres como tú y yo, —dijo frotando con fuerza la oreja de la escultura. Lo malo es que los pobres no esperan en la justicia de Dios, hermanito.

Estaba yo sorprendido por la calma del lego y quise ir más lejos:

—Así y todo es posible que quemen nuestro convento. Es muy posible. Yo creo que lo quemarán algún día.

Me miraba el hermano lego con una arruga vertical entre las cejas:

—Eh, hermanito. Tú estás deseándolo.

—¿Yo?

—Sí. Estás deseando que le prendan fuego.

Yo disimulaba. Había olvidado el "alma líquida" del lego. El fraile siguió:

—¿Quién va a quemar el convento? Los obreros son gente como tú y como yo. ¿Es que tú querrías quemar el convento?

Yo miraba a otra parte. Evitando mirar sus ojos seguía, sin embargo, llevándole la contraria:

—Los obreros no rezan. Usted dice que son como usted, pero no rezan.

El lego miró hacia la puerta con aquel gesto de recelo que yo conocía y añadió:

—Mejor que nosotros, rezan. Hay mil maneras de rezar, hermanito. Cuando están juntos y hablan, se encienden con las palabras porque juntan la tristeza del uno con la pobreza del otro. Bueno, ¿quién no ha sido violento alguna vez en su vida? Pero cuando quedan solos en su casa por la noche y piensan en los sencillos milagros del vivir ¿qué sabe nadie si creen o no creen en Dios? Ah, hermano, la cosa es mucho más complicada de lo que parece. Aunque no creyeran, lo que sería lamentable, la verdad es que Dios crée en ellos. ¿Piensas tú que Dios no crée en ellos lo mismo que en ti y en mí? O más, hermanito. Los obreros son más meritorios que tú y yo. Y rezan. ¿Pues no han de rezar?

Añadió otras cosas. Muchas cosas. Estaba elocuente, el hermano lego: cuando un obrero no podía comprar zapatos para su hijo sentía pena y tristeza. Esa tristeza era una oración. Cuando quería dar a su esposa una vida mejor y no tenía dinero, se desesperaba. Esa desesperación era un dolor del alma, bueno como una oración. Aquellos días de la huelga en muchos hogares no había fuego ni pan ni esperanza. Eso era también un manera de adquirir merecimientos. Todo el que sufre adquiere merecimientos. Y de un modo u otro todos sufrimos.

Un poco desorientado pregunté:

—¿Quiere decir que la huelga general es buena para hacer méritos e ir al cielo?

El lego se echó a reír.

—No seas bárbaro, hermanito. El vivir en sí mismo es una oración. La vida es complicada y nadie puede evitar rezarle a Dios nuestro Señor. Somos como insectos que vamos y venimos y no sabemos nunca para qué. Lloramos y reímos y dormimos y amamos sin saber para qué. Sólo lo sabe Dios. Y en definitiva sólo podemos hacer lo que El quiere.

Seguía frotando la cabeza enérgicamente. Y añadió bajando la voz:

—Anoche sucedieron cosas un poco raras. Tal vez algunos religiosos estaban inquietos y durmieron mal. En ese caso esa inquietud es una oración. ¿Comprendes? Pero no repitas estas palabras fuera de aquí hermanito. No te entenderían. Es decir, no querrían entenderte.

Como otras veces el lego hablaba fácilmente conmigo, a pesar de las decepciones que yo le había proporcionado.

—¿Y por qué tenían miedo los frailes? —Seguí preguntando— ¿Por los tiros?

311

—Yo no he dicho que tuvieran miedo. Estaban inquietos porque alguien apagó las luces y encendió otras. Nada importante, pero todos se preguntaban quién pudo hacer una cosa así y con qué objeto. Apagar las luces de la clausura. Encender todas las demás. ¿Para qué?

Yo le dije lo de los cables de alta tensión en las rejas y en las ventanas. Lo dije como si fuera algo seguro e indudable.

—Cuentos de vieja, hermanito. No hay nada de eso. Nunca ha habido tales cosas.

—Pues yo lo he oído decir.

—No lo dudo.

—Y podría suceder —añadí— que alguno con buena intención se levantara anoche y fuera al cuarto de los conmutadores para quitar la corriente.

El lego me miraba asombrado:

—Ay, hermanito. No me digas más.

Frotaba con energía la parte baja de la nariz, lo que tenía cierta gracia humorística. Y pensaba. Por fin alzó la cabeza y me miró. Había cierta extrañeza en sus ojos que yo no había percibido antes:

—Ya veo, hermanito, borriquito.

—¿Qué es lo que ve?

Callábamos los dos. El gato nos miraba con las patas juntas y el rabo puesto sobre las manos para calentarlas. El fraile había comprendido lo que pasó la noche anterior. Y me miraba y no decía nada.

—Si los obreros entraran —dije yo— lo matarían a usted. A no ser —añadí, condescendiente— que interviniera alguno en su favor. Pero en el primer momento de confusión no se andarían con miramientos. El cuchillo y la lata de petróleo —concluí recordando a Planchat— no son broma ninguna.

—Bah, en eso te equivocas. No. No me matarían. Y si en la confusión como tú dices me mataran, lo sentiría por ellos. Por mí, no. A mí me da igual todo, hermanito. Bueno, entiéndeme. Me gusta vivir, pero soy tan simple que en todo encuentro felicidad aunque parezca imposible. Soy feliz vi-

312

viendo. Si me mataran, creo que también sería feliz muriendo.

—Eso lo dice usted, pero el que es asesinado tiene que sufrir dolores tremendos. Dolores horribles.

—No, hermanito. Dios es misericordioso. Cuando el dolor es insoportable, el hombre pierde el conocimiento. ¿Has tenido alguna vez un dolor de dientes? Pues no es más. Quizá no es ni siquiera tanto. ¿Y qué es eso? Nada. Dios sabe lo que hace, hermanito. Dios no quiere que suframos más de lo que podemos sufrir.

—¿Y si le quemaran a usted? Ah, eso de quemarle a uno vivo, no es una broma. Aunque si llegara el caso, es posible que alguno interviniera en su favor.

El fraile me miraba ya sin extrañeza alguna. Pero seguía en sus trece:

—Parece que sólo duele la primera quemadura. Luego, como los nervios están destruídos, no se sufre. Pero —y el lego reía francamente— ¿quién va a quemarme a mí?

El lego frotaba el pescuezo de la cabeza de mármol pensando, tal vez contento, en su propia muerte. Adivinaba mis secretas reflexiones, pero yo también creía entender las suyas y veía que no era posible para él ninguna forma de verdadera desgracia. Era feliz si lo querían y también si lo despreciaban. Más feliz aún si lo insultaban y le ponían apodos. Seguramente si un día lo asesinaban, al sentir el cuchillo en la carne, disfrutaría también de aquello. Si lo quemaban, mejor aún. Me miraba, sonreía con los ojos y sin dejar de frotar el mármol decía:

—La muerte no es una desgracia, hermanito. El momento de separarse el alma del pobre cuerpo debe ser tan glorioso que ningún ser humano puede imaginarlo.

Seguía hablando. Comenzaba, como otras veces, a sentirse un poco ebrio:

—Quitar la corriente de las rejas podría ser bueno o malo, hermanito. Sería bueno si lo hacías por amor a los obreros. Malo si te empujaba a hacerlo el odio al padre Ferrer o al profesor de latín o quien sabe a quien. Podría ser que no hubiera en ti ni odio ni amor sino deseo de notoriedad. **Ay,** hermano, eso sería lo peor. Odiar no es tan malo porque lleva consigo desgracia y uno sufre las consecuencias. Pero lo malo es creerse mejor que los otros, porque hasta cuando nos castigan con la humillación pensamos que los otros se equivocan y son injustos. Vanidad, hermanito. Mala cosa es esa.

Y añadió volviendo a su tema preferido:

—No sé qué va a hacer Dios de mí. No valgo para nada. No puedo rezar sino con los labios y con la imaginación. Todos rezan con su vida entera. Todos. Hasta... —y aquí miró otra vez hacia la puerta y bajó la voz— hasta los obreros cuando queman conventos. ¿Sabes por qué? Porque ellos mismos temen a los guardias, a su conciencia, a sus manos. No están seguros de tener razón, de hacer lo que deben hacer. Esa duda es una oración. Y tienen su aureola. La suya, igual que la del padre Ferrer y la mía. Su aureola, más limpia que la mía, porque ellos sufren y yo no. Los pobres, además de sus sufrimientos naturales, tienen miedo al peligro, a la cárcel, a las balas, a la muerte, a dejar solos y en condiciones difíciles a quienes aman: sus hijos, su mujer. Sufren, hermanito y queriéndolo o sin querer rezan con su dolor. Pero **yo... ¿qué hago?** Imbécil de mí. Yo rezo con lo único que tengo: mi tonta felicidad. ¿Eso es rezar? Mira, hermano, lo que voy a decirte. A veces tengo envidia de esos hombres violentos que pasan angustias en su cuerpo, en su alma y en los de los familiares a quienes aman. No envidio, y Dios me perdone, a tu Benedicto José que era tan feliz como yo, ni a otros santos porque disfrutan de Dios en la tierra. Ay, alteza. Disfrutar de Dios en la tierra. Eso, me asusta. ¿No es demasiado? ¿No podría llegar a ser eso, en algunos casos, pecado? Hemos venido aquí a rezar con nuestro cuerpo y nuestra alma y nuestros sentidos y potencias. Y yo no rezo. Soy siempre feliz. Yo, gozo. Y si tus obreros entran y me ponen una cuerda al cuello y me arrastran, el dolor del cuello y los golpes contra las piedras serán como una cadena de cosas milagrosas y admirables. Soy tan perruno y miserable que

314

el ver ese milagro de mi martirio gracias al cual yo podría rezar, como los otros, me quitaría el dolor. Y sería feliz. Sin dolor no hay oración, hermanito. Por eso pienso a veces que soy el más vil de los seres vivos. ¿Ves ese gato? Pues no lo puedo mirar, de tal modo me parece superior a mí. El es exacto e inteligente y goza y sufre como cada cual. Yo tengo muy poca inteligencia. Sólo tengo amor por las personas y los animales y los árboles y hasta las piedras. A veces cuando no me ve nadie me arrodillo y beso el suelo y la pared. No estoy loco, no. Gracias a Dios no es locura sino estupidez. Y lo horrible es que en mi estupidez soy también feliz. Hermanito, como ves, no tengo remedio. Por cualquier lado que lo miremos no tengo salvación. Mi única esperanza consiste en que cuando me muera, Dios me tenga en el purgatorio años y años sufriendo. Pero sin que yo sepa que es la voluntad expresa de Dios, porque entonces veré el milagro y seré estúpidamente feliz también. ¿Qué dices, hermanito? Yo veo que a ti te pasaría igual en la tierra, pero tal vez haces las cosas sin amor, sólo por...

Yo iba a protestar, pero él creyó comprender y dijo:

—No, yo no digo que hagas las cosas por vanidad. No, hermanito.

No es eso lo que iba a decir.

—¿Pues qué es?

—Que entonces si todos rezan a su manera y tienen su aureola, no hacen falta las iglesias.

—Ah, esa es otra cuestión, hermano. Una cuestión demasiado grave para nosotros, que no sabemos ni hemos estudiado bastantte. Pero lo que yo te decía es que no haces las cosas por vanidad. Las haces por orgullo. Y el orgullo puede más que tú. Pero no importa. La vida te castigará y el castigo será tu oración. Lo malo es que podría ser el castigo tan terrible, que te quite hasta la última sombra de alegría y eso me da pena. Pena por ti. Trata de ser humilde si puedes. Un poquito, hermano. Yo sé que has tratado de serlo. Dime la verdad. ¿No eras feliz cuando te negabas a acusar a Planibell por la herida de tu rodilla? Dime la verda. ¿No eras más feliz?

—No, —dije yo.

—Bueno, no importa. Sigue con tus defectos. Tú rezarás. Tú serás más piadoso que yo, porque los otros herirán tu orgullo y sufrirás y darás golpes para defenderte y te dolerá darlos. Y amarás a otros por sí mismos y no por Dios y tendrás decepciones y tristezas. Rezarás, quieras o no, hermanito. Serás mucho mejor que yo, porque toda tu vida será oración. No importa, hermanito. Antes yo te censuraba tu orgullo. Ahora lo pienso mejor. Dios me ilumina y me hace ver que tu orgullo se convertirá en oración.

Miró alrededor, miró también al gato como si el animal pudiera entenderle —el gato se puso a rosnar— y añadió:

—Soy un monstruo, hermanito, porque no puedo sufrir aunque vengan sobre mí las mayores desgracias del mundo. No puedo alternar con los padres y los otros hermanos, ni con los estudiantes ni con nadie porque me falta el don del sufrimiento, ese don que a los otros los ha hecho en cierto modo hombres dignos de Dios. Yo soy sólo un bobo que se ríe y llora a veces sin dolor y sin pena. Y me estoy en mi rincón dando golpes de martillo y avergonzándome de la mirada del gato. ¿Has visto qué ojos más hermosos tiene el gato? Sólo me entristece a veces una cosa: que los demás padres y hermanos se den cuenta de mi felicidad y crean que soy más imbécil de lo que de veras soy y me echen a la calle. Podría ser que me echaran. Bueno, hermanito, estoy hablando demasiado, pero es porque dentro de unas semanas vas a marcharte y eres el único estudiante que ha venido a verme. Te estoy agradecido. Y si no nos vemos más... Es decir, sí. Nos veremos Pero, ya ves. Ahora va tu familia a vivir a Zaragoza. Allí hay muchos colegios tan buenos o mejores que éste Quizá no volverás aquí. Pues bien, yo querría pedirte un consejo, hermanito. No tiene importancia. Un consejo de amigo. Tu orgullo no me importa ya. Sé orgulloso si es que no puedes evitarlo, porque de tu orgullo se servirá Dios. He aquí el consejo que te pido, hermanito. ¿Qúé crees tú que debo hacer con esta cabeza de mármol? La verdad es que me gusta. Las otras, las de la Virgen, la de Jesús, la de San Felipe, me gustan en Dios. Esta me gusta en sí misma y a veces, Dios me perdone, me gusta más. Y es una cabeza pagana. Con ella yo me rezo a mí mismo. Te pedí que la rompieras y no has querido. Por algo será. ¿Qué crees que debo hacer, hermanito?

Yo miraba al lego, miraba la cabeza que tenía en algunos lugares una gran diafanidad. Miraba al gato:

—Lo mejor será —dije— que me la regale usted dentro de unos días cuando me vaya a casa.

—¿A ti? ¿Y qué harás con ella?

—La pondré en algún lugar, con su nombre al pie.

—No. Mi nombre, no —protestó enrojeciendo un poco—. ¿Y en qué lugar la pondrás?

—En un pequeño prado, en las Pardinas.

—¿Con una columna? ¿Encima de una pequeña columna de piedra gris? Sería mejor gris que blanca.

—Sí, si usted quiere.

—Ay, hermanito. Eso me parece bastante bien y Dios me perdone.

—Si es vanidad, no importa. Usted tendrá ganas de ser el escultor mejor del mundo y no podrá. Al ver que no puede... será muy desgraciado. Y así rezará usted. ¿No es eso lo que quiere?

Me miraba el lego con los ojos encendidos:

—Me devuelves mi lección, hermanito y lo dices muy en serio, muy convencido. ¿Tendrás razón? ¿Tendremos razón? Pues bien, en este instante si tú hablas con la sinceridad de la inocencia yo debería arrodillarme a tus pies y besar tus zapatos. Sí, hijo mío. Me gusta esa escultura, es verdad. Bien. Yo quiero hacer esculturas y no sólo para que los devotos las veneren por lo que representan, no. Quiero sacar también de la piedra y de la madera formas que sólo he visto yo en mi soledad. ¿Lo haré? No sé. Llévate esa cabeza y ponla donde quieras, hermanito. De vez en cuando

317

pensaré que está allí. Pero no pondré el nombre al pie. Eso, no.

—¿Por qué no?

—No, no insistas. Es inútil, hermanito.

Volvía a frotar la cabeza de mármol y por un momento me desviaba de aquellas preocupaciones y pensaba en la carta de Ervigio a la novia de Prat. Dos cosas me halagaban. Que el lego me hubiera pedido mi parecer sobre lo que debía hacer con la escultura y que Prat pensara batirse a duelo conmigo antes de saber que yo no era el culpable. En relación con el lego y sus preocupaciones traté de buscar en mi imaginación ideas y palabras oídas en casa que pudieran tener algún sentido. Recordé a un tal padre Villegas, jesuita, profesor de la escuela de Salamanca, que venía a veces a vernos y del cual decía mi padre que era un santo. Un día el padre Villegas dijo en la mesa hablando de problemas que le planteaba mi padre, que Dios quería que los hombres poseyeran las cosas —propiedades adquiridas o atributos naturales— plena, firme y gozosamente. No muy seguro de repetir aquella idea con exactitud dije al hermano lego:

—Debe usted poner su nombre, porque Dios quiere que cada cual posea las cosas firme y completamente.

Me miraba el lego, dudando. De un modo bastante dramático dijo:

—Eso no lo has pensado tú. Lo has oído a otras personas. Si lo hubieras pensado tú, te creería, hermanito. Y seguiría tu consejo. Pero esa idea no es tuya. Bueno, no importa. Volviendo a lo de antes, ¿cómo te llevarás ese cabeza cuando te vayas a casa?

Viéndome sin saber qué contestar, prometió hacer una caja lo más ligera posible, de modo que pudiera transportarla hasta el tren. Cuando me disponía a salir del taller, el fraile me preguntó:

—¿Y tus estudios?

Adivinó que iban mal y me dijo que debía aprovechar el tiempo que faltaba hasta los exámenes. Yo se lo prometí y le pedí en cambio que guardara el secreto de los conmutadores eléctricos. Afirmó con la cabeza, suspirando. Le dije también lo que había pasado entre Ervigio y Prat y pronto me arrepentí porque al ver la alarma del lego, pensé que avisaría a los otros frailes para que protegieran al culpable. Había calificado yo los hechos como un ultraje a Prat que merecía castigo.

Cuando salía, vi al lego ponerse la sotana, deprisa. Seguramente iba en busca del padre Ferrer. No sabía si lamentarlo o no. La verdad era que entre Prat y Ervigio no sentía preferencia por ninguno de los dos y podían marcharse juntos al infierno.

Pensaba en la necesidad de aprovechar aquellas tres semanas para repasar los libros aunque el hecho de que me suspendieran en todos los cursos y de dar un disgusto a mi padre no me parecía mal. Bien es verdad que si aquello hacía sufrir a mi padre y contribuía a salvarle el alma, tampoco me parecía bien. Estuve con estas reflexiones todo el día. No había duda de que tendría que pasar por la incómoda experiencia de los exámenes, porque no sólo no llegaba la revolución, sino que la huelga se había resuelto. Pensando en esto y en Valentina y en el hermano lego cuyas palabras me habían confundido bastante, me puse aquel mismo día a trabajar. No sólo estudiaba durante la vela sino que me llevaba los libros al cuarto —cosa que no estaba permitida— y como no tenía luz en la celda, me iba al retrete donde leía horas y horas. Un poco más incómodo era leer aquellos libros que la novela de Salgari, aunque las circunstancias eran las mismas.

Yo veía que Ervigio andaba siempre cerca de algún fraile y que estaba alerta con Prat de quien temía algo. Pero una tarde lo atrapamos los dos, Prat y yo, en el almacén de los recreos. No había nadie más y cerramos la puerta. En la pared había un armero y los floretes que usaban los mayores para aprender la esgrima. Todos tenían la punta embotada y además cubierta con cuero. Prat tomó uno y yo otro. Ervigio creía que nos íbamos a batir en broma y que la cosa no iba con él. Se quedó aterrado cuando vió que Prat le daba un golpe en las piernas y le decía:

—Te ha llegado la hora, Pastoreta.

Yo le dí otro golpe en el brazo. Como los floretes no tenían filo ni punta, no le hacíamos herida alguna, pero los golpes debían dolerle más que si le dieran con un bastón. Contuve con un gesto a Prat y le dije: "Primero soy yo. Luego tú puedes matarlo, si quieres". Di un fuerte golpe a Ervigio en las rodillas y pregunté:

—¿Por qué has escrito a Inés una carta de amor firmada con mi nombre?

Le dí otro golpe. Yo le pegaba, pero Ervigio gritaba mirando a Prat, cuya amenaza muda le horrorizaba. Tal vez esperaba de él la muerte. Gritó tanto y tan sin pudor ni vergüenza que le oyeron fuera. Varios chicos abrieron la puerta y Prat y yo nos pusimos a esgrimir como si estuviéramos jugando. Detrás de los chicos llegaba el hermano Pedro. Al verlo gritó Ervigio:

—Hermano, Prat dice que me va a matar.

Llevaba en las piernas marcados nuestros floretes —el mío sobre todo— pero sólo se preocupaba de Prat. Viendo al hermano cerca y comprobando que Prat estaba ocupado conmigo Ervigio recogió otro florete del suelo y tomándolo por la empuñadura le dió a Prat un fuerte golpe en la espalda. Al volverse Prat recibió otro mayor en la cara que le hizo sangrar la nariz y casi le saltó un ojo. El hermano Pedro se interpuso. Yo había dejado mi florete y Ervigio estaba en la puerta y gritaba fuera de sí:

—Mírate en un espejo. Anda, y hazte un retrato y mándaselo a Inés.

Luego se puso a cantar como un loco:

Inés, Inés, Inesita, Inés
Inés, Inés, que bonita es...

Prat se miraba la mano manchada de sangre. Ervigio desde el claustro, agitándose en los brazos de hierro del hermano Pedro gritaba:

—Le volveré a escribir a Inés, yo, con mi nombre. Y a pedirle una foto. Y cuando vengas a pegarme te santiguaré otra vez con el florete. O te cortaré la cabeza.

—Cállate, —ordenaba en vano el hermano.

Y Ervigio volvía a cantar con una voz ronca:

Inés, Inés, Inesita, Inés...

Iba Prat camino de la enfermería, sin oirle. ¿Es que un león hace caso de los gañidos de un zorro? No. Puede matarlo de un zarpazo, pero no pelear. Eso pensábamos todos viendo marchar a Prat tranquilo mientras el hermano Pedro sujetaba todavía a Ervigio.

Cuando volvió Prat de la enfermería con la cara vendada dijo al grupo de chicos que estaba conmigo:

—Este verano que viene atraparé a la Pastoreta en la calle y lo que pase lo leeréis en los periódicos.

Los exámenes fueron pocos días después. Sólo estuve bien en latín, pero me aprobaron en todos los cursos por consideración de los profesores para los frailes. Fui a despedirme del hermano lego, quien apenas si podía hablar de emoción. Me mostró la caja que había hecho y luego la escultura misma que estaba resplandeciente y no parecía de mármol sino de coral recién sacado de los mares. Me dijo:

—¿Dónde vas a ponerla por fin?

Yo pensaba en un lugar que los campesinos llamaban *el Más* y también en las Pardinas. Mosen Joaquín me había dicho que ese nombre —pardinas— viene del latín *parietinae* y se refería a unos muros antiguos y un arco romano que había al lado del camino. También había allí una ermita que estaba en ruinas y un estanque.

—¿Hay de veras un estanque allí?

—Sí, con una calzada de piedra por un lado. Y la escultura estará en la parte que da al camino, para que la vean todos. En la capilla hay un letrero incompleto que dice en latín... *magna nominis umbra.*

321

—Sigue, sigue. ¿Qué más?

—También dicen que hay un nidal de lamias viviendo en la capilla. Yo no las he visto. Y muchos de golondrinas. Esos sí que se pueden ver. Y las colmenas de abejas.

Seguía yo haciendo memoria.

—Allí las nubes son verdaderas.

—¿Qué quieres decir?

—Bueno, genuinas. Y hay un santero —aunque no hay santos— que sabe romances y dice uno que comienza:

> *Virgen del Amor Hermoso*
> *Santo Cristo soberano*
> *con la corona de espinas*
> *y una perdiz en la mano...*

—¿Una perdiz? —preguntó el lego—. ¿Para qué?

—Es abogado de los cazadores. Allí bendicen a los perros perdigueros cada año cuando se levanta la veda. También bendicen las viñas.

—¿Y pondrás allí la escultura?

—Sí. Sobre una columnita.

—No, no, hermano. Una columna gruesa.

Me dijo el grosor que debía tener la columna y además lo escribió en un papel.

—¿Hay allí cigüeñas en el verano? —siguió preguntando con una curiosidad infantil.

—Antes había un nido y todos los veranos iba la misma pareja. Hace años que no van y dice tía Ignacia que se han muerto las dos o por lo menos una.

El lego parecía estar viendo las cosas de las que yo hablaba:

—¿Y qué gente anda por allí?

—Por la mañana pasan cazadores con perros. Y a veces es el juez o el notario o un porquero o un guardia. Y la mujer del aparcero con una vaca o dos que andan sonando una esquila. Y su hija con una fila de gansos que van todos los días a nadar a la balsa, una balsa pequeña donde hay samarugos. Allí al lado hay una loma muy grande y miles de cepas que dan una uva especial de granos amarillos y largos. A esa uva la llaman *uva de muslo de dama*. Una vez mi padre echó de allí a unos mozos que el día de las quintas fueron a cantar con una rondalla y había uno que había bebido y cantó una canción "perniciosa" que yo recuerdo muy bien.

—¿Cómo era?

—La letra era así:

> *Esnudándome le dije*
> *que mestirase las calzas*
> *y quereba y no quereba,*
> *todo se golvían trazas.*

—¿Por qué dices que es perniciosa?

—Lo dijo mi padre. Yo pienso que es porque trata de piernas. De piernas se dice perniciosa.

El hermano soltó a reír. Yo añadí:

—A veces pasan vagabundos que son ángeles disfrazados como Benedicto José.

Nos quedamos callados.

—Bien, hermanito. Te doy esta cabeza que vivirá más que tú y más que yo. Trata de ser como ella, tranquilo y firme. Y si tienes para vivir el valor que a mí me falta, vive sin miedo, hijo mío. Tu orgullo herido será tu oración. Y tal vez tu salvación.

En la base cuadrada de la escultura el fraile había grabado con el buril unas letras menudas pero muy claras que decían: *Fray Blas S. F. fecit*. Rompió a reír un poco avergonzado al ver que yo lo había visto y me dio la mano.

—A veces según como le dé el sol —dijo— esa cabeza tendrá también su aureola.

Me puso la mano en el hombro y me acompañó a la puerta:

Eso te recordará las que tienen todos los hombres y te ayudará a estimarlos en su grandeza y en su miseria. Sí, hermanito, en su miseria. Es por su miseria por lo que se parecen a nosotros. Y tú, es por tu manía de ser singular y único por lo que te pareces a todos los demás.

Todavía bajando la voz añadió:

—No creas que no me di cuenta. Querías que los obreros asaltaran el convento y mataran a los frailes para interceder en mi favor y mostrarme tus verdaderos sentimientos de amistad salvándome la vida. Pero no es necesario. Nunca será necesario, hermanito. No porque los obreros no quieran venir sino porque aunque un día vinieran y se volvieran locos y quisieran matarme, la verdad es que el martirio me daría alegría. Sí, hermanito. Ese contento estúpido me imposibilita hasta para ser un verdadero mártir. No valgo ni siquiera para mártir. Pero te agradezco tu buen deseo y tu intervención como si de veras se hubiera cumplido.

Yo percibía en el lego una vez más su "alma líquida" con la cual adivinaba intenciones mías tan secretas que ni yo mismo me había dado cuenta de ellas hasta entonces.

Y me fui entre contento y afligido.

* * *

El poema que sigue se refiere precisamente a aquel lugar llamado las *Pardinas* donde había una ermita rota, un arco de piedra, un estanque y una enorme colina con millares de vides que producían la uva *de muslo de dama*.

Pálido en el collado bajo las claras nubes
recuerdo yo el viñedo y la estatua y la ermita
(al alba solitaria los secretos querubes
se bañan como pájaros en el agua bendita).

Era el viñedo moscatel
preferido por los rebaños
del sol y en ellos Azrael
celebraba mi cumpleaños.
(Había fuentes con tres caños.)

Mi alma de faena por allí se quedaba,
las vides pudorosas velaban sus racimos
y de la antigüedad de Dios se proyectaba
la calma del no ser en el ser de los limos.

Había una cepa vieja
de soledad descaecía
si por azar alguna abeja
en ella no se entretenía.
(En la barda una cotovía.)

Las lamias del racimo y del simple entender
suspiraban al ver llegar desde el boscaje
con la luz para el hombre y para la mujer
de las encarnaciones, un secreto mensaje.

Lamía del canesú de oro
dime por qué el insecto sabe
más que el vencejo del transcoro
y que el buho del arquitrave.
(El ángel parecía un ave.)

En el prado balaban las novias de la noche
cuyas lunas pasaron o aun no habían venido
y cargados de crímenes pero sin un reproche
miraban desde lejos los que habían huído.

Entre las vides me ocultaba
de la antigua teodicea
y aunque sin ojos ya, llevaba
en cada mano una tea.
(Lejos despertaba la aldea.)

Oh, señor del viñedo a donde van los justos
en teorías de pecado y humildad
tu has ungido a las vides, entre tantos arbustos
con el prestigio de la libidinosidad.

Mi voz doliente alcanzaba
la cima gris de la colina
y el pie desnudo te besaba
moza de la risa calina.
(La axila olía a verde ontina.)

A veces me quedaba sin voz y la postrera
verdade se mecía en un espacio puro
Mis pámpanos temblaban desde el sueño en la entera
luz de un pasado que se unía con el futuro.

Abejas de nuestra heredad
símbolos de la permanencia,
detrás de la muerte de edad
somos presentes en la ausencia.
(La hormiga sabe de esa ciencia.)

Los restos de la noche, en rotación pausada
prestaban a las piedras su volumen del día
los granazones daban la prez de la jornada,
las hojas con las hojas la antigua letanía.

En el secreto de las almas
llenas de grises ocasiones
se siente un céfiro de palmas
pascuales y de comuniones.
(Juega el vidrio a las reflexiones.)

¿Será quizá la última? ¿O es que cada instante
de este sobrevivir nos asoma al lindero
de un orto proyectado sobre un nuevo sextante
en el que aun puedo ser el principio primero?

Oh, cuantas voces nos esperan
en el silencio de la nada,
cuantos gérmenes preservan
al otro lado de la arcada.
(Y de la bóveda estrellada.)

El ángel de las rutas y de la caridad
iba a los paradores replegadas las rubias
alas sobre sí mismas y por más humildad
disimuladas bajo la capa de las lluvias.

Angel de la ciencia evangélica
el viñador del Somotano
rie de tu joroba angélica
y te pasa por ella la mano.
(En la balsa bebe un milano.)

El que nos hizo quiere seguir fiel a su obra,
es árida la eternidad del peregrino
y falsa la promesa del barco que zozobra
en el remanso negro del comunal molino.

Y nadie puede alcanzar más
a la sombra de las tres cruces
que el buen saber de Satanás
y el chirriar de los arcaduces.
(En el mármol calladas luces.)

Cada cosa me aguarda en tus eras, Pardina
de las vidas procaces y del eremitorio
y en el ala de yeso y de oro se adivina
la vanidad de cada deseo migratorio.

Vendimiadoras trashumantes
decid por la gloria y la gala
de las vagas lunas montantes
si está fundida ya mi bala.
(En el remanso tiembla un ala.)

El lego en tus espacios tiene quizá otro nombre
—yo lo entreveo en el mirar de Valentina—
pero no sé quien es, tal vez es más que un hombre
ni sé quien soy yo mismo ni quien nos determina.

En los mirajes ya no veo
ni la verdad ni el error
ni la tierra ni el empireo
ni el ángel ni el vendimiador.
(Sólo la ausencia del Señor.)

Vienen normas y savias y olores y acedías
—Yo he soñado que llegan de los Mallos de Riglos—
a esta colina donde se me aduermen los días
y las semanas tienen sucederes de siglos.

Perfil de vidrio y de coral
allí te sigues desviviendo
y tu silencio teologal
es como un clamor horrendo.
(Entre mis pies el sol naciendo.)

Quedan en la pardina tus luces congeladas
y son precarias como la flama del sarmiento
pero a veces me hablan de las altas jornadas
del rezo involuntario y del gran firmamento.

En esa luz vive otra muerte
y se insinúa otra vida
y la posibilidad de verte
en otra tierra prometida.
(En el mármol tu voz dormida.)

El arcángel siamés mongol de la agonía
que separaba un día mi cuerpo y tu alma
viene también flotando por el filo del día
y la noche al auspicio de la última calma.

Trae una estrella en la frente
y en la mano un tirso de boro
y va con paso reverente
desde el lagar al antecoro.
(En la segur el cielo de oro.)

¿Qué tierra o qué muerte o qué ignorado fruto
tú, entendedor de viñas y del zumo postrero
vas aun a ofrecer a esta alma de luto
cansada de lo falso y de lo verdadero?

> Me pierdo aun en mi no ser
> y en esta altura —fuego frío,
> no alcanzo a recordar ni a ver
> y me avergüenza mi extravío.
> (Luces perdidas en el río.)

En esta alarma a donde me devuelve el acaso
ves, ángel de los tránsitos, mulato Azrael,
para que mejor puedas encaminar tu paso
y hallarme, pongo el pecho bajo el vano laurel.

> Estás llegando, ya lo sé,
> tu cercanía huele a espliego
> y mi amor y mi odio se
> confunden en un solo fuego.
> (Hay sangre en el taller del lego.)

Aquí, en el sol alterno de los gozos cruentos
hablo aun por mis vagas jornadas ya sin horas
y mis silencios pobres y mis renunciamientos
le prestan a septiembre sus auras tembladoras.

> Luna de piedra, virgen madre
> y Valentina, barro tibio,
> a la orilla del Alcanadre
> hay sangre mora y oro libio.
> (La luna es un objeto trivio.)

En la ermita fantasmas acuciosos y lentos
—ex-abades del bon vagar y los latines—
ríen de las escarchas de los propios argentos
y abren el gregoriano misal de los maitines.

Las flores grises del cancel
renuevan la horrible memoria
de las pitas de Castelbell
rojas de savia expiatoria.
(Gime o canta o ríe la noria.)

Primero que se cierre la rendija del cielo
tu alma, nadadora de los altos luares,
incluye la oración de nuestro desconsuelo
en la lascivia del Cantar de los Cantares.

Nos cuentan la sabida historia
de un jóven arcángel mortal
que sacrificara la gloria
eterna por la temporal.
(En el lecho una luz astral.)

Inmóvil ya por fuerza, viendo como se hielan
a la sombra del mármol las estrellas desnudas
siento mis propios ojos perdidos que rielan
en los labios secretos de las novicias mudas.

Algunas callan demasiado
—enmudecen también las rosas,
y en la ausencia de lo callado
hay confidencias asombrosas.
(Las de las últimas esposas.)

El nombre del abad no lo sé y yo quisiera
saberlo si es posible, pero en el catecismo
de mi infancia lejana me recuerdan que era
parecido al demonio que aun alienta en mi mismo.

Mi pecado era oración
y el orgullo con su reverso
era muerte y resurrección
y gracia y ley del universo.
(Y el amor, exterminación.)

Entre tantos planteles quzá distingo alguna
forma humana pero de pronto se me pierde,
el aire es gris-azul, blanquinegra la luna,
yo no tengo color y el sol es todo verde.

A veces podía encontrarme
tal como era antes de ser
si no viniera a despistarme
la insistencia en el conocer.
(Y la tristeza del placer.)

Mármol tuyo, erigido frente al viejo pinar
yo te doy la importante confusión de mi vida
y tú me das el gozo turbio de contemplar
esta abstracción de mi grandeza abolida.

Aunque no puedo comprender
todavía quiero cantar
el miedo al permanecer
y la zozobra del pasar.
(Hay luces en el olivar.)

Pámpanos del otoño bajo los cielos rasos
marcados por la ausencia de Orión y de la Osa
eran una secuencia de albadas y de ocasos
en cuyos intervalos crecía alguna rosa.

Y lo ángeles se burlaban
de mi desorientación
y todos a un tiempo me hablaban
de otra viña de promisión.
(Sobre las ruinas, el halcón.)

Substancia, forma, esencia, tres nombres y una espuma
de luz en el altar el estrado y el lecho
y un elemento solo, la tierra que rezuma
y una culpable eternidade al acecho.

Oh, Dios magna nominis umbra
tal vez propicio o adverso
mira como tu ausencia alumbra
la cornisa del universo.
(Fuente del magna nominis umbra.*)*

LA QUINTA JULIETA

LA ATMOSFERA FAMILIAR

de Pepe Garcés, cambia. Ya no es la vida fácil de la aldea ni el internado de Reus seguro y ligero de responsabilidades sino la ciudad moderna con sus prisas, sus problemas y su tendencia a desestimar al individuo en favor del grupo. Esto no hacía sin embargo mucha mella en Pepe Garcés como verá el que leyere.

De los versos del autor incluyo en este cuaderno tres sonetos al principio y un poema al final titulado por el mismo autor "Las horas amarillas". Sigue siendo el mismo poeta y se advierte que todos estos versos debieron ser escritos en un período no mayor de dos meses. Por eso mantienen un mismo estado de sensibilidad.

El primer soneto recuerda la fragancia idílica de la aldea y aunque no se dice expresamente está dedicado a Valentina:

Hacia el lago de las adolescencias
quiero llevarte para que despierte
bajo el yugo de anteriores presencias
tu vida nueva y mi vieja muerte.

Invertida en el agua quiero verte
y hallar cruzando tus indiferencias
delfín del llanto en esperar inerte
con las demoras y las inminencias.

Ojos, lagos de nieblas y de preces
si en la sombra lunar como otras veces
el bajel de mi afán la antigua estela

ha perdido yo quisiera escalar
por niebla y sangre el alto luminar
donde toda memoria se congela.

El segundo parece reflejar el desorden de la sensibilidad de un joven llevado del campo a una ciudad populosa:

Tanta ventana fría, tanta fábula
con apariencias de genuina vida,
decir latino de los incunábula
y alegría de cifra no entendida.

Tanto balcón corrido y facistoles
y tapices en la tarde florida
y esa sed de pureza en los faroles
urbanos por la luna desmentida.

Calle adelante y harto de las gentes
contigo o con ella o con él
que era en los días aun no adolescentes

sólo encuentro —memorias oferentes
la puerta con el ramo de laurel
y un lambrequín dorado en la cancel.

El tercero resulta un poco confuso, pero la confusión es a veces un elemento lírico:

Fuera de los escolios y del hecho
dejadme estar en la hora reverente
y poner mis dos manos en el pecho
armillado del héroe yacente.

Angeles los del dolo, centinelas
no podrán evitar la omnipresente
libertad y en el halo de las velas
habrá una rara palidez creciente.

Aun después de la vida, madre mía
nos pedirán aquel estoicismo
que nos condicionaba la alegría

y el mío será sólo un atavismo
de los lejanos días de la orgía
sin futuro y del epicureísmo.

No sé en verdad qué orgías pudieron ser las de Pepe
Garcés quien de un modo u otro fue siempre fiel a esa noción
grave y discretamente ascética que en su tierra aragonesa se
tiene de la vida. Tal vez Pepe hablaba de sus orgías interiores,
de las fiestas de su alma.

Estando en Reus su familia se trasladó a Zaragoza. He
aquí pues a Pepe Garcés con el busto esculpido por el lego
metido en una cajita de madera volviendo a la moderna y
urbana Zaragoza que habría sido más atractiva si Valentina
estuviera en ella.

AQUI COMIENZA VERDADERAMENTE LA LLAMADA "QUINTA JULIETA"

Hice el viaje en el tren, solo. Un viaje de más de ocho
horas que me pareció una verdadera aventura de hombre.

En una de las estaciones del trayecto vi a Planibell todavía con su gorra de colegial yendo y viniendo con una
maleta y paquetes. Iba dos o tres vagones más lejos. No sé
si me vio. En todo caso no volví a verlo hasta llegar a Zaragoza porque el tren no era corrido.

En el andén de Zaragoza nos encontramos. Entre la vida civil y la del internado había espacios fabulosos que equivalían en cierto modo a períodos de tiempo. Yo miraba a Planibell como si hiciera años que no lo había visto.

Se presentó un chico de unos dieciseis años a recibir a mi amigo. Se saludaron como conocidos pero sin familiaridad. Planibell me explicó que iba a pasar el verano con la familia de los Biescas que eran compañeros de negocios de su padre. El recién llegado era o parecía un poco tímido y se apresuró a decir:

—Bueno, la cosa es un poco diferente. El señor Planibell es dueño de fábricas mientras que nosotros no somos más que pequeños comerciantes. Felipe Biescas, para servirle.

Me miraba Planibell satisfecho como diciendo: ¿qué te parece? ¿Quién es importante aquí? En aquel momento llegaban mi hermana Concha y mi madre. Les presenté a Planibell cuya belleza de arcángel hizo impresión en mi hermana aunque despreciaba generalmente a los chicos que tenían menos de veinte años.

Planibell presentó a Felipe Biescas, quien repitió quitándose el sombrero que él no era industrial en grande como el señor Planibell. La humildad de Biescas era sin cortedad alguna y resultaba agradable. Todo en él parecía honrado y simple. A veces tanto que yo dudaba de que fuera sincero.

No iba a quedarse Planibell en Zaragoza. Se iba al campo, a las montañas del Pirineo. Felipe Biescas dijo:

—A Monflorite. Allí nació mi padre y todavía tenemos una casa de labor.

Planibell se volvió hacia mí, displicente:

—¿Sabes a qué voy?

—No.

—Voy a cazar osos.

Biescas alzó las cejas asombrado. Mi hermana lo miró de reojo, escéptica. Yo lo creía a pesar de la fama de embustero de Planibell. Y le dije: "Ojo. Acuérdate de Favilla".

—Cerca de Monflorite hay osos, es verdad, —dijo Felipe, prudente.

Luego los dos se despidieron con grandes extremos de cortesía y respeto para mi madre y mi hermana.

Yo me puse a hablarles de Planibell favorablemente como era natural para darme importancia con su amistad. Mi hermana escuchaba distraída y mi madre, atenta. A mi madre le gustaba la humildad de Felipe Biescas. "Parece un muchacho de buen corazón". De Planibell decía: "Su familia debe ser rica".

Un poco me extrañó verlas a las dos vestidas como sólo se vestían en la aldea para ir a misa los días de fiesta. Concha se dio cuenta y me dijo que en la ciudad la gente se vestía cada día como si fuera domingo. Yo me apresuré a decir que en Reus también. Entonces mi madre me miró extrañada y dijo:

—Tienes un acento catalán terrible.

Tomamos un coche. Llevaba un paquete de libros atados con correas, la caja de madera con la cabeza de mármol preparada por el hermano lego y mi maleta con la ropa. El cochero al tomar la caja y ver que pesaba tanto preguntó en broma:

—¿Qué es esto? ¿Una bomba?

Estaban de moda las bombas en Barcelona y el tren venía de aquella ciudad. Dije que sí. Mi hermana Concha a pesar de su buen sentido —era la más razonable de mis hermanas— no las tenía todas consigo y miraba la caja con recelo. Mi madre decía que en Zaragoza la vida era diferente y que yo tendría que vivir de un modo civilizado. Las dos acordaron que había crecido mucho.

Vestía mi traje gris de chaqueta cruzada y pantalón corto. Llevaba la gorra de uniforme del colegio, que era como las de los oficiales de marina, azul en invierno y blanca en verano, con visera de charol y un escudete delante. En un lugar donde el coche se detuvo por dificultades de tránsito pasó a nuestro lado otro coche descubierto donde iba un cura. El cura me miró y yo me quité la gorra. El cura se apresuró a contestar quitándose el sombrero. Mi madre preguntó:

—¿Conoces a ese sacerdote?

—No, pero el hermano Pedro dijo que debemos saludar a todos los curas que veamos en la calle.

A mi madre esto le parecía bien. A mi hermana le chocaba un poco: "¡Qué raro!" decía. El hermano Pedro no podía seguramente imaginar la cantidad de sacerdotes que había en Zaragoza. No era que yo estuviera dispuesto a cumplir todas las indicaciones y las órdenes de los frailes pero quise probar a ver qué sucedía y la experiencia me gustó. Durante tres o cuatro días seguí pues obedeciendo al hermano Pedro, pero luego comencé a ver que aquello era un poco tonto y lo dejé. "Los frailes —pensé— están allí siempre encerrados y no saben lo que sucede fuera del convento. No saben, como dice Concha, la cantidad de curas que hay en esta ciudad".

Sólo recordaba del colegio al hermano Pedro y al lego del taller. A los demás podía llevárselos el diablo, sobre todo al padre Ferrer. Como suele suceder mi decisión de no saludar a los curas me empujó al extremo contrario. Me sentía un poco anticlerical a mi manera, no por pricipios sino tratando de imitar al terrible Planchat.

Mi padre había alquilado el primer piso de la casa de los marqueses de M. en el número quince de la calle de don Juan de Aragón. Los marqueses vivían en el segundo. La casa tenía un portal inmenso —entrada de coches— y un patio adecuado al portal con pavimento de piedra rodada muy menuda y sólida. Más tarde recordando aquella casa yo la relacionaba sin saber por qué con las de los héroes de las novelas antiguas, con la casa de Calixto y Melibea, por ejemplo. La nuestra no tenía jardín. Tenía sólo tres patizuelos por donde tomaban luz las habitaciones interiores.

Aunque sólo de dos pisos la casa era amplia de fachada, con rejas y balcones y alero saledizo y con una profundidad tal que las habitaciones traseras daban a la plaza lejana de los Reyes, siempre desierta, con portales de piedra y un aire desvaído de códice medioeval. A veces yo creía estar en el castillo de Sancho Abarca, todavía.

Mi padre no conocía a los marqueses. No teníamos con ellos más relaciones que las de inquilinos y dueños. En el rellano siguiente al nuestro yo veía la enorme portada de madera labrada que daba acceso a su vivienda. En torno a los marqueses todo era grave, silencioso y de tonos oscuros. Tenían dos hijos ya mozos, mucho mayores que yo, que pasaban a veces a nuestro lado sin hablar. Y casi sin mirar.

En la plazuela frente a la casa, pavimentada con canto rodado entre el que asomaba algún tufo de hierba verde había a veces muchachitas del barrio que se cogían de las manos y giraban en rueda cantando. Cuando veían pasar al hijo del marqués de M. vestido con su uniforme de Húsares de Castillejos las pícaras cantaban:

> *Es nuestro vecino un mozo*
> *alto, rubio, aragonés*
> *y en el puño de la espada*
> *lleva escrito que es marqués.*

El joven oficial miraba de reojo y alargaba el paso, un poco ruborizado.

Su padre, el viejo marqués llevaba la cabeza torcida a un lado, por alguna clase de enfermedad.

La plazuela, a la que daban las partes traseras de otros edificios tan antiguos como el nuestro, de modo que no había en ella más portal que el de nuestra casa, comunicaba con la calle Mayor por un pasadizo estrecho —se podían tocar los dos muros con los brazos abiertos— que se llamaba callejón de Lezaún.

Nuestro piso tenía tantas habitaciones que podíamos los chicos cambiar y elegir otra si la que nos habían asignado no nos gustaba. Había por lo menos veinticinco dormitorios, la mitad vacíos. En un cuarto grande estaba el piano de las chicas. Maruja se pasaba la mañana sentada en su taburete haciendo escalas y arpegios. Era tan grande la casa que había habitaciones donde el piano no se oía. A veces Luisa se perdía en algunos lugares y daba grandes voces para que fuéramos a rescatarla porque tenía miedo.

Los marqueses salían poco de casa. Debían vivir de

puertas adentro una vida recatada con sus relaciones de familia y sus devociones. Nosotros, yendo a las escuelas, a los cines, peleando en casa o aporreando el piano debíamos representar —pienso ahora— la burguesía ascendente y ellos la aristocracia decadente. O más bien declinante.

El barrio era el más viejo de la ciudad. La calle de don Juan de Aragón estrecha y sombría comenzaba junto a la iglesia de la Magdalena, un antiguo templo pagano de los tiempos de Augusto sobre el cual se había construído una mezquita con su minarete en tiempo de los árabes y más tarde había sido dedicado a templo cristiano. Por los ajimeces salían murciélagos, al oscurecer. En el otro extremo de la calle estaba el Arco del Dean que no era tal arco sino un túnel de piedra de más de veinte metros de profundidad y la entrada de veras grandiosa de La Seo. Esta era la verdadera catedral de Zaragoza en la cual se veía también un basamento romano, un decorado mudéjar y un arquerío gótico. La labor del coro era renacentista y el conjunto de una sobriedad y grandeza impresionantes. El párroco de La Seo era pariente nuestro. Don Orencio, mosen Orencio. Su apellido —Borrell— era el mismo de Wilfredo Velloso y era el de mi abuela materna. Borrell. Aquella rama de mi familia era de origen visigótico. Esas preocupaciones ridículas me parece que tienen ahora —en el recuerdo— una cierta poesía. Mi padre gustaba de recordar los orígenes de la familia de mi madre porque añadían algo a la personalidad de su esposa de quien estaba enamorado.

Solíamos ir a misa a La Seo. Mi padre, cada día. A las ocho de la mañana y a veces antes se le oía volver a casa y andar por los pasillos dando voces:

—¡Todo el mundo en la cama! —decía escandalizado.

Tomaba el desayuno que era siempre el mismo: un racimo de uvas y un vaso de agua. Luego fumaba un cigarrillo sin dejar de gruñir. Y se iba. Al oír la puerta todos respirábamos felices y nos volvíamos de lado en nuestras camas.

Mi padre estaba entonces muy atareado. Había vendido más de la mitad de la hacienda, pedido préstamos sobre la otra mitad y con aquel capital estaba intentando los negocios más dispares. Por de pronto se había hecho socio capitalista de una imprenta y encuadernación bastante grande cuyo dueño estaba en apuros. De este dueño —que era un hombre pequeño y enlutado, con cara de raposa— solía decir mi padre cuando alguien preguntaba qué clase de persona era:

—Un hombre de comunión diaria.

Lo decía alzando la cabeza con gran solemnidad. Yo fui una o dos veces a la imprenta. Me encuadernaron allí los ejercicios de clase hechos en el colegio y pusieron en la cubierta mi nombre impreso en letras doradas.

Pero el dueño aunque fuera cada día a la iglesia no parecía hombre de fiar. Era demasiado humilde y tenía cierta rigidez entre los hombros, el cuello y la cabeza que le impedía casi siempre moverse con gestos naturales. El instinto de los chicos es bastante seguro. Más tarde he pensado que mi padre no había leído el "Tartufo" de Molière. En realidad no leía sino libros de devoción. Lo demás le parecía una manera un poco indecente de perder el tiempo. Mi padre quería por entonces matricularse como agente de negocios y todos los días tenía entrevistas *muy importantes*. Por lo que digo se podría pensar que mi padre era tonto, pero no hay tal. Era sólo confiado, noble y falto de experiencia.

Yo digo que estar en aquella casa y en aquel barrio no era estar en Zaragoza . Tenía yo la impresión de haber regresado al castillo. Ir desde mi casa al centro de la ciudad era una aventura. La ciudad verdadera estaba en el Coso, la Plaza de la Independencia con su paseo del mismo nombre, la calle de Alfonso y la plaza del Pilar. El templo del Pilar tan famoso y tan grande era moderno y decorado casi como un hotel o un barco de lujo. Todo el barrio del Pilar con excepción de San Juan de los Panetes —que parecía datar del siglo XIII— era moderno. Mis padres veneraban a la Virgen del Pilar, pero no estimaban mucho el templo.

En cuanto a la parte sureste de la ciudad desde la plaza del Justicia Lanuza hasta Torrero y el Cabezo de Buena Vista era la parte más moderna y vivían allí los rentistas prósperos. Aquello era el porvenir. Casas con jardín, calefacción y hasta algunas —creo yo— piscina privada.

Como se puede suponer yo era un gran andarín y en pocos días me recorrí la ciudad entera de arriba a abajo. Lo mismo que en la aldea necesitaba saber lo que en cada barrio sucedía a cada hora del día para poder sentirme a gusto en mi piel. Además con aquellos paseos compensaba mis encierros en el internado de Reus. Y buscaba aventuras. Es decir, sorpresas, como todos los chicos.

Sabía que a las siete de la mañana en el Coso asfaltado los barrenderos regaban el pavimento con largas mangas cuyos chorros se irisaban al sol. Solía haber un perro lobo que jugaba con el agua y el manguero le daba unas duchas terribles. Al perro le gustaban. El manguero me dijo que aquel perro era muy inteligente y que todos sus parientes —los del animal— se dedicaban a las tablas. Con eso quería decir que trabajaban en el teatro o en el circo.

Un poco más abajo por la calle de Cerdán se iba al mercado donde millares de compradores y vendedores hacían cada día sus negocios en frutas, legumbres, carne y pescado, protegidos del sol por un inmenso cobertizo de metal y cemento, complicado como el laberinto de Creta. Los olores más diversos se mezclaban allí dentro, pero dominaba la sensación de frescura húmeda. Por el centro del pavimento de ladrillo había arroyuelos de agua circulando como en los alcázares moros. Aquel sitio me parecía terriblemente exótico. Las mujeres discutían de un puesto al otro sobre todo las verduleras y se decían las palabras más desvergonzadas que había oído en mi vida. Algunas al verme a mí se callaban como si les diera vergüenza.

Allí mismo comenzaba la calle que me parecía a mí más histórica de Zaragoza. La calle de Predicadores donde estaba la cárcel. Allí tuvieron preso a Antonio Pérez el privado de Felipe II antes de escapar a Francia: Era una calle ancha, de edificios altos, con esa pátina entre topacio y rosa que dan los siglos a las viviendas civiles mientras que las piedras de las catedrales y los palacios toman un color oscuro de hierro

344

colado. En aquella calle de Predicadores se solía ver a veces algún soldado sentado en el encintado de la acera abriendo con su cuchillo un melón. Había también carritos con su toldilla ofreciendo *galletas americanas* que eran una especie de sandwiches de helado de vainilla. Valían quince céntimos y yo hacía un consumo razonable de ellas.

Detrás del costado norte de la calle de Predicadores se sentía el río con sus tres grandes puentes. Uno el del tren, otro clásico puente de piedra de pilastras romanas, muy amplio. Por él pasaban las dos vías de los tranvías del arrabal y de la estación del Norte. Todavía había otro más abajo con pilastras de cemento que debía ser el que usaban los carreteros y labradores de la parte más agrícola del municipio hacia la desembocadura del Gállego.

En sucesivas excursiones fui descubriendo el resto de la urbe. La curiosidad desplazaba todos los demás intereses. Quería sólo ver. Y no perdía detalle.

Zaragoza era mucho mayor que Reus y había entre ellas la diferencia que suele haber entre una ciudad industrial y otra agrícola con tradición y pasado histórico. Zaragoza tenía sus barrios aristocráticos, su distrito central de clases medias profesionistas y comerciantes, sus barrios militares, sus barrios de artesanía, sus barrios innobles y también extensas zonas como las de la calle de San Pablo y alrededores donde vivían los obreros. Reus era sólo una ciudad de gente de negocios. Había chimeneas de fábricas y bancos por todas partes.

Sin embargo a mí me parecía Reus más romántica. Para mí el romanticismo no estaba en los castillos ni en los palacios góticos sino en los barrios modernos flanqueados de comercios con grandes vitrinas donde se reflejaban los días de lluvia los coches con ruedas de goma, silenciosos, que pasaban dejando oír nada más que los cascos de los caballos. Los cocheros llevaban las piernas cubiertas con hule impermeable.

Para mí que venía del campo feudal el romanticismo estaba en el automóvil, el cine y el restaurante de moda . Claro es que más tarde cambié de opinión. Pero entonces la civilización o sus apariencias me deslumbraba. Todavía recuerdo algunas tardes en el café de Ambos Mundos donde de siete a nueve unas muchachas vestidas de pajes disparaban al blanco con rifles de salón desde una plataforma roja. Yo me quedaba fuera. No me atrevía a entrar. Las veía a través de los grandes ventanales.

Como se puede suponer la cabeza de mármol había causado en mi familia sorpresa, confusión y por fin estaba siendo motivo de bromas y risas. Al pricipio creían que se trataba de algún regalo. El que vuelve de un viaje largo suele traerlos. Incluso Maruja que no tenía nada que esperar de mí creyó por un momento que era un regalo para ella. Cuando descubrí la cabeza mi padre que en aquellos días repetía a cada paso que el colegio me había hecho una persona diferente dijo extrañado:

—¿De dónde has sacado ésto? ¿Es que lo has robado de un museo?

Le expliqué en pocas palabras lo que sucedía con aquella escultura. Mi padre preguntaba:

—¿Y dices que es para ponerla en las Pardinas? ¿Por qué en las Pardinas?

—Eso es lo que le dije al hermano lego.

Mi padre movía la cabeza, dolido:

—Demasiado tarde. Las Pardinas no son ya nuestras.

Las había vendido para invertir el dinero en sus negocios de Zaragoza. Yo no sabía qué pensar. No tenía la menor idea de las ventajas que pudiera representar ser dueño de una laguna y una ermita en ruinas. Pero la idea de no tener donde poner la escultura me desconcertaba un poco. Mi padre se debió dar cuenta y dijo:

—¿Necesitas poner esto en alguna parte? Llévala al Museo Provincial. Yo conozco al secretario. Aunque tal vez estaría mejor en una iglesia porque debe ser un santo. ¿Qué santo será?

—No, —dije yo, secamente—. No es santo ninguno. Y no la pondré en ninguna iglesia ni en el museo.

Mi padre se quedó mirando como si pensara que la influencia del colegio no había sido tan beneficiosa. El creía que yo había cambiado mucho en Reus. La verdad es que era él quien estaba cambiando de carácter en Zaragoza.

La escultura padeció las fortunas más raras y contradictorias. Concha la puso en lo alto de una estantería en el cuarto que con más optimismo que justicia llamábamos estudio. Mi padre tenía allí una mesa de despacho y dos o tres sillones con algunos libros. Pero no lo usaba nunca. La lámpara de sobremesa que estaba rota y no funcionaba siguió sin arreglar todo el tiempo que estuvimos en aquella casa. Mi padre tenía horror a los cuartos donde había libros, tinteros y sillones que invitaban a la reflexión.

Aquel verano sucedieron cosas sensacionales. Las unas de orden exterior y las otras familiar. La más importante de las primeras fue la declaración de la primera guerra mundial. De las de orden interior la más notable fue que a mi hermana Conchita comenzaron —como ella decía— a gustarle los muchachos. La misma facilidad entusiasta con que lo decía sin que nadie le preguntara demostraba la inocencia de aquella inclinación natural. Pero la misma inocencia la inclinaba también a arriesgar más de lo que era prudente. Concha se iba haciendo una especialista en coqueteos de visillos y ventanas. Su capacidad de disimulo era inmensa, pero no la usaba sino con mis padres. Conmigo era sincera y natural. Un día la vi en una ventana interior sonriendo, mirando arriba, abajo, volviendo a sonreír muy consciente de estar siendo contemplada. Yo pensé: hombre a la vista. Con las necesarias precauciones y cambiando de observatorio descubrí en otra ventana a uno de los hijos del marqués haciéndole guiños y enviándole besos con las yemas de los dedos. Al principio me sentí ofendido por aquella ligereza con que el hijo del marqués entraba a compartir siquiera a distancia y de un modo intrascendente la intimidad de nuestro hogar. Luego pensé en Valentina. Mi hermana Concha podría ser la Valentina del hijo del marqués. Aquello era merecedor de respeto.

Fui el confidente de mi hermana en aquellos manejos. No dudaba de que el hijo del marqués le interesaba. Era un hombre hermoso. Moreno de piel y rubio de cabello, con ese rubio desvaído de plata sobredorada que tiene el pelo de una parte de la vieja aristocracia. Era alto, atlético y al mismo tiempo tenía en su vigor una delicadeza estilizada. No hice reparos a la inclinación de mi hermana.

Pero los amores de Concha eran la cosa más peculiar del mundo. Se enamoraba por las ventanas y por las ventanas se desilusionaba un día sin haber llegado a hablar con su galán y ni siquiera leer una carta. Porque el hijo del marqués le enviaba esquelitas que no llegaban a manos de mi hermana y si llegaban eran rotas o devueltas sin abrir. Se ponía Concha muy nerviosa antes de romperlas y me decía:

—¿Tú crees que eso de que me escriba es decente?

Luego añadía en voz baja: "Si mi padre se entera me va a romper un hueso". Concha tenía entonces sus buenos quince años. Yo a veces dudaba. No sabía si tomar el partido de hermano ofendido o de cómplice.

Teníamos una cocinera y una doncella, las dos de nuestro pueblo. Es decir la cocinera de un pueblo inmediato al nuestro. La doncella era la que abría la puerta. Más de una vez recibió cartitas del hijo del marqués. Mi hermana se las hacía devolver y yo me reía con todas aquellas contradicciones, aunque a veces me inquietaba un poco.

El hijo del marqués al ver que le devolvían las cartas sin abrirlas dejó de escribir. Pero esto comenzó a preocupar a mi hermana. "¿Será que ya no se interesa por mí? —me preguntaba—. ¿O tal vez la doncella se niega a recibirlas?" Me pidió que indagara yo porque no quería que la doncella pensara que se interesaba demasiado. Pregunté a la doncella y ella me dijo:

—Otras cartas misivas ha querido darme, pero yo no he querido recibirlas. Le señorita se enfada.

Esto tranquilizó a mi hermana. No quería leer cartas de amor pero estaba siempre deseando que se las escribieran. Yo le decía:

—Si le sonríes por las ventanas y os estáis las horas muertas haciendoos guiños ¿no es absurdo que te niegues a recibir una carta? ¿Qué más te da?

Ella negaba. Una carta era una cosa muy seria. Y le extrañaba que yo, su hermano, que debía amonestarla fuera tan complaciente.

Cuando Concha tenía que salir de casa no se atrevía a salir sola. Si era por la tarde se hacía acompañar de la doncella y si por la mañana —que la doncella trabajaba— me pedía a mí que la acompañara. Tenía miedo a que el hijo del marqués se le acercara. Cuando la acompañaba yo, me obligaba a vestirme de pantalón largo y al salir me cogía del brazo. En la calle mi hermana me trataba con gran deferencia y dulzura como si yo fuera su novio. Luego en casa peleábamos con frecuencia tal vez porque yo trataba de abusar de la autoridad que me daba el secreto de las ventanas. Un día que la amenacé con decírselo a mi madre Concha se puso en jarras:

—¿Tú crees que tengo miedo? Mamá es una mujer también y sabe que las ventanas son para mirar a los hombres y que una mirada o una sonrisa son cosas naturales que no comprometen a nada ni a nadie. ¿Tú crees que mamá me dirá nada? Ella sabe que hay que casarse y si no miro a los hombres ¿con quién me voy a casar?

Era posible que tuviera razón. Estaba tan lejos de la imaginación de mi hermana y seguramente de mi madre la menor libertad en materia de conducta que todo aquello no podía ser para ellas sino el inocente camino hacia la iglesia y los sacramentos. Yo me aburría y decidí no hacer caso y dejar a mi hermana en paz. Decididamente Concha quería ser marquesa. Eso me parecía al mismo tiempo inaccesible y ridículo. Pero tal vez soy injusto con mi hermana porque las formas de esplendor social la habían tenido siempre sin cuidado.

Otro de los negocios de mi padre había sido comprar papel de crédito alemán. Al comenzar la guerra la propaganda de los alemanes fue enorme y muchos germanófilos, sobre todo mi padre y un grupo de amigos suyos compraron boños de guerra. Cuando se veían en la calle se cambiaban miradas de satisfacción y se mostraban el periódico doblado en la mano como diciendo: "esos pícaros alemanes han tomado Charleroi y avanzan sobre Amiens. Están ya casi en París. Vamos a hacer un negocio redondo".

Nadie dudaba de que los alemanes ganarían la guerra.

Si yo hubiera sido como mi hermana también habría podido flirtear en las ventanas de mi cuarto porque desde ellas se veía la parte trasera del colegio de las Paulas donde había novicias y algunas estudiantes internas. A veces se asomaban a las ventanas y me provocaban con guiños o con alguna palabra dulce que yo oía como una verdadera ofensa ya que sospechaba que por mi edad o por alguna otra razón me tomaban a broma.

Había una rubita de nariz remangada y anchos ojos que me llamaba a grandes voces "amor mío" y que me traía loco. "Desde ahí, desde esas rejas y detrás de esos muros te atreverás", murmuraba yo. Pero hacía como si no la oyera.

Entretanto la escultura había sido sacada del estudio de mi padre no por él —que ni siquiera se había dado cuenta de que estaba allí— sino por mi madre quien la miraba a veces con recelo y decía:

—¿No es Nerón? Este debe ser Nerón, hijo mío.

Luego se acercaba a mirar la firma tallada en el pequeño pedestal donde decía el nombre del lego y luego en latín *fecit*. Y añadía:

—Yo no podría dormir con esa cabeza en mi cuarto.

No le gustaba a mi madre. Sin embargo yo miraba la escultura pensando: "Ya me gustaría a mí ser como él cuando sea mayor". Luego me pasaba la mano por la cabeza a contrapelo viendo que la escultura era calva.

Había varios pareceres sobre el busto. Mi hermana Luisa decía tontamente que yo lo había robado en un cementerio y que debía ir a dejarlo donde lo había encontrado porque era el alma de un *margarito*. Para Luisa los novios que esperaban bajo el balcón eran margaritos. También lo eran los jóvenes a quienes veía en la calle con la cabeza pegada a la reja .Cuando veía una pareja en la que los novios amartelados caminaban juntos y del brazo, decía que eran una Margarita y un margarito. Todas las novias se llamaban para ella Margaritas y aunque el masculino de ese nombre no existiera ella se lo aplicaba a todos los novios, lo que resultaba bastante ridículo. Estuvo a punto de descubrir el flirt de Concha cuando dijo:

—Concha tiene también un margarito.

Pero nadie dio importancia a aquella observación irresponsable y Concha compró el silencio de la mocosa con caramelos.

Todo tenía un origen natural y lógico hasta las tonterías de Luisa. Cerca de casa en la misma calle había una reja con flores y hacia media tarde en verano acudía cada día un galán alto, esbelto, acicalado, con su bastón y su flor en el ojal. Su novia se llamaba Margarita. Aquel joven era un escritor local que hacía una revista semanal con pretensiones literarias titulada "Cosmos". Esta revista se imprimía en los talleres de mi padre —es decir, donde tenía mi padre dinero invertido—. En la imprenta mi padre había conocido a ese escritor y se hicieron amigos. Cuando venía a casa era Luisa quien se adelantaba a anunciarlo gritando:

—Es el margarito de "Cosmos".

Un día vino a vernos un soldado de caballería lleno de cordones dorados y con su gran sable al brazo. Se llamaba Baltasar y era de nuestro pueblo. Mi padre lo trató con cierto aire protector. Aquél soldado que era un alma cándida, grande, bondadoso y tímido, se hizo amigo mío. A veces venía a buscarme a casa y sin entrar decía a la doncella: "Dígale al señorito Pepe que está aquí Baltasar". Yo salía y nos íbamos los dos de paseo, al mercado, a veces al soto de Almozara donde hacíamos pequeñas meriendas. Comprábamos una sandía bien fresca o dos docenas de melocotones y nos íbamos a comerlos al lado de un arroyo. El soldado me contaba la vida militar y después suspiraba y decía: "Sólo me faltan tres meses para cumplir".

—¿Tienes ganas de volver al pueblo? —le preguntaba yo.

—Sí, muchas.

—¿Para qué?

—Pues, hombre, aunque sólo sea para sentir cantar los pajaricos en la huerta.

Yo le decía eso a mi padre y él tenía reflexiones muy extrañas. Decía por ejemplo:

—Bah, Baltasar es un botarate y habla por hablar. En toda su vida no ha comido tan bien como come ahora.

Creía yo que mi padre era injusto. Baltasar podía comer mejor en el cuartel, pero su deseo de *sentir cantar los pajaricos en la huerta* era legítimo y yo lo comprendía. La verdad es que mi padre sentía veneración por el ejército y por las instituciones tradicionales. La nostalgia de Baltasar le contrariaba.

Algunos días de verano salíamos Concha y yo dispuestos a correr aventuras. Para eso nos levantábamos a las seis de la mañana, tomábamos el tranvía de Torrero y al llegar al canal de Pignatelli alquilábamos una lancha y cogiendo yo los remos nos dedicábamos a navegar durante una o dos horas. Mi hermana Concha se ponía mi gorra de marinero que le iba muy bien. Y si pasaba algún joven que le gustaba comenzaba a hacerme mimos como si yo fuera su novio. La cosa debía ser bastante absurda porque yo era demasiado joven y no debía caer nadie en el equívoco. Cuando oía a Concha decirme una terneza pensaba: "Galán a la vista". No fallaba nunca. Si yo me enfadaba ella se ponía a hablarme de Valentina:

—¿No te ayudo yo con ella? Pues ahora tienes que ayudarme tú. Los hermanos son para eso.

Si los recuerdos de Valentina no bastaban para conquistarme decía que yo me parecía a Hugo el héroe de una serie de films que se llamaba "La Moneda Rota" y que daban en el Emma Victoria a donde yo iba por la módica suma de veinte céntimos. Ese Hugo era un atleta que repartía una notable cantidad de puñetazos para salvar de situaciones arriesgadas a la heroína que se llamaba Lucille Love. Recuerdo que en aquel cine había un explicador para que los campesinos analfabetos, si los había, pudieran entender lo que pasaba en la pantalla. Me parece estar oyendo a aquel hombre que paseaba de arriba a abajo por el corredor central gritando con inflexiones cantarinas:

—Caminaba Lucille por el desierto...

Y las sílabas acentuadas de cada palabra las decía en un tono mucho más alto. A veces daban también films cortos de Chaplin que tenían un éxito loco entre chicos y grandes.

Iba yo al cine porque seguía la serie de "La Moneda Rota". Aunque mi padre tenía muchas objeciones contra las diversiones modernas no le parecía mal que fuera yo al cine, pero nunca me daba dinero. Tampoco lo necesitaba porque solía robar las monedas sueltas que veía por las mesas mientras la cantidad no alcanzara a dos pesetas ya que esa cantidad me parecía respetable. Muchas veces veía una peseta y algunas monedas de cobre encima de una mesa o una silla y me las guardaba sin el menor reparo. Cuando la cocinera decía: "Aquí dejé una peseta ochenta y no está" mi madre suponía que habría cogido el dinero yo.

En una de aquellas excursiones matinales con mi hermana buscando aventuras nos alejamos bastante canal arriba y encontramos un barco mucho mayor que mi lancha, todo blanco y en forma de cisne. Cabrían en él unas veinte personas y lo conducía un caballo blanco también que tiraba de él mansamente a lo largo de la verde orilla. Concha se había puesto mi gorra.

El cisne erguía su cuello en la proa en forma de interrogación y llevaba entre sus alas un poco separadas dos filas paralelas de cómodos asientos para los excursionistas. Me quedé absorto contemplando aquello y Concha que llevaba más tiempo en Zaragoza y estaba mejor enterada dijo:

—Esta debe ser la góndola que lleva la gente a la quinta Julieta. He oído hablar de ella.

Pero yo seguía sin entender:

—¿Qué es la quinta Julieta?

Mi hermana me decía dando a su voz inflexiones acariciadoras:

—¿No lo sabes? Es un lugar paradisíaco. Un verdadero rinconcito del cielo.

—Bueno, ¿pero es público?

—Sí, claro.

—¿Y qué hay allí?

—Pues ¿qué quieres que haya? Paseos, glorietas, césped, cenadores románticos, rincones floridos, rosaledas. Ya te digo, un paraíso. Y es público. Bueno, se paga una peseta por el viaje en la góndola y por la entrada, todo junto.

—¿Está lejos?

—Una hora en la lancha, más o menos, según dicen. La doncella va todos los domingos con su novio.

Yo calculaba: una hora de ir, otra de volver, dos de estar dentro de la quinta Julieta. Habría que dedicar toda la mañana. ¿Qué dirían en casa?

—Podríamos ir —dije.

Ella se quitó la gorra, puso en ella —entre las correítas del barbuquejo— una flor que había encontrado flotando en el agua y dijo:

—Creo que hoy no podemos ir. Es hora de volver a casa. Pero podemos ir otro día.

Luego añadió:

—¿Tú sabes? Siempre que veo a tu Petronio me acuerdo de la quinta Julieta.

Concha estaba leyendo *Quo Vadis?* en aquellos días y Petronio le parecía distinguido y hermoso. *Arbiter elegantiarum,* repetía como si supiera latín.

Nerón o Petronio seguía recorriendo nuestra casa. El día anterior lo había sacado de la cocina donde la cocinera afilaba contra él su cuchillo. Y lo llevé a mi cuarto. Lo dejé sobre la pequeña mesa donde tenía mis libros, aunque ocupaba más de la mitad de ella. No quería dejarlo en el suelo porque me parecía irreverente. Yo estaba impaciente pensando en aquella quinta Julieta y se me ocurrió que si no había otro lugar podría ir allí un día y dejar a Nerón. En secreto, claro.

—¿Hay columnas truncas? —dije   .

—Ya te digo que hay de todo. Aunque a ciencia cierta no sé. Yo no he estado nunca.

—Si no has estado nunca ¿cómo sabes tantas cosas?

—Hijo, una oye hablar a la gente. Una no es sorda. También sé cómo es el mar y no lo he visto nunca. Lo que puedo decirte es que la quinta Julieta es un lugar ideal para los enamorados como Valentina y tú, queridito.

Ese "queridito" me recordó que debía haber algún galán en la orilla. Y lo había. Era un joven jovial que saludaba sonriendo, llevándose la mano a la frente al estilo militar. Yo dí un golpe ligero y rasante con uno de los remos y alcé un ala de agua en su dirección que debió mojarle los zapatos. El joven saltó hacia atrás y dijo sin dejar de reír:

—¿No me recuerdan? Soy Felipe Biescas el amigo de Planibell —y volviendo a llevarse la mano a la frente añadió—: A sus gratas órdenes.

—¿Qué hace usted aquí?

—Contemplar la barca y su preciosa carga.

Yo acerqué la lancha a la orilla. Cerca de nosotros estaba todavía la góndola blanca en forma de cisne. Felipe se apartó un poco. No las tenía todas consigo. Yo le pregunté:

—¿Piensa usted ir a la quinta Julieta?

—Sí pienso ir. El amo es pariente mío. Bueno, el verdadero amo es otro y mi pariente es el encargado.

—¿Es posible?

—Sí, la gente suele tener parientes. Es lo que me pasa a mí. Mi tío paga un tanto y explota la quinta Julieta.

Mi hermana quería dar la impresión de que despreciaba a Felipe, quién sabe por qué. Tal vez porque todavía no se afeitaba.

—¿A qué hora sale la góndola? —pregunté.

—El primer viaje a las siete y media en punto.

—No madruga mucho.

—No. Nadie madruga aquí más que ustedes y yo. Bueno, y mi gente.

—¿Qué gente? —pregunté.

—Gente de paz —respondió en el estilo militar—. Allá están. ¿No los ve?

Se veía a unas muchachas riendo y saltando a la comba, entre los árboles. El chico seguía locuaz:

—Usted hace demasiado esfuerzo para remar y se fatiga. Yo estoy más acostumbrado. Verá.

Saltó a la lancha. Yo me senté en el suelo contra las piernas de mi hermana y el desconocido comenzó a remar con toda su fuerza pero con un ritmo más lento que yo y no con los brazos sino echando todo el cuerpo atrás. Era mayor y más fuerte que yo, pero me daba beligerancia como si fuéramos de la misma edad. Mi hermana lo miraba con recelo. ¿Sería aquello correcto? Ella se entendía bien con los hombres de ventana a ventana y tal vez de un lado al otro del canal. Pero los dos en una barca aunque estuviera yo por medio... El remador al tiempo que remaba iba completando su presentación:

—Soy como ya saben Felipe Biescas y vivo en la calle de las Escuelas Pías. Mi padre tiene un comercio de telas y yo trabajo en él por las tardes. A mí me gusta levantarme pronto, al amanecer, en verano y en invierno. Y salir al campo. En invierno cuando hay nieve es muy agradable. Parece un paisaje polar. Vuelvo a casa al medio día. Por la tarde trabajo en la tienda. Yo sólo vivo lo que se dice vivir de veras por las mañanas. A las doce con la última campanada del Pilar, se acabó. A la tienda. Entonces comienza la lucha por la vida. Una vara de percal, tres de terciopelo, siete de algodón para camisas de aldeanos, dos piezas de grano de oro. Retales a medio precio. Bueno, todo el repertorio. Ya ven. Mi padre no sabe más que comprar y vender. Ni pizca de esto —se tocaba la cabeza y volvía a coger el remo—. Buena persona, eso sí. Quiero decir que no muerde. Aunque a veces cocea. Hablo mal de él, pero no crean, lo estimo y le obedezco. Me doy cuenta de que él no tiene la culpa. Hace lo que ha visto hacer. El dice que yo soy tonto. No es verdad. Parezco tonto a veces, pero soy hombre de doblez. Para triunfar en la vida hay que tener doblez y hacerse a veces el tonto.

A mi hermana le impacientaba aquella manera de hablar de Felipe y seguía mirándolo como a un perro que sabe ponerse en dos patas. Felipe continuaba:

—Mi padre cree que tiene derecho a romperme un hueso con la vara de medir. ¿Su padre tiene también esas ideas?

Hablaba como un fonógrafo y yo lo escuchaba confiado y feliz pero no contesté su impertinente pregunta. El se puso todavía más locuaz:

356

—En la tienda sólo me encuentro a gusto cuando vienen campesinos. Sobre todo si visten de corto, a la antigua. Vienen muchos porque mi casa tiene telas especiales de pana y terciopelo y millarete y trencillas, todas esas cosas que sólo emplean lo campesinos de calzón corto. Mi padre no los quiere porque son molestos y cicateros, pero yo me entiendo bien con ellos. Viene una paleta de sayas anchas y medias blancas y le digo: ¿Qué desea usted? Una tela. ¿Qué tela? Una tela que esté bien *pa* basquiñas. ¿Qué clase de basquiñas? Así como de rocera pero de buen ver. ¿Como cuanto quiere gastar? Pues lo que sea razón así, entre *probes*. ¿De dónde es usted? De Zuera para servirle. ¿Es usted la tía de Benita? No señor, que la tía de Benita es más vieja que yo, dicho sea sin faltar. Yo soy la señora Vicenta la del Cojo. Entonces yo me quedo pensando y digo: ya sé lo que quiere usted. Y digo a mi empleado: Trae una tela que esté bien para basquiñas tal como las gasta la señora Vicenta la del Cojo, de Zuera, de rocera pero de buen ver. Y el mozo trae una tela cualquiera de percal y la campesina la compra sin chistar. La doblez. Hay que tener doblez en el comercio. Yo con ellos me entiendo muy bien porque casi todos los domingos me voy de excursión a un pueblo u otro y sé como las gastan.

—¿Y qué hace usted en esos pueblos? —le preguntaba yo pensando que era más experto que él en cosas aldeanas.

—Entro en los juegos de los mozos. En unas partes juego a la pelota y en otras a las *birlas*. En los pueblos donde están en tiempo de ferias entro en las carreras pedestres.

—¿Gana alguna vez?

—No. Aunque pudiera ganar no querría porque los mozos antes de permitir que les gane un forastero creo que serían capaces de matarlo. Hay que tener pupila.

Mi hermana aunque era buena chica tenía el don de burlarse de los desconocidos de una manera irritante, a veces sin hablar. Me había devuelto mi gorra y escuchaba dando la impresión de que pensaba en otra cosa. Yo sé muy bien en lo que estaba pensando: en que aquel desconocido había entrado en la barca. Un desconocido hijo de un comerciante de la calle de Escuelas Pías, cerca del mercado, que hablaba como un loro para hacerse agradable a mi hermana. Los comerciantes son para la gente de origen campesino hombres de poco más o menos. Para mi padre y mi abuelo un tendero era un hombre que vivía sin trabajar. Mi abuelo solía decir —cuando vivía— que todos eran ladrones. Mi padre, más razonable, no decía sino que eran ciudadanos venales. Sentían por ellos un desprecio natural del cual estábamos contagiados mi hermana y yo. Al principio no podía creer que hubiera tanto comerciante en Zaragoza. Como no sabía que existían casas de vecinos con varios pisos para alquilar a distintas familias creía que el comerciante de la planta baja habitaba toda la casa. En ese caso todo el centro de la ciudad me parecía habitado por comerciantes. Tardé mucho en comprender mi error. Al principio el hecho de vivir dos familias en la misma casa de los marqueses de M., me parecía un signo de pobreza lamentable lo mismo para ellos que para nosotros. Y allí estaba Felipe remando —un comerciante— y hablando. Yo le dije viendo que nos alejábamos mucho del lugar donde lo habíamos encontrado:

—¿Y su gente? Quiero decir sus amigas.

—No son amigas. Son mis primas. No me importan. Mis primas son las hijas del amo de la góndola y van todas las semanas a la quinta Julieta.

—¿Y usted no va con ellas?

Se quedó callado y por primera vez sombrío:

—Alguna vez —dijo—. Pero me escapo siempre que puedo y las dejo plantadas, así como hoy. Soy más amigo de ustedes que de mi familia. Esas chicas aparte de que son parientes y uno no lo puede remediar, no me gustan. Sólo quieren...

Miró a mi hermana y comprendió que no debía decir más. Yo le tiré de la lengua:

—¿Qué quieren?

—Nada. Sólo quieren andar de bureo como se suele decir. A mí eso no me divierte. Prefiero acompañarles a ustedes y remar. Bueno, yo hablo mucho, pero suele sucederme cuando estoy con desconocidos que me gustan. Luego que nos conoz-

camos será otra cosa. Es lo que pasa. Bueno, ya hemos llegado
al embarcadero. El amo de las lanchas es amigo mío. Eh, tío
Nicanor, estos jóvenes vendrán otro día, ¿no es verdad? Han pasado veinte minutos más de la hora. No les cobre el exceso porque son amigos míos. Vamos. Ahora tomaremos el tranvía e
iremos donde quieran ustedes. Los amigos de Planibell son
mis amigos. Todavía es pronto. No pica el sol. Aquí está el
tranvía. Arriba. Bueno, cada cual paga lo suyo, aquí no hay
cortesías. A la francesa. ¿No les parece?

Mi hermana no desplegaba los labios.

Era Felipe mayor que yo. ¿Tres años? ¿Cuatro? Tenía
la cara redonda. Era blanco de piel y negro de pelo, con fac-
ciones delicadas pero bastante viril. Se veía que no le preocupaban gran cosa los demás y sin embargo vivía para los demás,
siempre hacia fuera.

—¿De qué conoce usted a Planibell? —le pregunté.

—De negocios.

—El también es hombre de doblez.

—Sobre eso no sé qué decirle.

—Algunas personas —añadí ya, agresivo— creen que todos
los comerciantes son ladrones.

—Eso es verdad —dijo él sin inmutarse—. Yo también soy
un ladronzuelo porque le robo a mi padre un duro cada semana. En la tienda. El sábado después de hacer una venta
voy a la caja y abro: ¡cling! Pero marco un duro menos del
dinero que llevo en la mano y ese duro no lo dejo sino que
me lo guardo. Es siempre un duro en una sola pieza para que
no haga ruido en el bolsillo porque entonces mi padre sospe-
charía. Usted sabe como son los padres. El mío cree que los
padres pueden romperles a sus hijos el espinazo de un golpe.
Ideas atrasadas. Pero mire usted, aquí tengo el duro de la
semana pasada. Aún no lo he reventado. Está enterito. Un
duro republicano. ¿No son ustedes republicanos? Yo tampoco.
Los republicanos son gentes que dicen: lo mío, mío. Y lo tuyo
mío. Eso dicen. Para ellos la vida consiste en guardar lo que
se tiene y robar lo que se puede. ¿Qué les parece? El reparto
social. No. A mí no me gustan los republicanos. Lo único

que me gusta de ellos es el duro. ¿Ven? *República española: 1873*. Y esta matrona recostada en su trono con el ramito de laurel en la mano. Es lo único que me gusta de los republicanos. Según como se mire soy pues un ladrón. Le robo a mi padre. Bien. Es lo menos que uno puede hacer con su padre: robarle un poco.

—¿Por qué?

—Pues porque me ha traído a la vida. Yo pienso mucho en las cosas aunque no lo parezca. A mí no me pidieron mi opinión para ver si quería nacer o no. Y una vez aquí no voy a estar como un papanatas sentado en el balcón y haciéndome aire como un pay-pay. Es lo que yo digo. Por ejemplo, más tarde iré a nadar a casa de doña Pilar. Y esas cosas cuestan dinero.

—¿A nadar en una casa?

—Bueno, son los lavaderos de doña Pilar. Y cuesta dos reales. Usted ve: dos reales. ¿De dónde voy a sacar yo dos reales si no es de la caja de mi padre?

Mi hermana se ponía a mirar por la ventanilla para demostrarle que no le escuchaba. Al lado de mi hermana iba yo y a mi lado Felipe. El tranvía era de esos corridos con dos asientos frontales de punta a cabo y un ancho espacio en medio. Eramos nosotros los únicos viajeros. El suelo del tranvía estaba mojado y limpio y olía a desinfectantes. Se veía que lo habían regado y barrido recientemente. Felipe seguía:

—Iré a nadar a casa de doña Pilar. Con este calor del verano, ¿qué puede uno hacer? Yo voy por la mañana hacia el medio día porque por la tarde aquel agua está espesa y caliente como sopa, con la mugre de todos los que se han bañado antes. Sí. Allí hay que ir temprano. Yo soy joven, es verdad, pero he aprendido a navegar por la existencia.

Mi hermana lo miró con desprecio. La existencia. Vaya una manera de hablar. Se había puesto tan fino porque un momento antes había dicho una vulgaridad —hablando de la mugre de la gente— y quería compensarla. Yo también lo miraba con cierto desdén. La existencia, bah. El se dio cuenta:

—Bueno, perdonen. Siento hablar tanto. Desde el primer momento pensé que íbamos a ser buenos amigos. Desde el día que vino Planibell y les conocí a ustedes en la estación. Ahora bien, es posible que no congeniemos. Entonces yo tomaré las de Villadiego y abur. No lo digo por usted, Pepe, sino más bien por su hermana. En todo caso abur. No ahora, claro. Es posible que yo no pertenezca a su clase. Por lo menos sé que soy muy inferior a Planibell.

Yo estaba impresionado por aquella humildad. Mi hermana me quitó el reloj del bolsillo y miró la hora. Era ya la hora de su sesión de ventaneo con el hijo del marqués. Al bajar del tranvía en la plaza de la Constitución tuve una idea que me pareció cómoda:

—Tú —le dije a mi hermana— vete a casa y yo me quedaré con Felipe.

Ella se sobresaltó:

—¿Con quién? ¿Con un hombre que hace un robo todos los sábados?

Entonces Felipe que no parecía estar ofendido por mi hermana se puso de su parte:

—Ladrón lo soy con mi padre, es verdad. Sólo con mi padre. Pero su hermana tiene razón. Debe acompañarla a su casa. Por eso no tenemos que separarnos. Yo iré con ustedes si no lo tienen a mal. Hay que acompañarla. Si se tratara de otra muchacha sería distinto. Es como mis primas. Exactamente lo mismo. Yo las dejo allí. Que las parta un rayo. Bueno perdone usted señorita. Es una manera de hablar. Quiero decir que no me importa lo que les pase porque estando todas juntas están seguras. ¿Me explico? Pero usted es un caso diferente. Permítame que se lo diga.

—Usted también es un caso diferente —dijo Concha, seca—. Y la verdad, su caso de usted no me gusta.

—Ya lo percibí —aceptó Felipe humildemente—. Pero hay algo que no podrán ustedes negarme. Soy sincero.

Yo me puse de su lado:

—Eso es verdad. Felipe es sincero.

Impresionó tanto a Felipe mi defensa que decidió tutearme. Yo acepté el tuteo, también. Me molestaba que Concha lo maltratara, me parecía injusto y yo quería deshacer aquella injusticia.

Íbamos andando. Tardamos bastante en llegar por la calle de don Jaime, la del Correo, la plaza de Argensola, la calle mayor y la plazuela de Don Juan de Aragón. Porque delante de nuestra casa había como dije una plazoleta. Cuadrada, pequeña, con verdín y hierba entre las piedras y siempre desierta a la que se entraba por un callejón desde la calle Mayor. Felipe dijo:

—A mí me gustaría también vivir así, en una calle apartada y sin tiendas. Esta calle es como la del Tenorio donde vive don Gonzalo de Ulloa. ¿No sabes quién es don Gonzalo? Aquel que dice embozado —y Felipe ponía el brazo doblado a la altura de la nariz como si estuviera cubriéndose el rostro con la capa: —*Villano, me has puesto en la faz la mano!* Es el comendador. Hombre terrible.

Se rió Felipe. Sólo Felipe, es verdad. Entró con nosotros y comenzó a subir las escaleras. Mi hermana estaba indignada. Llegamos arriba y entramos los tres. En un cuarto lejano se oían las escalas y los arpegios de Luisa en el piano. Había madrugado. Felipe escuchó y dijo:

—Hombre tienen piano. ¡Qué suerte! Yo sé tocar un poco. Bueno, es mi afición desde chico y mi padre no ha querido comprarme nunca un piano. Dice que es cosa de señoritas. Pero sé tocar algo. Si quieres puedo daros un pequeño concierto. No gran cosa, claro. ¿Y a ti? ¿No te interesa la música?

Mi hermana había desaparecido como se puede suponer. Yo hice un gesto de indiferencia. Mi amigo —ya podía llamarlo así— me preguntó si no sería demasiado temprano para tocar en casa y prometió que tocaría sólo una pieza.

—¿Cuál?

—El vals de las pulgas.

Vaya un título extraño para un vals. Fuimos al piano. Luisa no quería dejar su puesto en el taburete pero al ver a un desconocido cambió de parecer. Felipe se sentó, miró al techo, soñador y de pronto comenzó con una musiquina de esas que tocan en sus armónicas los húngaros que van con una mona por las ferias. Tan ramplón y miserable era aquello que mi hermana Concha apareció, cerró el piano —casi le atrapó los dedos a Felipe— y dijo con calma:

—Basta. Con eso basta. Perdone usted —repitió aún— pero con eso basta.

Felipe no sabía que pensar. Yo le dije:

—Está bien. Ya ves que tu música le molesta a mi hermana. Vamos a mi cuarto.

Al entrar vio la escultura sobre la mesa:

—¿Es tu abuelo?

—No.

Me parecía aquel joven después de tocar el vals de las pulgas indigno de oírme hablar del hermano lego. Pero Felipe era un conversador insaciable y comenzaba otra vez a hablar de su familia. Yo le interrumpí:

—¿Cómo es la quinta Julieta?

Esto rompió el hilo de su discurso pero sólo por un momento:

—Está bien. Un sitio hermoso, así como para poetas. Yo sólo voy cuando está cerrada al público. Un día a la semana la cierran para barrer, podar los rosales, regar y recortar la hierba. Como el que la cuida es mi tío yo no tengo cortapisas. Pero verás lo que sucede con mi familia. Mi padre es muy estricto aunque no sé por qué. Tal vez es el dinero que lo vuelve loco. A mí no me importa tanto el dinero. Con el duro del sábado me las arreglo muy bien.

Volvió a decir que en su tienda no trabajaba por las mañanas. Su familia creía que estaba débil del pecho y que debía respirar el aire libre. "Esta es una idea de mi madre. Las madres son más humanitarias, tú sabes". Yo insistí:

—¿Qué día de la semana está cerrada la quinta?

—Los martes. Te convido si quieres venir el martes de la semana próxima. Gratis. Todo pagado. Lo que se dice ni un céntimo que gastar. La góndola gratis también. Y esa góndola tiene su mérito, no creas. Mucho mérito. Sobre ella han hecho según dice mi madre una ópera que se llama Lohengrin. Ir en esa góndola a la luz de la luna con una muchacha hermosa debe ser de veras encantador.

—Yo iré un día con mi novia.

—¿Tienes novia?

—Sí.

El se quedó reflexionando:

—¡Y que debe ser guapa!

—Lo es.

Volvió a reflexionar:

—Eso es grande, de veras. Una novia. A la luz de la luna. Te felicito.

Le di las gracias secamente y Felipe cambió de tema. Se puso a decirme que la góndola no era el único barco que había en Zaragoza. Entre el puente del ferrocarril y el de piedra en el Ebro había una barca ligada a un cable de metal para pasar a los viajeros que no querían ir al puente de piedra. Por que pasando en la barca se ganaban tres cuartos de hora. El lo había calculado reloj en mano cuando iba a las arboledas del soto de Almozara. Lo mejor era pues tomar la barca del tío Toni. El era muy amigo del tío Toni y muchas veces iba a charlar con él y si llovía se metían en un túnel que había en la roca del pretil. Un túnel misterioso, bastante grande y profundo, como los lugares donde los piratas enterraban sus tesoros. En el pasado, claro.

—¿Ese de la barca es también tu tío?

—No. Es que lo llaman así: tío Toni. Todo el mundo lo llama tío Toni. Pesca barbos y dice que los que se crían en esta parte del río desde el puente del tren hasta la boca del Gállego tienen en la cabeza un huesito con la figura de la Virgen del Pilar. Yo no lo creía pero él me lo enseñó y es verdad. Yo sé muy bien cómo es la Virgen del Pilar porque de chico me pasaron por el camarín. Mi madre es bastante beata. Tú sabes, a los chicos de siete años o menos los pasan por el camarín. Mi madre es beata, ya te digo. Me llevaron por unas escalinatas de plata arriba, quince o veinte peldaños de plata que valen un dineral y al llegar a lo alto vi que había un nicho grande. Al fondo en el centro hay una columna de mármol y encima de la columna una imagen de no sé qué materia. Alabastro, creo yo. Oro negro, dicen otros. Lo dudo. ¿Es que hay oro negro? Bastante oscura. De eso viene el cantar que dice que la Virgen del Pilar es morena. Al llegar allí acompañado de un monaguillo revestido con sotana roja y roquete uno hace una genuflexión —Felipe la hacía— y besa el centro del manto de la Virgen. ¿Tú no sabes que los tesoros de la Virgen valen cientos de millones? Y están en la sacristía, que yo los he visto también porque soy amigo del pertiguero ese que va con un capisayo de seda verde hasta el suelo y una peluca blanca y un bastón de plata. Yo soy amigo de él. Yo tengo muchos amigos. ¿Tú sabes? Por la noche sueltan dentro del templo varios perros mastines así de grandes. Como leones. A ver quién es el ladrón bastante guapo para entrar a robar. Esos perros comen cada uno tres kilos de carne cruda y yo lo sé porque la compran en la carnicería de al lado de mi tienda. En la calle de Escuelas Pías. Tú dirás que hablo mucho. Me pasa siempre que conozco a alguna persona nueva. Luego, cuando somos verdaderos amigos, me reprimo.

Se calló. De pronto me miró fijamente y dijo:

—Tú lo que necesitas es un amigo como yo que te abra los ojos. Porque vienes del colegio bastante paleto. Bueno, entiéndeme, quiero decir para las costumbres de la ciudad. Por lo demás tú y tu hermana valéis más que yo. Desde el primer momento lo vi. Y Planibell me dijo: este Pepe Garcés irá lejos. Eso creo yo también. Ese Planibell es muy raro. Todo el tiempo que estuvo en casa se lo pasó hablándome de su rifle con televisor. Tú sabes que el televisor es una especie de telescopio que se pone encima del cañón. Bueno, pues yo no vi el televisor por ninguna parte. Te digo que es un misterio. Hablando de otra cosa. ¿Tú sabes que voy al Emma Victoria cuando quiero?

—¿Gratis también?

—Sí claro. El explicador es amigo mío. Viene a comprar a la tienda y yo le doy el género a mitad de precio.

—¿Cómo tienes tantos amigos? ¿Es que a todos los vendes la tela a mitad de precio?

—No hombre, no es necesario. Es muy fácil tener amigos. Basta con que uno se haga pequeño e insignificante a su lado. Todos buscan gente que se haga pequeña. Y cuando la encuentran, ya está, amigo para siempre. Yo soy así. Tengo mi idea. Parezco insignificante pero tengo mi idea. Bueno, cuando tú tengas mis años también tendrás tu idea, es natural. O quizá la tienes ya. Mi idea es dar coba a mi madre y engañar a mi padre. Así me va bien dentro de mi casa.

Se quedó Felipe toda la mañana y me extrañó que no se invitara a comer. Por fin se marchó. Yo acepté su invitación para ir el martes de la semana siguiente a la quinta Julieta. Pensaba poner allí —en alguna parte— el busto de mármol y escribir después al lego dándole la noticia. Pero antes debía explorar el terreno.

En aquellos días alguien nos invitó a ir al teatrillo de la Acción Social Católica en la calle de Espoz y Mina . Fuimos mi hermana y yo. Estaba bien. Los actores eran buenos, pero el teatro era pequeño y estaba atestado de gente. Representaban un sainete: "El cabo Pérez". Hacía un calor insoportable. Mi hermana no flirteó con nadie. Menos mal, porque aquellos flirts en público ultrajaban un poco mi dignidad.

En el mismo edificio de la Acción Social había una biblioteca y en ella una sala de revistas. Yo solía ir a ver algunas, entre ellas una de alpinismo y exploración. Pero lo único que me interesaba era un dibujo en serie, una historieta de aventuras de dos exploradores ingleses en Africa.

Llegaba la revista a la biblioteca los jueves. Y cada jueves a las tres de la tarde me dirigía allí con una impaciencia voluptuosa como no he vuelto a sentir en mi vida en relación con libros o papeles impresos. Subía las escaleras anhelante y sudoroso de emoción. Y al abrir aquellas páginas y ver los cuadritos con las nuevas aventuras sentía de veras una inmensa delicia. Llegué a apasionarme tanto que en casa dibujaba nuevos episodios que inventaba. Concha decía que estaban muy bien. En aquellos días mi hermana se escribía con doña Julia, la mamá de Valentina y le daba noticias mías para que se las trasmitiera a mi novia porque yo tenía la vaga idea de que mis cartas no se las entregaban. Le había escrito contándole cómo era la vida de Zaragoza, pero le hablaba menos de amor porque me parecía un poco cursi "sobre todo a nuestra edad". Mi hermana me dijo que en aquello me equivocaba y que el verdadero amor no es nunca cursi. No puede serlo. Es natural, el amor. ¿Puede ser cursi una cosa tan natural como el amor? Añadió que lo único cursi era hablar de góndolas a la luz de la luna como hacía mi amigo Felipe.

En vista de eso decidí hablarle otra vez de amor a Valentina en mis cartas. Pero repito que alguien las interceptaba.

Llevaba mi hermana un ramito de violetas en el pecho con los tallos verdes hacia arriba. Eso quería decir —yo lo sabía por habérselo oído decir a ella misma— que estaba enamorada. Se ponía las violetas tal vez para que las viera el hijo del marqués. En aquel tiempo todas la mujeres parecían ridículas con su manía del amor menos Valentina que me parecía sublime. Aquellas violetas de Concha la separaban demasiado de mí. El mundo de las mujeres era diferente e incomprensible.

Había otra familia de mi pueblo en la ciudad con tres hijas todas jóvenes y solteras. En la aldea vivían en un palacio con un salón que tenía lanzas y celadas pero en la ciudad habían alquilado un tercer piso bastante miserable en la calle Mayor. Era de origen noble, pero el padre que se llamaba Lucas Ramírez no hacía nada. Se pasaba el día buscando por las tiendas de comestibles cosas especiales porque era un gran comilón. Y cuando las encontraba volvía con un paquete a casa y a los conocidos que iba encontrando por la calle les decía lo que había comprado, dónde, cuánto le costó y lo que iba a hacer la cocinera con ello —bajo su dirección inmediata—. Porque le gustaba guisar. Al llegar a su casa se sentaba en la portería para descansar antes de subir las escaleras. Estaba siempre pálido y sudoroso. Entretanto le enseñaba a la portera el kilo y medio de salmón fresco y le decía que había que prepararlo al estilo de Bilbao para que tuviera tales o cuales virtudes. Después mirando las escaleras con melancolía solía decir:

—Subir tres pisos y el entresuelo y el principal es una agonía para mí. Cinco pisos. He pensado que podríamos poner una canasta con una polea arriba y meterme yo dentro. ¿Qué le parece a usted señora portera? ¿Sería usted bastante fuerte para tirar de la cuerda?

Lo decía en serio y muy convencido. Ella le advertía que podía alquilar un piso más bajo o ir a vivir a una casa con ascensor. Esto último se lo decía con ironía, pero él no se daba cuenta y respondía gravemente:

—Ya lo he pensado, pero el ascensor me da miedo. Gentes hay que se han quedado colgadas entre dos pisos toda la noche. Me da miedo.

Aquella gente venía a vernos con frecuencia y mi padre se burlaba de ellos. Don Lucas era tan inocente que se pasaba la vida elogiando con gran entusiasmo el sentido práctico de mi padre. Los antepasados de don Lucas habían sido de los que coronaban reyes e iban a rescatar el Santo Sepulcro con Godofredo de Bouillon.

Era la vida en la ciudad un poco más animada que en la aldea —digo por lo que se refiere a mi hogar— pero no mucho. Las hijas de don Lucas Ramírez eran un poco mayores que yo. Venían a veces y jugábamos a la lotería de cartones. Si cuando jugábamos yo llevaba pantalón largo la segunda de las hijas que se llamaba Vicenta coqueteaba conmigo. El hecho más audaz de su coquetería consistía en escoger las fichas y darme a mí siempre las de color violeta. Ya es sabido que ese color significa amor. Si llevaba pantalón corto no me hacía caso.

Aquella tarde iban a venir pero yo me había citado con Felipe en el Arco de Cinegio a las dos. Los martes Felipe no trabajaba en la tienda y en cambio trabajaba los domingos.

Cuando llegué estaba ya esperándome. Echamos a andar de prisa. Felipe decía:

—Has llegado un cuarto de hora tarde. Si yo fuera como mi padre te diría que tienes que pagarlo de una manera u otra. Es su manía.

—¿Qué manía?

Lo que él llama la *impunidad* lo vuelve loco. Dice que cada cual tiene que cumplir con su deber o hacer frente al castigo. El con la impunidad y yo con la doblez a ver quién puede más. Figúrate si yo andaré con cuidado. Mi madre me salva a veces. Pero hay un aprendiz en la tienda que me tiene envidia porque soy el hijo del amo y le va con el cuento a mi padre. Un día le voy a dar una somanta que se van a oír las voces en Calatayud. Bueno, hablando de otra cosa, vamos a los lavaderos de doña Pilar.

—¿No dices que sólo se puede ir por las mañanas?

—Sí, pero no es tarde todavía. Hasta las tres el agua está buena.

Consistían los lavaderos de doña Pilar en una piscina cuadrada como de veinte metros de lado. Para entrar allí había que pagar dos reales. Se podía uno quedar en la piscina una hora.

Daba el sol de lleno. Alrededor había terracitas y departamentos cerrados con tela metálica donde durante los días de trabajo las lavanderas colgaban sus ropas .

Al entrar me quedé un poco extrañado. Había diez o doce individuos nadando, todos desnudos como el día que nacieron. Felipe se quedó también en cueros en un instante y se tiró al agua de cabeza. Dio una vuelta a la piscina nadando como los perros a cuatro manos y de frente (quiero decir no de costado). Cuando llegó a mi lado me dijo sofocado por el esfuerzo:

—¿No nadas tú? El agua está estupenda.

Era la primera vez que oía aquella palabra: *estupenda*. Tendría que acordarme de ella y decirla también. Entretano yo veía a aquella gente en cueros y no acababa de comprender. Todo me repugnaba. Los sexos de tanta gente —púber o impúber— me ofendían. Sobre todo los de la gente púber y peluda. ¡Qué indecencia! En cuanto a mí yo era impúber, aun, pero lo fuera o no a nadie le importaba. Exhibir aquello era de gente miserable.

Felipe me invitaba a imitarle.

—No, —dije—. Yo no nado ahí, con esa gente.

Mi amigo se revolcaba en el agua, iba y venía feliz. Estaba aprovechando bien los dos reales. Yo sentí ganas de insultarlos a todos. O de escaparme. Pero me quedaba y pensaba: ellos tienen razón. Lo que hacen es natural y no tiene importancia. No sabía en definitiva qué pensar.

Doña Pilar era una matrona de pelo gris, grande y ancha, con unos ojos fríos y penetrantes. Ella misma administraba su negocio y vigilaba a los clientes. Ni ella ni los bañistas parecían dar la menor importancia a la desnudez impúdica de los hombres. Doña Pilar tenía un cuadernito y un lápiz. Y también un relojito colgado de un collar de cuentas color azabache. Apuntaba la hora en que había entrado cada uno y por lo tanto sabía el tiempo que les quedaba por consumir. Salió de su pequeña oficina y se acercó al agua:

—Tú, —dijo a uno que "se hacía el muerto" flotando en la superficie—. Vamos, vamos, que ya han pasado diez minutos de la hora.

Le acercaba un lío de trapos. El otro rezongaba y ella cortó, autoritaria:

—No te hagas el remolón, que nos conocemos y sé que eres un granuja, de modo que listo y a la calle. Ahí tienes la ropa.

El otro salía del agua. Parecía una enorme rana. Doña Pilar pasó a mi lado hablando consigo misma:

—Aquí hay que andar más lista que Lepe, Lepijo y su hijo.

Volvió a su oficina mientras el bañista aludido se vestía despacio, murmurando. Yo no podía comprender. Por vez primera en mi vida me preguntaba si tal vez la gente exageraba al hablar de pudor, de la vegüenza de la desnudez, etc. Yo, vestido en medio de aquella gente comenzaba a sentirme diferente e incómodamente extraño.

Llegaban otros clientes. Poco después la piscina estaba llena. Se veía más carne humana que agua. Mi amigo Felipe salió:

—Esto es —dijo— lo que yo llamo la sopa de doña Pilar. De ahora en adelante el agua estará sucia y caliente y tan espesa que se podrá cortar como jalea. Pero ya veo. Tú no quieres nadar. Hay que venir antes de las doce, como te decía.

Iba vistiéndose, primero la camisa, después los calcetines. Luego juntos el pantalón y los calzoncillos. Y hablaba feliz:

—¡Qué falta me hacía a mí este baño! —decía.

Salimos callados.

—Estás pensativo, ¿qué te pasa? —me preguntó.

—Yo creí —dije— que la gente usaba taparrabos para nadar.

—Ahora comprendo lo que te chocaba —dijo gravemente—. Pero ¿qué importa? ¿No ves que somos todos hombres? Bueno, está doña Pilar, pero doña Pilar es como una madre.

Me extrañó que el hecho de no querer desnudarme como ellos me diera con Felipe una cierta clase de prestigio. Cuando le dije que aquella piscina parecía un charco de ranas él soltó a reir:

—Con algún otro samarugo.

En Zaragoza a los tontos los llamaban samarugos. El samarugo es un pez de gorda cabeza que se convierte luego en rana. La cosa me hizo gracia. Bueno. Había conocido los lavaderos de doña Pilar donde la gente se bañaba completamente en cueros como los romanos de la antigüedad. Y el martes próximo conocería la quita Julieta. El nombre me parecía bastante raro. ¿Por qué Julieta? Parecía también nombre de una quinta de recreo del tiempo de los romanos. La ciudad se llamaba entonces Cesaraugusta. De ahí venía Zaragoza.

Seguía yo sintiendo cierto desvío por mi padre aunque él parecía mucho más humano que en la aldea tal vez por hallarse en una atmósfera como la de Zaragoza donde nosotros no éramos nadie. Mi enemistad sólo se manifestaba en pequeñas decisiones secretas. Por ejemplo, me sentía inclinado en favor de los franceses, en la guerra, En otras cosas de menos importancia pasaba lo mismo. Me situaba en el lado contrario al suyo. Mi padre no tenía grandes simpatías por mosen Orencio, párroco de La Seo, porque era primo de mi madre. Tenía celos de él. Celos *buenos,* claro. No celos eróticos. Mi madre admiraba a su primo y eso bastaba para que mi padre no lo pudiera ver. Entonces yo decidí ir a confesarme con él cuando mi padre acordaba que todo el mundo tenía que comulgar, lo que solía ser una vez al mes por lo menos. Y si no era con mosen Orencio no me confesaba. No lo hacía sólo por molestar a mi padre. Es que aquel confesor me gustaba por su gravedad y su dulzura paternal. Si mi padre me decía:

—¿Pero qué manía es esa de don Orencio? Uno no debe confesarse con los parientes.

Yo le respondía haciéndome el sorprendido:

—Pues un cura es un cura. Y tanto vale uno como otro. Yo comencé con don Orencio y sigo con él porque me entiende mejor que los demás.

Era mentira y lo hacía sólo por molestarle a él. Mi padre chascaba la lengua y se iba dando un portazo.

El párroco don Orencio era gordo, vulgar, poco espiritual y muy poco inteligente. Tenía una biblioteca espléndida, que le venía de Gracian y Lastanosa, pero no sentía por ella la menor curiosidad. Mi padre censuraba y satirizaba a todos los parientes de mi madre. Lo cierto era que mosen Orencio merecía las censuras. Era un sacerdote bastante materialista que entendía más de vinos que de libros. Un vinatero de origen francés que se llamaba Labatut le había dicho a mi padre que mosen Orencio era uno de sus mejores clientes.

Mi tío Orencio tenía un rostro ancho y rojizo como una patata temprana. Por cada poro de la piel se veía sangre —un puntito rojo— deseando saltar.

La aventura de mi hermana Concha seguía en su primitivo estado sin avanzar ni retroceder. El único avance posible sería que el hijo del marqués formalizara las relaciones pidiendo permiso para entrar en casa. Como eso no sucedía ni mi hermana lo esperaba porque era muy joven seguían haciéndose guiños por las ventanas de uno de los patios interiores en los cuales se habían hecho sin duda guiños parecidos muchos galanes y muchas vírgenes desde los tiempos de los reyes católicos y quién sabe si antes, desde el rey Marsilio. Porque la calle de don Juan de Aragón tenía a cada paso alusiones al mundo árabe de las mezquitas, los alcázares, las almunias y las alcazabas. Mi hermana con el óvalo de su cara color marfil y los grandes ojos negros como la noche debía parecer una fátima en su ajimez.

Pero el galán sin duda para impresionar favorablemente a mi hermana aparecía a punto de día en uno de aquellos patizuelos cuadrados con traje de montar, fusta y polainas de cuero brillantes. Sacaba de algún lado un caballo bayo que ocupaba casi todo el patizuelo. Antes de levantarme yo oía voces del jinete acallando al bruto, el ruido de los cascos de un caballo impaciente y más voces del jinete en un tono de bajo grave y afectado:

—Boa, Babieca... sooo...

No sé si el caballo tenía algo de Babieca, pero el marquesito no parecía el Cid ni mucho menos. Daba el caballo pequeños relinchos a veces se levantaba de manos y al volver a caer producía un choque sordo. Yo no podía comprender qué hacía el joven con aquel caballo en un lugar tan pequeño. Nunca le vi montarlo. Tampoco sabía que hubiera establos en la casa. Me daba la impresión de que era un caballo que tenían guardado en algún armario para los efectos de la caballería heráldica. Y el muchacho lo lucía delante de mi hermana una hora cada día. Era muy hermoso, el animal, eso, sí.

No seguimos mucho tiempo en aquel sombrío palacio de la calle de Don Juan de Aragón. De pronto nos cambiamos de casa. Fuimos del extremo histórico de la ciudad al más moderno. Como decía antes la parte moderna me parecía entonces a mí romántica.

El resto de la fortuna familiar —es decir del capital disponible— lo invirtió mi padre como garantía bancaria de un empleo que le concedieron. Un empleo bastante bueno de agente para todo Aragón de una compañía importante: *La Seguridad y la Unión Nacional.* Parecía un lema político, más que un nombre de una compañía anónima.

La compañía tenía sus oficinas en el número tres del Coso, con una inmensa placa de jaspe en los balcones. Era el sitio más céntrico de la ciudad. Allí estaban las finanzas saneadas, los comercios de lujo, los cafés de moda con concertistas famosos. En fin todo lo contrario de la calle Don Juan de Aragón. El edificio era una casa antigua de seis pisos y el segundo nos lo daba la compañía como vivienda. Hacía esquina al callejón de la Audiencia, pero como en aquel lugar el Coso torcía un poco hacia la calle de Cerdán las ventanas y balcones que daban a la calle de la Audiencia eran como si dieran al Coso mismo. Un lugar de veras hermoso para vivir. Yo no cabía dentro de mi piel. Me sentía hombre moderno, civilizado y cosmopolita.

La casa inmediata a la nuestra era el palacio de los Lunas, un caserón renacentista que los turistas visitaban y fotografiaban y que tenía una inmensa portada con dos gigantes de piedra uno a cada lado sosteniendo el friso y amenazando a hipotéticos enemigos con enormes mazas de piedra. Aquel edificio se dedicaba a Audiencia Provincial. Cuando entraba o salía de mi casa yo lo miraba con respeto.

Tenía mi padre la debilidad de relacionar aquel palacio con la historia de la familia de mi madre. "En las montañas de Aragón —decía— los Garcés y los Lunas siempre han sido parientes". Mi madre no hacía caso. Nunca pensaba en nada que tuviera relación con abolengo, nobleza o hidalguía.

Yo tampoco. Me parecía muy bien ser plebeyo.

Al mismo tiempo que pasamos a vivir al Coso perdimos una de las sirvientas: la cocinera. Mi madre no la sustituyó. Nos quedó una sola sirvienta para todo, la que hacía antes de doncella. Las hermanas tenían que arrimar el hombro.

Yo comprendía que algo iba mal económicamente. Mi padre suspiraba , ponía una expresión fría y hermética y decía palabras bastantes duras refiriéndose a su asociado impresor. En esos casos mi madre se ponía pensativa y triste.

Era la casa de una alegría y luminosidad notables. La oficina de mi padre tenía tres empleados y un chico que abría la puerta. Un *meritorio* como decía mi padre.

Aquel lado del Coso era la arteria más hermosa y tranquila de la urbe. Como no había líneas de tranvías en aquella parte y no existían aún los autos de alquiler, nuestra calle era un remanso silencioso en el tráfago de la parte comercial de la ciudad.

En la misma esquina de mi casa, frente a la puerta y ocupando un pequeño espacio de la ancha acera se instalaba a veces un hombre alto de grandes bigotes caídos. Vestía de oscuro. Llevaba consigo una pequeña mesita cuadrada y por los lados de la mesita colgaba una franja amarilla de seda.

Era un charlatán de origen francés o que fingía ser francés. Cuando había instalado su mesita abría un maletín e iba sacando pequeños objetos. Vendía plumas estilográficas. Aunque charlatán —cosa rara— hablaba poco.

Con una gran seriedad sacaba un punzón cosedor y dos tabletas perforadas. Se ponía una a cada lado de la nariz. Luego colocaba el punzón —que tenía un bramante rojo— en el orificio de una de las tabletas. Parecía perforarse la nariz con fuerza. Al mismo tiempo hacía con la lengua ligeros ruidos como si las mucosas fueran sometidas a violentas presiones. Yo no podía contener la risa. Luego el buen hombre sacaba de la tablilla de enfrente —perforada también— una punta del hilo como si la perforación hubiera sido completa y lo hacía correr de un lado a otro. Yo no comprendía y el hombre me miraba familiar y bufonesco.

Aquello lo hacía sólo para llamar la atención de los pequeños. Cuando tenía ocho o diez muchachos alrededor sacaba un pequeño bastidor con dos rodillos de goma al parecer entintados. Dándole a una manivela los rodillos giraban el uno contra el otro. Entonces ponía una hoja de papel blaco por un lado y salía por el otro convertida en un genuino billete de banco de cien pesetas.

Lo que sucedía era que el papel blanco se quedaba dentro de uno de los rodillos mientras del otro lado salía un verdadero billete nuevo que tenía para el caso. No sólo nos impresionaba el truco sino sobre todo el hecho de que un pobre charlatán ambulante pudiera tener tanto dinero.

Cuando había acudido bastante gente comenzaba su trabajo. Sacaba una pluma y decía mostrándola:

—*Delicate, parfaite,* una joya para la buena *escritora* del hombre moderno.

La destapaba, mostraba la punta de oro y de pronto daba con ella un golpe sobre la mesa como si quisiera clavarla en ella. Los gavilanes de la pluma quedaban lamentablemente torcidos, Entonces con los dedos los ponía juntos y escribía en un block. Mostraba el block al público y decía con una gran voz de barítono:

—La *plume fine,* la *plume elegant.* Imposible *gompé.*

Aquel vendedor era uno de los tipos que yo frecuentaba más. Otros que me interesaban eran los pintores al aire libre que hacían cuadritos al pastel y luego los rifaban entre el público.

Seguía yo con mis paseos exploradores por la ciudad. A veces me acercaba a nuestra antigua casa de la calle de Don Juan de Aragón y recordaba el tiempo reciente en que vivíamos allí como si hubieran pasado ya treinta años. Compadecía a los marqueses de M. por seguir allí mientras nosotros habíamos pasado al barrio de los comercios de lujo. Me creía de veras un ser privilegiado. Ya no íbamos a misa a La Seo —que caía muy lejos— sino a la iglesia de San Felipe Neri, que estaba en una plazuela a espaldas de nuestra casa. Yo me acordaba de ese santo que había ido por el mundo con una mona pequeñita atada con una cuerda muy gruesa y no podía tomarlo en serio.

El cambio de casa alteró mis planes y tuve que llamar por teléfono a Felipe para aplazar la cita y la excursión a la quinta Julieta. El comerciante estaba encantado de que hubiéramos ido a vivir cerca de su casa. Nos citamos para el martes de la semana siguiente en el Arco de Cinegio

Cuando fui no serían más de las siete y como llegué antes que mi amigo me entretuve viendo cómo regaban la plaza de la Constitución. Esperaba ver el perro lobo que jugaba con el agua de las mangas, pero aquel día no acudió .

Mi amigo se alegró de verme a mí solo y sin mi hermana. "Tú sabes —dijo—, tu hermana es ya una señorita. Es lo que pasa con las mujeres. A los dieciséis años son señoritas. Nosotros a los dieciséis años no somos nada, no somos más que samarugos. ¿Cuántos años tiene tú?"

—Catorce, —mentí.

—Ya ves, catorce. Nada. Yo dieciséis. Nada. Pero no me preocupo. Tú ves lo que hago. En lugar de ir con los grandes voy con los pequeños. Así los dos estamos a gusto. ¿De qué hablan los mayores? De mujeres. Bien. Podemos hablar de mujeres también. O de negocios. Yo soy comerciante. Tienes que venir a mi casa para que te conozcan mis padres. Les he hablado de tu familia y de ti. Les he dicho... Bueno, mi padre es imbécil como todos o casi todos los padres. Tiene la manía de castigar la impunidad. Mi padre...

Estábamos en el tranvía. El vehículo subía paseo de Sagasta arriba, ligero y matinal con brisas entrando y saliendo por las ventanillas abiertas. Felipe seguía hablando y aunque decía cosas muy elogiosas para mí las decía con una gran naturalidad y sin la menor inclinación a la lisonja. Decía:

—Hablé con mis padres de ti. Y les dije: un muchacho de mérito que estudia en Cataluña para ingeniero de caminos, canales y puertos. Mi padre es imbécil y mi madre es una santa. Me alegro de que hayas venido a vivir más cerca de mi casa. Bueno, mi padre quiere que yo sea viajante. Yo, viajante. ¿Para qué? Para vender al por mayor. Pero es lo que yo digo. Al por mayor sólo vende el fabricante. Nadie más que un fabricante puede hacer negocio con los mayoristas. ¿Sabes? qué me dijo? Pues va y dice: ¿quién te ha dicho que no voy a fabricar telas un día? Y más pronto de los que algunos creen. Es posible que mi padre fabrique telas. Por eso está en tratos con el padre de Planibell, porque quiere comprar maquinaria usada. A propósito, aquí tengo una carta de Planibell desde Monflorite. Me habla de ti. Vas a ver. Dice: "Si ves a Garcés dile que Prat ha encontrado a Ervigio en Salou y le ha pegado una paliza, que según informes indirectos, tendrá que permanecer dos semanas en la cama. Es lo que merecía por haber ultrajado sus sentimientos". Yo confirmé las palabras de Planibell. Era lo que merecía Ervigio.

En su carta Planibell hacía elogios de mí, pero con un aire protector que me molestaba un poco. Yo pregunté a Felipe si su padre iba a montar una fábrica de veras .

—Ya te digo que sí. Es cuestión de dinero y mi padre lo tiene. Está podrido de oro. Pero yo la verdad no tengo ganas de trabajar en eso ni en otras cosas. Si espera que yo voy a recorrer el mundo con un maletín de muestrarios, pues se equivoca de medio a medio. Es lo que dice mi primo Juan: vivir es vivir. Uno se levanta, sale a la calle con un duro en el bolsillo y a vivir. Eso es lo que quiero yo: vivir. Que no llegue nunca la hora de diñarla —otra palabra que oía por vez primera—. Mi primo Juan piensa así y yo le alabo el gusto. Trabaja de jardinero en la quinta Julieta. Tú lo conocerás. Porque yo quiero que conozcas a toda mi familia.

Yo pensaba: este chico tiene una alta idea de mí a pesar de ser más grande que yo. ¿Qué haré para no decepcionarlo? Desde luego no me atrevía a decirle que no estudiaba para ingeniero de caminos, canales y puertos porque tal vez —pensaba yo— basaba en aquello su respeto por mí. Y cuidaba mis palabras.

Llegamos al final del trayecto y nos apeamos. Ibamos hacia el canal. Yo miraba el agua con ojo de experto en canales. Me daba cuenta de que Felipe me trataba como si yo fuera un hombre. En el fondo no lo comprendía aunque vestido de pantalón largo podían muy bien tomarme por un joven de quince años. Según decían en mi casa había crecido mucho. Mi padre que parecía no fijarse en mí me había dicho un par de veces mirándome atentamente:

—Ya no crecerás más. Ahora ensancharás por los hombros.

Como era tan alto como él seguramente no quería que siguiera creciendo.

La góndola estaba atracada a la orilla. No había nadie. El caballo blanco mordisqueaba la hierba. Mi amigo lo enganchó y subimos los dos a la góndola. El caballo comenzó a marchar. Yo consideraba demasiado grande aquel vehículo para sólo dos muchachos y dije:

—Podríamos haber ido a pie.

—¿Para qué? ¿Para gastar zapatos y energías? No. En verano hay que moverse lo menos posible. Cuando tengas mi edad te darás cuenta. Si viene mi tío y ve que la góndola no está, dirá: el sobrino se la llevó. O tal vez diga: *el hijo del Micho*. Porque mi padre tiene cara de gato. Nosotros somos de pueblo y ya sabes lo que pasa. Mi abuelo vino de Monflorite, de la Montaña. Fue él quien puso la tienda. La gente de Monflorite no es mala. Uno por uno son honrados y trabajadores. Buenos amigos y nobles. Pero todos juntos... es lo que pasa en los pueblos. Hay que entenderlos. Dijeron que mi abuelo había puesto la tienda con el dinero de un robo. Porque una noche mataron a un usurero en el pueblo de al lado y le robaron setecientas onzas de oro. No encontraron al criminal y cuando vieron que mi abuelo ponía esa tienda pues ya se sabe: El *Micho* por aquí el *Micho* por allá. Por eso mi padre no puede ver a los aldeanos. Yo no sé si habría algo de verdad en eso de las setecientas onzas. ¿Tú que piensas?

—Eso depende. ¿La víctima era un usurero?

—Sí.

—Entonces le estuvo bien empleado. Supongamos que fuera tu abuelo ¿y qué? El usurero es la hez del mundo.

Felipe se quedaba pensando:

—Peor usurero que mi padre no lo hay, la verdad.

—¡Quién sabe! —dije yo, ecuánime.

Me había dado cuenta de que frente a la locuacidad de Felipe lo mejor que podía hacer era mostrarme lacónico y reservado. Recordaba que en el colegio al que hablaba poco, aunque fuera tonto, lo tenían en más estima que al que hablaba mucho aunque fuera inteligente. Así pues y para no decepcionar a Felipe yo callaba. Mi amigo volvió a tomar la palabra:

—Mi primo Juan sabe esperanto y piensa como tú en algunas cosas. Con la diferencia de los años porque él es un hombre. Claro que a veces hay hombres como niños y niños como hombres y eso lo digo por ti. Te veo taciturno. Se diría adusto.

Yo no comprendía que Felipe me tratara con tanta deferencia y diera tanta importancia a mi expresión, pero naturalmente todo aquello me gustaba.

Habíamos salido hacía rato del barrio de Torrero y resbalábamos sobre las aguas en silencio. Mi amigo dijo:

—Mi primo también habla poco. Pero es porque piensa mucho. Piensa tanto que mi tío el de la quinta Julieta que es hermano del que maneja la góndola le dice a veces: no puede ser que llegues a viejo. Siempre estás cavilando en una cosa u otra y eso seca las entrañas.

Chascó la lengua para amonestar al caballo que se detenía a comer y el animal con un poco de hierba en el hocico siguió marchando. Yo dije que más valía dejar comer al caballo en paz, puesto que no teníamos prisa. Mi amigo negaba con su expresión iluminada por una sonrisa de oreja a oreja.

—No, si el caballo no tiene hambre. Eso lo hace porque sabe que voy yo en la góndola. Que voy solo o con un amigo. Cuando la góndola va llena de gente y sobre todo cuando oye la voz de mi tío no se detiene ni un segundo. Eso lo hace de vicio. Mi primo Juan también quiere que los animales coman tranquilos. Tiene ideas raras mi primo. A veces pienso si estará un poco tocado. Cree que las plantas ven y oyen y entienden a los hombres igual que nosotros las entendemos a ellas. Además no come carne. Sólo come frutas y legumbres. Ni siquiera pescado. Un día peleó conmigo porque me vio pescando. Me dijo, dice: ¿qué te parecería a ti si alguien te agarrara con un gancho de acero por la garganta o por debajo del paladar y te arrastrara adentro del agua hasta que murieras allí ahogado? Porque eso es lo que hacemos con los peces. Es decir a los peces que sacamos con el gancho a la tierra donde mueren asfixiados. La cosa tiene miga. Desde entonces no he vuelto a pescar. Pensándolo despacio la cosa tiene su intríngulis. ¿No crees? Mi primo cavila mucho.

Yo no decía nada. ¿No había dicho Felipe que su primo era lacónico y adusto? Yo no decía nada para parecerme a él. Envidiaba yo a Felipe por algunas cosas. Una de ellas era su abundancia de tíos. Era Felipe una especie de sobrino universal.

No tenía yo en cambio más tíos que mosen Orencio, con quien me confesaba.

Se veía la quinta a medio kilómetro. Es decir se veían unos muros cuyo remate brillaba al sol porque debía tener esos vidrios incrustados y puntiagudos que suelen poner en las cercas de adobe. Al otro lado, árboles en flor y más lejos unos edificios con columnas de piedra gris y muros encalados.

Poco después nos deteníamos frente a la entrada de la quinta. Un hombre joven de aire maduro con anchos hombros y sombras azules en la cara afeitada llegaba llevando en la mano un cabezal de caballo mediado de avena.

—Hola Felipe y la compañía, —dijo sin mirarnos.

Le puso al caballo el cabezal y le tiró suavemente de las orejas. Luego se fue a su trabajo sin decirnos más.

Era la quinta Julieta lo que yo había pensado. Macizos verdes, amarillos, arcos de rosales trepadores que en algunos lugares formaban verdaderos túneles. A medida que avanzábamos por una avenida pavimentada con ladrillos entre cuyas junturas crecía la hierba, yo iba comprendiendo que allí había una atmósfera de privilegio, un aura celeste sobrenatural. Estaba conmovido y disimulaba mi emoción. Todo aquello parecía de nadie. Parecía mío. Y lo era en mi imaginación. Cuando un lugar, un palacio, un parque, me gustaban me los apropiaba y nadie en el mundo habría podido convencerme de que no eran míos. Mirando a mi alrededor, pensaba: este es el lugar adecuado para Valentina y para mí. Todo es amor. Flores, estanques y cisnes. Yo querría trabajar aquí siempre y vivir con Valentina hasta ser viejos y morirnos el mismo día. Todo es amor aquí. Y la gente debe ser buena como los ángeles.

Al volver una esquina —había calles formadas con macizos de boj o de rosales trepadores— vi un ancho espacio de césped cortado muy raso. Parecía una alfombra. En el centro una pequeña columna blanca y encima un angelote, un querube gordinflón de mármol rosa. Yo me quedé pensando: ¡Qué sitio admirable para la obra del hermano lego si pudiera sacar de ahí a ese angelote que parece una salchicha! Luego vi que aquella salchicha era Eros, dios del amor. Mucho me decepcionó, la verdad.

Pero la curiosidad no me dejaba tiempo para reflexionar. Seguía mirándolo todo vorazmente. Fuimos a una glorieta donde confluían cuatro caminos, los cuatro con columnas a los lados y pequeñas estatuas. La glorieta cubierta con madreselvas que dejaban colgar sus delicadas flores amarillas estaba en sombra. Tenía bancos de mármol alrededor formando un círculo abierto sólo para dar paso a las avenidas. Nos sentamos. Pasó algún tiempo en silencio y de pronto oí una voz encima de nuestras cabezas. Una voz humana que parecía bajar del cielo. Aquella voz decía una sola palabra:

—Hola.

Alcé los ojos sin ver a nadie. No era posible que entre las madreselvas hubiera un hombre. La misma voz repitió:

—Hola.

Viendo mi estupor mi amigo me dijo:

—Es un cuervo. No sabe decir más que eso, pero lo dice igual que una persona. ¿Sabes? Es muy manso, el animal. Como nadie le ha hecho nunca daño no tiene miedo.

En aquel momento de las madreselvas bajó la voz del cuervo:

—Hola.

Nos levantamos y echamos a andar. Mi amigo me dijo súbitamente animado:

—Vamos a los viveros. ¿Ves aquella casa de cristal cubierta de persianas verdes? Allí están los viveros . Mi primo Juan podría tener un empleo en un banco o en una oficina del gobierno. Es muy listo. Está siempre leyendo algún libro. En eso no le alabo el gusto. Yo no leo libros. Desde el Catón

no he vuelto a leer ningún libro. ¿Para qué? Eso no quiere
decir nada, tú sabes. Me parece muy bien que los lean los
demás. Pero yo sólo quiero levantarme y salir a la calle y ver
la gente. No necesito saber más. ¿Y sabes qué te digo? Que
las mujeres hacen más caso a uno que vende telas que a otro
que estudia. Por ejemplo a un cirujano.

Yo pensaba: ¿Por qué un cirujano? Podía haber dicho
un profesor o un ingeniero. Pero aquel lugar era el paraíso
de un enamorado como yo. ¡Qué feliz tenía que ser la gente
allí! Había olores fragantes por todas partes y mirar —sólo mirar— era una delicia. Pensaba en Valentina y caminaba al
lado de Felipe.

Llegamos a los viveros y entramos. Dentro el aire estaba húmedo y sombrío. Los reflejos de las ramas se mecían
en los cristales. Mi amigo fue a un lugar donde trabajaban
dos hombres jóvenes:

—Monflorite, —gritó.

—Me llaman, —respondió una voz cachazuda—. ¿Ah, eres
tú? ¿Y la compañía? Cuanto de bueno.

Aquel hombre afable que estaba en mangas de camisa
y trabajaba en un semillero me dio la mano. Mi amigo
explicaba:

—No se llama Monflorite, pero le decimos así porque es
del mismo pueblo que mi padre y mi abuelo. Aquel otro
que trabaja allí se llama Pascual.

En la puerta se oyó:

—Hola.

El cuervo nos había seguido. Se acercó otro obrero de
apariencia hosca, todo pelos. Encarándose con Felipe le dijo
de pronto:

—Tú eres muy campechano, pero tienes también tu mala
sangre.

Felipe sin mirarlo quiso darle una lección:

—Primero se dan los buenos días, Pascual.

Pero el otro no escuchaba:

—Tú eres —le dijo gritando como si Felipe fuera sordo— el sobrino del amo. Bien, yo lo que necesito saber es quién manda aquí en los viveros. ¿Oyes?

El afable Monflorite se apartaba prudentemente y se ponía a trabajar con unos esquejes de clavel.

—Yo no sé nada —dijo Felipe, distraído—. Supongo que debes preguntárselo a mi tío.

Se veía que aquellos dos obreros habían peleado hacía poco. Felipe dijo al obrero afable:

—Ven con nosotros.

—Espera que saque estos esquejes del cubo —respondió Monflorite con una calma afectada.

Sacaba unos manojos de plantones de clavel. Quince pasos más lejos el obrero malcarado iba y venía con una carretilla. Monflorite comenzó a silbar un vals sin más objeto que mostrarnos que estaba tranquilo y de pronto se oyó la voz áspera de Pascual:

—Cállate de una vez o te haré tragar esta falca que tengo en la mano.

Tenía una especie de cuña de hierro oxidado. Monflorite calló prudentemente. Acabó de arreglar los claveles y salió con nosotros. Fuimos otra vez a sentarnos a la glorieta del cuervo y dejamos a Pascual solo con su rabia.

El pobre Monflorite desde que salimos del invernadero se puso a perorar en tono quejumbroso:

—Todo viene de lo mismo —decía, de que yo a pesar de ser su jefe lo trato como a un igual. Ese soy yo. Por los motivos que sea el tío de aquí me ha hecho jefe de los viveros. Yo no se lo he dicho a Pascual, todavía. Pero él se da cuenta por el orden de los trabajos. Digo, se da cuenta que soy su jefe. ¿Qué culpa tengo yo? Así es que... Si canto se pone furioso. Si silbo dice que me va a hacer tragar una falca. Si me río cree que me burlo de él.

Intervine sin acabar de comprender lo que pasaba y aconsejé a Felipe que los pusiera en trabajos diferentes. Felipe respondió:

—Yo no soy quien decide esas cosas. No soy más que el sobrino de mi tío.

Monflorite con la expresión tensa del hombre atemorizado añadía:

—No es que tenga miedo, pero Pascual lleva la podadera en la mano y es hombre que pierde pronto el aguante. No es miedo, pero he oído decir que hizo una muerte en Tudela.

Ah, aquello era otra cosa. El cuervo entre las madreselvas dijo:

—Hola.

Monflorite mordía un tallo de clavel, pensativo:

—Yo no sé si es verdad, pero eso dicen. Hay que tomar una determinación. Por las buenas, pero hay que hacer algo. No es porque yo sea su jefe. Es por otras cosas. Pequeñeces. Yo creo que si lo hicieran jefe a él y a mí su ayudante la cosa sería igual. Está muy quemado.

—¿Usted lo aceptaría a él como jefe? —le pregunté yo.

Monflorite me miraba como a un niño cuyas palabras carecen de importancia. Felipe repitió mi pregunta y Monflorite respondió:

—Hombre, francamente, no. Tal como están las cosas preferiría morirme de hambre antes de aceptar una situación como esa. Pero supongamos que acepto. No se habría arreglado nada. Te digo que no se habría arreglado nada.

Estaba yo terriblemente impresionado por el hecho de que Pascual hubiera cometido un crimen en Tudela. Pregunté si era verdad y Felipe dijo:

—Habladurías.

Me asombraba de encontrar aquellos problemas en un lugar tan hermoso como la quinta Julieta. No podía comprenderlo. Y entretanto Monflorite insistía:

—No son cosas para tomarlas a broma. Cuando el río suena, agua lleva. Además si no ha hecho nada podría hacerlo un día. La verdad es que hace una semana estando eligiendo las simientes en los armarios vino él por la espalda, que yo lo veía en el reflejo del cristal. Sólo pude apartarme de un brinco cuando vino sobre mí. Bueno, el vio que yo le había

calado la intención y entonces dijo: parece que me conoces.
Si quieres saber más anda a Tudela y pregunta por mí. Allí
te darán informes. Y no se reía. Nunca se ríe.

Felipe volvía a hablar:

—Pascual es de una familia de labradores honrados. Ha
podido tener alguna pelea. Y un hombre bebido a veces da
un botellazo, pero no se mancha con sangre.

Mi asombro iba creciendo. Escuchaba con mis ojos, mis
oídos y mi boca.

—No, si él no bebe. No le he visto nunca beber un trago
de anís. Su vicio es la hembra. Lo que es por eso. . .

—¿Tú qué piensas? —me dijo Felipe

—¿Yo? —y seguro de mi propia importancia añadí—: Los
dos tienen razón y los dos tienen culpa. A su manera, claro.

Repetía lo que había oído decir a veces al hermano Pedro
después de separar a dos contendientes. Entonces Monflorite
me miró extrañado tal vez de verme razonabble y siguió:

—Hace dos días sin ir más lejos le dije: anda, cava las márgenes de aquel parterre para preparar la tierra ahora que hay
tempero Bueno, uno es un jardinero y sabe algo de lo que
hacen en este oficio los madrileños y los barceloneses. Por
eso le dije: *anda a cavar las márgenes del parterre*.

—¿Y no entendió lo del *parterre*?

—No. ¿Qué va a entender ese mastuerzo?

Yo tampoco lo entendía, lo que me humilló bastante.
Pero Monflorite seguía:

—Yo le dije: *el parterre*. Y él dijo que esa palabra no la
había oído nunca. Pues yo no sé otra, —le dije— y lo que
te mando te lo mando como es debido. Anda al parterre.
Entonces él me miró con las de Caín y me dijo: si me repites
esa palabra te tiro a la cabeza las tijeras de podar. Porque eso
es lo malo, siempre tiene en la mano algo que corta o punza.
Yo le dije: ven y voy a enseñarte lo que es un parterre. Y le
expliqué lo que era. Entonces él me dijo que yo no sabía mi
oficio porque aquello no era un parterre sino un arriate y
que lo que yo llamaba el margen del parterre era la platabanda. Bueno, yo conozco esas palabras, pero un *parterre* es algo

386

diferente al gusto madrileño y entonces... bueno, como ignorante Pascual es lo que se dice un ignorante. De eso ni hablar.
Pero ya se sabe. Yo respondo del trabajo delante de tu tío.
Entonces él obedece o no. Bueno desde aquello de parterre
a mí me llama *el tío Partegre* porque ni siquiera sabe pronunciar esa palabra. Y todavía si lo dijera riendo... pero no. No
se ríe nunca Y yo me río con frecuencia porque mi conciencia está tranquila Ya ha visto usted lo que pasa —añadió dirigiéndose a mí—, cada vez que me río se le pone a hervir la
sangre. Si le digo una palabra que él no sabe comienza a tragar saliva. Si me río para mí mismo se pone a tirar las herramientas, a dar patadas a la carretilla. Si me pongo a silbar
una canción comienza a insultarme y si canto... bueno, ya no
me atrevo porque un día que cantaba me saltó encima como
un tigre. Ya lo dije antes. Gracias que lo vi en la sombra y
me aparté. Es lo que les decía antes.

Escuchaba Felipe con los ojos graves:

—¿Qué cantabas aquel día? Digo cuando te saltó encima.

—Una jota muy inocente. Una jota fematera que he oído
en mi pueblo.

—¿Y cómo dice esa jota?

—Pues la letra dice: *A mí me llaman el tonto — el tonto
de mi lugar — todos viven trabajando — yo vivo sin trabajar.*
La verdad es que yo lo cantaba en un momento en que él se
sentaba para echar un cigarro. Es lo que pasa. Yo no lo gasto,
pero él está todo el tiempo dándole a la yesca para encender
el cigarrillo. Y ni siquiera trabaja cuando fuma. Se tiene que
sentar en el suelo y echa unas alentadas por las narices que
parece una locomotora. Bien, ustedes debían haber visto como se puso. Que si mi canción, que tal... que cuando él
quiera... en fin, lo que pasa.

El cuervo desde el techo de la madreselva repitió:

—Hola.

Y Monflorite dijo:

—Este cuervo me recuerda también que un día Pascual
dijo, dice: ese cuervo lo llevo yo atravesado en la boca del es-

tómago. No es cabal que un animal hable como una persona. ¿Por qué no? ¿Y qué más tiene que hable o no hable? le dije yo y él fue y me respondió: no me gustan las cosas que no entiendo. Y yo le dije, digo: Pues yo sí que lo entiendo. A lo mejor ese cuervo es hijo de una cuerva y un lorito. Ya ve si eso es inocente. Otro se habría reído. Pues la broma se le atravesó y estuvo diciéndome que de él no se burlaba ni la madre que lo parió. La verdad es que al principio éramos amigos y los domingos íbamos con una amiga cada uno al soto o al arrabal. Bueno, lo que pasa. La mía es mi novia y me quiere como es debido. La de él lo mandó a escardar cebollinos. Esas fueron las palabras de ella: *vete a escardar cebollinos*. Al día siguiente estábamos trabajando y al rematar la faena en aquella platabanda le dije sin acordarme de lo que había pasado el día anterior: Pascual, anda a escardar aquellos cebollinos. Entonces él volvió a mentarme la madre. Eso es.

—Pero usted lo hizo a propósito, —le dije yo.

Felipe me puso la mano en el hombro y dijo:

—Gachó, esa es la mejor palabra que se ha dicho esta mañana. Tú has puesto el dedo en la llaga.

Lo que más me gustó fue aquella expresión —*gachó*— que sólo se oía a la gente del bronce en las puertas de las tabernas, con acento andaluz o madrileño. Luego Felipe miró a Monflorite que estaba un poco nervioso y le preguntó:

—¿Qué respondes a lo que ha dicho mi amigo?

Monflorite se puso a explicar con más detalles el incidente del arrabal:

—Cuando la novia lo echó de su lado y Pascual se marchaba se volvió a una distancia de ocho o diez pasos y me dijo: ¿No vienes tú? Yo no respondía. Mi amiga dijo un poco desvergonzada: se ha quedado sordo de un aire. Y todos reímos un poco. Entonces la amiga que lo había enviado a escardar cebollinos dijo: no es decente ese tío. No quiere más que tentarme. Y es lo que yo digo: que tiente a un farol del alumbrado público. Y entonces reímos los tres. El se iba mascullando malas palabras. Hasta que desapareció. Al día siguiente había algunos faroles de la glorieta recién pintados y le dije, digo: anda a tentar aquel farol a ver si está seco. Se puso como una culebra venenosa. Ya saben cómo es. Y yo no lo hice con mala intención, sólo que parece que la casualidad viene a soplarme al oído las palabras que más pueden envenenarle la sangre. Ya digo que es pura casualidad, pero cuando me quiero percatar ya lo he dicho y no tiene remedio. Ya es tarde.

Felipe se mostraba indeciso:

—¿Pues qué hacer?

Monflorite después de una larga pausa reflexiva siguió:

—Lo que digo es que la cosa todavía podría tener arreglo. No habría más que llamarlo aquí ahora mismo, por ejemplo. Los tres sentados en este banco y Juan también, digo tu primo. Los cuatro presentes. Y decirle claritas las cosas. Decirle que soy un hombre como es debido, que vengo de una familia honrada y eso lo sabe bien el padre de aquí, el de la tienda, digo el señor Biescas, y que hay que bajar la cabeza y obedecerme en todo lo que le mande sin chistar. Pero hay que llamarlo aquí delante, los cuatro sentados como un tribunal y él con la gorra en la mano. Y decirle que si yo me río es porque tengo la conciencia tranquila y que si silbo una canción o canto es porque tengo derecho y no gasto más que mi chuflo o mi voz y que a nadie tengo que darle cuenta. Pero no es fácil, ya lo sé. Quiero decir que no es fácil conseguir que Juan forme tribunal aquí con nosotros tres. Porque él todo lo quiere arreglar por las buenas y con Pascual no hay buenas que valgan. Ustedes no saben todavía quién es ese sujeto.

En aquel momento se oyó la campana de la verja de entrada. Llegaba el tío de Felipe. Era un hombre de cincuenta años y de pelo rojizo. Monflorite volvió al trabajo y Felipe y yo nos acercamos al amo despacio mientras mi amigo me explicaba: ;

—Hoy es un mal día para irle a mi tío con problemas de esta clase. Los martes tiene mal genio porque el parque está cerrado al público y además mi tío tiene que pagar algún jornal extra si necesita peones. Es decir que no sólo no gana sino que gasta. Eso no le gusta. Hoy está peor que otras veces, lo veo desde lejos. Yo creo que en lugar de irle con el pleito de los viveros sería mejor seguir recorriendo la quinta. Allá lejos está la casa. Algunos dicen que es palacio. Yo diría que no. Es sólo casa o digamos por mejorarlo que es una especie de mansión. También tu casa es una mansión. Donde yo vivo es una casa. Ni siquiera casa sino vivienda.

Nos habíamos desviado y en lugar de ir hacia la verja de entrada íbamos otra vez hacia el interior del parque. El sobrino tenía miedo de su tío.

Yo comenzaba a darme cuenta de que aquel lugar de delicias era también o podría ser un infierno. Felipe seguía hablando de palacios, mansiones y viviendas. Y caminando a mi lado y mirando las platabandas con graciosos dibujos de flores y arbustos decorativos añadió:

—Mi casa es una choza con la fachada llena de letras pintadas y de anuncios.

Pasábamos cerca de Juan quien sin dejar de trabajar nos preguntó:

—¿De qué vais hablando?

—Pues de la casa —contestó Felipe—, digo del palacio de la quinta. Y yo decía que es más que una casa y menos que palacio. ¿Cómo diríamos? ¿Mansión?

Juan soltó a reír:

—Es una casa de campo —y añadió—: ¿qué más da el nombre? Un día todo el mundo vivirá en casas como aquella y en jardines como estos. Pero antes tiene que llover mucho. Muchísimo tiene que llover.

Felipe no daba gran importancia a lo que decía Juan. Seguíamos paseando. Estábamos junto a un lago circular bastante hondo en el que nadaban pequeños peces. La orilla del lago era de mosaico decorado con figuras de la Edad Media: el Cid, un rey moro. La Virgen del Pilar. Junto al borde del lago y a distancias iguales había ranas de mayólica verde que echaban agua por la boca. Esa agua debía ser más fresca que la del lago y docenas de pequeños peces acudían debajo de cada chorro a gozar de ella. Mi amigo fue a una poceta cubierta con tablas, metió la mano allí y accionó una llave. Los chorros de agua de las ranas se alzaron en el aire hasta reunirse formando en el centro una cúpula líquida. Daba el sol de lado y se veía un arco iris perfecto. Yo vibraba de emoción bajo mi piel y al mismo tiempo pensaba: ¿Se habrán matado ya los empleados de los viveros? Me habría gustado que se mataran el uno al otro y que los enterraran al pie de algún hermoso árbol al que servirían de fertilizante. Los hombres —tan feos— serían así tributarios de los árboles tan hermosos.

Mi amigo cerró la llave del agua y seguimos.

Aquella mañana fue encantadora a pesar de los empleados de los viveros. Lo mejor de todo había sido la afirmación de Juan: un día todo el mundo vivirá en lugares como este. aunque antes tiene que *llover mucho*. Yo no comprendía la relación de la lluvia con la felicidad universal. Pero acababa de hacer un descubrimiento. Dentro del lago y rebasando el nivel del agua había una columna con su remate en forma de tosco capitel. Era bastante gruesa y encima no tenía nada. Parecía el lugar adecuado para poner el busto —es decir, la cabeza del hermano lego. Se lo dije a mi amigo y él respondió:

—Un día vendremos sin que esté mi tío, la pondremos y ya está. Pero no se lo digas a nadie.

—¿Por qué?

—Mi tío va a pensar que eso tiene alguna intención oculta.

—¿Se lo diremos a Juan?

—Hombre... cuando vea la escultura ya puesta si dice algo se lo contaremos.

—¿Y Monflorite? ¿Y Pascual?

—Esos son dos zotes. Yo llamo zotes a los que no se fijan en las cosas. ¿Tú crees que verán la cabeza de mármol? No han visto esa columna y necesitarían cuarenta años pasando todos los días delante para ver una estatua. Son verdaderos zotes. No piensan más que en comer, en la hembra y en soy más que tú y tú eres menos que yo. Tienes que venir a mi casa un día. Verás que mis padres son un poco zotes también, pero buena gente. Yo no me entusiasmo mucho con mi padre porque me ha arrimado cada golpiza que sólo de acordarme se me ponen los pelos de punta. Pero lo respeto, claro. ¿No lo he de respetar? Nosotros, tú y yo somos seres humanos, mi madre también aunque es un poco simple. Mi padre no. Siempre está con que odia la impunidad. Pero es mi padre. Nosotros, digo tú y yo, somos distintos, ya digo. Verdaderos seres humanos.

—¿Y Juan? —pregunté—. ¿Qué dirías tú de Juan?

Mi amigo miró alrededor y bajó la voz:

—¿Estamos solos?

—Sí, —dije yo, nervioso.

—Mi primo Juan es un pistolero.

Se hablaba entonces de los pistoleros de Barcelona que arreglaban los problemas de los sindicatos a tiros. Yo le dije:

—Algún otro oficio o carrera debe tener.

No me parecía bien que Juan fuera un pistolero-jardinero. Era una combinación estúpida.

—Tienes razón —dije Felipe—. En Barcelona trabaja en otra cosa. Creo que es cortador de sastre.

Yo me llevé una decepción más. Cortador de sastre, bah. Felipe continuó:

—Y gana lo que quiere. Si lo vieras algunas veces cuando se viste con corbata parece un señor. Pero ahora yo creo que está medio escondido. No quiere malquerencias con nadie, ni con mi tío ni con los de los viveros porque sabe que está en una situación delicada y si alguien lo denuncia lo pueden meter en la cárcel. O quién sabe lo que le puede pasar. Mi tío cree que yo no me doy cuenta, pero no tengo nada de zote. Veo las cosas aparentes y también las escondidas. Puedo ser tonto en algunas cosas porque dicen que he salido a mi madre, pero tengo mucha pupila. Mi tío quiere que Juan trate a patadas a los de los viveros. Dice que si Monflorite y Pascual tienen un jefe contra quien desfogar su mala sangre se pondrán a trabajar tranquilos. La gente baja tiene que odiar a alguien —dice— y es la única manera de que se pongan de acuerdo entre sí. De ahí la necesidad de emplear capataces. Es una idea un poco rara pero comprendo que puede tener razón.

Para demostrarle que yo tampoco me chupaba el dedo le dije:

—No creo que Juan fuera capaz de tratar a los de los viveros a patadas como tu tío quiere.

—¿Quién sabe? Para Juan esos de los viveros no son seres humanos. Es capaz de tratarlos a palos y de insultarlos. Tú no sabes quién es Juan. Trata mejor a un perro que a ciertas personas cuando cree que esas personas no lo merecen.

Callábamos.

—¿Y qué ha podido hacer Juan como pistolero en Barcelona? —pregunté.

—Ah, eso no lo sé. Y nadie lo pregunta porque de esas cosas es mejor no hablar. ¿Pero tú crees que lo que haya hecho puede ser un crimen? —y antes de que yo contestara añadió—. Bueno, hay crímenes y crímenes. Puede ser un santo y... un hombre que entablilla la ramita de un arbusto cuando se tuerce y que lleva puñaditos de abono especial a algunas plantas cada semana, un hombre así...

Dejaba sin terminar la frase con un silencio ponderativo. La verdad es que yo estaba teniendo experiencias y aventuras que dejaban atrás todas las del colegio y de la aldea. Sin embargo recordaba con admiración a Prat, con un recelo reverente a Planibell y con amistad al hermano Pedro y al lego del taller. Y seguía odiando a Ervigio a quien recordaba desgreñado, con las faciones contraídas como las de una chica cuando pelea con otra y dándole golpes de florete a Prat en la cabeza. Pensaba escribir a todos mis amigos menos a Ervigio para contarles lo que había visto en la quinta Julieta. No les hablaría de Juan por si acaso. Si aquel hombre estaba escondido había que tener cuidado porque la policía abre a veces las cartas y las lee. Ya no estaba en el colegio. En la calle la cosa iba en serio. Había guardias y policías, y cárceles y patíbulos. No se trataba de representar dramas como "La Vida es Sueño".

Miraba desde lejos a Juan que trabajaba encorvado sobre unos arriates. Dudaba de que aquel hombre pudiera ser un pistolero. Y unas veces creía lo que decía Felipe y otras dudaba. Me sentía especialmente inclinado a creerlo cuando oía sonar en su bolsillo el duro que le había robado a su padre el sábado último y que estaba sin reventar todavía. Por cierto que cuando salíamos de la quinta Julieta para volver a la ciudad le dije:

—Tu duro hace ruido en el bolsillo y si tu padre lo oye. . .

Felipe declaró que hacía ruido porque llevaba en el mismo bolsillo una llavecita, pero que cuando volvía a su casa se ponía la llave en el bolsillo izquierdo para evitarlo. Y al salir a la calle volvía a ponerlos juntos, la llave y el duro.

—Ese ruidito —dijo— me hace más hombre con la gente, tú comprendes.

Luego puntualizó:

—Sobre todo con las mujeres.

Cuando nos separamos eché a andar a mi casa, de prisa y sin ver a nadie. Mi amistad con un pistolero me hacía crecer en mi propia opinión. No estaba seguro de que Juan lo fuera, pero me gustaba creerlo para sentirme a mí mismo más importante. Y decía: Si mi padre supiera cuáles son mis amistades. . . De mi madre no me preocupaba. Era mi madre una clase de persona dispuesta siempre a explicar, aceptar y comprenderlo todo. Si yo le decía: tengo un amigo que se esconde de la policía ella me preguntaría más detalles sin asustarse en lo más mínimo. Yo creo que mi madre no sabía gran cosa de la sociedad ni de sus leyes. Se casó al salir del colegio donde había estado interna. Un colegio de Paulas, es decir de las mismas monjas que tenían un internado cerca de nuestra antigua casa en la calle de Don Juan de Aragón. Y antes de saber quizá lo que era el amor tuvo el primer hijo. Para ella la vida consistía en decir amén a las personas a quienes quería. Yo creo que quería de un modo u otro a todo el mundo. A veces he pensado que no había rebasado su mente el nivel de una inteligencia de once o doce años y carecía por completo de resistencias. No sé cómo explicarlo, pero tal vez por esa razón mi padre no hacía nada por empujarla a la vida social. No tenía vida social mi madre al menos en Zaragoza. Mi padre no la llevaba a ninguna parte.

Recuerdo que cuando él se iba de viaje yo la llevaba al teatro Principal a ver alguna comedia de Benavente. Mi madre era —creo yo— ese caso de feminidad frecuente en España de las mujeres nacidas para esposas y madres. Sin idea del mundo y sin resistencias porque todo en ellas es amor. En materia de amor y maternidad tenía la sabiduría de los instintos. Por eso si yo le hacía alguna pregunta ella tenía respuestas sabias. Cuando años antes en la aldea le pregunté si yo era un hombre guapo sin vacilar ella me dijo que no, que no sería nunca guapo pero que era esa clase de hombres que gustan a todas las mujeres. Discreta respuesta. Ya digo que había algo en mi madre de fundamental, instintiva, sabia y bárbaramente femenino.

Estaba contenta mi madre conmigo aquel verano porque había obtenido un *notable* en francés (en todas las demás asignaturas aprobado y gracias) y se lo debía a ella. La cosa fue como sigue. Mi madre recordaba de memoria algunas cosas que había estudiado en su colegio —todo el mundo estudiaba entonces de memoria— y a veces nos las repetía siendo nosotros niños también. Una de ellas era en el análisis gramatical lo que decía de la preposición *a*. Decía: *Denota el complemento de la acción del verbo y carece de accidentes gramaticales por ser parte invariable de la oración*. Era un frase que repetíamos en broma para demostrar que habíamos aprendido muy bien la lección cualquiera que fuera. En el examen de francés teniendo que analizar una frase al llegar a la *a* dije lo mismo añadiendo al final: *y se distingue de la a, verbo, en el acento*. La cosa gustó tanto a los profesores que si hubiera dicho algo razonable en el resto del examen me habrían dado la más alta calificación. Yo lo contaba a mi madre y nos reíamos. Maruja, que comenzaba a crecer y a sacar los pies del cesto se había enterado de aquel truco y quería aprender la frase de memoria. No podía. La llamaba *la jotica del notable* recogiendo esa expresión de mis imprudentes labios que la habían dicho una vez y creía que aprendiéndola de memoria le darían notable en cualquier examen no importa de qué materia. Aunque fuera astronomía o aritmética.

Tenía mi madre algunos parientes en Zaragoza. Ya hablé del cura párroco de La Seo a quien mi padre no quería mucho. Una monja medio pariente que fue niñera mía cuando yo era muy pequeño y que había hecho una gran carrera dentro de su orden de la Caridad venía a vernos. La hermana Adela. Era importante entre los suyos y abadesa o superiora de una casa allí mismo en Zaragoza. Esa monja sentía por mí una especie de adoración materna y cuando venía a vernos no apartaba sus ojos de mi cara y me pellizcaba en las mejillas o en los brazos interponiendo siempre entre los dedos y mi pobbre persona el velo sutil de su hábito bendecido. Entre pellizco y pellizco me decía:

—Sinvergüenza, ¿cuántas novias tienes?

Yo me apresuraba a decirle que sólo una: Valentina. Luego ella me daba un cartuchito de papel de seda atado con una cintita azul, dentro del cual había quince o veinte monedas de plata de media peseta. Yo quería a la hermana Adela lo mismo que a mi madre. Tal vez un poco más. No por las monedas sino por los pellizcos y por lo que Concha me había dicho de ella. Según mi hermana cuando aquella monja tan bonita estuvo viviendo en mi casa yo tenía un año o dos. Y ella jugaba a las madres conmigo. La muchacha se enamoró de mi padre. Estaba platónicamente enamorada de él y al darse cuenta mi madre sin violencia alguna y comprendiendo que aquello era natural e inevitable la ayudó a entrar de monja en un convento. Como digo la hermana Adela que era muy lista llegó en diez o doce años a tener los cargos de mayor responsabilidad en la orden. No sé si su amor por mi padre había existido de veras o era una fantasía de Concha. Las dos cosas son igualmente posibles. Concha veía amor en todas partes.

Teníamos otra pariente de mi madre, una soltera de unos cuarenta años, flaca y seca cuyas manos sarmentosas yo odiaba. Concha decía que tenía manos de muerta y yo pensaba para mí: no tanto, pero esas son las manos exangües de las que hablan los poetas. Aquella mujer que se llamaba Rita venía al menos una vez cada mes y mi madre y ella charlaban por los codos. Al verme a mí con pantalón largo la tía Rita me dijo:

—¿No te choca un poco llevar las piernas cubiertas?

—Sí, es verdad.

Entonces como aquella mujer tenía soluciones para todo dijo a mi madre que en su caso ella me encargaría los pantalones un poco más largos cada vez, de modo que sin darme cuenta y de una manera progresiva me encontrara un día con pantalones de hombre. Yo me imaginaba a mí mismo con los pantalones hasta media pierna, ridículo y risible y miraba a mi tía con inquina. Ella como digo tenía soluciones para todo. Menos para su soltería. Cuando hablaba de algún hombre solía decir que era muy sugestivo. Todos los hombres eran sugestivos por una razón u otra. Daba la casualidad de que siempre los conocía en el banco a donde iba a cortar el cupón de sus pequeñas rentas. A veces mi padre decía: "Esa prima tuya, Rita, va a hacer un día alguna tontería grave". Y mi madre negaba: "No creas. La haría si un hombre se enamorara realmente de ella. Pero eso no es probable y ella tiene un olfato fino para darse cuenta. No creas que es tan tonta". Mi madre tenía razón. En esas cosas siempre era más inteligente que nadie porque no pensaba con la razón sino por decirlo así con el instinto o el temperamento. Mi padre habría querido intervenir en las finanzas de la tía Rita, hacerla invertir dinero en sus propios negocios, pero no se atrevía. Comprendía —en esas cosas mi padre era prudente— que hacerle arriesgar sus medios de vida habría sido criminal. Y la miraba a veces con un poco de melancolía como a una víctima propiciatoria a la cual renunciaba por caballerosidad.

La cabeza de mármol seguía en mi cuarto. Yo comenzaba a ver en ella otra vez los misterios del taller del hermano lego. Misterios vagos que a veces se me hacían muy concretos y me inquietaban. Escribí una carta al hermano lego diciéndole que había encontrado un lugar mejor para su escultura y le explicaba dónde y cómo la íbamos a poner. Si venía a Zaragoza podría verla. No decía si el lugar era público o privado. Una vez escrita la carta la leí y me di cuenta de que el lego podía pensar que la quinta Julieta era una finca de mi familia. Aunque no lo hice apropósito la confusión no me disgustó. Hablaba del canal y del cisne blanco y no dije nada del caballo que lo arrastraba. El pobre hermano lego debió creer que estaba contándole un sueño. Y algunos días después recibí una carta suya en aquel papel timbrado que me era tan familiar. Encabezada por una cruz y una sentencia religiosa, decía: *Querido hermano en Jesús: Al recibo de la presente celebraré que disfrute de los bienes de la salud en compañía de sus bondadosos padres y hermanos. Por lo que se refiere a mí aunque no lo merezco Dios me conserva en condiciones propicias para su santo servicio. Amén.*

De lo que me dice sobre la escultura le agradezco sus informes y el buen deseo que muestra para esta pobre obra de mis manos y como me parece que transcurrirá mucho tiempo antes de que yo pueda ir a ésa le estimaré el favor especial de hacer una fotografía del lugar donde está instalada la susodicha obra y de enviármela. Por si eso le ocasiona gastos incluyo una peseta en timbres de correos.

Ruego a usted que salude a sus virtuosos padres y que les asegure tanto como puede asegurarse usted mismo de que no les olvidaré en mis oraciones diarias.

Suyo afectísimo en Jesús...

La carta llevaba una pos-data diciendo que el padre Ferrer estaba enfermo y que iban a hacerle una operación. Esta noticia me dió alegría. Los niños son fácilmente crueles. Pero yo me preguntaba leyendo y volviendo a leer si aquel fraile era el mismo que yo había conocido. Hablaba de su pobre obra y luego me pedía una foto para ver el lugar donde estaba. El acento quejumbroso y humilde de la carta parecía suyo, pero me daba la noticia del padre Ferrer sin decir nada en su elogio, como si supiera que la noticia de la operación habría de alegrarme. Más tarde me di cuenta de que el hermano lego como muchas otras personas inteligentes estaba perdido con la pluma en la mano. No sabía qué decir y para evitar decir más o menos de lo que quería se encerraba en fórmulas y frases hechas.

No era una peseta sino una peseta y cinco céntimos, es decir siete sellos de 0.15. Los guardé pensando usarlos en mis cartas a Valentina. En cuanto a la foto podía pedir a Concha que me prestara su maquinita. Un *kodak* de cajón muy barato al que llamaba *la ratonera*. No había en casa ninguna máquina decente de fotografía. Tal vez mi amigo Felipe tenía una cámara mejor. Todos los comerciantes tienen buenas cámaras. Pero antes había que poner el busto en la quinta Julieta. ¿Cuándo? El martes siguiente. Habíamos quedado en que Felipe me avisaría.

Concha quería ir a la quinta pero de ningún modo estaba dispuesta a permitir la menor promiscuidad con jóvenes como Felipe, que no se afeitaban todavía y que robaban dinero a su padre. Yo le dije que podríamos ir un día en que la quinta estuviera abierta al público. Ella me preguntaba:

—¿Y ese Juan que dices que hizo tantos asesinatos en Barcelona qué clase de persona es?

—No sé. Si tienes miedo no vengas.

El viaje en la góndola le gustó a mi hermana. Una vez en la quinta fuimos al lago de las ranas verdes. Hice funcionar la llave del agua y al ver los surtidores en acción se acercó Juan. Me reconoció en seguida y me preguntó si iba a ir a los viveros a ver a Monflorite. Yo le dije que no y él comprendió que la sola idea me disgustaba.

—¿Es tu novia? —me preguntó indicando a mi hermana.

Mi hermana se reía estúpidamente como siempre que había un equívoco de esta clase. Todavía se rió más en un viaje con mi padre en el cual alguien le dijo a mi padre: *su señora....* refiriéndose a ella. Concha se divertía de un modo absurdo que a veces extrañaba un poco a la gente. La reacción de Concha con Juan fue muy diferente de la que había tenido con Felipe. Parecía pensar: "Esto ya es otra cosa. Aunque haya asesinado a alguien en Barcelona''. Concha respetaba los derechos de la imaginación entre nosotros es decir los chicos. Se podía creer todo lo que decíamos con la condición de no creer nada si llegaba el momento de la comprobación. Ella vio a Juan y decidió que no tenía cara de asesino. Entonces mis palabras carecían de valor. Si se hubiera hallado frente a un hombre de cara siniestra las cosas habrían sido diferentes. Y lo miraba con amistad y con respeto. Quizás, creo yo, con una reserva de placentero miedo.

Juan se condujo muy bien. No galanteó a Concha ni la obsequió más de lo que pide la cortesía. Cuando Concha le preguntó por aquella columna que asomaba sobre el agua Juan le dijo una serie de cosas muy raras.

—Hace un año había ahí un fauno con patas de cabra, caramillo y dos cuernitos en la cabeza. Y sucedió una desgracia. Un niño de dos años se cayó y se ahogó. Un accidente. El niño resbaló en la orilla. Más tarde vinieron el juez y el médico forense y también un cura. Y el cura cuando las ceremonias terminaron dijo al amo que más valdría que sacara aquel fauno de allí porque era una figura pagana. Yo creo que es auténtico, anterior a la era cristiana. Y lo sacó. El amo decía mirando la escultura: ¡y bien que parece un demonio! Tontas supersticiones. Desde entonces no ha habido ningún accidente, es verdad. Casualidades, digo yo. El lago es bastante hondo. A mí me cubre cuatro palmos por encima de la cabeza. De modo que hay que tener cuidado.

Más tarde ya solos mi hermana y yo fuimos a la *mansión* —como decía Felipe—. En un porche que había al lado en el lugar donde antiguamente estaban las caballerizas se veían algunos objetos de mármol. Medias Venus, un ángel roto... Yo me acordé del taller del hermano lego. En un rincón estaba el fauno pequeño, de no más de medio metro, paticorto y barbón.

—La verdad es —dijo Concha— que parece un diablo.

—Y lo es.

—¿Cómo es eso?

Mi hermana había ido hasta hacía poco a colegios de monjas donde sólo enseñaban a escribir con una letra puntiguda —especialidad del colegio— sin cuidarse de la ortografía porque unas cuantas faltas hacen bien en una carta de mujer. Y a cantar a coro. También les hacían hacer gimnasia y estudiar historia general e historia sagrada. Leían además y comentaban "La perfecta casada" de Fray Luis de León en la que había muchas cosas que ni las monjas ni las estudiantes entendían. "Cosas del mundo", decían las maestras un poco escandalizadas a pesar de que el autor había sido un religioso.

Concha me consideraba a mí un sabio a su lado y a veces cuando yo hacía alguna observación que le sonaba a cosa nueva y nunca oída me miraba con asombro. Un día le dije que cada uno de nuestros cabellos es un tubo por el que va y viene un líquido y ella se quedó asombrada: "Chico, tú eres un brujo. Un verdadero brujo". Aquel día en la quinta Julieta le expliqué quién era el fauno, contándole la tradición griega del terrible dios Pan y el origen de la palabra *pánico* que había leído días antes. Mi hermana estaba de veras sorprendida.

—Tú estudias demasiado —dijo— y yo creo que eso no puede conducir a nada bueno. Figúrate, costumbres de los griegos. ¿Cuántos siglos hace?

—Veinticinco o más.

—¡Qué barbaridad!

Además todas las cosas griegas le parecían a ella bastante indecentes. Había estatuas que ya, ya.

Quise llevarla a los viveros y mostrarle que tenía otros amigos, pero recelaba de que riñeran delante de ella. Al llegar a la glorieta de mármol el cuervo dijo como siempre:

—Hola.

Mi hermana quiso salir de allí:

—Vámonos. Parece que esta glorieta está embrujada.

Recorrimos el resto del parque. Mi hermana quería que le hiciera fotos en todas partes, apoyada en las columnas, con la cara junto a los macizos de rosas, a los surtidores. Pero el cuervo nos seguía:

—Hola.

Aquel cuervo acabó por echarla del parque. Ello lo miraba de reojo y me decía:

—Vámonos.

Por fin nos fuimos. Ya fuera me dijo: "¡Qué lugar ideal para dos enamorados!" debía pensar en sí misma y en el marqués, pero añadió generosa: "... así como Valentina y tú". Yo pensaba: "¿Y el cuervo?" Pero mi hermana comprendía que no representaba una objeción grave.

—Se podría encerrar a ese pájaro en una jaula —dijo después de una larga reflexión.

En la puerta del parque vimos otra vez a Juan que venía a despedirse de nosotros, muy fino.

De vuelta a casa Concha me dijo que había roto con el hijo del marqués porque había ido a pasearse por la calle al Coso y se le había acercado un día al salir con la doncella. Concha parecía horrorizada:

—¿Qué se habrá figurado? —decía.

Yo le preguntaba:

—Entonces ¿no has hablado con él?

—No, ¡pues no faltaría más!

—¿Ni os habéis escrito cartas?

—No. Yo a él ninguna. ¿Tú qué crees? Yo no soy una cualquiera.

Estuve tentado de comunicarle mis opiniones sobre el amor libre, pero comprendí que aquello no era bueno para todo el mundo y me callé. Mi hermana estaba impresionada por Juan.

—¿Y dices que es sólo un obrero?

—Sí. Bueno, en Barcelona era según dicen cortador de sastrería.

Vaya un oficio vil. Mi hermana parecía confusa. Y me decía:

—No sé qué pasa ahora. Hay hombres bajos, obreros o cosa parecida que tienen una gran apariencia. Eso debe ser cosa de las ciudades. En la aldea un obrero es un obrero y un señor un señor. Aquí todos parecen gentes importantes.

Luego hablábamos de la guerra. Concha no era partidaria de los aliados ni mucho menos de los bárbaros alemanes. Lo que quería era que se acabara la guerra y que no hubiera otra. Yo sin gran entusiasmo prefería a los aliados pero sufrían tantos descalabros que me sentía inclinado a la admiración por los alemanes como mi padre, aunque esto me parecía indigno de un hijo que se estima. Y prefería no pensar en aquello.

Cuando llegaba el "ABC" de Madrid, cada día al oscurecer y aparecían docenas de vendedores corriendo por el Coso y dando voces yo bajaba y se lo compraba siempre a una viejecita seca y nerviosa que llevaba un enorme fajo bajo el brazo con el que apenas si podía caminar.

Mi padre no era sólo germanófilo por devoción sino también por interés. Seguía comprando bonos alemanes y había invertido en ellos más de treinta mil pesetas. Si las perdía sería un golpe rudo porque en aquella época esa cantidad era una verdadera fortuna.

Frecuentemente mi hermana y yo hablábamos de la quinta Julieta y sobre todo de aquel estanque donde según decían se había ahogado un niño.

Felipe me llevó un día al Casino Mercantil a donde tenía que ir con un matraco —así decía él— de Monflorite, amigo de su padre. Fuimos los tres. El campesino era un pastor que había bajado a Zaragoza a "apalabrar la lana". Y la familia de Biescas lo obsequiaba. Según me decía Felipe su padre hacía el generoso y el gran señor con los de Monflorite a quienes odiaba con toda su alma. Eso, Felipe, a pesar de su doblez no lo comprendía. Yo le dije que su padre quería estar a bien con ellos para venderles tela y sacarles los cuartos y entonces Felipe me dijo algo que me sorprendió:

—Esa manera de hablar no es razonable porque al fin mi padre es mi padre. Yo digo que es avaro. Y hasta que es imbécil. Y es la pura verdad, pero si lo dice otra persona yo tengo que salir por él y defenderlo.

Estuve yo dudando un momento y por fin le dije:

—Perdona.

Pareció Felipe satisfecho y en prueba de eso añadió:

—Yo no digo que tú no tengas razón hablando contra mi padre. Pero como soy su hijo —repitió admirando su propia lealtad— tengo la obligación de salir por él.

Súbitamente creí comprender lo que decía mi amigo cuando hablaba de su propia doblez y la verdad es que aquella clase de doblez en relación con su padre me parecía plausible a pesar de todo.

Yo no había estado nunca en el casino Mercantil. Veía al pasar por la calle el edificio moderno y lujoso con su portero de librea, pero nunca había entrado. Fuimos allí y Felipe invitó al pastor y a mí a un refresco en el café. Cerca, al otro lado de una puerta de cristales, se oía ruido de monedas y de fichas. Felipe dijo: "Es la sala de juego". En aquella época el juego no se había prohibido aún. Entramos. Como el pastor parecía muy interesado en el juego de la ruleta y hacía preguntas a Felipe éste le dijo: "Ponga un duro en un número a ver qué pasa". Lo puso sobre el once negro y en seguida cantó el *groupier*: "Once negro impar y falta". Le envió por el aire treinta y seis duros. El pastor no sabía qué hacer. Felipe le decía: son suyos. Por fin el pastor los tomó, cachazudo y se dispuso a salir. Felipe le preguntó:

—¿No sigue jugando?

—No —y añadió mirando a su alrededor con recelo—: Dan mucho.

Salimos. Desde entonces Felipe para burlarse de los recelos de los campesinos en la ciudad solía decir: *Dan mucho.*

Como no podía menos de suceder mi hermana Concha descubrió que desde el balcón de mi cuarto en el lugar donde el callejón de la Audiencia se hacía más estrecho se veía al otro lado el interior de una oficina con los muros llenos de archivos y legajos atados con cinta roja. Cerca del balcón había una gran mesa y a veces un hombre ya entrado en años trabajando. Pero con frecuencia acudía a aquella mesa un joven bastante apuesto. Llevaba gabán de verano —si el cielo estaba nublado— con solapas de seda. Parecía un figurín de sastrería, lo que no le disgustaba a mi hermana. Tenía aquel hombre una cara larga y enjuta con nariz aguileña y un pequeño bigote. Era como los maniquíes de las sastrerías de lujo. Y usaba sombrero hongo.

Poco después aquel hombre y Concha se cambiaban miradas y sonrisas. A mí comenzaba a molestarme aquello de veras.

—Este es mi cuarto —le dije— y desde aquí no te permito que sigas con esas tonterías.

Entonces ella se ofendió terriblemente. Me negó el saludo por unos días. Como yo estaba muy poco en mi cuarto y no podía cerrar la puerta con llave ella hacía de las suyas. Convencido de que todo era inútil acabé por convertirme una vez más en su confidente. Ella me decía:

—Ese joven debe ser un juez o cosa así. O un fiscal. O un abogado defensor. Va vestido como un juez, siempre de negro.

En nuestra nueva casa había una portera con una hija de nueve o diez años muy marisabidilla que se daba conmigo una importancia loca. Como es natural por conducto de aquella niña le llegó una carta a Concha. A veces la portera tenía correo para nosotros y no le extrañó a Concha recibirla. Cuando la hubo leído me la pasó a mí. Era una declaración de amor sacada tal vez de un manual. Pero tenía una parte autobiográfica que era original y propia. Se llamaba el galán Santiago Martínez y era un acróbata de circo. Formaba con otro una pareja que se llamaba en los anuncios *los reyes del trapecio volante*. Con la S de Santiago y las cuatro primeras letras del apellido habían formado un nombre inglés: *Smart*. Los *Smart Brothers*, reyes del trapecio. Yo estaba demasiado sorprendido para poder formar una opinión.

A mi hermana se le cayó el alma a los pies. Primero por el atrevimiento de la carta. Después por la manera vulgar y pedestre como estaba escrita. Finalmente por la profesión del galán. Y mi hermana se quedaba con la mirada perdida en el aire y me decía:

—¿Qué demonios hace un acróbata de circo todos los días en la oficina de la Audiencia?

Ese incidente le ayudó un poco a corregirse de aquel romanticismo ventanero. Por mucho tiempo no volví a conocerle otra aventura. Pero aunque yo no le decía nada a veces trataba de defenderse y de defender al rey del trapecio. Decía:

—Un acróbata es alguien. Algo así como un héroe antiguo.

Yo callaba. Había aprendido con Felipe que mis silencios me daban autoridad. Pero no volví a encontrarla en mi cuarto ni en ninguna otra ventana de mi casa. Además yo la había asustado un día que le dije: "Por esas ventanas de la Audiencia cuando menos lo pienses te pondrás a coquetear con el mismo verdugo". Le aseguré que el verdugo iba todos los días precisamente a aquella oficina que daba frente a mi cuarto.

Cuando quería yo escribir una carta solía ir a las oficinas de mi padre. En la sala de los escribientes había una mesa que ocupaba un sargento retirado de la guardia civil, hombre alto, canoso, de bigotes enormes. Había sido comandante del puesto de mi aldea y al retirarse había venido a Zaragoza a vivir con sus hijos que eran almacenistas de cereales bastantes prósperos. Mi padre le había dado un pequeño empleo y todos los días a la hora en punto llegaba, saludaba al que le abría la puerta, se dirigía a su puesto y allí estaba escribiendo hasta la hora de marcharse. Era regular como un reloj y tranquilo, cortés e impersonal. Fumaba un tabaco muy fuerte en cigarrillos que él mismo fabricaba en su casa y de los cuales llevaba siempre una regular provisión en una petaca de cuero muy adornada y elaborada. Nunca hablaba sino para decir algo necesario e inevitable.

Yo me instalaba en el lado contrario de su mesa y me ponía a escribir mis cartas. No hablábamos. Los otros empleados iban y venían silenciosos. Se oía en el papel la pluma del sargento cuya mano enorme parecía más grande sobre la mesa. Y de vez en cuando el buen hombre se mondaba la garganta —costumbre de fumador— y me llegaban oleadas de frío tabaco, de catarro y de vejez. Por fortuna era una vejez saludable. Pero cincuenta años de fumar veinte o treinta cigarrillos diarios le habían dado al aliento de aquél hombre un olor como el de las pipas viejas.

Lo estimaba yo mucho. Todos los que lo conocían lo estimaban. Era un hombre fuerte, grande, servicial y honrado. Cuando pensaba en aquel sargento no podía concebir las crueldades que se atribuían a los guardias civiles.

Había otro cuarto lleno de estanterías hasta el techo en las cuales se alineaban al parecer cientos de libros encuadernados en cuarto menor es decir del tamaño del papel de cartas. Pero no eran libros. Eran cajas de madera imitando libros, que se abrían y cada una de las cuales contenía una documentación completa de un cliente asegurado contra incendios. Creo que ese era el único género de seguros que hacía aquella empresa. A mí me gustaba contemplar los cuatro muros llenos de libros falsos.

Por aquellos días recibí una carta de Planibell que decía: *De Monflorite a tantos de tantos del año de gracia de tantos. Apreciado amigo: la presente tiene por objeto comunicarte que en un plazo de pocos días me personaré en ésa para pasar una semana con nuestro común amigo Felipe Biescas y su respetable familia. Por lo tanto será oportuno que te impongas por la presente de mi viaje a esa heroica ciudad de los sitios para poder reunirnos a su debido tiempo.*

Sin más por hoy y deseando que toda tu respetable familia se encuentre bien (la mía buena a Dios gracias) te ruego que me pongas a los pies de tu bella hermana y de tu bondadosa madre. Tu amigo que lo es.—Planibell.— P. D. mi llegada a esa capital será Dios mediante el día ocho.—Vale".

Igual que a mí a Planibell le gustaban las postdatas.

El mismo día se me planteó la posibilidad de ir a la aldea con mi padre y mi hermana Concha. Lo malo era que coincidía la fecha de salida para la aldea con la llegada de Planibell. Era una verdadera lástima. No hay duda de que prefería ver a Valentina.

Pero antes había que ir a la quinta Julieta y poner la cabeza de mármol sobre la columna, en el lago. Se lo dije a mi amigo. El estaba de acuerdo. Iríamos dos días después que era martes a las seis de la mañana, antes de que llegara el tío de Felipe. Estuvimos discutiendo los detalles técnicos porque el lago era muy profundo y para llegar a la columna que estaba a unos tres metros de la orilla había que inventar algún medio seguro.

Se puso a decirme Felipe que aquel lago estaba maleficiado desde que se cayó el niño y se ahogó y que no sabía si mi elección era razonable. Había otros lugares en la quinta. No quise explicarle que mi decisión tenía algo que ver con el alma líquida de la que había hablado el hermano lego. Además si el lago estaba maleficiado la obra del fraile le quitaría quizás el maleficio. Por otra parte yo no comprendía que por haber muerto allí un niño quedara aquel lugar maldito.

Entonces Felipe se puso una vez más confidencial:

—Es que... no sé si sabrás que lo que pasó allí fue un crimen. El crimen de una mujer loca. Una madre viuda arrojó a su niño al agua para que se ahogara. Y se ahogó. Claro que se ahogó. Yo no estaba pero me lo han contado. La madre es muy joven y bastante hermosa. La cosa sucedió un domingo de esos del verano, todavía de día, pero con luna. Lo digo porque la luna tiene su maleficio a veces sobre todo con las mujeres. Su marido había sido maquinista del acorazado "Reina Regente" y murió ahogado. Su padre y su abuelo habían sido marinos también y murieron en el mar. Ella tenía miedo del mar, horror del mar, y se fue del Ferrol porque era allí donde vivían. Al morir su marido ella quedó embarazada y se vino tierra adentro porque no quería que su hijo viera el mar y se aficionara y quisiera ser marino. Y se vino a Zaragoza. Aquí nació el zagal. La mujer venía casi todos los domingos a la quinta con el niño. Se acercaba a dos personas desconocidas que estaban hablando y hacía como si fuera a besarles la mano, pero en lugar de besarla la escupía. Salivitas, decía ella disculpándose. Esa era su única locura por entonces. Un día vio que su hijo quería un barco con el que otros chicos estaban jugando en el estanque. Ella decía: No, hijo. Deja al barco. ¡Qué manía con los barcos! Iremos a la montaña. Iremos a vivir a Jaca donde no hay mar ni río ni lagos. Donde no hay barquichuelos ni verdaderos ni de mentirijillas. Pero el chico seguía dando alaridos y queriendo el barco y de pronto la madre lo soltó, lo dejó ir. Y el chico se acercó a la orilla, resbaló en los azulejos y cayó dentro. Eso pasó. Otros dicen que la vieron empujar el niño al agua diciendo: Bien, vete con tu padre y tu abuelo. Todo sería posible porque está un poco loca. La arrestaron. Luego la dejaron en libertad y se dedicaba a dibujar al niño muerto. Lo dibujaba en papel, en tela bordada y hasta en la arena de las avenidas de la quinta. Cuando yo le decía que el dibujo estaba bien ella contestaba: es Bizancio que me ilumina. ¿Quién será Bizancio, me digo yo? Ahora está en un hospital. Bueno en un manicomio en observación, según dicen.

Yo comenté impresionado:

—Parece mentira que en un lugar tan hermoso sucedan cosas como esa.

—Sí, es verdad —dijo él—. Así suele pasar siempre.

Tenía yo dinero porque le hermana Adela había venido a casa y me había dado al despedirse el consabido cartuchito. Una pequeña fortuna: Siete pesetas. Cuando venía la hermana Adela era siempre por la mañana y ella misma parecía salida de la entraña de la luz matinal. Entre sus tocas se veía sonrosada, fresca y gordita. No demasiado gorda, pero redonda, con una fragancia de manzana reineta, y alegre como un cascabel. Entraba sonriente y feliz preguntando siempre por mí. Los primeros que la veían comenzaban a dar voces repitiendo su nombre y en seguida acudía mi madre.

A pesar de lo que mi hermana me había dicho del amor platónico de la monjita por mi padre la verdad es que mi madre no había tenido nunca ninguna clase de celos ni de reservas. Se alegraba más que nadie cuando la hermana Adela venía a casa y era la primera en abrazarla. Luego besaba el crucifijo de cobre que la monja llevaba medio oculto en la doblez del escapulario. Las tocas de la monjita azuleaban de blancura. Entre ellas los ojos de la hermana eran también azules como turquesas. Era la piel de la hermana Adela de nácar y toda ella parecía —como decía Concha— una rosa en la nieve.

Mi madre charlaba con la monja largas horas. Yo la oía decir a veces:

—¡Qué sabia has sido, hermana Adela, eligiendo el claustro!

La hermana sonreía y no decía nada. Yo comprendo ahora que en aquellas palabras tan sinceras de mi madre había un noble fondo inconsciente de provocación y de alarde victorioso. Porque todo en mi madre tenía la honestidad primaria de la vida instintiva. Y mi madre repetía:

—Lo que has dejado con el mundo no vale nada.

La monjita respondía:

—Oh, no se puede hablar de una manera tan tajante. La vida secular tiene también sus atractivos, sus legítimas satisfacciones.

Me miraba a mí la hermana Adela y miraba a mis hermanas. Hijos. Eramos hijos. ¿No era bastante para una mujer tener hijos como nosotros? Alguna vez se lo dijo y mi madre nos miró sonriendo con melancolía:

—¿Crees que son de la madre, los hijos? No, Adela. Esa es una ilusión más.

En eso tenía razón. Más tarde comprobé que los hijos no son de los padres. Los hijos pertenecen desde que salen de la infancia a sus hijos potenciales. A los hijos de mañana. A un futuro en el cual sus propios hijos los reclaman ya.

Después de las visitas de la monjita, Concha me decía siempre lo mismo con aire de secreto y de sabroso escándalo:

—Yo creo que todavía está enamorada de papá. A su manera, claro.

Quería decir: no como una mujer sino como un ángel. Todo lo que fuera amor a mi hermana le parecía muy bien.

Yo preparaba un sorpresa a mi hermana. Como era evidente que se habían acabado sus *flirts* por las ventanas pensé que llevarla al circo sería una broma estupenda. Antes me aseguré de que los *Smart Brothers* estaban en el programa. Un poco caro me resultaba aquello (cuatro pesetas ochenta, los dos) pero el circo me gustaba. Y mi hermana, que iba a ir conmigo a la aldea y que era una especie de hada tutelar de mis amores con Valentina, merecía aquello.

Fuimos al circo. Estaba instalado en el parque de Santa Engracia en la parte más alejada del templo y de los jardines. Era muy grande la tienda de lona con la bandera nacional en lo alto. A la entrada había payasos tocando en sus flautas y trompetas. Un domador con su látigo mostraba el pecho cubierto de condecoraciones. Mi hermana para no ser reconocida se había puesto el pelo recogido dentro de un gorrito verde. Llevaba una blusa marinera sin mangas. Y como precaución para desfigurarse, si era preciso, unas gafas de vieja con cristales ovalados y aros de estaño. El color de los cristales era ligeramente rosáceo. Las gafas no las llevaba puestas. Las tenía yo en el bolsillo para una emergencia.

Como mis padres no dejaban a mi hermana maquillarse tenía que hacerlo en las escaleras cuando salía, casi a oscuras. Esta vez lo hizo en el circo mientras yo sacaba las entradas.

El circo estaba lleno. Siempre me ha gustado a mí la luz que proyectan durante el día las lonas de los circos. Aquella tarde se veían además, sobre las lonas, las sombras de las palomas que pasaban y volvían a pasar.

Mi hermana no se interesaba mucho por el circo. Le daban miedo los payasos con sus narices hinchadas y rojas y sus enormes cuellos planchados. A veces no podía mirarlos y bajaba la cabeza.

Por fin llegó el número de los *Smart Brothers,* que fue precedido de una presentación imponente. Las luces se apagaron, comenzó a oírse un vals lejano y un rayo de luz malva salió de alguna parte y se proyectó sobre la orilla de la pista. Allí estaban los dos acróbatas, uno al lado del otro. Iban envueltos en capas rojas y negras, con una especie de bonete o solideo pegado al cráneo, que acusaba la silueta de la cabeza.

411

Se daba un caso curioso: los dos eran exactamente iguales. Mi hermana dijo un poco emocionada:

—Pues es verdad que son hermanos.

El espectador de al lado se volvió hacia ella: "no sólo son hermanos, sino gemelos". Y le mostraba el programa.

Se habían despojado de sus capas y trepaban ya por las cuerdas cada uno en un lado opuesto de la pista. Dos reflectores se cruzaban formando un aspa e iluminando a los acróbatas. Mi hermana iba del uno al otro sin saber cuál era el del sombrero hongo y el gabán de verano. Entonces decidió hacerse conocer. Se soltó el pelo y rechazó las gafas que yo le ofrecía. Me dijo:

—Necesito saber cuál de los dos es. Yo creo que el que sea cuando me vea hará algo. Un gesto, una sonrisa. Algo. Y yo podré enterarme. ¿No te parece? Es sólo por enterarme.

La verdad es que aquellos dos jóvenes eran atléticos. Tenían formas de una perfección viril elástica y armoniosa. Sin mirar a mi hermana veía yo su perfil lleno de admiración y fervor.

Ya estaban arriba. Cada uno había alcanzado una plataforma colgada de la techumbre. El suelo de la plataforma estaba tapizado con terciopelo color malva y por abajo tachonado de estrellas. La malla ceñida a la piel, color malva también, con una S y una B de plata en el pecho. La luz de los reflectores, malva. Los trapecios pintados de malva, es decir, violeta (el color del amor). Entonces me di cuenta de que mi hermana llevaba en el pecho un ramito de violetas con los rabos verdes hacia arriba. Yo me sentía ligeramente incómodo.

Y uno de los *Smart Brothers*, mientras se frotaba las manos con un pañuelo, miraba alrededor. Los dos estaban escuetos en sus mallas con cada músculo perceptible al menor movimiento. Uno de ellos, como digo, miraba abajo. Y vio a mi hermana. No sonrió. No hizo gesto alguno. Pero se volvió varias veces a mirar a mi hermana. Ya sabíamos quién era.

Lanzaron los trapecios volantes y comenzaron a columpiarse en ellos. De pronto saltaban y cambiaban de trapecio cruzándose en el aire. Mi hermana no sabía en qué trapecio había quedado su galán y tenía que decírselo yo.

Hicieron ejercicios muy arriesgados, es verdad y aquel día más que otros como si quisieran lucirse delante de Concha. Yo entretanto le decía a ella:

—¿Qué te parece?

Ella estaba muy convencida:

—Pues que aparte las tonterías que dice la gente un hombre vale tanto como otro y éste es un artista. ¿Pero qué diablos va a hacer a la Audiencia?

Yo le decía que la audiencia es una oficina pública. Y añadía:

—Si te casas con él, tendrás que aprender a hacer esos volatines y entonces seréis tres y los anuncios dirán: *Los Smart Brothers y la Rosa Volante*. La rosa serás tú. ¿No te animas? ¿No quieres ser una rosa volante?

Ella me pellizcaba en el brazo y me hacía daño. Miraba en silencio. Los acróbatas hacían cosas notables. Uno cabeza abajo agarraba al otro que llegaba por el aire. Todo con una suavidad y blandura milagrosas y además siguiendo el ritmo de la música. Mi hermana balbuceaba:

—Te agradezco mucho que me hayas traído. Diría como la tía Rita, que los dos son muy sugestivos.

Tenían en el programa el lugar de honor y debían ser verdaderas estrellas. Esto enorgullecía a Concha que en aquel momento debía estar enamorada de los dos, puesto que eran semejantes. Yo pensaba: creo que no traeré nunca a Valentina al circo, al menos si hay trapecistas como estos. Mi hermana me decía en voz baja sin mirarme:

—¿Tú crees que debo contestar a su carta?

Se refería a la declaración de amor del gimnasta. Habían pasado ya muchos días desde que la recibió y no pensaba responder, pero ahora, mirando a las alturas con una expresión soñadora decía:

—Creo que debo contestarle aunque sea para decirle que no.

413

Pensaba yo que no estaría mal tener por cuñado a alguno de aquellos hombres. Por lo menos entraría gratis al circo. Pero decía:

—Pues claro está que para decirle que no.

—Pero —añadía sin dejar de mirar a lo alto— advirtiéndole que le estimo como persona y que le admiro como artista.

—No. Artista, no. Dile como gimnasta.

—Pero es un artista. Hijo, qué pedante has venido de tu colegio. ¿Qué diferencia hay entre una cosa y otra? Vamos, mira, si parece que tienen alas. ¿Dónde está ahora? ¿Cuál de los dos es? ¿El de la izquierda? Aplaude hombre, aplaude.

Yo aplaudía. Ella también. Mi hermana decía:

—Cuando se acabe este número nos iremos ¿verdad? No quiero que venga aquí a saludarnos. ¿Tú crees que vendrá? Es muy posible. Y eso, no. Te digo que no.

——Pues ¿por qué le has sonreído? ¿No ves que una sonrisa es una señal de amistad y una invitación? Y más aun teniendo las violetas en el pecho.

—¿Una invitación a qué?

—A acercarse. Y a pedir la mano y casarse.

Ella se quedaba pensativa:

—Si a ti te sonriera una muchacha ¿te acercarías?

—Claro que sí. Bueno, si no estuviera enamorado de Valentina.

Concha me miraba, alarmada. Pero estaba atenta al último y más complicado ejercicio. La música había callado. En el público no se oía una mosca. Estaban en lo alto los acróbatas y detrás de ellos la cúpula de lona iluminada desde afuera por el último sol. Se veían en la lona sombras fugitivas —palomas— y en aquel gran silencio se oyó un arrullo insistente y voluptuoso.

Mi hermana suspiró y dijo:

—Nosotros no vivimos.

—¿No? ¿Pues qué hacemos?

—Hablar. Nosotros hablamos y los otros viven.

¿Se refería a los acróbatas? ¿Qué tenía que ver la acrobacia con la vida? A veces según la dirección de la luz un ala de paloma se proyectaba en proporciones enormes sobre la lona. Parecía que en lugar de palomas fueran aves enormes. O ángeles.

Por fin, uno de los acróbatas se lanzó con su trapecio sin ver al otro que estaba separado por un gran bastidor circular de papel. Este rompió el papel con la cabeza y cogió con sus manos las del compañero que en aquel momento llegaba. Para poder sincronizar los movimientos, el que se lanzaba sobre el bastidor tenía que guiarse solamente por la voz del otro. La cosa era diabólicamente alarmante, sobre todo sin red, y cuando se encontraron y se cogieron las manos en el vacío, el público lanzó un ¡ah!, de alivio. Mi hermana aplaudía. Yo también. Los acróbatas ya en la pista saludaban juntos. Uno de ellos nos sonreía. Luego entraron corriendo pero volvieron a salir dos veces más a agradecer los aplausos.

Se levantó mi hermana un poco angustiada:

—Vámonos.

Yo quería ver el resto del programa, pero ella insistía:

—Vámonos ahora mismo.

—¿Qué más te da? Espera un poco.

Ella se irritaba y dijo sentándose:

—Está bien, pero yo te juro que si ese hombre viene aquí me iré con él por el mundo a hacer volatines.

Era muy capaz. Me levanté y salimos. Ya en la puerta ella me dijo sonriente:

—¿Qué pasaría si yo me fuera con los *Smart Brothers*?

—Pues que te traería la policia.

—¿Por qué? Eso no es un crimen. Ah, porque soy menor de edad. Es una lata ser menor de edad. ¿No te parece?

Me di cuenta aquel día que la atracción del hombre y la mujer está gobernada por leyes muy extrañas.

Mi hermana y yo íbamos del brazo —yo llevaba pantalones largos— y ella me hablaba:

—¿Sabes qué digo? Que tú eres un hombre listo.

—¿Por qué?

—Hombre, ya tienes tu novia. Ya sabes con quién te has de casar. ¿Que no? ¿Es que tú puedes casarte con otra sino con Valentina? ¿Y para ella no es una gloria tener ya su marido, es decir, su novio? La verdad es que hacéis buena pareja. ¿No sabes? Ella ha crecido también. Está espigadita, con una cintura como un mimbre. Y casi tan alta como tú.

Suponía yo que su padre se opondría cuando llegara el momento. Mi hermana no podía imaginarlo. ¿Por qué iba a oponerse? Yo le dije:

—¿No has visto que su padre es cada día más rico?

—Bien, ¿y qué?

—Pues que nosotros seremos cada día más pobres.

Ella no se asustaba, ni mucho menos. Le dije que había oído a mi padre hablando en su oficina con un desconocido y que decía: "Estoy arruinado. Entre unos y otros van a acabar por robarme hasta la camisa. ¿Es que no queda buena fe en el mundo?" Mi hermana decía que no entendía cómo la gente ganaba o perdía dinero. Yo le expliqué —aunque sólo por conjeturas— que todos los negocios de mi padre iban mal. Parece que no tenía condiciones de hombre de negocios, que le faltaba "doblez". Y estábamos viviendo del magro sueldo de la compañía de seguros. Concha se quedaba un momento pensativa. De pronto decía:

—Pues cuanto antes. Que venga cuanto antes la ruina y entonces me casaré con el *Smart Brother*.

Lo decía en serio. En cambio si yo era pobre y no podía hacer una carrera brillante nunca me casaría con Valentina, al menos mientras viviera su padre don Arturo. Esa era la diferencia. Sin embargo lo **mismo que Concha**, yo me veía a mí solo, pobre y sin carrera ni fortuna con cierta romántica admiración. Todavía me quedarían muchos caminos. Y pensaba en Juan, el de la quinta Julieta. Me parecía que no tener nada en el mundo más que la noche y el día —y una pistola en el bolsillo— y vivir en la quinta Julieta era igual que ser millonario. Yo no era ambicioso. Me bastaba con lo indispensable, es decir, con lo que tenía entonces: un lecho, una mesa donde comer, un traje. La pistola era sólo para darme a mí mismo sensación de seguridad. Sería como ser dueño del mundo. Pero tendría que renunciar a Valentina y eso no podía imaginarlo. Mi hermana me consoló:

—¿Sabes lo que te digo? Que Valentina está enamorada de ti y que a su madre la has tenido siempre de tu parte.

Cerca de casa mi hermana me preguntaba muy seria cuando llegaría la ruina, es decir la catástrofe. Yo pensaba: si le digo que está próxima se pondrá a escribirle una carta esta noche al *Smart Brother*. No sabía qué contestarle. Por fin le hice prometer que no le escribiría y sólo cuando ella lo juró haciendo una cruz y diciendo: "que me muera si miento", le respondí:

—La ruina vendrá cualquier día. Por ahora todavía veo dinero por encima de los muebles aquí y allá.

—¿El que robas tú?

—No lo robo. Es mío, es dinero de la familia. Pero un día ya no se verá más dinero. Y entonces ¿qué?

Mi hermana era en esa materia más razonable que yo. Decía que tal vez faltaría dinero para pagar los colegios y viajes y coches, pero el dinero para la compra y para los vestidos y la casa no faltaría nunca.

Concha no escribió al acróbata ni volvió a coquetear con él, al menos por el balcón de mi cuarto. Era muy razonable, como suelen ser la mayor parte de las mujeres, mientras son solteras. Sabía que debía pensar en otra clase de posibles maridos. Ella me había dicho un día:

—¿Tú crees que estoy loca? No, hijo. Si me enamorara de un hombre que no me conviniera me mordería la lengua antes que decirle que sí. No soy tonta. El matrimonio es cosa seria.

Algunos días después vino a verme el soldado de caballería, el grande y buenazo Baltasar, y me fui de paseo con él. Aquel soldado creía que mi padre era una especie de Dios capaz de hacer y deshacer en el mundo. Yo me daba cuenta de que una gran parte de su amistad por mí se debía a la idea desproporcionada que tenía de mi padre. Generalmente venía a vernos los días de gran gala, por ejemplo el día de Santiago. Y venía con sus correas blancas sobre el uniforme azul, sus espuelas tintineantes y sus polainas. A mí me gustaba que un hombre con tantas correas y metales me tratara de igual a igual.

Fuimos por el paseo de la Independencia, arriba dentro de los porches flanqueados de hermosos comercios. Hablábamos de la guerra. Baltasar creía que ganarían los alemanes aunque no era partidario de los unos ni de los otros, pero del tema de la guerra pasó a otro mucho más sensacional. Me dijo de pronto como si yo estuviera en antecedentes que la cocinera que teníamos en la calle de don Juan de Aragón había acabado mal. Y añadió:

—Salió de tu casa embarazada.

Yo me quedé sin aliento.

—Eso no puede ser. Era soltera.

—Bueno, Pepe,. No debería ser, pero la gente es como es y a veces peor. La cosa es que tu madre la echó y que hizo bien.

—¿Cómo? Eso no es verdad. Ella se fue sin que nadie la echara.

—¿Ah, sí? Entonces es que no quiso esperar a que la echaran. Ahora está en una casa de mala nota.

La noticia era escandalosamente desagradable. Era eso —el escándalo— lo único que yo percibía. Una persona que había vivido con nosotros, bajo nuestro techo, era ahora prostituta. No había nada más feo, más abyecto. Al soldado Baltasar le parecía sólo una cosa natural e inevitable porque estaba en antecedentes. Y seguía hablando.

—Ella es de un pueblo al lado del nuestro y yo conozco a su novio. Pero el padre no es su novio sino un soldado de mi regimiento que está casado y tiene dos hijos. Ah, yo no sé qué pasará cuando se entere el novio de la chica. Es un mal trago para cualquiera. No sé qué pasará. Nunca se sabe lo que pasa en las entrañas de un hombre. Ella tiene miedo y con motivo.

No me importaba lo que pudiera sucederle a la pobre muchacha. Estando donde estaba y siendo lo que era me parecía natural que alguien la insultara, la maltratara, incluso la matara. Es decir, que siguiera el escándalo hasta el fin. Pero la idea de que aquella mujer que había vivido en nuestra casa estuviera en un prostíbulo me parecía horrible. Y unida al peligro de la ruina económica de mi padre, me alarmaba. Tenía miedo a recordar aquellas palabras del soldado Baltasar que no podían menos de ser ciertas como todo lo que aquel hombre decía.

Se dio cuenta Baltasar de que me había impresionado mucho.

Pocos días más tarde fuimos a la quinta Julieta mi amigo Felipe y yo. Llevábamos la cabeza de mármol en la misma jaula que dispuso el hermano lego. Pesaba bastante. Mi amigo era ingenioso e hizo una lazada con una gruesa cuerda. Por allí pasó un pequeño palo y la llevábamos suspendida entre los dos.

Al llegar vimos que no estaba todavía el tío de Felipe. Sólo estaban Juan y los empleados de los viveros. Estos se fueron a su faena.

Juan nos ayudó a poner un tablón junto al estanque con uno de los extremos avanzando sobre el agua. Eligió el más ancho para facilitar las maniobras. Antes de permitirme avanzar con aquel busto en los brazos me preguntó si sabía nadar. Al decirle que sí, todavía dudoso me pidió la escultura y con ella en los brazos avanzó por el tablón mientras Felipe y yo nos poníamos de pie en el extremo contrario.

—¿Está bien así? —preguntaba Juan.

—No. No lo pongas de espaldas al público. Ni tampoco de frente.

—¿Así? ¿Sesgado?

—Eso es.

Luego Juan volvió y retiramos el tablón. El busto blanco-crema sobre la columna gris hacía buen efecto. Se reflejaba en el agua temblando cuando la brisa rizaba la superficie. Juan preguntaba sin dejar de contemplarlo.

—¿Quién es?

Felipe se adelantó a decir.

—Nerón.

Juan negaba. No podía ser Nerón. Nerón era gordo y tenía una expresión degenerada y estúpida.

—¿Pues quién es? —preguntaba Felipe mirándome a mí.

Recordando al fraile lego dije:

—San Benedicto José Labre. Un santo vagabundo.

Juan soltó a reír, se me acercó y viendo que su risa me hería se puso serio y dijo:

—Esta cabeza es la cabeza de un sabio romano o griego. ¿Sabes? Entonces todos los sabios eran estoicos. Me reía por lo que dices del vagabundo. No. El estoicismo era una doctrina de aristócratas. Este es uno de aquellos nobles que eran degollados en los rincones de sus jardines por los hombres de Espartaco. Hermosa cabeza, la verdad.

Todos convenían en que el estanque estaba mucho mejor. Yo pensaba en el hermano lego. ¡Si pudiera ver su escultura allí, sobre la superficie del lago azul-verdosa! La cabeza parecía de una materia diáfana.

Volvió Felipe a aludir al niño ahogado y Juan afirmó, pero contó la cosa de otra manera. La madre del niño no había sido quien lo arrojó al agua sino su amante. Estaba enamorada de un hombre que no quería al niño. "Ese hombre llevaba una gabardina gris con banda de luto en la manga y venía por aquí. Quería a la viuda pero no al niño. Ya se sabe. Hay hombres que no pueden tolerar un hijo de otro padre. El hombre un día empujó al niño cuando jugaba sobre las baldosas verdes y lo tiró al estanque. Luego ella contó las cosas como quiso y la creyeron aunque dicen que está un poco loca. A veces estaba yo entrecavando los claveles y ella se acercaba y me escupía en la mano. No era repugnante. Y su locura no es de extrañar. El padre de esa pobre mujer era alcohólico y el abuelo también. Todos eran marineros y empinaban el codo. Por lo que se refiere al amante, es decir al novio, lo que hizo..."

—Es un crimen —dijo Felipe, adelantándose.

—Sí, es un crimen. Pero no seré yo quien lo denuncie.
Me sentía confuso.

—¿Y si nosotros hacemos la denuncia diciendo que te lo
hemos oído decir a ti? —amenazó Felipe.

—No lo haréis —nos dijo Juan midiéndonos de arriba a
abajo con la mirada—. Y si lo hacéis seréis un par de marra-
nos. Me extrañaría en ti, la verdad. Digo en ti, Pepe.

Nosotros callábamos y yo sospechaba que aquel hombre
sabía más del niño ahogado en el estanque y no quería decirlo.
Tal vez la madre loca que le escupía en la mano era su amante e iba a la quinta Julieta a verlo a él. Por un momento Juan
me pareció peligroso y desagradable. Baltasar, con sus historias de prostitutas, también. Y Felipe yendo a nadar a los
lavaderos de doña Pilar. Yo era diferente. Valentina y yo
éramos diferentes. No sabía cómo explicármelo a mí mismo.
Ella y yo juntos y solos en el mundo, comiendo en vajillas
de plata o alimentándonos de raíces y durmiendo en una
cueva seríamos diferentes. Ella y yo solos sabíamos lo que
era la vida. Los demás hablaban de la vida —como había
dicho Concha—, pero Valentina y yo vivíamos. Me refugiaba
en aquel secreto y me sentía más fuerte y mejor.

Además iba a verla pronto, a Valentina. La idea de que
mi padre me llevara consigo para que pudiera verla me conmovía.

Pensábamos Felipe y yo ir a lo viveros pero Juan dijo:

—No vayáis. Dejemos allí al perro y al gato en paz.

—No es posible que estén en paz, —dijo Felipe.

—Entonces que se maten. Uno al cementerio y otro a
la horca. Todos saldremos ganando.

No me gustó aquello. Aquel día Juan me parecía demasiado bronco y duro. Cuando íbamos a marcharnos llegó
el amo. Siempre iba los martes entre ocho y nueve. Nos miró
con aquella expresión que aun queriendo ser cordial parecía
desdeñosa:

—Hola, —dijo.

Lo decía exactamente igual que el cuervo. Sin duda el
animal lo imitaba a él.

—Se ve que madrugáis —dijo—. A vuestra edad sólo se madruga para hacer mal en alguna parte.

Juan dijo: "Esta vez no han hecho mal ninguno". Y contó lo de la escultura añadiendo que era antigua y que tenía mucho mérito. El amo debía estar en los cincuenta y tenía esa solidez un poco rígida de caderas que anuncia el principio de la decadencia.

Cuando estuvimos junto al estanque dijo viendo reflejarse el busto en el agua:

—Está guapo el santo, ahí.

Juan me guiñó un ojo como queriendo decir que era una suerte que el viejo creyera que se trataba de un santo.

—Está guapo el santo —insistió el amo—. Bueno, yo no me opongo porque esta balsa necesitaba un santo después de lo que pasó.

Y se puso a contar la tragedia del niño ahogado. El chico jugaba al borde mismo del estanque. Trataba de meter un dedo en la boca de cada una de las ranas verdes que echaban agua. Llamó a su madre con una sola voz: "Má". Y la madre que estaba con el amo en el lado opuesto del estanque dijo: "Ven". Esa fue una idea del demonio porque entre la madre y el chico estaba el estanque. Y el niño obedeciendo a su madre fue hacia ella y cayó al agua. Eso es. Por mucho que corrieron a salvarlo el chico se fue al fondo. Para sacarlo tuvieron que vaciar el estanque. La madre no lo hizo a propósito. Llamó al chico creyendo que iría a dar la vuelta alrededor del estanque. Pero el niño quiso ir por encima del agua.

Luego dijo que iba a ver si Pascual y Monflorite habían acabado de sembrar los arriates nuevos. "Porque esos —añadió— mientras se matan o no se matan se dan la gran vida".

Juan nos acompañó un poco hacia la puerta y al despedirnos me dio saludos para mi hermana. Antes de separarnos advirtió:

—Lo que dice el viejo sobre el accidente del niño no es verdad. Yo estaba allí aquel día y lo vi.

No podía marcharme sin hacerle otra pregunta:

—Felipe me ha diccho que usted cree que las flores y las plantas nos ven a nosotros y nos entienden.

Juan alzaba los dos brazos:

—Oh, eso es largo de explicar. Y no lo invento yo. Un naturalista aragonés que se llamaba Félix de Azara, del siglo XVIII lo descubrió en las fronteras del Brasil. Si de veras te interesa el asunto anda a la biblioteca de la Universidad y pide sus "Viajes por la América del Sur". Cuando lo hayas leído hablaremos si quieres. Y cuando vengas te diré algo más sobre la madre del niño, digo la de las escupitinas. Estará loca o cuerda, pero es una hembra de mistó.

Yo no sabía lo que quería decir *una hembra de mistó.* No quise preguntárselo a Felipe por no descubrir mi ignorancia.

Ya fuera Felipe lamentó que me marchara al pueblo y prometió que retendría a Planibell hasta que volviera. No es que yo sintiera grandes deseos de ver a Planibell, pero tenía la vaga esperanza de hacerle hablar mal de Prat, cosa que no había conseguido en el colegio donde podían discrepar y hasta pelear entre sí pero delante de los demás se defendían el uno al otro con una fidelidad de miembros de un clan antiguo.

A todo esto llegó el momento de ir a la aldea. Mi padre dijo que iríamos Concha y yo. Estaríamos en nuestra casa aldeana dos o tres días y luego volveríamos. Yo quería vestirme de pantalón largo pero mi padre y mi hermana acordaron que debíamos ir de campo. Llevaba mi reloj en el bolsillo del pecho y la cadena bien visible, con una brujulita colgada para el caso de que me perdiera en la selva virgen o en un desierto.

El día que salimos pensaba en la quinta Julieta. Ya no me parecía un lugar de delicias sino también de peligros. Cuando se lo dije a mi hermana ella me dio la razón:

—Hijo, por Dios, aquel avechucho diciendo *hola,* es de lo más desagradable.

Yo pensaba: si tú supieras bien... Y recordaba las peleas de los empleados de los viveros, la tragedia del estanque.

Sospechaba que la vida sería siempre así: cosas hermosas y detrás de ellas la miseria o el horror. Mi hermana tenía una revista en la mano: "Cosmos". Y leyó en voz alta un pequeño poema donde se hablaba de una niña que iba a oler una rosa pero en la rosa había una avispa que le picó en los labios. Ah, aquel poema me aclaraba mil cosas en un instante. Lo habría copiado para Valentina si tuviera la palabra *amor* en alguno de sus ocho versos.

A medida que nos acercábamos al pueblo iba sintiéndome impaciente. Olvidaba todo aquel mundo adulto de Juan y Felipe y el soldado Baltasar con la horrible historia de la cocinera para sentirme otra vez como cuando vivíamos en el pueblo. Sin embargo yo no era el mismo. Pensaba gravemente que había viajado, corrido mundo, estudiado en colegios lejanos fuera del ambiente familiar. Y me sentía importante. Mi hermana Concha había dejado "Cosmos" en el asiento, estaba pensativa y de pronto dijo en un momento en que nuestro padre se asomaba a la ventanilla:

—¿Sabes qué te digo? Que me alegro que se te haya quitado el acento catalán. Porque a Valentina le habría chocado, la verdad.

Lo que pasaba era que Concha se había contagiado de mi acento y lo tenía ella también, aunque los dos en menor medida que yo cuando llegué de Reus.

Mientras nos acercábamos al pueblo yo daba vueltas a una idea fija: la molestia que representaba don Arturo para mis relaciones con Valentina. Y a fuerza de imaginar recursos llegaba al extremo de pensar en el lago de la quinta Julieta donde alguien hizo caer al niño. Pensaba en el voluminoso don Arturo y lo veía flotando en el agua del estanque sin querer hundirse. Flotando como una boya. Debía ser difícil hacer desaparecer a don Arturo. Luego me avergonzaba de esas reflexiones no por su criminosidad sino sólo por su extravagancia.

Nos acercábamos al pueblo. A la estación vendría a buscarnos Escanilla el viejo cochero. Ya no era cochero ni empleado nuestro, pero vendría por el placer de vernos y también —todo hay que considerarlo— con la esperanza de recibir una propina de mi padre.

Se contaban de Escanilla muchas cosas, entre ellas la siguiente. Iba un día a pasar el río, que bajaba crecido y alborotado. Al llegar a la mitad se vio en dificultades graves . Había más corriente de lo que esperaba y con la mayor devoción dijo mirando a lo alto:

—Santa Virgen del Pilar, pásame, que soy aragonés. Y repitió varias veces eso de *pásame que soy aragonés*. Cuando pudo llegar a la otra orilla se quitó la ropa mojada, la tendió al sol y media hora después se volvió a vestir y marchó adelante muy feliz diciendo entre dientes:

—¡Fastídiate, virgencita del Pilar, que nací en Navarra!

Siempre que mi padre viajaba cambiaba de humor. Y estaba contento. Iba a firmar varios papeles en la oficina notarial de don Arturo quien había intervenido en las escrituras de venta cuando se liquidó una parte —la mayor— de la hacienda. Yo había observado que a medida que se desprendía de las tierras iba perdiendo también algo de su arrogancia intolerable. Eso y el hecho de vivir en la ciudad donde no era nadie lo hacían casi agradable. Aunque en la ciudad mi padre todo lo encontraba mal. No dejaba pasar un detalle sin criticarlo. Cuando compraba fruta solía elegirla él mismo en la tienda. A pesar de comprar siempre la mejor y la más cara solía decir al pagar:

—Esto que les parece exquisito en la aldea nosotros lo damos a los cerdos.

Luego les explicaba que aquel melón o aquellas peras habían madurado en las cajas de embalaje y no en el árbol o en la planta.

En fin, llegamos a la estación. No había nadie más que Escanilla con el coche viejo es decir con la *zolleta*. Eso parece que decepcionó a mi padre un poco. A mí se me cayó el alma a los pies al comprobar que no estaba Valentina. Mi hermana se dió cuenta y dijo:

—Es natural, hombre. ¿Cómo iba a hacer dos horas de camino en la zolleta ella sola?

—Podía haber venido con su madre.

Mi padre nos instalaba en el coche y preguntaba a Escanilla:

—¿Cómo es que no trajiste el otro coche?

—¿Dice el nuevo? Ese dicen *qu'ice* que lo vendió su mercé.

—¿No lo podías pedir prestado?

—Es que yo no me trato con el que lo compró, don José. Porque un sobrino mío tuvo que ver con su hija y luego la hija fue a Barcelona. Y como dijendas, las hay. Y uno las escucha y calla, pero no sé *qu'icen qu'hace,* don José. Digo la mochacha. Y entonces yo dije, digo: pues la zolleta echándole unos pozales de agua aun vale *pa* la carretera y pensarlo y hacerlo todo fue uno.

Instalados ya, fuimos camino del pueblo. Yo me senté en el pescante al lado de Escanilla con la esperanza de que me dejara las riendas. Le dije:

—Parece que el caballo no nos ha conocido.

—No. Los caballos no son muy *estutos.* Hay personas que piensan que un caballo tiene más entendimiento que un cristiano, digo sin faltar, pero no es verdad. Un caballo no tiene pesquis. Son olvidadizos.

Concha nos escuchaba detrás. Y preguntaba:

—¿Quién crees tú que es más listo, Escanilla? Digo entre los animales.

Escanilla vacilaba. Por fin dijo:

—No querría nombrarlo a ese animal aquí, delante de su mercé.

—¿Por qué?

—Porque no es nombre decente.

Mi padre dijo:

—Puedes decirlo, Escanilla.

—Bueno, pues el más listo es el gorrino dicho sea con perdón.

Preguntaba mi padre aunque pensando en otra cosa:

—¿Es posible?

—Como lo digo don José. El gorrino dicho sea sin faltar. Mientras que no lo... bueno, ¿ve su merced? En hablando de ese animal todas son malas palabras Quiero decir que el más listo es el gorrino con perdón pero sólo cuando... bueno, si es que el gorrino y usted disimule está entero de sus partes.

Yo preguntaba también pensando en otra cosa:

—¿Y después quién?

—Pues yo digo que la vaca. Y después el gato y después fácil es que sea la cabra.

—¿Y el perro? —dijo Concha.

Escanilla parecía escéptico:

—El perro sólo entiende dos o tres cosas de comer y de defender la casa. Pero el gato entiende los pensamientos más disimulados del hombre. Y si un hombre quiere pegarle a un gato, antes que llegue a coger la vara ya está el animalico en el tejado y anda, anda a seguirlo. Por donde pasa un gato no pasa un hombre.

Mi padre decía:

—¿Y después de la cabra?

—Después yo creo señor don José que viene la mujer dicho sea sin faltar y mejorando lo presente. Bueno y con el descuento de mi ignorancia.

Concha protestaba indignada y el cochero añadió:

—Ya digo que sin faltar, señorita. Yo no he conocido Dios sea alabado más que a mi mujer. Y por ella hablo. Mi mujer antes atiende a servir al gato y a la cabra que a mí. Y por ella hablo, ya digo. Ella debe tener la misma idea de mí más o menos, digo de mi entendimiento. La verdad es que no me chocaría. El gato allí donde está sabe muy bien hacerse el señor. Y la cabra no hay quien la engañe.

Callábamos todos. El cochero animó al caballo y dijo:

—Así ha querido Dios que sean las cosas en el mundo.

Yo pensaba que los egipcios adoraban a los gatos. Y que la cabra y el diablo habían sido identificados no sólo por las brujas sino por los pintores y por los poetas. Lo había leído en el colegio de Reus. Estuve a punto de decírselo a Escanilla, pero me callé pensando en Valentina. ¿Estaría esperándonos en nuestra casa? Si no estaba mi decepción sería dolorosa.

Escanilla se creía todavía en el caso de explicar sus juicios anteriores:

—Yo no hablaba de todas las mujeres. Le señorita Concha aquí presente es otra cosa, pero mi mujer ya lo he dicho don José: detrás de la cabra.

A medida que me acercaba a la aldea volvía a sentirme el mismo de los años anteriores como si no hubiera estado nunca en Zaragoza ni en Reus.

El cochero no se atrevía a hacer preguntas, pero estaba lleno de curiosidad:

—Parece don José que se ha ido su merced a vivir para siempre a la capital. Por ahí dicen que lo está vendiendo todo. ¿La casa también?

Mi padre le dijo en pocas palabras cuáles eran las fincas que había vendido. Mientras los decía el cochero ladeaba la cabeza un poco para oír mejor. Antes, hablando de otros temas no ladeaba la cabeza. Ye me di cuenta de que la curiosidad de Escanilla era inmensa. Y se atrevía a preguntar, lo que era de veras un gran atrevimiento.

Yo no podía creer que el cerdo fuera el animal más inteligente. Pero a fuerza de cavilaciones recordaba que el cerdo es de la misma familia que el elefante y que éste posee la reputación de un gigante mental. A lo mejor Escanilla tenía razón.

Llegamos a la aldea. Mi primera impresión fue que las casas eran más pequeñas. Y las calles. Y las plazas. Concha no estaba satisfecha:

—Tu mujer —le dijo al cochero— sabe leer y si no sabe puede tomar lecciones y aprender en poco tiempo. Una cabra o un gato no aprenderían a leer.

—En eso la señorita se equivoca. Mi mujer no pudo aprender a leer nunca.

428

Concha estaba confusa:

—Pero si le pusieran buenos maestros aprendería.

—Eso es bien posible —dijo Escanilla— pero yo no hablo de esas cosas. ¿Para qué le valdría a mi mujer el saber leer? Yo, señorita, hablo de la razón que vale para ganarse la vida, defenderse del hambre y del frío, conocer las intenciones de los demás y así por el respective. Además viendo las cosas como quiere su merced tampoco mi mujer aprendería a cazar ratones con las uñas ni a caminar por los riscos y las torrenteras.

Al cochero saber leer le parecía una tontería, pero lo disimulaba. Y por aquellas tontería de los estudios y las escuelas habíamos dejado la aldea. Parece que eso no lo comprendía nadie en el pueblo.

Fuimos a nuestra casa. Allí estaban Valentina y su madre. Grandecita estaba Valentina y con ella habían crecido todavía sus ojos. En cambio su cara y su boca parecían las mismas. Y las trenzas reunidas en el centro de la cabeza con los remates cubiertos por un ramilletito de flores artificiales. Y la cadena de oro que tenía sobre su cuello el mismo color de la piel. Yo la miraba. Doña Julia dijo:

—Pepe, dale un beso. No comiences a conducirte como una persona mayor.

Valentina y yo nos besamos en las mejillas. Luego ella me cogió de la mano. Entramos en nuestra vieja casa. El perro mastín no estaba. Por todas partes olía a cerrado y las voces tenían eco.

Mi padre gritó desde el portal:

—¿A dónde van esos chicos? ¡Pepe, tú tienes que ir a ver a don Joaquín!

Luego dijo a doña Julia que iría en seguida a ver a su marido porque los negocios que traía no admitían espera. Doña Julia sin escuchar a mi padre nos seguía con la mirada a su hija y a mí, amorosamente. Concha y Pilar —ésta acababa de llegar con la tía Ignacia— charlaban por los codos sin escucharse la una a la otra. El cochero había ido a la parte de atrás de la casa con el coche y las maletas. Yo tenía otra vez la impresión de que no había salido nunca de la aldea. El

—Mira los señoritos juntos, la doncellita y el galán.

Y reía otra vez como una urraca. Valentina miró de reojo al balconcillo:

—Dicen que es bruja, —murmuró un poco asustada.

Luego tropezó y casi se cayó. Le sucedía a menudo a Valentina, que por mirarme a mí a la cara mientras caminábamos o por mirar a Clara o a otra parte, tropezaba. Las piernas le crecían demasiado deprisa y no tenía perfecto control de ellas. Yo le dije que todas las mujeres que habían rebasado la edad de casarse y no se casaban se volvían brujas poco a poco. Es lo que había leído en el libro *Del Amor*, de André Chaplain en el colegio. Valentina me dijo que al principio creía que el libro de su padre titulado "El Amor" podría ser un buen libro para nosotros, pero que no había nunca podido leer más de cuatro líneas. "No entiendo nada", decía. Añadía incrédula que su hermana Pilar decía que lo entendía todo. Ganas de adular a su padre porque hasta su madre doña Julia tenía que confesar que había páginas en las que no entendía sino una línea de cada tres. "Y yo —insistía Valentina— entiendo una línea de cada treinta". Una vez más añadía que Pilar era más lista que ella, pero dudaba de que fuera más lista que su madre.

Seguramente Pilar no se casaría nunca porque era una muchacha sin atractivos y no sabía "retener las amistades". Eso le decía su madre. Retener las amistades. Entonces se volvería poco a poco una bruja y se estaría todo el día en el balcón con un clavel en el pelo riéndose burlona de las parejas que pasaran por la calle. Sin embargo Pilar —decía Valentina— merecía mejor suerte, eso sí. Era muy lista.

Hablando así llegamos al convento de Santa Clara. Valentina todavía me hablaba de Pilar y de sus enemistades con los vecinos. Eran dos caracteres muy distintos. Valentina que era morena había recibido una fuerte influencia del carácter de su madre que era rubia. En cambio Pilar muy rubia tenía la influencia de don Arturo que era moreno.

El ama de llaves del cura nos recibió con los mayores extremos de sorpresa y de simpatía a pesar de su aire seco, hecho de que no estuviera Maruja en la casa me parecía admirable. Pilar trataba de dar la impresión de que no se había dado cuenta de mi presencia.

La tía Ignacia miraba a Concha y a mi padre y lloraba sin decir nada. Con sus lágrimas quería decir: lástima que se marchen. Ya soy vieja y no los veré más. No lo decía. Nos miraba y le caían gruesas lágrimas por las mejillas. Eso era todo.

Valentina preguntó a su madre si podía ir conmigo a ver a mosen Joaquín y doña Julia vaciló un momento y luego encontrando mi mirada se apresuró a decir que sí. Concha le pidió que dejara a Valentina comer con nosotros.

Sería entonces medio día. Quedaba toda la tarde por delante. Una de aquellas tardes de la aldea mucho más largas y más profundas que las de la ciudad.

Todo seguía pareciéndome más pequeño. Todo menos Valentina. Ella comenzó a decirme que la mayor parte de mis cartas no habían llegado a sus manos, por ejemplo las dos últimas. Estas las tenía Pilar y no quería dárselas. Su madre había intervenido y le dijo que el correo era sagrado y que si insistía en guardarlas cometería una de las acciones más viles y reprobables de su vida. Valentina recordaba muy bien las palabras de su madre: *viles y reprobables*. Al decir esta última se le trababa la lengua. Entonces Pilar había decidido entregarle aquellas cartas a su padre.

—¿Tú sabes? —me decía Valentina—. Pilar y padre están contra nosotros.

Como si yo no lo supiera. Yo le decía que no importaba si ella y yo nos amábamos. Eso de *amarnos* no lo había dicho nunca. Sólo usaba el verbo amor por escrito, pero entonces añadí: si nos amamos, ¿qué importa el resto del mundo? Ellos a decir que no y nosotros a decir que sí ¿quién ganaría- No iban a cortarnos la cabeza, digo yo. Valentina estaba encantada con mis seguridades. Y por el callejón de Santa Clara arriba seguíamos hablando animadamente. En su balconcillo de madera la Clara con su clavel en el pelo blanco se reía como un loro:

adusto y resentido. Y detrás de ella llegaba mosen Joaquín renqueando un poco.

—¿Pepe? ¡Gran Dios qué sorpresa!

Era verdad. Se sentía la sorpresa en toda su cara, en toda su adulta persona. Yo hice pasar delante a Valentina pero mosen Joaquín no veía a nadie más que a mí.

Pasamos al mismo cuarto donde solía dar la lección. Allí estaba la mesita redonda, cubierta con un tapete claro —que era oscuro en invierno—. Encima, un paquete de cigarrillos. Al lado un plato con colillas y un encendedor de plata. Parecían el mismo paquete y el mismo encendedor y el mismo plato de siempre.

Mosen Joaquín me hacía preguntas. Si había terminado el curso, si había tenido buenas calificaciones, quiénes eran mis profesores y otras muchas cosas. Al saber que había sacado peores notas que cuando estaba con él disimuló una cierta alegría. Le dije lo del notable y la *jotica* de las preposiciones. Mosén Joaquín reía de aquel truco, que le era familiar. En su conjunto las cosas habían sido bastante mediocres en Reus. No lo dije así, claro, porque no me parecía bien humillarme delante de Valentina.

Los dos quedamos convencidos de que habría sido mejor seguir estudiando con él.

Valentina cuando estaba con personas extrañas se conducía con una gravedad y una seguridad de sí misma admirables. Al entrar le había besado la mano a mosen Joaquín, pero después de este acto reverencial que el cura retribuyó acariciándole la mejilla Valentina miraba a mosen Joaquín alerta y despejada y contestaba sus preguntas con autoridad y aplomo. Tal vez con demasiado aplomo porque cuando por alguna razón Valentina alzaba un poco la cabeza componía un gesto que podía resultar naturalmente arrogante. Yo vi que sentada en su silla llegaba ya con los pies al suelo cosa que no sucedía antes. Llevaba zapatos de charol y calcetines blancos. Uno de los calcetines tenía una mancha de tierra, de haberse rozado quizá con la suela del otro zapato. Porque ella a veces se rascaba en una pierna con el zapato contrario.

Los mosquitos la perseguían. Su sangre les gustaba más que la de ninguna otra persona de su familia. Los mosquitos la picaban a veces por encima del calcetín, según decía asombrada. Y hasta del vestido. Por eso su madre la hacía friccionarse las piernas y los brazos con agua de colonia antes de salir de casa. A los mosquitos no les gustaba el perfume del agua de colonia.

Y Valentina a veces lo explicaba cuando comprendía que alguien se había dado cuenta del perfume. Es lo que hizo al ver que el cura la miraba y se frotaba la nariz. Valentina le dijo que llevaba perfume contra los mosquitos. Mosen Joaquín rió sin decir nada. A mí aquel olor contra los mosquitos —al que estaba acostumbrado ya de años anteriores— me parecía encantador y exclusivo de Valentina. Confieso que cuando percibía ese mismo aroma en otras personas en Zaragoza me conmovía un poco y si era un chica en la calle avanzaba hasta rebasarla y mirar si era hermosa. Valentina nos escuchaba al cura y a mí. El cura también se extrañaba de que mi padre vendiera la mayor parte de la hacienda.

—Al menos —dijo— mientras no vendáis la casa supongo que vendréis aquí de vez en cuando.

—También la venden —dijo Valentina— y papá la quiere comprar, pero no sé si la comprará. A mí me gustaría vivir en esa casa, que es más grande que la nuestra. Y la nuestra no es comprada sino alquilada, porque la familia de papá es de Zaragoza y la de mamá es de Borja y aunque nosotras nacimos aquí papá no sabe si estaremos mucho o poco tiempo. Con la profesión de papá nunca se sabe.

Valentina era mucho mayor que antes. Hablaba con las personas mayores sin cortedad, de igual a igual y era razonadora y lógica.

Entretanto mi padre y Concha estaban en casa de don Arturo. Más tarde Concha me contó lo que había pasado en la entrevista. Mi padre quería como siempre cosas que representaban en el mundo de los negocios pequeñas extravagancias. Quería que don Arturo pidiera al comprador de una de sus fincas que pagara la segunda mitad del precio total. Esa segunda mitad no debía pagarla sino en la primavera del año siguiente. Don Arturo tomó un lápiz y se puso a hacer números. Después alzó la mirada, contempló a mi padre gravemente, tiró el lápiz sobre la mesa, respiró hondo y dijo:

—No se lo aconsejo. Perderá usted dos mil cuatrocientas pesetas.

Parecía don Arturo un Buda, siempre gordo, inmóvil y seguro de sí. Mi padre preguntaba:

—¿Dos mil cuatrocientas? ¿Por qué?

—La cosa es de una claridad meridiana —eso de la claridad meridiana lo repetía don Arturo a menudo—. Si el comprador le adelanta dinero deducirá esa cantidad que es el importe del doce por cien anual que saca a su capital.

—Un banco me llevaría menos. Pero no quiero pedírselo a un banco porque me conozco.

Lo miraba el notario como diciendo: Yo también le conozco a usted y sé que es un hobre bastante desordenado. Sin embargo en aquella mirada había cierto respeto. Era como si le dijera: usted es descuidado y generoso. Se gastaría el dinero del banco y el otro, también. Usted ha nacido para rico y el dinero se le acaba y no basta. Nunca ha bastado el dinero a ningún hombre generoso.

Entonces mi padre quiso venderle a don Arturo la casa y al ver el notario las prisas de mi padre le ofreció la mitad de lo que otras veces había dicho que valía. Esto ofendió a mi padre de tal manera que no pudo reprimirse y le dijo dos o tres impertinencias. Don Arturo contestó con su calma de hombre gordo y también de hombre de negocios. Todo esto actuaba sobre los nervios de mi padre, pero disimuló como pudo, se levantó con una amistosa frialdad y dijo:

—No se moleste en hacer gestión alguna. Esperaré los plazos del contrato de venta.

—Es lo mejor que puede hacer.

También se había levantado y hablaba otra vez de la claridad meridiana del asunto. Fueron al jardín donde don Arturo exgerando su amabilidad le enseñó los semilleros de

434

flores y también las palomas de recría que había comprado en Zaragoza. Eran mensajeras y quería hacer la prueba con algunas de ellas llevándolas a Zaragoza y soltándolas a ver si volvían al palomar. Me padre decía:

—No creo que vuelvan. ¿Por qué han de volver?

Le enseñaba don Arturo unas jaulas que tenía dispuestas para el caso. Mi padre dijo que eran demasiado pequeñas. Don Arturo llamó a una paloma con un poco de maíz en la mano, la cogió y le mostró la pata con su anillo de aluminio. En ese anillo se ponía el mensaje usando un tubito de celuloide que también le mostró. Mi padre dijo que el procedimiento era sagaz pero que en aquel tubito de celuloide no cabía más que una hoja de papel de fumar arrollada. El notario le aseguró que cabía una hoja grande de papel cebolla convenientemente doblada. Mi padre no lo creía. Seguía molesto y todo le parecía mal.

Mi padre y Concha salieron. En la calle mi padre gruñía: "Estoy necesitado de dinero, pero no tanto como ellos creen". Y seguía así, hablando solo por la calle. Se le escapó una palabra fea, cosa rara en él. Concha dijo:

—¡Pero, papá!

Entretanto Valentina y yo salimos del convento con un puñado de dulces que nos dio el ama de llaves. Mosen Joaquín nos miraba desde el balconcillo de la terraza, sonriente, fumando el eterno cigarrillo que solía doblarse y perder la forma bajo sus dedos.

Yo decía a Valentina:

—Cuando termine la carrera nos casaremos.

No comprendía Valentina que quisiera casarme después de haberle escrito desde el colegio que era enemigo del matrimonio. Le dije que había que pensar en mosen Joaquín, quien quería a todo trance actuar de sacerdote en nuestra boda. Yo no quería privar de aquel placer a un hombre como mosen Joaquín. Valentina accedió como siempre después de considerar las cosas y ver que yo tenía toda la razón del mundo. Quedamos en que éramos partidarios del amor libre pero nos casaríamos para complacer a mosen Joaquín.

Valentina me contó nuevos desafueros de Pilar y se quedó a comer con nosotros. Concha me dijo lo que había sucedido en casa de don Arturo. Yo sentía que detrás de la actitud de mi padre con el de Valentina había algo humillante para mí como novio y futuro esposo. Le dije también a mi hermana que Pilar interceptaba mis cartas y que en lo sucesivo las escribiría con clave. Ya había pensado hacerlo otras veces. Decidí instruir a Valentina para usar de una escritura *críptica*. Había leído en una novela de aventuras que la clave más segura e indescifrable y también la más simple consistía en valerse de un libro cualquiera —en este caso podríamos usar el de don Arturo sobre el amor— e ir señalando cada letra con números. Por ejemplo: 7-3-8 quería decir la letra correspondiente a la página siete, línea tres tipo ocho. Aquello no podría descifrarlo nadie en el mundo.

Creía yo que la enemistad súbita de mi padre con don Arturo se debía no sólo a los negocios sino a las discrepancia políticas porque el notario era partidario furioso de Francia. Después de la comida que fue bastante sombría porque mi padre estaba de mal humor y no hablaba más que de volver a Zaragoza yo instruí cuidadosamente a Valentina. Ella tendría que hacerse con un ejemplar del libro de su padre lo que sería fácil y conservarlo consigo. Si se enteraba su padre ella le diría que estaba leyéndolo, lo que no podría menos de halagarle.

Pero había otra dificultad. Si Pilar le robaba las cartas ¿no era lo mismo escribirlas con clave o sin ella? Aunque no pudiera leerlas seguiría robándolas igual. No llegarían a manos de Valentina.

Me había contado Concha lo de las palomas mensajeras y una idea nueva me andaba por la imaginación. Era absurda pero en aquellos días lo más absurdo me parecía siempre lo mejor.

Mi padre se había ido a cumplir otras diligencias. La tía Ignacia iba y venía en silencio y a veces se quedaba mirando a Concha o a mí y lloraba con su gran cara que parecía un poco cómica.

Yo le dije por fin a Concha lo de las palomas mensajeras. Si me llevaba una a Zaragoza le mandaría con ella a Valentina el primer mensaje de amor, cifrado. Don Arturo no se preocupaba de ir a ver cada día las palomas y menos de contarlas. Concha llamó a Valentina. Como siempre que yo tenía una iniciativa los ojos de Valentina comenzaban a brillar de impaciencia. No importaba la dificultad o la incongruencia. Como suele suceder con los chicos el objeto práctico de mis iniciativas estaba rodeado de circunstancias barrocas y absurdas. Valentina me decía: "Puedes llevarte una paloma. O dos. Una vez en Zaragoza sueltas una con el mensaje en la pata. Y otro día, otra. Yo estaré al tanto y las cogeré y les quitaré el papelito y me iré a mi cuarto con el libro de papá e iré sacando las letras una por una". Oyéndola hablar se veía que gozaba con aquella voluptuosidad de sacar las letras una por una. Concha escuchaba conmovida. Suspiró y dijo:

—Hay que ver lo que inventan los enamorados.

Luego añadió que teníamos mucha suerte de querernos desde tan pequeños y que una vez se veía que era inútil poner vallas al amor.

Lo difícil era conseguir las palomas. Pero Valentina decía que ella se encargaba de todo. Cuando quería hacer algo sin que se enterara nadie bastaba con levantarse temprano. Nadie madrugaba en su casa, nadie salía de su cuarto hasta las ocho y media. Ella metería dos palomas en una jaulita que tenía su padre y que era bastante pequeña, envolvería la jaula en periódicos, ataría el paquete con cuerdas y lo traería al día siguiente antes de que nos marcháramos. Afortunadamente las palomas no gritaban como las gallinas. Nadie se enteraría.

Concha se ofreció como cómplice. Acordaron que iría a buscarla a las siete con el pretexto de ir a misa a Santa Clara. Valentina lo diría a su madre la noche anterior. Concha dudaba:

—No le digas nada. El secreto es lo más importante en las cosas del amor. Además, ¿y si se entera Pilar?

Valentina no lo creía:

—Pilar es la que se levanta más tarde en la casa. Por eso dice padre que es *linfática*.

Quedamos pues en que a las siete y cuarto vendrían Concha y Valentina con la jaulita cubierta con papeles y las dos palomas dentro. Yo seguía pensando en el futuro. Nos harían falta más palomas y Valentina dijo:

—Siempre que vaya algún conocido a Zaragoza puedo mandarte una paloma o dos. ¿Qué trabajo les cuesta? Sólo llegar a tu casa con un paquetito y decir: esto de parte de don Arturo. Así usaremos sus palomas para llevar el mensaje y su libro para escribirlo con clave y será como un castigo de la providencia.

Vi a mi hermana pensativa y le pregunté qué le pasaba. Ella dijo:

—Yo soy morena, pero pienso que debo ser linfática también.

A media tarde volvió mi padre con un campesino y con mosen Joaquín. Iba más taciturno mi padre que nunca y repetía:

—La gente de este pueblo se hace una idea ridícula de mí.

Parece que quiso vender la casa y le ofrecían la cuarta parte de su valor. Siquiera don Arturo ofrecía la mitad. No había duda de que el papel de la familia estaba en baja. Concha comenzaba a asustarse de veras. Y pensaba en los Smart Brothers.

Pasamos la tarde juntos Concha, Valentina y yo. Mi hermana nos decía:

—Sois dos novios ideales, pero Pepe es adusto y nunca te dice ternezas ni mimos, Valentina. La verdad es que yo no concibo un novio que no diga ternezas. ¿Por qué no se las dices, Pepe? Puedes decirle *alma mía*. O también *encanto, vida, locura de mi corazón*.

Oyendo aquello Valentina se ponía radiante, pero a mí me daba vergüenza:

—No creo —dije— que esas cosas las diga nadie.

—Por carta me las dice Pepe, —advirtió Valentina.

—Bueno, pero de palabra —añadí yo— ya no hay quien las diga. Porque parecen tonterías.

La tía Ignacia se asomaba a la puerta de la cocina, grande, arrugada, con su cara de carnaval que nosotros queríamos tanto. Concha preguntó:

—¿Qué te decía a ti tu marido cuando erais novios?

El marido de la tía Ignacia era según Concha el hombre más hermoso del pueblo. La tía Ignacia preguntaba:

—¿Dices qué me decía? Pero ¿sobre qué cuestión?

—¿Qué te decía cuando te cortejaba y te hacía mimos. ¿Qué palabras dulces te llamaba?

—¿A mí?

Valentina y yo escuchábamos muy atentos. Y la tía Ignacia decía por fin, muy seria:

—Milorcheta.

—¿Cómo?

—Digo que me llamaba milorcheta.

Parecía Concha decepcionada. ¿Cómo iba yo a llamar milorcheta a Valentina? ¿Y qué tenía que ver la tía Ignacia con una milorcheta es decir con una cometa? La tía Ignacia añadía:

—También me llamaba cardelina.

Concha estaba un poco más convencida pero no satisfecha:

—¿Sólo eso?

—No. También me llamaba morrín y chorro de oro.

Soltábamos a reír. Concha repetía: milorcheta, cardelina, morrín y chorro de oro.

—Será un poco raro si quereis —añadía muy grave— pero eso demuestra que estaban amartelados. Eso es lo que yo querría: veros a vosotros amartelados alguna vez.

En fin, llegó la noche y el día siguiente. Concha que no quería ser linfática se levantó a las seis y salió. A las siete estaba de vuelta con Valentina. Traían la jaulita envuelta en periódicos y atada con cuerdas. Yo abrí dos agujeritos en el papel para que respiraran las palomas. Concha dijo: este Pepe está en todo.

Poco más tarde mi padre que había ido a Santa Clara a oír misa, volvía. Tomamos el desayuno y cuando terminábamos apareció Escanilla que saludó y fue a la cocina donde la tía Ignacia le dio su desayuno también. Consistía en dos copas de aguardiente mientras se asaba una gran costilla sobre las brasas. Después de la carne le dio todavía un par de huevos con chorizo. Cuando salió limpiándose los labios con el dorso de la mano le preguntó mi padre qué había comido y al decirlo Escanilla mi padre alzó las cejas extrañado:

—¿Pero no cenaste anoche?

—Sí, señor. Para dormir tengo que tener la tripa con perdón bien llena. Pero me levanto como si tal cosa.

—¿Cómo puedes comer todo eso tan temprano?

—Pues a fuerza de pan, don José.

Lo decía inocentemente. Luego añadió que para alcanzar el tren tendríamos que salir temprano.

Salimos. Fuimos antes a llevar a Valentina a su casa. Mi padre se había sentado en el pescante con el cochero lo que facilitaba nuestras conspiraciones. Iba la caja de las palomas en el fondo del carruaje cubierta con el guardapolvo de mi padre. Porque mi padre siempre que viajaba llevaba un guardapolvo de dril verdoso y una gorra de visera. Antes de despedirnos en el umbral de la casa del notario supe por la madre de Valentina que ella y mi novia irían a Zaragoza a primeros de octubre para las fiestas. Pasarían allí dos semanas. Esta revelación me llenó de una secreta confianza en el destino. Valentina estaba tan contenta que no podía hablar.

A llegar al tren me incauté de la caja y del guardapolvo. Subimos y lo instalé todo en un rincón. Mi padre al ver la caja había dicho:

—¿Qué es esto?

Pero muchas veces preguntaba cosas y luego no esperaba la respuesta. Cuando yo le dije: *un encargo,* estoy seguro de que estaba pensando en otra cosa. Escanilla se había ido muy feliz con sus cinco pesetas en el bolsillo. Desde el tren vimos al coche regresando al trote por una carretera entre dos hileras de álamos. Mi padre suspiró y dijo:

440

—No hay como la vida del campo.

Concha se atrevió a preguntarle por qué habíamos ido entonces a Zaragoza.

—¿Y lo preguntas tú? Hemos ido para daros a vosotros una educación adecuada. ¿Qué quieres, quedarte en el pueblo y casarte un día como la tía Ignacia?

Mi hermana aguantaba la risa. Yo pensando en los Smart Brothers no pude aguantarla y solté a reír. Mi padre oyó en aquel momento arrullos de palomas. Tal vez las que teníamos en la jaula eran macho y hembra.

—¿Qué es esto? —dijo.

Sin darle importancia Concha contestó que eran dos palomas para devolver a la tienda donde don Arturo las había comprado. Se las habían mandado equivocadas. Mi padre preguntaba:

—¿Cuál era la clase de palomas que quería don Arturo?

Concha estaba en un aprieto. Yo intervine:

—Polainudas.

Como don Arturo usaba polainas casi a diario —aunque no fuera a cazar— aquello parecía natural. Yo no sabía si había en el mundo palomas polainudas. Mi padre tampoco. Abrió el periódico y se puso a leer. De pronto dijo:

—Me parece que el revisor no permitirá llevar las palomas en el vagón. Ahí arriba están escritos los reglamentos y creo que prohiben viajar con animales.

Me puse de rodillas en el asiento y leí el reglamento que estaba pegado al muro, enmarcado y cubierto con un cristal. Cuando terminé de leer volví a sentarme:

—Nada. Sólo dice que se prohibe viajar con perros y con gatos. Entonces si uno viene con dos palomas o con una cabra o un cocodrilo no pueden decir nada.

Me miró mi padre con simpatía, sonrió y dijo:

—Tú debes estudiar para abogado.

El revisor no vio las palomas. Y llegamos antes del medio día a Zaragoza. Nos esperaban las otras dos hermanas con impaciencia. Maruja siempre esperaba regalos y andaba codiciosa alrededor de la jaula.

Naturalmente habíamos acordado ir a soltar la primera paloma a la quinta Julieta. Pero antes tenía que escribir la carta para mi novia y esa tarea me llevó dos días durante los cuales me olvidé de Felipe Biescas, de Planibell y de todo el mundo. Mi carta escrita en un papel cebolla a máquina en el despacho de mi padre era una sucesión de números: 7-2-5/ 4-9-6/2-6-1/5-9-4/ y así hasta cubrir la hoja entera. Mi firma estaba en clave también.

Una vez escrita la carta acordamos ir a soltar la paloma al Cabezo de Buena Vista. Pero cuando íbamos me convenció Concha por el camino de que debíamos soltarla en la quinta Julieta. Me decía: "Soltar allí a la paloma blanca con una carta de amor, junto al estanque, es como una poesía de Bécquer". Todavía añadía que la paloma iría a casa de don Arturo y llamaría como en la poesía de Bécquer "con el ala en los cristales". Bécquer no se refería a las palomas blancas sino a las "oscuras golondrinas", pero para Concha era lo mismo. Y diciéndolo suspiraba.

La carta no la recuerdo, pero tenía las palabras tiernas que la amante más exigente (Concha, por ejemplo) podría apetecer. Llamaba a Valentina encanto de mi corazón, alegría de mi soledad, sueño, alma mía, ángel de mi vida y otras muchas cosas. Insultaba un poco a don Arturo aunque no demasiado.

Decidimos pues ir a la quinta Julieta. Lo que me convenció fue que aquel era un paraje más alto que el cabezo y que desde allí se veía por lo tanto un horizonte más vasto. Le sería más fácil orientarse a la paloma.

Lo curioso fue que al llegar encontramos allí a Planibell con Felipe. Este se adelantó a decir que Planibell había llegado dos días antes y que estaría una semana más. Mi hermana vio en seguida que Planibell con toda su belleza masculina tenía menos años que ella. Lo borró de sus curiosidades desde el primer instante y se apartó de nosotros. Iba y venía como si estuviera sola. A Planibell tampoco le importaba. ¡Mujeres, bah!

442

Aunque era día de público había poca gente y casi todos habían ido a la mansión y a visitar el palacete que había detrás. Yo sin explicar a nadie de qué se trataba fui con mi caja al lado del estanque en cuyas aguas calmas se reflejaba el busto de mármol. Al verme mi hermana maniobrar en la jaula vino corriendo.

—Ese amigo tuyo —dijo por Planibell— es un mocoso presumido.

—Sí, es verdad. En el colegio no lo era tanto.

Abrí la jaula —que había dejado en el suelo— y salió la paloma. Pero salió a pie. Anduvo como un par de metros y se volvió a mirarnos. Su sombra sobre la arena era muy negra y hacía un contraste violento con la blancura de sus plumas. De pronto echó a volar. Subió casi vertical y comenzó a volar en círculos sobre nuestras cabezas. Luego tomó la dirección noroeste. Yo había estado mirando antes en un mapa cuál debía ser la dirección de la paloma para volver a la aldea. Y en la quinta me había orientado con mi pequeña brújula. El animal voló exactamente en la dirección que yo había previsto. Concha se quedó en éxtasis mirando el horizonte aun después de haber desaparecido la paloma. Luego suspiró y dijo:

—¡Qué cosa más hermosa!

Tenía los ojos húmedos de emoción.

Planibell y Felipe que habían presenciado la maniobra desde lejos se acercaban. Felipe estaba lleno de curiosidad pero Planibell se mostraba displicente y aburrido sin dejar de hacer comentarios sobre la pequeñez del parque al lado del parque de Reus. Planibell preguntó por fin:

—¿Qué clase de paloma es esa? ¿Mensajera? Bah, yo también tengo palomas mensajeras en casa. Cualquiera las tiene. ¿Y para qué la sueltas?

—Para que lleve un mensaje.

—¿Qué mensaje?

—Una carta de amor.

—¿A quién?

—A mi novia.

Planibell parecía acostumbrado a ver cada día que la gente enviaba palomas con mensajes de amor a todo el mundo. De tal forma se mostraba inafectable e indiferente. Por fin dijo:

—Yo nunca haría una cosa como esa. Si la paloma cae en otras manos leerán la carta y se enterarán de todo.

—No se enterarán de nada. Porque la carta está en clave.

Felipe se dio con su puño derecho en la palma de la otra mano:

—Ya te digo Planibell que este Pepe es de lo que no hay. No lo pillarás nunca en descubierto.

Dijo Planibell haciéndose el tolerante:

—Las claves se descifran. Hay gente para eso. Y tú, Felipe, no me discutas.

Luego se puso a contarnos lo que había hecho en Monflorite. No había matado ciervos ni osos ni jabalíes.

—Eso de los jabalíes —interrumpió Felipe deferente y tímido— es en invierno.

Pero había matado más de cuarenta conejos y un zorro. La piel del zorro pensaba curtirla y conservarla como trofeo. Yo no había tenido nunca una verdadera escopeta de persona mayor. Bien es verdad que Planibell era más viejo que yo, aunque más joven que Prat. En todo caso contenía mi envidia en lo posible y seguía escuchando.

Decía Planibell que tenía que volver pronto a su casa para ir con sus tíos a Francia antes de que llegara el primero de octubre, la fecha de volver al Colegio de Reus.

—¿Te acuerdas del hermano lego del taller? —le dije—. Pues mira bien la estatua del estanque. La hizo él. Mira bien el estanque y la altura de la columna y el color del agua que es casi verde. Míralo bien todo para explicárselo al fraile cuando lo veas. Porque esa escultura la hizo él. Mira bien la luz del sol y los reflejos del agua. Y díselo todo tal como lo ves. Dile que el mármol parece cristal y parece carne humana y parece aire.

—Bah, tonterías. El aire no se ve.

—¡Se ve!

—Mentira, ¿quién ha visto nunca el aire?

—Yo —decía con énfasis—. Yo. Se ve y se oye. Hay días que tiene brillos el aire, como el cristal. Y a veces se ve de colores, cuando hay arco iris. Y se oye por la noche contra el tejado.

—Es el viento lo que se oye.

—¿Ah, sí? Y cuando no hay viento también, se oye. En las alas de las palomas cuando vuelan, se oye.

—Tonterías. ¿Y quién la puso ahí, esa cabeza?

—Yo.

Planibell soltó a reír.

—Este Pepe Garcés siempre igual. Envía palomas mensajeras, pone estatuas en los lagos. Siempre metiéndose en lo que no le importa. Yo nunca me meto en lo que no me importa. ¿Verdad Felipe?

Hizo Felipe un gesto vago. Yo comprendí que no quería a Planibell. Este añadió:

—En el colegio hicimos un drama y yo era el padre de Pepe.

Volvió a reír. Aquella risa me reconcilió un poco con él. Echamos a andar hacia los viveros. Mi hermana Concha iba con un grupo de paletos a la mansión. Yo la miraba desde lejos y pensaba: desprecia a Felipe y a Planibell poque son demasiado jóvenes. Su desprecio me parecía bien aunque lo consideraba injusto. ¿Qué tiene que ver la edad?

Planibell y Felipe quedáronse en la glorieta de los bancos de mármol y yo me acerqué a los viveros. Dentro no se oía nada, es decir se oía a alguien silbando un vals. Yo pensé: es Monflorite y está solo. Si estuviera Pascual no se atrevería a silbar un vals. Al verme a mí Monflorite se calló y dijo:

—La estatua hace bien en el estanque. Parece algo así como el marido de la patria. ¿Tú no has visto la patria de mármol con una corona de laureles que está más abajo? Pues ese parece su marido.

A continuación se puso a contarme lo que había pasado en el estanque el día que se cayó el niño y se ahogó. "¿Sabes quién tiró el chico al agua? El amo. El tío de Felipe. Bueno, me

445

río, pero no creas, la cosa no fue divertida. Porque un crimen es un crimen. El amo tiró el muchacho al agua. No lo digas a nadie. Ese viejo mala sangre sería capaz de cortarme la cabeza. Yo sé que fue él, porque me lo ha dicho quien lo vio. No diré nombres. No soy hombre de denuncias. Mi silencio le vale al amo la libertad y casi la vida porque figúrate lo que pasaría si se enterara la justicia".

—¿Pero por qué? —preguntaba yo—. ¿Por qué lo tiró al agua?

—Es que el amo está enamorado de la viuda de las escupitinas.

Yo pensaba: ¿y qué tiene que ver lo uno con lo otro? No lo creía pero oír tantas versiones diferentes sobre la muerte del niño que cayó en el estanque comenzaba a marearme. ¿Quién diría **la verdad?**

Dije que el tío de Felipe no era hombre para matar a un niño de dos años. A un hombre mayor, en riña, ya sería otra cosa.

—Ese hombre es capaz de todo —dijo Monflorite—. ¿Tú qué vas a esperar de un tío que sabe que tiene un asesino como Pascual en casa y no lo echa?

Poco después llegó Pascual de mal talante.

—Cuando yo entro se callan ustedes. ¿Es que hablan de mí? A los que hablan de mí les digo que se pongan la lengua donde les quepa.

Era la primera vez que un desconocido me insultaba de aquel modo. Pascual debió ver algo en mi expresión y se apresuró a rectificar: "Eso no va por usted, amigo".

Monflorite explicó:

—Esta vez hablábamos de lo que pasó en el estanque. Digo, de la desgracia del muchacho.

—¿Tú? ¿Y qué vas a decir tú, embustero, si no estabas allí?

—Yo vacié el estanque y saqué al chico que estaba abajo en un rincón más lleno de agua que una esponja y más muerto que mi abuela. Y la madre estaba afuera y decía con las manos en la cabeza: no es hijo de su padre, pero salió a él. Eso dijo. Y luego dio un grito que se debió oír por todo el parque.

Monflorite insistió:

—Nada de eso lo puede creer una persona razonable. ¿Cómo iba a decir que el chico no era hijo de su padre?

Pascual se le acercó de un salto. Le temblaba la mano derecha con la que accionaba:

—Lo tienes que creer porque lo digo yo. ¿Oyes? Lo digo yo y no hay más que hablar. Está claro como estos cinco dedos que hay en mi mano. ¿Lo oyes? Di que es verdad. Vamos, tú, voceras, dilo de una vez. Di que estás oyendo las palabras de la mujer en el aire.

Yo creía que debía intervenir:

—No se ponga usted así, Pascual. El no dice que miente sino que no está enterado.

Se apartó Monflorite y siguió trabajando como si estuviera solo. Hablaba para sí mismo aunque dirigiéndose a mí:

—Es que está quemado. Siempre está quemado, conmigo.

Había entre ellos, en el suelo, un cuchillo. Yo lo cogí distraídamente y salía con él cuando al llegar a la puerta oí la voz de Pascual :

—Deja ahí ese cuchillo por si se me ocurre cortarle el gaznate a este poca lacha.

Junto a la puerta el cuervo, excitado, repetía:

—Hola, hola, hola.

Salí y me fui a la glorieta donde estaba Planibell solo, sentado en un banco. Me senté a su lado y me puse a dibujar con el dedo en la arena. ¿Qué es eso? preguntaba Planibell. Seguía yo dibujando y explicaba: esto es un animal. Y esto —medio metro a la izquierda— su sombra. Planibell se reía burlón:

—La sombra —dijo— va pegada al cuerpo. Siempre. No falla. Vas, vienes, te acuestas, te levantas y siempre llevas tu sombra pegada al cuerpo.

—No es verdad.

—¿Cómo que no?

447

—Será verdad con las personas, pero no con los animales. Y tampoco es verdad con las personas.

Planibell se reía y se ponía las manos en el vientre para no estallar. Cuando pudo hablar dijo:

—En eso somos iguales todos. Los animales, las personas, los árboles. Todos.

—No es cierto.

—¿Cómo que no? —y Planibell seguía riendo.

El cuervo caminaba por la avenida. Yo le dije a mi amigo:

—¿Ves ese cuervo?

—Sí, con la sombra pegada al pie como todos.

—Bien, vas a ver.

Yo me levanté y el animal voló sin prisa a una rama próxima. En el momento de echar a volar la sombra del animal se despegó de él y salió corriendo en dirección contraria. Yo miré a Planibell:

—¿Qué dices?

Había visto aquello poco antes, cuando la paloma blanca, sobre su sombra negra, echó a volar. La sombra negra se fue por el lado contrario al de la paloma blanca. Aquello había sido un gran descubrimiento para mí. Un descubrimiento de los que yo guardaba para las grandes ocasiones. Había querido deslumbrar a Planibell y con ese fin me había puesto a dibujar en la arena "inocentemente". Planibell había mordido el anzuelo.

—Nunca lo creería si no lo hubiera visto —dijo.

Pero no quería declararse vencido del todo:

—Eso pasa con los pájaros, pero no con las personas.

—Con las personas también. Mira.

Salí a la avenida, a pleno sol. La luz de la mañana llegaba oblicua. Di un brinco. Al subir yo en el aire mi sombra se apartó de mí en dirección contraria más de quince metros. Planibell no podía creerlo. Brincaba él, brincaba yo. Las sombras se alejaban para volver a nuestros pies al tocar el suelo. Planibell seguía asombrado y aproveché aquel instante de desconcierto para decirle que no creía que hubiera matado zorro alguno, en Monflorite. El zorro corre tanto que no hay manera de apuntarle. Además los zorros saben más que muchos hombres.

—Eso yo no lo creeré nunca —dijo él.

—¿Que no? Cuando el zorro está lleno de pulgas no las va matando de una en una como hacen los hombres. Lo que hace el zorro es coger una ramita con los dientes y meterse en el agua del río poco a poco y a reculones. A medida que entra en el agua las pulgas se van pasando a la parte seca del cuerpo. Y el zorro va metiéndose cada vez más hondo. Cuando sólo queda la cabeza fuera del agua las pulgas van pasando a la rama seca y cuando han pasado ya casi todas el zorro hunde la cabeza un momento debajo del agua. Todas las pulgas pasan al palo. Entonces el zorro deja el palo en el agua y sale a la orilla más limpio que el oro. ¿Cuándo han hecho los hombres una cosa así?

Planibel escuchaba disimulando su extrañeza. Por fin y para no dar su brazo a torcer, dijo:

—Bueno, yo vi al zorro cuando estaba en el agua con el palo en los dientes. Como estaba quieto, le pude apuntar.

—Mentira. Los zorros ventean al cazador a más de un kilómetro.

—A esa distancia estaba yo.

—Imposible ver un zorro a esa distancia.

—Yo tenía un televisor en el cañón del rifle.

Conocía a Planibell y sabía que a toda costa debía quedar encima. Bueno. No quise discutir. Planibell volvía a dar brincos lo más altos posible para comprobar lo de la sombra. Y en aquel momento se presentó mi hermana. Planibell avergonzado se puso a disimular y a atarse la cuerda de un zapato.

Si habíamos sido tan amigos en la escuela Planibell y yo ¿por qué no seguíamos siéndolo en la calle? Pero Planibell quería hacer caer sobre mí la preeminencia y superioridad que gozaba con Felipe abusando del respeto que el pobre comerciante de telas tenía para el rico fabricante catalán. Eso no se lo podía consentir a Planibell. Eramos amigos o no lo éramos. Me acordaba del hermano Pedro cuando le decía a Planibell, receloso:

—Tú eres un bribón mixtificador.

Me marché con mi hermana sin hacer caso de Planibell. Como Felipe estaba en otra parte no nos despedimos de él.

Mi hermana y yo regresamos a casa hablando de la paloma y de la carta y de si habría llegado o no. Yo creía que sí. Porque la paloma salió como una flecha en la dirección noroeste. Enseñaba a mi hermana la brújula y la dirección en la cual salió el ave. Mi hermana decía:

—No es posible que haya llegado. Nosotros tardamos cuatro horas en tren y dos en coche.

—Sí, pero íbamos en zig-zag, para evitar montañas y ríos y para recoger viajeros en las estaciones. Las palomas viajan en línea recta.

Y le explicaba el vuelo de las palomas.

—Sabes mucho, Pepe. Contigo no se puede.

Una vez más me miraba como a un ser superior. E insistía:

—Sabes más que todos los chicos de tu edad. A veces me das miedo.

Luego decía que Planibell le había dicho un piropo en voz baja y que por eso se había marchado al palacete y lo había dejado solo. Luego vio a Juan, el jardinero que la trató de un modo atento y cortés. Y me dijo de pronto:

—Verdaderamente la ruina de mi padre no me preocupa. Tú serás... ¿qué serás tú? Lo que quieras. Con esa brújula y lo que sabes y el amor por Valentina puedes correr el mundo y hacer lo que quieras Ah, si yo hubiera nacido hombre. Pero si el caso llega también trabajaré. ¿En qué? Para oficinista no tengo ortografía. Tampoco me gusta a mí trabajar en las oficinas. ¿Para ser medio señorita, medio obrera? Vaya una gracia. Todo o nada, ¿no te parece? Prefiero ser una modistilla yendo al obrador o saliendo del obrador. Me esperará mi novio en la esquina y yo saldré, lo cogeré del brazo y adelante. Porque hay obreros que están muy bien. Por ejemplo, Juan. Por eso te digo que si mi padre ha de arruinarse cuanto antes mejor.

450

Yo volvía a pensar en la paloma.

—Ya ha llegado —repetía muy seguro.

Los días siguientes fueron inaguantables. Acudía a la puerta siempre que llamaban creyendo que era el cartero.

Por las tardes me iba a la biblioteca de la universidad a leer el lilbro de Félix de Azara que me recomendó Juan. Tardé en encontrar aquel pasaje curioso que decía: *"He observado mil veces en el Paraguay y en los territorios lindantes del Brasil que en cualquier punto donde el hombre hace una barraca o una casa se ven nacer en torno pocas semanas después plantas que no se mostraban antes sino a una distancia de muchas leguas y que se multiplicaban hasta el punto de que ahogaban todas las demás hierbas. Es bastante que el hombre atraviese un camino de los nuevos que se abren en parajes deshabitados, para que sus dos bordes produzcan esas mismas plantas. Y estos son testimonios de que el hombre tiene influencia sobre el mundo vegetal y produce una especie de alteración y cambio... Parece pues que la presencia del hombre ocasiona un cambio en la naturaleza, destruye una plantas que crecían naturalmente y hace crecer otras nuevas".*

Más cosas había en aquel libro que llamaban la atención y tenía ganas de ver al jardinero catalán para oír sus opiniones sobre aquellas importantes materias. Por el momento yo miraba las plantas de los jardines públicos como si fueran seres sensitivos que me oían y formaban opiniones. A veces les hablaba de mi novia, cuando estaba seguro de que no me oía ni me veía nadie.

Por fin llegó carta de Valentina. Decía: *"Inolvidable Pepe: llegó la paloma y padre estaba esperando porque notó la falta de la blanca y la pinta* (la pinta era la segunda paloma que estaba en mi casa, solita en su jaula) *y padre dijo: tiene un papel en la pata. Y lo sacó y no pudo leer ni jota y nos llamó a todos y dijo que aquella paloma no era la suyo sino otra que venía de la guerra porque en la guerra emplean palomas mensajeras y que estaba cifrada y que iba a mandar la carta a París a los generales. Esto último le traía muy ocupado día y noche. Le enseñó la carta al alcalde y a mucha gente.*

El alcalde ha escrito al gobernador y a Madrid y a otras partes y ha enviado la carta para que los franceses la descifren. Padre dice que a lo mejor de esa carta depende la victoria de los franceses y que le darán una condecoración y se la pondrá en la chaqueta. Y así por el estilo. Ya ves. De modo que tiempo perdido. Pero sobre eso de que los franceses ganen la guerra gracias a tu carta no sé qué pensar. No me extrañaría. Dime tú que opinas.

"Ahora mándame la segunda paloma y yo estaré al tanto y la cogeré antes de que llegue padre. Lo malo fue que la blanca llegó a las nueve, cuando padre les daba de comer. Mándala para que llegue antes y estén todos acostados". Luego me llamaba cielo poniendo la i clara y también la e. Siempre me llamaba Valentina *mi cielo* y es la expresión más dulce que he conocido en mi vida aunque el recuerdo de las bromas de Ervigio me aguaba un poco la fiesta.

Yo estaba entre decepcionado y deslumbrado de orgullo. Mi carta había ido al estado mayor central de los ejércitos aliados. ¿La descifrarían? ¿Cómo? ¿Era posible sin tener a mano el libro de don Arturo? Sobre eso estaba tranquilo. Me dolía sin embargo de mi mala fortuna y sobre todo de que por ella pudieran dar una condecoración a don Arturo.

Un mes después recibió el alcalde una carta de la embajada francesa en Madrid dándole las gracias y diciendo que el mensaje estaba cifrado sobre un libro. Añadían que era una carta de amor sin importancia.

Don Arturo no comprendía. ¿Una carta de amor? Yo me reconcomía de orgullo herido. ¿Sin importancia?

Pocos días después envié la paloma siguiente y la atrapó Valentina antes de que la viera su padre. Descifró muy bien mi carta y le divirtió tanto esa tarea que me prometió enviarme más palomas a Zaragoza.

Sin embargo eso no era cosa fácil.

El bondadoso Baltasar venía a veces a verme. Sus visitas eran sólo para mí, que era el único que le hacía caso en la familia. Volvía a hablarme de la cocinera antigua nuestra y yo lo escuchaba con vergüenza.

Aprovechó Felipe la estancia de Planibell en su casa para invitarme a comer y presentarme a sus padres. Vivía Felipe como dije en la calle de las Escuelas Pías, una calle estrecha llena de comercios que bajaba hacia el mercado. Allí estaba también el colegio de los Escolapios uno de los más antiguos de la ciudad cuyos frailes tenían fama de pegar a los chicos.

La casa de Felipe era en su mayor parte almacén de tejidos. Por la fachada, entre los balcones, descendían grandes letras formando verticalmente el nombre del propietario. A primera vista la madre de Felipe parecía tonta. Sonreía y miraba y no decía nada. El padre era un notable badulaque y por lo que vi debía ser muy tacaño. En medio de aquella gente estaba Planibell como un rajáh. Todos le servían. El se consideraba superior al ambiente y se dejaba querer como si le correspondiera por derecho propio. Yo pensaba: lo que hace Planibell es indecente. Y me acordaba de las palabras del hermano Pedro.

Como sospechaba, el rifle de Planibell no tenía televisor alguno. Esto me produjo bastante indignación. A espaldas de Planibell le decía yo a Felipe:

—Anda, cántale las verdades a ese presumido.

—¿A Planibell? No. Me pegará mi padre. Mi padre adora al padre de ese chico y quiere comprarle maquinaria de segunda mano para poner una fábrica. Y si mi padre se hace fabricante yo estoy perdido. Eso es verdad.

Felipe se mordía las uñas y comentaba filosóficamente:

—Yo lo único que necesito es que viva mi madre muchos años.

A la una nos sentamos a comer. Pusieron a Planibell —¡qué vergüenza!— en el lugar de honor. Don Marcos se sentó en su silla, de golpe, repitiendo:

—Eso es. Eso es.

Un chinito de porcelana que había en la consola movía la cabeza sonriendo. El padre a quien los empleados llamaban respetuosamente don Marcos preguntaba de pronto a Planibell:

—Perdone la curiosidad, pero su papá no se dejará ahorcar por un millón de pesetas, ¿verdad?

Planibell comprendía donde estaba la debilidad de don Marcos y le decía:

—Eso es exactamente lo que le costó "La Bella Leonor".

La madre fruncía su hocico como una rata y me miraba a mí, recelosa, para preguntarme bajando la voz:

—¿Quién es la bella Leonor? ¿Una bailarina?

Aquella mujer me trataba como a un adulto y creía que yo sabía todo lo que puede saber un hombre de mundo. Don Marcos escuchaba con una oreja a Planibell y con la otra a su esposa y acudía al quite:

—Mujer, la bella Leonor es un barco. Un barquito de recreo.

Luego reflexionaba: un millón. Daba un puñetazo en la mesa porque le gustaba de vez en cuando mostrar su energía, el golpe se transmitía a la tarima y de ella a otra consola donde había un elefante de mayólica quien se ponía a mover la cabeza sorprendido y admirado. Yo no miraba al elefante porque si lo miraba comenzaba a mover la mía también.

Planibell no tardó en entrar en materia. Porque se traía una intriga. Una de sus *mixtificaciones* como diría el hermano Pedro. Su padre a pesar de todo era muy tacaño con él —decía—. Don Marcos tomaba la ocasión por el rabo y aunque era pequeñito y regordete se pavoneaba en la silla:

—No es tacañería, hijo. Es que todo hay que mirarlo y bajo el punto de vista de la juventud de ahora hay que considerar el pro y el contra de las cosas.

Don Marcos tenía la virtud de hablar con una gran firmeza y convicción sin decir casi nunca nada concreto. Planibell seguía con su plan mientras debajo de nosotros, en el almacén, se oía la campana de la puerta cuando entraba o salía alguien.

—Por ejemplo —decía Planibell—, me costó Dios y ayuda conseguir que me regalara un televisor para el cañón del fusil y por fin me lo compró en mi último cumpleaños. ¡Lo que tuve que pelear para conseguirlo! Con mi televisor fui a Monflorite.

Pensaba yo: no lo creo. Y esperaba una oportunidad para mostrar mi escepticismo, lo que era bastante heroico porque toda la familia veía por los ojos de Planibell. Pero éste seguía sin dejar meter baza a nadie:

—Y ahora se me ha perdido el televisor en Monflorite. ¿Cómo vuelvo yo a casa sin el regalo de mi padre? Eso es lo que yo me digo. Se me pone carne de gallina cuando pienso en eso.

—¿Ya lo hizo usted pregonar por el pueblo? —dijo la mujer.

—Sí, pero allí nadie sabe lo que es un televisor. Usted comprende.

Don Marcos se quedaba meditabundo. El tampoco lo sabía y metió baza después de secarse con la servilleta los ojos, la nariz y los labios:

—Entonces es lo que yo digo. Por fas o por nefas lo que se perdió se perdió y lo que uno hace para rescatarlo es como si no hiciera nada. Por fas o por nefas. ¿No es eso, joven heredero de la razón social Planibell e hijos?

Con el tenedor en una mano y el cuchillo en la otra repetía Planibell:

—¿Cómo vuelvo a casa sin el televisor?

Suspiraba don Marcos para mostrar que lo sentía y clavaba el tenedor en una chuleta de lomo de cerdo. Felipe me tocó la rodilla pidiéndome que prestara atención y dijo: :

—Cuando Planibell vino aquí su rifle no tenía televisor alguno. Yo le vi abrir la maleta y tampoco estaba dentro el televisor. ¿Quién ha visto ese famoso televisor de Planibell?

—Yo tampoco lo vi, —dije secamente.

Más animado Felipe añadió:

—Es posible que Planibell esté ahora buscando la manera de que le regalen un televisor. Yo por mi parte lo haría si tuviera dinero. Pero un aparato de esos cuesta caro.

Decidió Planibell que en aquel momento era obligado un acto de suprema dignidad. Dejó su servilleta en la mesa y se levantó arrastrando la silla hacia atrás. El padre se levantó también y le puso la mano en el hombro. Tantos y tan enérgicos movimientos hacían temblar la cómoda y el elefante alzaba y bajaba la cabeza lleno de admiración. Don Marcos dijo:

—Siéntese y no haga caso a estos granujillas. Desprécielos.

Entonces me levanté yo, ofendido. Vi que en una rinconera había otro chinito de porcelana con las manos metidas en las mangas. Pero su cabeza estaba fija y no se movía. Felipe se dirigió a su padre mientras me sujetaba a mí por la manga:

—Estás ofendiendo a mi amigo. ¿Sabes, Pepe? Mi padre no ha querido ofenderte —yo me sentaba— sólo que a veces dice palabras un poco a tontas y a locas.

Don Marcos con la servilleta anudada en la nuca repetía:

—No es una palabra mala: *granujilla*. Pero uno habla, los demás oyen y a veces pasa lo que pasa. Ya digo que no es una mala palabra. En familia es más bien cariñosa. Por lo demás el televisor se le puede comprar al muchacho y a mucha honra. El dinero es redondo para rodar. ¿Cuánto valdrá un buen televisor de segunda mano? Digo en buen uso.

Yo intervine:

—¿Ya sabe usted si el padre de Planibell aprobará que su hijo tenga un televisor?

—¿Lo conoce usted al padre de aquí? —preguntó don Marcos.

La madre sonreía con los labios húmedos de grasa mirando a su hijo Felipe. Este dijo:

—Un momento, padre. ¿Tú sabes para qué sirve un televisor? Para matar a distancia y luego averigua quién te dio. El padre de nuestro amigo es muy rico y hace tiempo que le habría comprado el televisor. Y diez televisores más. Y una batería de artillería. Si no se los compra es que no quiere que su hijo ande con cosas peligrosas. Entonces si le regalas el televisor su padre no te lo perdonará nunca.

Don Marcos miraba a su hijo y a Planibell y a mí. Por fin dijo:

—¡Y bien podría ser!

Planibell estaba amarillo de rabia. Paseó la mirada sobre nosotros y se atrevió a decir:

—Yo tampoco aceptaría un televisor de segunda mano.

Don Marcos se ponía a explicar accionando con el tenedor. Tenía un codo apoyado en la mesa y cada vez que sacudía el tenedor para subrayar una afirmación entrechocaban las vinagreras con un ruidito delicado.

—¡Y que bien podría ser! Un aparato para matar a distancia. Es lo que yo digo. El padre por amor al hijo compra un aparato mortífero. Y luego ¿qué sucede? El destino. La fatalidad. Permítame que le diga señor Planibell que dudo. Mi buen deseo está de su parte, pero en este momento me asalta una duda y no sé qué decirle.

La madre me daba a mí con el codo y se limpiaba los labios. Decía en voz baja de tal modo que la oyeran todos:

—Es que no quiere comprárselo, el catalejo. Es que es un tío roña —y añadió alzando la voz y dirigiéndose a su marido—: Lo que te dice el señor Planibell hijo es que no lo quiere de segunda mano sino nuevo. Los chicos de ahora saben lo que se pescan mejor que tú.

Don Marcos se hacía el sueco y seguía el hilo de su discurso llevándose la servilleta a los labios y después a la oreja izquierda:

—Matar a distancia. ¿Para qué? Ah, cielo santo, en los tiempos que corremos. No. Tampoco yo le compro un rifle con televisor a mi hijo aqui presente que será un día sucesor de la razón social igual que usted con su respectivo padre. Y si se lo compro porque el dinero se ha hecho redondo para que circule y mi hijo mata a distancia queriendo o sin querer a otro ser humano yo seré el primero en avisar al juez. Sí, señor. Aquí está mi hijo. La cárcel, el deshonor, la horca. Lo que sea antes que la impunidad. En los tiempos que corren lo peor para el orden social es la falta de responsabilidad. ¿Tirar la piedra y esconder la mano? No, no. Que cada palo aguante su vela.

Golpeó la mesa con la mano abierta y osciló imperceptiblemente la lámpara del techo. La casa parecía frágil y movediza como un barco:

—Lo que pasa —repitió la mujer— es que mi marido no suelta una peseta ni a tres tirones. Yo me lo sé de memoria después de cuarenta años.

El comerciante alzaba su cabeza redonda con su pequeña nariz en medio y añadía:

—Es como lo que pasó con el hijo de Perico Zajones el de Monflorite. El hijo tenía una novia desde la infancia y la novia vino a la ciudad a aprender de modista. Es lo que pasa. Que si tal que si cual, la chica dio un mal paso y que si fue y que si vino un día amaneció en el hospital. En el pueblo se corría la voz y los mozos se reían del hijo de Perico Zajones. No sé qué enfermedad tenía su novia. Creo que era esa enfermedad que llaman la *sifilosis*. Bueno, pues cuando la chica se curó fue a una casa de leno... de lenocinio. Justo castigo a su mal paso. El que da un mal paso, cae. Es ley natural

Bebió un vaso de agua como los oradores para aclararse la voz. Yo pensaba en nuestra antigua cocinera y me sentía en delito como si tuviera la culpa de lo que le había pasado. La esposa me dio con el codo otra vez:

—Ahora contará la historia entera y verdadera de Perico Zajones. Lleva tres años dando esa murga, siempre con lo mismo.

Don Marcos fulminó a su mujer con una mirada y continuó.

—Algunos vecinos de Monflorite vinieron aquí por negocios. Que si la lana, que si los cueros, que si las potrancas. Un primo de Perico que se llevaba muy mal con la familia vino aquí a comprar un carnero. Un macho para recría. Cincuenta duros le costaba, ya se sabe, la semilla tiene que ser buena. Y aquí vino, digo, a Zaragoza. Y lo que pasa, que si la curiosidad, que si las murmuraciones fue a la casa de mala nota y vio a la chica. Como que hay personas humanas hechas para la maldad y así son los instintos de la gente ese primo de

Perico volvió al pueblo y fue pregonando que si la novia de tal y él habían tenido más o menos lo que se tiene entre hombre y mujer y entonces el hijo de Perico vino a Zaragoza sin decir a nadie nada y desde la estación se fue a la casa de... Bueno, allí que patatin que patatan, que no lo dejaban entrar y que cuando la chica supo quién era, menos todavía. Pero el ama arriba y el ama abajo, que si parece un buen mozo, que si es un caballero, que si una explicación es una explicación lo dejaron entrar y el hijo de Perico en cuanto vio a su antigua novia sacó una pistola del quince de dos cañones y pim, pam, pum...

Felipe alzó la mano:

—Perdone, padre. Sólo pim-pam. Si tenía dos cañones sólo pim-pam.

Yo solté a reír. La esposa envolvió al hijo en una mirada de simpatía y el padre gruñó:

—Cállate, samarugo. Lo que digo yo al señor Planibell hijo es que le soltó dos tiros a bocajarro. La pobre muchacha cayó sin confesión. Una bala sobre tal parte y la otra sobre tal otra parte. La dejó seca.

—Al fin —dijo la mujer— saldrás con que no le compras el catalejo. ¿Y para eso tantos discursos?

—Cállate, mujer del demonio. Pim-pam. La dejó seca. Y llegaron los guardias y prendieron al hijo de Perico. Era en una casa que hay detrás del arco de San Ildefonso a mano izquierda. Bueno, por lo que dicen, que lo que es yo... de referencias. A la cárcel. Y en el juicio le salió pena de la vida No lo fui a ver ni ganas porque un criminal es un criminal y Dios nos libre, pero escribí a su padre diciendo como que sentía el percance. Y el padre me respondió como el que la hace la paga y diciendo que quería venir aquí a la ejecución de su hijo y que le avisara. Quería verlo al menos el día antes de la función en la cárcel de Predicadores, donde estaba. También me pedía que le mandara por el recadero seis varas de panilla y dos de millarete para hacerse un traje nuevo con objeto de estar decente el día de la ejecución. Los Pericos siempre han sido gente de bien vestir y en ese caso se comprende porque los periódicos habían hablado mucho del asunto y el padre era el padre y sabía que la gente iba a echarle los ojos encima. Con que yo le dije: Ven cuando quieras esta es tu casa. Y aquí está mi esposa que no me dejaría mentir. Y vino con su traje nuevo tres días antes de la ejecución. Y allí dormía, en el cuarto que tiene ahora el Sr. Planibell hijo. Y yo le decía: ¿has pedido el indulto? Y el padre me respondía: eso es cosa del abogado, él sabrá si corresponde o no. Luego el día antes me dijo que debía ir a la cárcel y hablarle a su hijo como que firmara un papel. Porque había vendido una punta de labranza sin el consentimiento del hijo y como la tierra pertenecía a la legítima de su madre pues Perico no podía venderla. Era contra la ley. El padre decía que yo tenía que ir con el papel para que el hijo lo firmase. Y yo le dije: lo que cumple es que vaya usted. El padre tenía ya el papel escrito y no había más que echar la firma. Y el padre dijo: bien, pero usted y su esposa deben venir como testigos.

—Eso es verdad —dijo la mujer de don Marcos—, en eso no miente.

Lo dijo sirviéndonos más vino a Planibell y a mí. Don Marcos siguió hablando:

—Así son las cosas. Les das una mano y se toman el brazo. Le ofrecí un cuarto para dormir y me pidió que fuera testigo. Acepté el ser testigo y luego resulta que firmamos todos un papel que tenía la fecha de un año atrás, antes de que sucediera la desgracia. Cuando me enteré ya no había remedio. En la cárcel el hijo estaba muy terne y dijo: lo que siento es no haber matao también a los puercos que habían estado con ella. Y el padre le dijo, dice: ¿te das cuenta de que este es el último día de tu vida? Y el hijo dijo, dice: mi vida es mía y con ella pago. Y cuando salíamos Perico me dijo guardándose el papel, satisfecho: otro hijo tuve que era todavía más templao que éste. En Marruecos lo mataron, en la guerra. Si no habría ido al presidio también. Tú no sabes quién era aquel chico. Bueno, total que la firma del hijo le hacía falta porque el que le compró la punta de labranza se enteró de que la habían vendido sin la autorización del hijo y quería

460

ponerle pleito porque no le había pagado aun el último plazo y con la amenaza esperaba que ese plazo se lo rebajara. Yo no lo supe hasta después de firmar. Aquella firma mía le valía a él más de trescientos duros.

Felipe miró en mi dirección y me guiñó el ojo. El padre lo fulminó con la mirada, miró después a Planibell con una expresión de disculpa y dijo recogiendo las migas del mantel con el cuchillo:

—Yo le dije: Perico ¿no reparó tu hijo en la firma, digo en la fecha del papel? No, Marcos. Por eso aguardé al último día. No hay alma humana que repare en esas menudencias en un trago como ese. Vaya, lo digo porque... no es cabal lo que haces. Bueno, dijo él, pero su padre soy y lo hago con buena voluntad. Y después vino y me dijo que todo el mundo lo convidaba y lo recibía bien como el padre de su hijo y que le habían sacado una foto para los periódicos. La verdad es que Perico no gastó en el entierro ni un real. La finca no la había vendido para pagar los gastos de su hijo sino que tenía ya cobrada y gastada en despilfarros. Porque gastador lo es. Pero no conmigo. Todavía me debe la tela que me compró. Mi firma le había valido trescientos duros, eso sí.

—Y la mía —dijo la esposa—, que yo también firmé. Pero yo no digo nada. Todas esas historias son agua pasada.

Volvió a servirnos vino a Planibell y a mí. Don Marcos decía:

—No me importa. Yo recibí en mi casa a Perico Zajones porque tenía bastante ánimo para dar frente al mal trago y porque no le gustaba la impunidad. A mí tampoco. Y lo que pasa, éramos del mismo pueblo. Un paisano, en fin de cuentas es un paisano.

La esposa añadió mojándose un dedo con saliva y pasándoselo por la ceja:

—Todo hay que decirlo. Perico nunca había estado en Zaragoza. A Huesca sí que iba todos los años para noviembre que es la feria de ganados, pero no aquí. Y aprovechó la ocasión. Sintió la muerte de su hijo. Pero parecía como que presumía con su desgracia. Yo le dije... porque no tengo pelos en la lengua. Yo le dije: ahora sin hijos la legítima de tu mujer bien la vas a disfrutar. Y Perico dijo: pues ya que se quema la casa, calentémonos.

Don Marcos cogía la botella, la miraba al trasluz, veía que estaba ya vacía y volvía a dejarla diciendo:

—Los Zajones siempre fueron presumidos. Perico fue a ver al verdugo y le agradeció que hubiera tratado bien a su hijo. Lo que él quería era conocer gente nueva y dejar relaciones hechas. Nunca se sabe lo que va a pasar mañana y hasta en el infierno es bueno tener amigos. Y el verdugo vino aquí a devolverle la visita. Estos estaban presentes, que no me dejaran mentir. Era muy presumido, Perico. Cuando volvió al pueblo marchaba hinchado como un pavo real. Un poco raro se me hacía verlo tan jaque después de lo que pasó, pero si la sociedad ha de marchar cada uno debe dar la cara y pagar cuando vienen mal dadas. Y para que el barco navegue cada palo tiene que aguantar su vela. ¿No es eso? Por estas razones y otras que me callo yo creo señor Planibell que no debo hacer por usted más de lo que su propio padre haría ya que de otra forma puedo incurrir en su malquerencia y romper nuestra preciosa amistad. Tú —dijo a su mujer— trae otra botella.

Ella no se movió de su asiento. Planibell estaba avergonzado pero mantenía la cara:

—Yo sólo he dicho lo que me pasó en Monflorite con mi televisor y además no pienso matar a nadie ni de cerca ni de lejos. Sobre todo, que conste que yo no pido nada.

Me eché atrás en la silla:

—Miente —dije—. Miente como un bellaco. Desde que empezó a hablar no hace más que pedirlo.

La botella de vino nos la habíamos bebido entre Planibell y yo. Era la primera vez que tomaba vino en aquella cantidad. Y repetía:

—Mientes como un bellaco, Planibell.

El me miró con los ojos húmedos y preguntó:

—¿Yo?

—¡Tú!

No se ofendió en lo más mínimo, sino que se puso tranquilamente a explicar a don Marcos:

—Este amigo dice que miento porque me tiene envidia. No tiene televisor, ni siquiera rifle. Se dedica a escribir cartas con clave y a enviarlas con palomas mensajeras a diferentes novias.

—Yo sólo tengo una novia, —le dije amenazador.

El vino me hacía agresivo y a Planibell prudente. Eramos temperamentos opuestos. Planibell decía:

—Bien, su novia. Yo sí que tengo televisor. Es decir, lo tenía. ¿Y sabes lo que duraría tu paloma mensajera en el aire si yo estuviera debajo con mi televisor? Duraría menos que un relámpago. Pero lo he perdido, el televisor. Yo no pido que ustedes me compren otro y mucho menos de segunda mano. Lo que digo es que lo perdí o me lo robaron en Monflorite, en su pueblo. Y usted tiene una parte de responsabilidad. Y luego se niega a comprender. Y tú, Pepe, perdona pero no tienes vela en este entierro. Cállate. Márchate. Anda y envíale una paloma a la bella Coquito.

Le di una patada bajo la mesa y acerté en plena pierna. Planibell aguantó una exclamación de dolor, luego dijo tres o cuatro palabras francesas muy feas y se puso a gemir. Estaba borracho, claro. Decía entre suspiros entrecortados:

—No tendré más remedio que decírselo a mi padre, don Marcos.

La esposa decía mirando a Planibell:

—Pobrecito. Parece un niño pequeño.

Planibell seguía sin perder de vista a pesar de todo sus intereses:

—Se lo diré a mi padre. Le diré que me han invitado a comer para darme patadas por debajo de la mesa —por lo visto no sabía que el de la patada había sido yo— y que he dormido en el mismo cuarto del padre que vino a ver cómo ahorcaban a su hijo. Diré también que el verdugo viene a visitarles.

De pronto se tranquilizó, me miró de reojo y dijo en francés: *merde*. Luego, *salaud*. En francés no parecía tan borracho como en español.

—Una sola vez —dijo don Marcos haciendo resbalar su silla hacia atrás y levantándose con tanta violencia que el elefante comenzó de nuevo a cabecear—. Una sola vez vino el verdugo y no vino a vernos a nosotros sino a Perico Zajones. Yo guardo las leyes de la hospitalidad. Si venía a ver a Perico yo no podía cerrarle la puerta. Pero no diga usted nada de eso a su señor padre. Comprendo que son cosas malsonantes. Por lo demás ¿cuál es la clase de televisor que prefiere?

Planibell se tranquilizó en el acto:

—Zeiss, —dijo— y nuevo.

Don Marcos se puso la mano en el pecho sobre la servilleta:

—Esta misma tarde lo tendrá, —prometió.

Aquella tarde —palabra de comerciante— tuvo Planibell un magnífico televisor Zeiss que adaptó al cañón del rifle. Yo pensaba: es innoble lo que hace y no lo habría hecho si no estuviera borracho. Más tarde me dijo Planibell que se había emborrachado para tomar ánimos y atreverse. Yo estaba escandalizado. Todo me escandalizaba en aquellos días y no era para menos. Sólo veía a mi alrededor cosas irregulares, cosas terribles, cosas incongruentes. Lo único que me parecía bien era Valentina. Yo estaba lejos y no tenía palomas que enviarle. La ciudad entera comenzaba a parecerme sospechosa y poco digna de Valentina y de mí.

En aquellos tiempos había bastantes automóviles ya en Zaragoza. Recuerdo que el marqués de Urrea, conocido de mi padre, tenía un coche hispano con el número de matrícula 105 lo que permite suponer que había más. No había aún autos de alquiler. En las paradas de coches sólo se veían coches de caballos.

Planibell se había marchado ya y poco a poco mi desprecio y mi escándalo fueron convirtiéndose en admiración y hasta en envidia.

Los sábados y los domingos no había trabajo en la oficina de mi padre y los balcones corridos sobre el Coso eran de mi hermana y míos. Sobre todo de ella, que había inspeccionado muy bien una por una todas las casas de enfrente y sabía quiénes vivían en ellas, lo que hacían y si eran solteros o casados.

Frente a nuestra casa en un entresuelo vivía el empresario de la plaza de toros, un antiguo novillero que se llamaba Villa, es decir Villita. Tenía una hija muy hermosa. Una niña espigada, elástica y fina con un aire de vieja aristocracia. Concha trataba de interesarme en ella y cuando yo le decía que no podía querer más que a Valentina suspiraba hondo y decía:

—¡Qué suerte tienen algunas mujeres!

Luego me confesaba que si me hablaba de la hija del Villa era sólo para probarme y ver hasta dónde llegaba la fidelidad o la perfidia de los hombres.

Aquellas tardes de domingo el balcón pricipal tomaba el aspecto de tribuna presidencial en un circo antiguo. El Coso era allí ancho, limpio, silencioso. Pasaban parejas domingueras, automóviles, coches de caballos con las ruedas blancas como la nieve. Y hacia media tarde llegaban los músicos ambulantes que tocaban, cantaban y vendían la letra de las canciones en unas hojitas color rosa. La gente los rodeaba en un gran grupo inmóvil y la voz de los cantantes hallaba un eco de día de fiesta en las piedras del palacio de la Audiencia:

> *Adiós, Ninón,*
> *gentil Ninón,*
> *las joyas que he conquistado*
> *las que he robado*
> *para adornarte son.*
>
> *Pero ¡ay de mí!*
> *qué loco fui,*
> *tan loco por tu belleza*
> *que la cabeza*
> *voy a perder por ti.*

Mi hermana suspiraba y decía: "no sé qué tienen esas canciones que a veces casi me hacen llorar". Eso sin dejar de comprender que eran deleznables.

Algunos domingos al oscurecer se veían salir por el Arco de San Roque y por el lado de las Escuelas Pías grandes grupos que volvían de los toros. Vendedores de periódicos aparecían pregonando un semanario taurino: *"Pitos y Palmas"*, con la cogida de Belmonte o tal vez "el triunfo de Florentino Ballesteros" que era un torero aragonés. En medio de aquél súbito clamor las voces de los músicos se desvanecían, pero no se apagaban del todo:

> *Adiós, Ninón,*
> *gentil Ninón...*

En aquel verano yo tuve de pronto una revelación importante: la mujer. El caso fue curioso. Hasta entonces yo no concebía que los hombres besaran a las mujeres en los labios. Me parecía repugnante. Y había llegado a establecer la firmeza de mi cariño por Valentina con la siguiente pintoresca y absurda reflexión:

—La quiero tanto que la idea de besarla en los labios no me repugna.

Bien, pues de pronto aquel verano comprendí que los labios de las mujeres no eran repugnantes. Todo lo contrario. En la revelación influyó de una manera importante un kiosco de periódicos que había frente al cine Emma Victoria y que estaba cubierto en sus cuatro frentes por diarios, revistas y libros baratos con portadas en colores. Siempre dominaba a las demás alguna fotografía de veras estimulante. Yo iba a comprar allí *Blanco y Negro* para mi madre. Y entretanto miraba y veía. ¡Qué cosas veía! A un lado, abierta por las páginas centrales había una doble plana con una mujer recostada voluptuosamente y mostrando con el pretexto de los "desnudos artísticos" los muslos turgentes. Yo no podía contemplar aquello sin sentir que la cabeza me daba vueltas. Dios mío —pensaba— cuánta belleza hay en el mundo. Aquellas rápidas ojeadas a las revistas galantes despertaron mi pubertad.

Y comencé a comprender que la mujer, cualquiera mujer, era una exquisita promesa. Pero esa promesa era clandestina y viciosa. Cuando pensaba en Valentina no sentía promesa alguna. Valentina era otra cosa y mis sentimientos para ella muy diferentes. La idea de besarla en los labios me parecía muy bien, pero aquellos muslos y aquellas grupas de las revistas galantes me daban la impresión de pertenecer a otro mundo. Y eran encantadoras. No era necesario identificar la voluptuosidad con el amor. Y tardé algún tiempo en comprender que debían ser una misma cosa.

Pasé por grandes melancolías de las cuales me sacó una carta de Valentina diciendo que iba a venir con su madre —como me había dicho— para las fiestas del Pilar que eran el doce de octubre. Faltaban algunas semanas aún, y yo me puse a contar los días. Creía que vendrían a nuestra casa, pero Concha me dijo que no y que doña Julia tenía parientes que vivían al otro lado del Coso y junto al arco de San Roque. Doña Julia había estado allí con Pilar el año anterior.

De las palomas, nada. Yo me preguntaba si habría algún medio seguro para hacerlas venir a mi casa por el aire, igual que iban a la de Valentina, pero no tardaba en convencerme de que era una ilusión ridícula. Así pues Valentina sólo había tenido una carta mía, cifrada.

Seguía viendo dinero por encima de las mesas y lo robaba mientras la cantidad no llegara a dos pesetas. En aquellos tiempos dos pesetas eran mucho dinero. Por veinte céntimos iba al cine, el café en una terraza costaba lo mismo y un vaso de refresco de naranja en los Espumosos de los porches del paseo de la Independencia, quince. Dos pesetas me duraban a veces tres semanas.

En aquellos días vinieron muchos alemanes del Camerón (Africa) que había sido tomado por los aliados. Zaragoza aparecía llena de germanos gordos, con el colodrillo afeitado y anchos sombreros de ala plegada hacia arriba por los flancos. Cuando se encontraban se cambiaban saludos exagerados con los sombreros y se inclinaban de un modo tan versallesco que la gente no podía menos de reír.

Sucedió en aquellos días una tragedia en los Espumosos. Uno de los alemanes estaba con otros sentado junto a una mesa y al llegar la camarera a servirles la tomó por la cintura. La muchacha alzó un sifón que llevaba en la mano y le dió con él en la cabeza. El alemán cayó muerto allí mismo. Al día siguiente la camarera seguía trabajando como si tal cosa. El juez la había puesto en libertad después de un interrogatorio con testigos.

El entierro del alemán al que asistieron todos los refugiados del Camerón fue como la confirmación pública de aquel escándalo. Todo el mundo se lamentó, pero el juez dejó en libertad a la camarera como decía antes después de hacer un breve discurso sobre los derechos del pudor femenino en general y del español en particular. Luego, cuando iba yo a los Espumosos y la veía pensaba en aquellas fotografías de las dobles planas de las revista galantes y me decía: el alemán arriesgó la vida y la perdió por una inclinación irresistible. Yo me sentía capaz también de aquellas inclinaciones irresistibles. E incluso comprendía que alguien arriesgara la vida y la perdiera. Pensaba que *valía la pena*. Despertaba yo a la vida de los sentidos es decir a la pubertad con una fuerza que no había podido nunca sospechar en mí mismo. Era como un torrente que se me llevaba.

Entretanto mi padre había peleado con el dueño de la imprenta y encuadernación. Parece que los papeles-garantía del préstamo no eran bastante ejecutivos para poder amenazarle con represalias y el socio industrial *cerdeaba* como decía mi padre. Si le gritaba, ponía una mano sobre la otra, inclinaba la cabeza a un lado y suspiraba. Si mi padre le llamaba ladrón el otro volvía a suspirar, enrojecía un poco, pero no soltaba el dinero. Si mi padre le pegaba —a eso no llegó nunca, como es natural— era probable que el hombre se lamentara pero no soltara tampoco un céntimo. El único sistema que habría dado resultado —decía mi padre— era el potro de la inquisición. Pero en Aragón —añadía cómicamente— no se habría podido aplicar porque desde la Edad Media lo prohibía la ley. Y ni siquiera los tribunales del rey podían dar tormento a nadie en el siglo xv ni en el xx. Por eso decían entonces los criminales: *"Negar, negar, que en Aragón estás"*. Y el que suspiraba ahora era mi padre.

A mí esto de las prohibiciones en Aragón me producía cierto orgullo, pero mi padre ni obtenía beneficios ni recuperaba el capital. El papel de los créditos alemanes no se cotizaba en bolsa y la guerra iba para largo. Para muy largo. Tampoco era seguro que los alemanes la ganaran. Mi padre a veces sentía como un complot universal contra su dinero y reaccionaba con un rencor universal también. Cuando la desesperación alcanzaba planos catastróficos suspiraba, iba a la iglesia y tomaba la comunión. Entonces se quedaba tranquilo por un par de días.

Como digo el misterio de la voluptuosidad me envolvía por todas partes. Se lo dije a don Orencio el confesor de La Seo y él puso su mano en mi hombro:

—Hijo mío, estás entrando en la adolescencia y ninguna de las miserias humanas te será evitada. Menos, siendo quien eres. Yo conozco a tu familia y los Garcés habéis sido siempre así.

No sé a qué miserias se refería. Es verdad que para los católicos españoles el sexo es un vicio abyecto y el amor una virtud. Curiosa y absurda antítesis.

Me dio consejos no sólo religiosos sino higiénicos. Debía hacer ejercicio físico, jugar al futbol o a otra cosa, ir por la noche a la cama rendido de fatiga y no quedarme en ella por la mañana una vez despierto. No mirar revistas pecaminosas (decía que habría que prender fuego a aquellos kioscos) y sobre todo frecuentar los sacramentos. Me previno contra muchos peligros como lo habría hecho un hermano mayor y yo salí de aquellas entrevistas fuerte y tonificado siguiendo todos sus consejos menos el de frecuentar los sacramentos. Pero al mismo tiempo desarrollé una especie de tendencia erótico-mística. Veía muslos femeninos en los nimbos tornasolados, en la música gregoriana y en las nubes de incienso. No sé por qué casualidad en aquellos días oí decir también a varias personas que los kioscos con revistas galantes habría que quemarlos. Y no sé si esto que digo ahora es la materialización irreal de un deseo en mi recuerdo o si fue verdad, pero yo creo que estuve un día tratando de prender fuego al kiosco de Emma Victoria y que el viento apagó la última de mis tres cerillas antes de que lo consiguiera. Me sentía atraído por aquellas estampas que en mi conciencia condenaba. Pero era más fuerte mi fuego interior que ningún otro estímulo. Yo habría arriesgado la vida como el alemán de los Espumosos, yo habría matado como el hijo de Perico el de Monflorite. No sabía qué me pasaba. Era como un vendaval que me arrancaba de la tierra.

Mi cariño por Valentina no me bastaba. Era ese cariño en un plano diferente y sin relación con el gran problema.

Sin embargo cuando ella vino y mientras estuvo en Zaragoza yo llegué a sentirme libre de aquella tortura. Había economizado bastante dinero de mis raterías y doña Julia nos dejaba ir a la feria, solos. Naturalmente aquel lugar de prodigios era muy adecuado para que yo ejerciera mi generosidad de enamorado. Por todas partes carruseles, barracas, puestos de tiro al blanco, tiendas de dulces (de mil clases y colores distintos), montañas rusas, molinos, grandes estrellas giratorias y además el consabido circo a donde no llevé a Valentina primero porque había dos cosas que le daban miedo: los leones y los payasos. Después porque yo no quería que viera a los Smart Brothers, es decir que los mirara con la misma expresión reverente con que los había mirado mi hermana. Finalmente porque el día que estuve dudando si sacar o no las entradas vi a Felipe en la puerta con sus primas. Yo no quería que Valentina se mezclara con aquella gente. No es porque el padre de Felipe recibiera y alojara en su casa a los padres de los ahorcados sino porque recordaba a Felipe en los lavaderos de doña Pilar y me resultaba incómodo asociar a aquel chico con Valentina. En todo caso durante algunos días la tortura erótica disminuyó mucho.

Lo que más le gustaba a Valentina era la montaña rusa. Gritaba como una condenada cuando las vagonetas descendían casi verticales por una rampa de más de cuarenta metros hasta entrar en un túnel en cuya parte superior parecía que íbamos a dejarnos las cabezas. Yo sentía que el corazón se me ponía en la garganta y que me convertía en una especie de proyectil. Por mí no habría vuelto a aquel endemoniado laberinto de angustias, pero Valentina nunca tenía bastante y yo no quería confesar que tenía miedo. Ella no lo tenía, según decía, porque venía conmigo.

Pasábamos pues el tiempo entre un puesto de tiro al blanco donde yo disparaba con un rifle 22 sobre una bolita de caucho que flotaba en un pequeño surtidor de agua y las condenadas montañas rusas. En el tiro al blanco gané casi todos los premios, incluída una muñeca magnífica para Valentina que estaba radiante.

Mi vanidad me puso en un grave peligro. Estábamos frente a un escañuelo donde un hombre golpeaba con un mallo para tratar de hacer subir una corredera de plomo por un poste indicador. Si pegaba fuerte y la corredera llegaba a lo alto se oía una campana, se encendía un foco y se abría una sombrilla. El pobre hombre sudaba y se afanaba en vano por conseguirlo. Al fin desistió. El que explotaba aquel negocio, que debía ser un gran pícaro me guiñó el ojo y dijo a su cliente:

—Tiene que almorzar más recio, amigo.

Yo avancé y le pedí el mallo. Era un martillo de largo mango cuya cabeza pesaría sus tres kilos. El hombre me miró con simpatía y comenzó a dar voces: "Campeonato del mundo de energía muscular. El golpe que hiere en la muesca y lanza la taba hasta las estrellas". Después de dos golpes fallidos el hombre comprendió que era para mí cuestión de vida o muerte y manipuló de modo que mi tercer golpe llegó arriba, sonó la campana, se encendió el foco y se abrió la sombrilla. El hombre gritó:

—Campeón de energía muscular de ambas Castillas, del Priorato y de la Alta Rioja. Aquí tiene su merecida condecoración, caballero. Congratulo al caballero y a su prometida.

Y volvió a guiñarme el ojo.

Seguimos adelante Valentina y yo, muy ufanos. Valentina más orgullosa que yo puesto que no estaba en el triste secreto de mi victoria.

También viajamos en el carrusel más lujoso —todo lleno de espejos— donde no sólo tenían caballos sino cerdos, burros, perros y hasta ciervos de madera. Y todos se movían en tres direcciones: hacia adelante, hacia arriba y abajo y con un movimiento de balanceo de adelante a atrás. Valentina nunca se fatigaba. Sus mejillas se ponían rojas de contento y sus ojos echaban luz. Yo había oído la música del carrusel otros días cuando iba con mi hermana. Había dos o tres piezas que nos gustaban especialmente y como éramos buenos clientes la dueña las hacía sonar a menudo. La que más nos gustaba era el pasodoble de *"Moros y Cristianos"*. En el testero principal del carrusel había lo menos treinta muñecos con sus instrumentos de música y un director que manejaba la batuta y movía la cabeza con energía.

Girando en el carrusel lleno de espejos al lado de Valentina yo me sentía de veras transportado y pensaba cosas raras. "Gira el carrusel como una verdadera galaxia". Todo era luz movible y cambiante. Una de las veces, al terminar y detenerse Valentina quedó demasiado alta en su caballo para bajar sola. No sabía bajar. Su muslo izquierdo quedaba en gran parte desnudo a la altura de mi cara y era igual de hermoso que los que había visto en las dobles planas de las revistas galantes. Yo lo toqué con la mano, para ayudarla a descender, pero ella no quería bajar todavía. "Otra vez", decía riendo. Y volví a subir a mi caballo sintiendo en mi mano la tibieza de aquel contacto.

Cuando comenzaba a oscurecer y el parque se iluminaba con todas sus luces yo llevaba a Valentina a su casa y la dejaba en brazos de doña Julia quien la prohibía estar en la calle de noche. Valentina le contaba una por una —con una memoria prodigiosa— todas las cosas que habíamos hecho especialmente las que resultaban honrosas para mí. Al marcharme yo la besaba y a veces vacilábamos un momento los dos buscándonos la mejilla y nos rozábamos los labios. Yo

472

sentía una emoción desconocida y nueva. Mis nervios se crispaban. Ella parecía como siempre a un tiempo amistosa, dulce e indiferente. Y yo sentía las luces del carrusel girando a mi alrededor como los mundos ignorados de los que hablaba mi texto de astronomía. Comenzaba a identificar la voluptuosidad con el cuerpo de Valentina.

Algunas tardes volvía solo a la feria. Oír el pasodoble de "Moros y Cristianos y no tener a Valentina a mi lado me producía una melancolía de persona mayor. Y me gustaba. Una tarde volví a encontrar a Felipe y hablamos del incidente de Planibell. Mi amigo seguía asombrado, y repetía:

—Es un pillo. Bueno, —rectificaba— mi padre dice que será un hombre de negocios. Un águila financiera será ese chico.

Luego dijo que a la madre del chico muerto en el estanque de la quinta Julieta la habían dejado salir del manicomio. Al parecer no estaba loca ni la consideraban culpable. Me pedía mi opinión pero yo seguía celando mi autoridad:

—¡Hombre qué quieres que te diga! Sobre todo no habiéndola visto **nunca**.

Uno de aquellos días Valentina que no podía guardar un secreto delante de su madre le dijo lo que habíamos hecho con las palomas. Doña Julia tenía ganas de reír, pero disimulaba:

—Hija mía, tú sabes la confusión que la primera paloma y su mensaje trajo a nuestra casa. La carta cifrada fue a Madrid, a París. ¿Cómo no lo dijiste entonces?

Valentina declaró que no lo había dicho porque entonces estaban en el pueblo y se habría enterado su padre. Ahora era diferente porque estaban en Zaragoza.

En aquellos días de las fiestas había celebraciones públicas que a nosotros nos parecían magníficas. Entre ella una diana de las tropas de caballería frente a la Audiencia —al lado de mi casa—. Iba la banda entera de trompetas, vestida de gala y a caballo. También hubo el mismo día una cabalgata con enormes carrozas adornadas con flores y cosas simbólicas. Cada tres o cuatro carrozas una banda de música. Recuerdo que una de aquellas carrozas simulaba las ruinas griegas de un templo. Había dos columnas altísimas, una entera con su capitel y la otra truncada. Un Apolo de escayola. Una fuente. Una Venus. Las proporciones y espacios vacíos daban a aquello una gran belleza. Y la carroza estaba detenida delante de mi casa. Cerca de la de Valentina había una banda de música tocando. Y yo miraba con gemelos de teatro a Valentina. Otros días Valentina y su madre estaban en nuestra casa pero aquella tarde tuvieron que quedarse con sus parientes. Y yo veía a Valentina que miraba a mi balcón, que hablaba con su madre y miraba a mi balcón, que estaba como siempre pendiente de mí. Veía a un tiempo las ruinas griegas —que me parecían una alusión a la quinta Julieta— y me sentía mirado por Valentina y oía en la calma de la tarde dorada aquella música —la banda municipal— tocando los coros de *"Maruxa"* en aquella parte donde los campesinos cantan: *"Ay, golondrón, golondrina de amor"*. Bueno, desde entonces siempre que he oído esa parte de "Maruxa" la emoción llena todos los espacios de mi recuerdo, de mi presente y de mi esperanza. Mucho mejor que la música de Bach o de Mozart. Hay que tener el valor de confesarlo. Nada hay más interesante para uno que nuestro propio mundo íntimo y el arte vale más cuanto más representa dentro de ese mundo nuestro inalienable en el que nadie puede entrar.

No es que quiera comparar esas dos clases de música, claro está. Yo comprendo la diferencia que hay entre la invención pura del intelecto y la repetición de módulos y formas ya conocidas halagando o hiriendo nuestra memoria sensitiva. Pero como debo decirlo todo no quiero dejar de anotar aquel detalle. Oyendo aquella música vuelvo a sentirme en medio de una brillante galaxia giratoria. En el centro de ella el muslo desnudo de Valentina.

Hicimos muchas cosas en aquellos breves días de la visita de Valentina y su madre. Como se puede suponer la llevé con Concha a la quinta Julieta un día que el parque estaba abierto al público. La góndola impresionó tanto a Valentina que estaba muda de emoción. Nunca había ido según decía, embarcada y aquella manera de locomoción le parecía mejor que el tren. Además no se mareaba. Creía Valentina que en todos los canales había góndolas como aquella y que la gente podía elegir entre las góndolas y el tren para volver a su casa.

En el parque formamos como en todas partes dos grupos. Valentina y yo por un lado. Y por el otro Concha y doña Julia. Naturalmente yo presenté a Juan a mi novia y nos pusimos a hablar los tres como viejos amigos. Le dije a Juan que había leído el libro de Félix de Azara sobre las plantas y él pareció complacido:

—Ah. —dijo—. Tú sabes buscar la raíz de las cosas.

Para que Valentina viera de qué se trataba dije a Juan:

—¿Tú crees como Azara que las plantas nos ven y nos oyen?

—Hombre —dijo Juan, riendo—. Azara no dice tanto. Vengan ustedes y verán.

Nos llevó cerca del estanque, nos hizo entrar en los arriates que lo circundaban por el lado norte y nos mostró unas pequeñas plantas silvestres con cabecitas rosa y amarilla:

—Estas plantas han venido aquí solas. Vienen allí donde yo me quedo a trabajar más de una semana. Bueno, no es que vengan. Quizá las semillas están ya en la tierra y sólo crecen cuando reciben las ondas de mi pensamiento y mis nervios. Hay otras flores que siguen a mi tío, el amo. Y supongo que también debe haberlas para Monflorite y Pascual. Ellos no lo saben, claro, ni yo se los quiero decir porque pensarían que estaba loco. Bastante dicen ya de mí. ¿No os han dicho que soy un pistolero? Tonterías. Soy un oficial de sastre que viene a pasar las vacaciones del verano aquí y que entiende un poco de jardinería. Tengo mis ideas, eso sí. Creo que hay que pensar por cuenta propia y que hay muchas cosas que faltan y algunas que sobran en España.

—¿Qué es lo que sobra?

—Algunas cabezas —dijo bajando la voz.

—Eso creo yo también —afirmé pensando en don Arturo.

Comenzaba el otoño en la quinta Julieta y el aire tomaba olor de metal en las arboledas. En algunas partes las hojas amarilleaban. La cabeza de mármol se había integrado en el paisaje y era ya una parte de él. Juan volvió a hablar de las plantas sensitivas pensando tal vez que las cabezas que sobran no eran un tema adecuado para niños.

—¿No habéis visto —decía— que a los lados de los caminos crecen plantas y flores que no se ven en otras partes? Es porque se acercan para ofrecerse a los hombres que pasan.

Valentina no acababa de entender aquello y respondía:

—Ya veo. Esas son las plantas que ponen los peones camineros.

Con la máquina fotográfica de Valentina hice varias fotos del estanque para enviarle las pruebas al fraile de Reus que se parecía —creía yo— a Juan, sólo que al contrario. Uno era fraile y tal vez santo y otro era enemigo de los frailes y tal vez incendiario de conventos. En una de las fotos estaba Valentina y yo le recomendé al lego que no se la enseñara a nadie y menos a Ervigio ya que este último tenía la impertinente costumbre de enamorarse de las novias de los demás. A Juan le prometí una foto también, sin Valentina, claro.

Confieso que cuando salimos del parque me sentí más tranquilo. Comenzaba a tener miedo de toda aquella belleza inútil sobre todo estando Valentina. Tenía miedo por ella. Más tarde aprendí el verdadero peligro que hay en toda verdadera belleza. Entonces sólo tenía el presentimiento.

Mi madre y doña Julia pasaban largas horas hablando. En aquellos días había dos costureras en casa cosiendo ropa interior. Mis padres nunca compraban ropa blanca hecha. Todo era a la medida. Recuerdo que cuando una de las costureras, la más joven, me tomaba la medida de la cintura con la cinta métrica para lo cual ponía sus brazos alrededor de mí, se quedaba en esa actitud un momento tal vez para confundirme y se cambiaba miradas irónicas con las otras. Yo veía sus pechos nacientes y temblaba debajo de mi piel.

Aquel otoño yo habría querido ir a ver a mi abuelo, pero mi padre nunca nos animaba a visitarlo y a medida que crecíamos parecía tener menos interés. Yo había pasado temporadas con mi abuelo cuando era más pequeño —tendría cinco o seis años— y solía ir de paseo. Mi mano cerrada se perdía dentro de la suya.

Si yo veía otros chicos jugando en la calle y miraba con envidia algún juguete que yo no tenía mi abuelo me preguntaba:

—¿Te gusta ese chirimbolo?

Yo decía que sí y mi abuelo se dirigía a los chicos, los asustaba como a una bandada de pájaros, cogía sus juguetes, me los daba a mí y seguíamos caminando tranquilamente. Luego venían los padres (no siempre) a reclamar a nuestra casa, mi abuelo los recibía muy cortés, les daba vino y se justificaba diciendo que yo era su nieto y que iba a estar poco tiempo en el pueblo lo que le parecía razón bastante para aquella conducta. El pueblo debía ser hospitalario y generoso con su nieto que era forastero. El decía en diminutivo —"forasterico"—. Y finalmente pagaba el precio de aquellos juguetes generosamente. Los padres de los chicos no sabían si enfadarse o reirse pero se iban seguros de que todo habría sido posible en el mundo menos recuperar los juguetes de sus chicos.

Recordando aquellas cosas yo reía, en Zaragoza. Y se las contaba a Valentina.

Valentina y yo fuimos a muchos de mis lugares favoritos. Se entusiasmaba o se quedaba indiferente según mis propias reacciones. Navegamos en la barca del tío Toni que no le gustó tanto como el cisne. Al llegar a la mitad del río con su fuerte corriente Valentina tuvo un poco de miedo. Fuimos al Pilar y a La Seo y hubo discusiones entre mi padre y doña Julia sobre si la edad de Valentina era o no excesiva para pasarla por el camarín. Parece que consultaron con mosen Orencio quien decidió que Valentina era ya demasiado vieja. Eso me hizo pensar mal de mosen Orencio por algún tiempo.

Al quedarme solo otra vez en la ciudad se acabó el verano y llegó el otoño con sus cierzos norteños y sus nubes de nácar. Desapareció la feria con todas sus instalaciones y comenzó el curso en el Instituto donde me había matriculado. En las primeras semanas las clases no tenían interés. Los otros chicos —caras nuevas e indiferentes— tampoco. Había tantos en cada

clase que yo me sentía en medio de una multitud y era como
estar solo. Tardé mucho en hacer amistades.

En cambio me hice amigo en seguida de un vendedor de
cacahuetes y de otras golosinas entre ellas unos pastelitos de
coco que solía comprarle. Se instalaba en su carricoche frente
a la puerta del instituto. No parecía preocuparse gran cosa de
su negocio y dedicaba su atención a unos cuadernos misteriosos que sacaba de debajo del carrito y sobre los cuales escribía
en sus rodillas. El primer día me acerqué a mirar por encima
del hombro y vi que escribía con bastante agilidad y soltura
un diálogo en verso. A la izquierda ponía el nombre del personaje que hablaba: Leonor o Froilán o Federico. Todos eran
nombres muy escogidos. Me dijo que escribía una tragedia
clásica en cinco actos y nueve cuadros.

Llegamos a ser muy amigos.

Yo no perdía aún mis costumbres del verano. Pero pasaba
a veces por largas crisis de tristeza. Cuando más triste estaba
un día llegó el recadero de la aldea con una jaulita y en ella
dos palomas mensajeras y una carta en la que escribían doña
Julia y Valentina. Me decían que no necesitaba emplear
clave ninguna y que doña Julia me garantizaba que nadie
pondría sus pecadores ojos en mi escritura. Sólo me pedía
que anotara la hora con minutos y a ser posible segundos en
que soltaba las palomas y se las comunicara en una postal.
Por ese detalle pensé que don Arturo tenía interés en repetir
las experiencias. A cuenta de eso transigía tal vez con mi
carta de amor.

Corrí a ver a Felipe y a planear con él una excursión a
la quinta. También le dije que necesitaba un reloj con segun-
dero y el padre me miró de reojo temiendo que se repitiera
el caso de Planibell. Sintiéndolo mucho Felipe no tenía tal
cosa y además me dijo que no podría acompañarme a la quinta porque estaba haciendo balance general de existencias y
tardarían quince días en terminar. Durante aquel período su
padre no hacía más que dar voces y patadas en los muebles
y hacer temblar a los elefantes y a los chinitos de las consolas.

Felipe me dijo de paso que yo era un hombre de suerte y que mi novia sería la compañera ideal. La había visto de lejos, una tarde que iba conmigo a la feria.

Fui a la quinta yo solo. Aquello comenzaba a tener un aire desolado. Algunos árboles desnudos, otros amarillos, hojas secas por las avenidas, la superficie del lago rizada por ráfagas violentas parecían alusiones al olvido y a la tristeza de las cosas que acaban. El amo estaba enfermo. Juan salió con un jersey rojo —o como decía él, una *garibaldina*— y estuvimos charlando. Me dijo que se iba a Barcelona al día siguiente y que había tenido yo el buen acuerdo de ir porque así podría despedirse de mí. Le hice preguntas sobre las plantas amigas de los hombres, pero Juan pensaba en otra cosa. —¿No sabes quien estuvo aquí?... La madre del niño que se ahogó en el estanque. Me enseñó dibujos de su niño, muy bien hechos, la verdad. Dijo una vez más que Bizancio la ilumina y que esa cabeza de mármol que pusiste tú es Bizancio. Precisamente Bizancio. Mira qué ocurrencia. Yo creo que el niño cayó al agua él solo y que todo el mundo anda inventando historias para hacérselo pagar a alguien. Todo el mundo quiere que haya siempre responsables. ¿Para qué? Es lo que yo digo. Hay muchas cabezas que sobran en el mundo, pero no las que la gente ordinaria se figura.

Juan me llevó a un lado del arriate, junto al lago. Había hojas amarillas flotando cerca de la orilla. Se inclinó y me mostró una hilera de plantas algunas floridas en pequeños capullos rosa y amarillos. "Mira —dijo—. Estas plantitas salieron en los tres días siguientes a la muerte del niño. Acuden allí donde sucede alguna desgracia. ¿Ves este cardillo de flor amarilla que algunos llaman *amargón?* Nadie le hace caso, lo arrancan como nocivo. Pero es saludable, bueno de comer —lo decía llevándose una hoja a la boca— y aparece allí donde el hombre es desgraciado. No te rías, que esto es muy serio. A otro no se lo diría ni a ti tampoco si no hubieras ido a leer el libro de Azara. Es la verdad. Y tres días después de la desgracia aparecieron ahí. Lo sé muy bien porque si yo vengo a trabajar en este jardín todos los veranos es por eso. Estoy haciendo experiencias con las plantas. Aparecieron tres días después. Yo se lo dije a la madre del niño, y ella. . ."

—Está loca, —le dije yo.

—No. No está loca.

—¿Y las *escupitinas?*

Se agitó Juan dentro de su garibaldina como si tuviera un escalofrío y dijo:

—Eso es pasajero. Pronto se le quitará. Esas cosas les suceden a la mujeres cuando pierden al hombre. No a todas, claro. Desarreglos nerviosos.

Cuando pierden al hombre. ¿Era posible que la mujer se sintiera arrastrada igual que yo por un huracán interior? ¿La mujer también? Yo trataba de escapar de aquellas sugestiones.

—¿Que no está loca?

—No.

—¿Eso que dice de Bizancio te parece razonable?

Mirábamos la cabeza de mármol y Juan decía:

—¿Por qué no? Bizancio no es un hombre sino una ciudad, pero ¿qué más da? ¿No hay ciudades con nombres de personas.

Desde entonces yo llamé también a aquel busto Bizancio y se lo escribí al hermano lego. Tampoco a él le pareció mal.

* * *

El poema que sigue se refiere tal vez a aquel otoño en la quinta Julieta y se titula "Las horas amarillas". Dice:

> *En el agua*
> *llora y baila*
> *la hoja arremolinada.*

> **Te miro tal como eres**
> viva en el centro de España
> mírame tal como soy
> **muerto en las tierras lejanas**

y conserva si es posible
tus voces embalsamadas
en las amarillas blondas
de esos desnudos de gala
tan diferentes a veces
en tramos de la distancia.

Amarillean
cirios de la colegiata
y en rubios aires
del otoño
llora y baila
la hoja arremolinada.

Oro del sol y del trigo
y del velo de mi estancia
el silencio es amarillo
en mitad de la mañana
aguamiel en los henares
los que vendimian la alcanzan
vienen los aires perdidos
amarillos de venganza
y el sol de la tarde cae
en la vertiente dorada.

Amarillean
los bordados de las albas
y en los altares
reza y baila
la hoja arremolinada.

Al correr de los otoños
guardo todas tus palabras
unas en mis recordares
otras en tus viejas cartas
y amarillas por el aire
del otoño se me escapan

de las cartas al recuerdo
y después a aquellas blandas
desnudeces del milagro
que esparcías por mi alma.

Amarillean
tus pupilas encantadas
y Bizancio
en el estanque
ve la danza
de la hoja arremolinada.

La sed de nuestros convenios
está en mi pobre garganta
y es igual ahora que entonces
voz del sueño iluminada
que se multiplica en ecos
al pie de nuestra montaña.
Con ella remiendo el vano
de mi cuerpo y de tu alma
oh, amada mía, memoria
de luz, amarilla flama.

Amarillean
los arcos de las ventanas
y en el aire
del otoño
gime y baila
la hoja arremolinada.

En mi soñar de emigrante
se desnudan las terrazas
y quedan soles prendidos
en tu delantal de gala
oh virgen la de mi cielo
como en las doradas parvas
amarilla te recuerdo

de oro y trigo en la ventana
aunque tu cabello negro
—casi azul— te coronaba.

Amarillean
los mármoles de la albada
y yo digo
HOLA *lo mismo que el cuervo*
en el alba solitaria
HOLA *al aire que me lleva*
lejos de ti hacia la nada.

FIN

INDICE DE LAS NOVELAS

OTROS LIBROS DE RAMON SENDER
PUBLICADOS POR LAS AMERICAS

In English

The Affable Hangman.
Exemplary Novels of Cibola.

Bilingual editions

Requiem for a Spanish Peasant.

En Español

La Luna de los Perros.
Novelas ejemplares de Cibola.
Examen de Ingenios. Los Noventayochos.